新潮文庫

華麗なる一族

上巻

山崎豊子著

華麗なる一族

上巻

一章

陽《ひ》が傾き、潮が満ちはじめると、志摩半島の英虞《あご》湾に華麗な黄昏《たそがれ》が訪れる。

湾内の大小の島々が満潮に洗われ、遠く紀伊半島の稜線《りょうせん》まで望まれる西空に、雲の厚さによって、オレンジ色の濃淡が描き出され、やがて真紅の夕陽が、僅《わず》か数分の間に落ちて行く。その一瞬、空一面が燃えたち、英虞湾の空と海とが溶け合うように炎の色に輝く。その中で海面に浮かんだ真珠筏《いかだ》がピアノ線のように銀色に燦《きら》めき、湾内に波だちが拡《ひろ》がる。

海に突き出た志摩観光ホテルのダイニング・ルームも、この数分間は、窓際《まどぎわ》に坐《すわ》った人影が紅《あか》いシルエットに縁取《ふちど》られ、夕陽が沈むにつれ、その紅い縁取りが次第に淡くなり、夕闇《ゆうやみ》の中に吸い込まれると同時に、ぱっと室内のシャンデリアの灯《あか》りが点《つ》く。明るく照らし出されたダイニング・ルームは、正面に新年らしく六双《そう》の金屏風《きんびょうぶ》がたてられ、その前に朱塗《しゅぬり》の屠蘇《とそ》台が飾られており、新年の装いを凝らした人々が、テーブルを囲んでいる。どのテーブルにも訪問着やカクテル・ドレスを着飾った女性たちの姿が見られたが、奥まった窓際のテーブルを囲んだ一組が、群を抜いて際だっている。それは関西の財界で名を知られている阪神銀行の頭取、万俵《まんぴよう》大介とその一族であった。

テーブルの正面に、銀髪を光らせた万俵大介がゆったりとした姿勢でおさまっている。銀髪の端正な顔だちが貴族的な冷たさと品の良さを漂わせているが、仔細《しさい》に見ると、眼鏡の下のよく光る眼と分厚な唇に脂《あぶら》ぎったものが感じられ、六十歳を迎えた人とは思えない。大介を囲んで、総疋田《ひった》の訪問着やカクテル・ドレスをまとった妻や娘たち、ダーク・スーツを整えた息子たちが、新年三日目の晩餐《ばんさん》をはじめている。テーブルの真ん中には、氷の上に的矢牡蠣《まとやがき》を盛り上げたオードブル皿が置かれて、一族の長である万俵大介がオードブル用のフォークを取れば、一族の手が静かにフォークに延び、的矢牡蠣のみずみずしい肉を見事な手捌《てさば》きではずし取る。大介の手が止まれば、申し合せたようにそれに倣《なら》う。椅子《いす》の背後《うしろ》にたっている給仕たちは、話し声が聞き取れない範囲の距離を保ちつつ、注意深くテーブルの進行を見守り、フォークの手が止まると、手早くオードブルの皿をひき、スープ皿を整える。伊勢海老《いせえび》のクリーム・スープであったが、八人の手が一斉にスプーンを取った。テーブルと胸もとの間に拳大《こぶしだい》の間隔をおき、上半身をまっすぐ伸ばした姿勢で、すっとスープを舌の奥に流し込むように吞《の》み、スープの音をたてない。

「マドモアゼル　コマン　トゥルヴェ　ヴ　ラ　スープ　ドジュルデュイ（いかがです、今日のスープの味は）？」

「セ　エクセラン　ムッシュ　サ　ム　フェ　ラプレ　パリ（美味《おい》しいです、ムッシュ、パリを思わせるお味ですわ）、まあ、いやだわ……、お父さま、今は日本のお正月ですのよ」

末席に坐っている末娘の三子《みつこ》が、淡いピンクのカクテル・ドレスの胸を若々しくふくらませ、関西訛《なま》りの標準語で甘ったれるように云った。

万俵家では、一族が揃《そろ》った晩餐の席では、今夜はフランス語、明晩は英語の会話でというのが、一種の習慣のようになっていた。しかし、万俵家はもともと外交官の家筋でも、貿易商でもない。万俵という苗字《みょうじ》が示すように代々、姫路の播州《ばんしゅう》平野に米蔵《こめぐら》十倉を有する大地主であったが、第一次世界大戦が勃発《ぼっぱつ》した時、十三代目にあたる大介の父、敬介が神戸に万俵船舶と万俵鉄工を創立し、船舶ブームが頂点にさしかかる直前に、万俵鉄工を残して、万俵船舶の持船全部を売り払い、それを資金にして万俵銀行を創立したのだった。そしてその後、群小の田舎銀行を次々と吸収して、昭和九年に現在の阪神銀行の基礎を創《つく》り上げ、万俵鉄工の他に、万俵不動産、万俵倉庫をも興《おこ》して、万俵財閥の基礎を創設したのだった。亡父の跡を継いで阪神銀行の頭取になった大介は、父の代には一介の地方銀行に過ぎなかった阪神銀行を、今では全国第十位の都市銀行にまで発展させ、万俵鉄工も阪神特殊鋼と改称し、近代的な設備をもつ特殊鋼メーカーに成長させたのだった。

「お父さん、明日は恒例の年頭の辞を述べられる日ですね、お父さんの年頭の辞は、関西の経済記者が注目しているだけに気をぬくわけにはいきませんね」

阪神特殊鋼の専務をしている長男の鉄平が、父よりも死んだ祖父に似た色の浅黒い精悍《せいかん》な顔を父に向けた。東京大学の工学部冶金《やきん》科を卒業し、アメリカのマサチューセッツ工科大学に留学後、すぐ阪神特殊鋼に入り、現在、三十八歳の若さで専務になっている鉄平は、父が毎年、阪神銀行の仕事始めに行う年頭の辞を、直接、聞くことは出来なかったが、異色財界人として鳴り響いている父の話は、同じ経営者として大いに興味を持っていた。

「うむ、だいたいの骨子は、秘書課長に話して草案を作らせているが、銀平にも勉強の意味で意見を出させているよ」

と云《い》い、大介と同じ慶応大学の経済学部を出て、阪神銀行本店営業部の貸付課長をしている次男の銀平の方を見た。銀平は、父に似た端麗な顔で、

「お父さんには有能なブレーンがいらっしゃるのに、勉強だと云って、こうしごかれるのでは、よその銀行へ入った方が、よっぽどよかったですよ、はた目には頭取の御《おん》曹子《ぞうし》で結構なご身分と思われているのですがね」

と云うと、銀平の隣に坐っている次女の二子《つぎこ》が、

「そんなの、いっそ、止《や》めておしまいになったら？　行員の方《かた》は直立したままでお父さまの年頭の辞を聞かされるわけなのでしょう、お父さまったら、ご自分のご趣味は、大へんなハイカラ好みで、私たちを、海外へ留学させて向うの教育をおつけになるのに、他の面では随分、封建的なところがおありやわ」

「だが、年頭の辞は、阪神銀行の創設者であるお前たちのお祖父《じい》さんの時代から、ずっと続いているしきたりだから、一朝一夕には止められない、それに都市銀行でオーナー頭取であるのは私ぐらいのものだから、すべてオーナー頭取らしく振舞うことにしている」

と云い、ワイン・グラスを口に運び、

「ところで、鉄平の方の今年の抱負はどうなんだ？」

「今年はまだまだ自動車産業が伸びますから、軸受鋼《じくうけこう》を中心にして、多量生産のための大型設備投資を思いきってやりたいと考えているんです、それが実現すれば、軸受

鋼の市場占有率《シェア》はトップになり、特殊鋼メーカーとして、不動の地位を固め得ると思いますよ」

技術者であったが、経営面でも積極策で押して行くタイプの鉄平が熱を籠《こ》めて話すと、大介の顔に笑いがうかんだ。

「そんなことを云って、また私から何十億かを引き出す魂胆らしいな、もちろん、阪神特殊鋼も、お前たちの祖父が創立した会社だから、大いに発展させなければいけないが、阪神特殊鋼をはじめ、万俵不動産、万俵倉庫、万俵商事など万俵コンツェルンの根幹は、阪神銀行なんだということを忘れぬよう」

銀髪の端正な顔だちの中で、眼光の鋭い眼が光った。鯛《たい》のコニャックの蒸し煮の次に、ビーフ・ステーキの上にフォアグラを添えたドルヌード・ロッシティの皿が運ばれて来た。

「あら、パリのマキシムのお献立と一緒ね、覚えていらして？　お姉さま」

末娘の三子が、はしゃぐように云った。

「そうね、あなたと二人でパリにいた時、お父さまが国際金融懇話会でパリにいらして、マキシムに連れて行って下さったわね、美味しい、美味しいって、キャビアのオードブルからスーフレのデザートまでフルコースを注文して、さてお勘定をすませたら、お父さまのポケットのお財布に五フランも残らなくなってしまって、ホテル・ジョージ五世まで歩いて帰ったわね」

次女の二子が昨年の春、大学卒業と同時に、まだ在学中の三子とフランスへ行っていた時のことを思い出し、くっくっと笑うと、鉄平の妻の早苗《さなえ》も、

「お舅《とう》さまがタクシー代にこと欠かれるなど、日本では考えられないことですわ、それがマキシムのお料理のせいだったと思うと、頰笑ましくて――、私も、実家《さと》の父のお伴《とも》をして、パリへ行った時、マキシムへ参りましたけれど、あの時は大使のお招きでしたから、お勘定の心配はありませんでしたけれど――」

曾《かつ》て通産大臣と国務大臣を歴任した実家の父、大川一郎と旅した時のことを話した。早苗は、総疋田の訪問着にエメラルドの帯止めをし、二子と三子は、カクテル・ドレスの胸もとを金台にスター・ルビーのネックレスで飾り、ダイニング・ルームのシャンデリアの光の中で、三人の姿が燦《きらび》やかに目だっていた。

近くのテーブルから、〝ワンダフル!〟という外人客の声が上り、拍手が鳴った。パール・スープと名付けられている真珠貝入りのスープの中から、真珠が出て来たことを喜んで、手を鳴らしているのだった。周囲のテーブルの客たちは、その方を振り向いたが、万俵一族は、厳格なテーブル・マナーを守って、他人のテーブルには視線

を向けない。

万俵家のテーブルは、デザートに入り、スーフレをテーブルの傍《そば》で作るために、ラム酒をのせたワゴンが運ばれて来た。二人の給仕が馴《な》れた手つきでスーフレを焼いた。

「一子《いちこ》お姉さまは、このホテルのスーフレがお好きやのに、お可哀《かわい》そうに、〝ミスター大蔵省〟の旦那《だんな》さまのためにお正月早々から、お客さまのご接待に追われていらっしゃるのね」

大蔵省主計局次長、美馬中《みまあたる》に嫁いでいる一番上の姉だけが、新春の志摩での団欒《だんらん》から欠けている。それを淋《さび》しがるように三子が云うと、二子は、

「大蔵省というところは諸事大へんなところなのよ、お正月のおもてなしのほどで、妻の実家方《さとかた》が解《わか》るというほど皆さん、派手におやりになるのですもの、それにお義兄《にい》さんは未来の大蔵次官、大臣を目指していらっしゃるから、志摩でお正月を楽しんではる暇などおありにならないのよ」

「だから、私、高級官僚のお嫁さんなど大嫌い、どうして銀行家の娘が官僚のところへなど嫁《い》らしたのかしら――、お父さま、私はお姉さまみたいに、お正月も楽しめない方のとこへはお嫁に行きませんわ」

三子が睨《にら》むように父の大介を見たが、大介はスーフレを食べ終ると、娘たちのお喋《しゃべ》りはもう聞いていないのか、放心したような表情で一点を見詰めている。

それは大介が自分の両側に坐っている二人の女性に囲まれて、一瞬、恍惚《こうこつ》とした気分に浸った時に見せる表情であった。その二人の女性の一人は、古代紫の綸子《りんず》に金箔《きんぱく》をおいた訪問着に、佐賀錦《さがにしき》の帯を胸高に締め、おすべらかしの髪型が似合いそうな、純日本風の顔だちをし、袖口《そでぐち》から香が匂《にお》いたつような、﨟《ろう》たけた美しさに包まれた女性であった。もう一人は、真っ黒なドレスの衿《えり》もとにパール・ミンクを無造作にあしらっているが、着こなしが外人のように洗練されているせいか、それが気障《きざ》でなくおさまる雰囲気《ふんいき》を身につけている。

二人とも、万俵家の息子とその配偶者、娘たちが話している間、その話題に関心がないのか、一言も言葉をさし挟《はさ》まない。そのくせ、微笑を絶えず含んだ表情で、時々、頷《うなず》いている。そして大介が葉巻をくわえると、どちらからともなく、ライターを大介の手もとに置き、テーブルの上の灰皿を目だたぬようにそっと前へ引き寄せる。華やかな晩餐のテーブルの中で、大介を挟んだ二人の女性だけが、パントマイムのように無言に動いている。齢恰好《としかっこう》からみて姉妹のようにも見えるが、それにしては無遠慮に言葉を交わす様子がない。むしろ慇懃《いんぎん》すぎるような気配がある。しかも、テーブルの順からいえば、一家の長である大介の左側が妻の坐るべき位置であったが、その妻の席に二人が一日交替に、替り合って坐っているのが、周囲の人眼を惹《ひ》いた。ホテルの支配人やボーイたちには、毎年、見馴れていることであったが、周囲の人たちには奇異な感じを与える光景であった。

ダイニング・ルームを出て、ロビーへ出ると、着飾った人々が、そこここに集まって、談笑している。殆《ほとん》どが毎年きまったメンバーで、去年のお正月の話の続きや、互いの家族の消息を話し合い、関西財界の社交場のような観を呈している。万俵一族が入って行くと、才媛《さいえん》の聞え高い東亜化学の社長夫人が、にこやかな表情で近付いて来た。

「あら、万俵さま、おめでとうございます、本年も皆さまお揃いで――、今年はいよいよご次男さまがご結婚遊ばすように伺っておりますが、さぞかしごりっぱなご縁組でございましょう」

と云い、当の銀平より、大介を挟んで両脇《わき》にたっている二人の女性に、詮索《せんさく》がましい視線を向けたが、二人はそんな視線に気付かないのか、それとも無視しているのか、鄭重《ていちょう》な挨拶《あいさつ》を交わしてから、中二階のラウンジへ上って行った。

鉄平たちと二子たちも揃ってラウンジのテーブルを囲み、飲物を注文したが、大介だけは、独り六階の部屋へ戻り、毎年きまっている英虞湾に突き出した二室続きのロイヤル・ルームの安楽椅子《ソファ》に寛《くつろ》いだ。

真っ黒な海に、真珠筏を見張る島々の番小屋の灯りだけがかすかに瞬《また》くように点滅し、ひどく静かな夜景であった。年末から新年にかけての四日間を志摩半島で一家揃って過すのが、万俵家の習慣であった。大介が仕事に追われ、子供たちが独立した生活を持つにつれ、家族揃って晩餐をとる機会が少なくなって来ただけに、新年の志摩での団欒は、ことのほか大介の心を満たした。大介のように家父長主義を重んじ、一族の繁栄を望む人間には、欠かすことの出来ない年頭の儀式であった。

大介は上衣を脱ぎ、テーブルの上の新聞を取り上げた。経済面に、金融再編成が大見出しで論じられている。

金融界に、ようやく再編成の波が押し寄せて来た。金融機関も規模が大きくなるほど経営コストが安くなり〝規模の利益〟が出て来るところから、合併・提携による大型化が必要とされる。

大蔵省でも〝金融の効率化〟を図るため、積極的に金融再編成を促進する構えで、銀行間に競争原理を導入し、これまで過保護下にあった銀行に、冷たい風を当て、銀行を徹底的にしごこうという方針らしい。銀行相互の競争を助長し、効率の悪い銀行が落伍《らくご》し、効率のよいところに吸収・合併されるという優勝劣敗の状況をつくり出す過程で、大型化を軸にした再編成を促進させようというのである。

こうした〝金融の効率化〟を促進し、具体化する金融制度改革案を、本年中にまとめるために、大蔵大臣の諮問《しもん》機関である金融制度調査会に『特別委員会』が設けられ、これまでの再編成論議に拍車がかけられる模様である。

不意に電話のベルが鳴ったが、大介はすぐ受話器を取らず、もう一度、紙面に眼を走らせた。〝これまで過保護下にあった銀行に、冷たい風を当て、相互の競争を助長し……効率の悪い銀行が落伍し、効率のよいところに吸収・合併される……〟大介の唇がむっと不機嫌に歪《ゆが》み、やっと受話器を取った。

「もし、もし、お父さま、新年おめでとうございます、今年も志摩へ伺えなくて残念でしたわ」

大蔵省主計局次長の美馬中に嫁いでいる長女の一子《いちこ》からで、その性格に似つかわしく細い控え目な声であった。

「ああ、おめでとう、今年のお正月も大へんだったろう」

「ええ、それはよろしいのですけれど、子供たちの相手をしてやれないのが、可哀そうで――」

「じゃあ、来年からは子供たちだけでも寄こしなさい、お母さまたちはラウンジだから、そっちへ電話を廻そうか」

「いえ、また後ほど、今、美馬とかわります」

一子に代って、美馬中の声が聞えた。

「お舅《とう》さん、新年のご挨拶が遅くなりまして失礼致しました、今年も何かとよろしく――」

美馬のちょっと鼻にかかった、抑揚のない声が伝わって来た。

「いや、こちらもよろしくだ、大蔵大臣への新年のご挨拶は、いつ伺ったのかね」

「元旦です、大臣がいつも結構なものをと、云っておられましたよ」

「そうかい、今、新聞の金融再編成の記事を読んでいたところだが、以前、君が話していたように金融制度調査会に特別委が設置されるようだね、特別委の委員長はほぼ定《き》まっているのかね」

「いえ、まだ定まっていませんが、今までのようなお題目ではなく、今年あたりから都市銀行の再編成が具体化して来ることは確かですね」

美馬は、国家予算を司《つかさど》る主計局に在りながら、銀行行政を司る銀行局の動向を殆どつかんでいた。

「大臣や銀行局長あたりは、既に具体的な腹案を持っているのだろう？」

「さあ、それはどうでしょうか、なかなか腹の中は見せませんからね」

「ふうむ、しかし、大蔵省は、再編成を急ぎ出した感じがするな、大蔵省は何かというと銀行を保護していると云《い》うが、われわれから云わせれば、保護どころか、銀行に対して横暴だよ」

俄《にわ》かに大介の顔が、頭取室にいる時のような難かしい表情に変った。関西で古い歴史を持つ名門銀行とはいえ、業界ランクは辛うじて都市銀行ベストテンに名を列《つら》ねる阪神銀行にとって、金融再編成は重要な関心事で、再編成によって自行が不利な立場に追い込まれぬよう、絶えず、他行よりも一歩、先んじていなければならない。

そのためには大蔵省主計局次長である娘婿《むすめむこ》の情報は、大介にとって得難いものであった。

「それで、委員長が本定まりするのはいつごろなんだね」

「多分、正月明け早々から人選がはじまり、最終的には総理と大蔵大臣とが話し合って定まるわけです、まあ、その辺のところはお目にかかった時に、ゆっくりと……」

相手に気をもたせるような云い方をした。

「うむ、じゃあ、近いうちに孫の顔を見せにでも来なさい、その時、いろいろ聞こう」

大介も落ち着き払って、電話をきった。

妙に気をもたせ、そのくせ肝腎《かんじん》のことは片鱗《へんりん》も口の端《は》にのぼせぬ美馬中の応《こた》え方は、いかにもエリート官僚らしい隙《すき》を見せない応え方だと思った。

しかし、どうせ間もなく関西へやって来る時は、日頃、自分から経済的援助を受けている見返りとして、何がしかの情報を手土産にぶら下げて来るに違いないと思うと、大介の端正な顔にはじめて余裕のある笑いがうかんだ。万俵大介が意図して、政略的に組んだ閨閥《けいばつ》が、着々とその実を上げつつあるからであった。

長男の鉄平は、元通産大臣の大川一郎の長女を娶《めと》り、長女の一子は、将来は大蔵次官と属目《しょくもく》されている美馬中に、銀行局時代に持参金付きで嫁がせ、その後もずっと経済的援助をしている。次男の銀平には、目下、万俵家の新たな閨閥を作るための有力な縁談が進行しつつあり、あとの二子《つぎこ》と三子《みつこ》も、それぞれ万俵一族の繁栄を齎《もたら》すための縁組をするに違いない。

こうした閨閥作りは、妻である寧子《やすこ》より、愛人である高須《たかす》相子《あいこ》によるところが多かった。

妻の寧子には、公卿《くげ》華族の嵯峨《さが》子爵《ししゃく》の出という門地の高さと臈たけた美しさがあったが、相子には女には惜しいほどの政治力があり、到底、四十過ぎとは思えぬ豊満な肢体と彫りの深い美貌《びぼう》は時として娘たちをも圧倒することがある。

今夜、大介と同衾《どうきん》するのは、妻の寧子ではなく、相子であった。それは第三者には奇異に見えることであるが、大介にとって、ここ十数年来、続けてきた生活で、何のこだわりも、不自然さも感じない。

廊下にかすかな足音がしたかと思うと、部屋の前で止まった。寧子と相子であった。

「じゃあ、おやすみ遊ばせ、お静かに——」

いつものようにさり気ない就寝の挨拶を交わす二人の声が聞え、相子が入って来た。

＊

神戸元町《もとまち》の栄町《さかえまち》通りは、電車通りを挟んで、戦災を免れた銀行、証券会社の建物が、両側にずらりと並んでいる。戦後になって、建物を新築した大銀行は、新市庁舎のある江戸町の辺りへ移転して行ったとはいえ、戦災に焼け残った建物がたち並ぶ栄町通りは、今でも戦前からの金融街のたたずまいを残している。

その中でも阪神銀行の建物が一際《ひときわ》、古めかしい。正面玄関に六本の石の円柱が聳《そび》えたち、バロック風建築の分厚な石で囲まれた五階建ての建物の窓は高く小さく、容易に人を寄せつけない荘重さを漂わせている。

朝五時に志摩観光ホテルを出発した万俵大介を乗せた黒塗りのベンツが、東側玄関に着くと、頭取秘書と受付事務員が恭《うやうや》しく出迎えた。万俵頭取は、軽く頷きながら、ガラス扉《ど》で仕切られている営業部をじろりと見た。九時を過ぎたばかりであるが、二階まで吹きぬけになった行内には、既に顧客らしい人影が見え、きちっと身装《みなり》を整えた行員たちが、折目正しくたち働き、貸付課長席には、先に着いた万俵銀平の姿が見えた。営業部の横のエレベーターに乗り、三階で降りると、役員受付の女子行員が最敬礼で迎えた。

「いや、おめでとう」

新年らしく微笑で応え、靴の踵《かかと》が沈みそうに厚い真紅の絨毯《じゅうたん》を敷き詰めた廊下を頭取室に向った。行員たちが〝松の廊下〟と呼んでいる長く折れ曲った廊下で、万俵頭取はセミ・タキシードに黒エナメルの靴を履いた長身のうしろ姿を見せて歩んで行った。長い廊下の奥まった一室が頭取室になっている。そこに行くまで幾つかの役員室と役員専用の応接室があるが、すべて厚い扉に閉ざされ、中に人がいるか、いないかの気配さえ、感じ取れない。この同じ建物の階下で、慌《あわただ》しく業務が行われていることが、信じられない程の静寂さに包まれ、薄茶《ベージュ》の壁と真紅の絨毯が奥深く続いている廊下に、初めて訪れた者は、外界から遮断《しゃだん》された迷路に迷い込んだような錯覚に捉《とら》われるが、透明な板ガラスの窓に、さらにもう一枚、金網ガラスが入っていることで、銀行である実感が呼び醒《さ》まされる。

頭取室は、建物の東南角の奥まった一室、三十畳敷ほどの広さで、戦前の建物であるから天井が高く、華麗なレリーフが施されて、壁にはルノワールの風景画が掲《かか》っている。調度はグレイの絨毯とチークの机、黒い皮の椅子《いす》で、全体がグレイと黒のトーンで統一され、そこに万俵大介が入ると、銀髪端正な大介の顔だけがうかび上り、まるでその効果が計算されているようにどこまでも渋く豪華な室内である。そして頭取室の前に、さらに受付があり、行内の者でも容易に頭取室へ近付けぬほどものものしい。八千億円の預金を預かっている〝銀行の象徴〟である頭取の居室であれば、当然のことだというのが、万俵大介の持論であった。

頭取室に入ると、万俵大介は真っ先に机の上の標示器を見た。専務、常務の役員がすべて在室している赤ランプが点《つ》いている。

「役員は、全部、ご出勤でございます」

秘書の速水《はやみ》英二が云った。三十三歳の若さであったが、二年前、調査部から頭取付秘書に抜擢《ばってき》されたのだった。

「本日のご予定は、このようにお願いします」

いつもは、一刻を惜しんでエレベーターの中で示す日程表であった。九時半から年賀式、十時から十二時まで年賀客の挨拶受け、正午から一時まで役員会食、一時半から二時まで商工会議所新年名刺交換会、二時半から三時半は関西銀行協会年賀会――、平素は六時過ぎぐらいまで詰っている日程が、新年四日の今日は三時半までになっている。

「じゃあ、ちょっと――」

万俵頭取は時計を見てから、壁際の片隅の扉を押した。頭取室に付随している専用のトイレットである。扉がしまると把手《ノブ》の横にオレンジ色の小さなランプが点いた。このランプは、秘書課の標示板と繋《つな》がり、大介が用便中には同色のランプが点き、用便中に電話がかかってきた場合の応対と、用便中に万一のことが起った場合に備えている。用便がすむと、秘書の速水は、年賀式の定刻になったことを報《しら》せた。

秘書課長の先導で、万俵頭取を先頭に、二人の専務、続いて四人の常務が、江戸城中の〝松の廊下〞を行くようなものものしさで、五階の講堂へ向った。一流大学を卒業して入行した幹部候補生も、入行当時は、支店へ出され、映画館や百貨店の集金雑務から始まって、預金獲得の凄《すさま》じいノルマに狂奔し、それを終えると、融資で振り廻され、不良貸付にひっかかりはしないかと、神経を磨《す》り減らし、競馬のレースのように幾種目もの苛烈《かれつ》なレースに並ばされ、やっと本店まで辿《たど》り着くと、荘重にして冷厳な銀行の建物のたたずまいからは、到底、うかがい知れぬ権謀術数と陰湿な派閥闘争があり、その苛烈なレースにも勝ちぬいた者だけが、〝松の廊下の住人〟になり得るのだった。

五階の講堂は、塵《ちり》一つなく掃き清められ、正面の壇上には金屛風《きんびょうぶ》が張りめぐらされ、左側の花台《かだい》には、五葉《よう》の松が白磁の壺《つぼ》に活《い》け込まれ、新年らしい清々《すがすが》しさが漲《みなぎ》っている。平常業務にさしつかえぬよう、課長以上六十数名の行員が、壇上に向って三列に並べられた細長いテーブルの前に侍立《じりつ》するようにたって、年賀式の始まるのを待ちかまえている。預金高八千億円、貸付高六千五百億円、神戸を本店にして、東京、大阪、名古屋をはじめ、横浜、京都、広島、福岡など全国に支店百三十店を持ち、全行員九千人を擁する阪神銀行本店の年賀式であった。

廊下に靴音が響き、秘書課長の先導で、万俵頭取、続いて専務以下六人の役員が講堂へ入って来ると、姿勢を改める気配がたち、六人の役員は、左右に別れて壇の下にたち、万俵頭取だけが、ゆっくりと壇上にあがった。金屏風が配された壇上に、銀髪の万俵大介がたつと、金屏風に銀髪が映え、若くして頭取になるべく育てられた者の威風が行員たちを圧した。

「新年おめでとう、今年の経済界の課題は資本自由化にいかに対処するかということであります、資本自由化が進めば、アメリカを始めとする欧米の巨大資本がなだれ込んで来るのは目にみえており、日本の産業界は、これに対抗し得る体質作りのために、合併、提携を余儀なくされているのが現状であるが、金融界も、いよいよ今年から金融再編成の機運が高まって来つつあり、銀行自体の体質強化が迫られている。

こうした要請に対処するには、貸金の内容をよくしたり、経営の効率を高めて行くような〝質〟の向上はもちろんであるが、特に今年最大のスローガンを〝量の拡大〟におき、預金量の飛躍的な拡大を指向したい、そこで新年に当り、諸君にお願いしたいのは、現在の預金量八千億円をこの一年で一兆円にのせるよう必達成を期して頑張って貰《もら》いたいということである、そのためには他行の優良取引先の奪い取りをも辞せずの気概をもって当って貰いたい、他行が秘蔵している優良取引先を奪い取ることは、ライバル銀行との相対的な関係において、上下《うえした》、倍の格差になって現われる、このような思い切った預金量の増大を図ることが、とりもなおさず収益の増進、体質の強化に繋がるわけである」

頭取の年頭の辞にしては、ストレートであり過ぎたが、それだけに、金融再編成の機運の高まりを前にした頭取のなみなみならぬ決意が感じ取られ、行員たちは緊張した面持で聞き入った。

年頭の辞が終ると、テーブルの上のビールが注がれ、筆頭専務の発声で、

「阪神銀行の発展と、万俵頭取のご健康を祈って、乾杯！」

高らかに乾杯が唱えられた。万俵大介は壇上にたったまま、乾杯を受けた。

頭取室へ帰ると、既に年賀の客が待ち受けており、秘書の速水が、来客の氏名を記したメモを示した。

「例年通り、六、七十人ぐらいお見えになると思いますので、格別のご用向きのない限り、一組五分以内でお願い致します」

万俵は、椅子に坐《すわ》る間もなく、隣接している応接間の扉を押した。

濃紺《のうこん》のカーペットが敷き詰められた部屋の真ん中に大理石の丸テーブルとシルバー・グレイの安楽椅子《ソファ》がセットされ、礼服を着た客がたち上った。最初の来客は、大口融資先の平和ハウスの会長と社長であった。

「新年おめでとうございます」

「おめでとうございます、早々にお揃《そろ》いでお年賀を戴《いただ》き、恐縮です」

万俵は鄭重《ていちょう》に答礼して、二人と向い合って坐った。

「頭取、昨年はえらいお世話になりましたが、今年も一段とよろしゅうに――、昨年は頭取に思い切った融資をして戴いたおかげで設備拡張が出来、うちの社のユニット・ハウスの生産量は、業界の総生産量の二二パーセントも占め、市場占有率《シエア》も業界第一になっとりますわ」

創業者で八十歳の会長が関西人らしい腰の低さで挨拶《あいさつ》すると、五十を過ぎたばかりで手腕家の二代目社長は、

「今年もさらに大きく伸びるために、高層プレハブの具体化を業界に先がけて行う計画をたてております、何しろ日本の住宅事情は宅地に大きな制約がありますから、今後、高層プレハブ化に向う傾向が予想以上に早まると判断されますので、いち早く手がけたいと考えております、今年も何かとよろしく――」

新年の挨拶をかねて、今年の事業計画の見通しを話した。万俵大介は姿勢を崩さぬ程度に足を組み、相手に煙草《たばこ》をすすめ、自分も喫《す》いながら、軽く頷《うなず》く以外に、殆《ほとん》ど喋《しやべ》らない。銀行の頭取としての万俵大介は、最低必要限のことしか喋らないことにしている。万俵の会う相手の大半が、融資に繋がる話であるから、できるだけ沈黙を守る

ことが、相手と自分との距離をおくことになる。したがって万俵は、一歩、自宅を出た時から、家庭にいる時とは全く別人の都市銀行の頭取という公人になりきることにしている。銀髪端正な容姿と、必要なこと以外喋らない寡黙《かもく》さが、外部の者に冷たい感じを与えたが、それ以上に畏怖《いふ》の念を抱かせていることを万俵は、充分に計算していた。

二番目は、地元選出の社民党の中根議員であった。

「さすが万俵頭取ですな、私が来たらもう五、六人先客がありましたよ、幸い顔見知りの連中だったから、お先にと云ってくれたが、いくら何でもいの一番じゃあ気がさして、二番目に挟んで貰ったんですよ」

「これは早々に——、国会議員の先生には、こちらからご挨拶申し上げねばなりませんのに——」

選挙地盤の事情さえ許せば、いつでも自由党から立候補するというような男だったが、国会では大蔵委員をしていたから、万俵は鄭重に挨拶した。

「いや、頭取には、何かとお世話になっているから、こちらから新年の挨拶ぐらい、当然ですよ」

「とんでもない、こちらこそ、平素、何かとお世話になって——」

万俵は慇懃《いんぎん》に頭を下げながら、大蔵委員会という厄介なもののことを考えていた。公定歩合のことから、融資会社の倒産、不良貸付、店舗新設の問題まで、大蔵委員が問題にしようと思えば、どんな小さなことでもこじつけて、委員会で問題にされる。そんなところが信用と体面を重んじる銀行側にとって危険な代《しろ》もので、そんな危険度を防ぐために、正規の献金以外に、別途の政治献金を行なっているのだった。万俵は政治には興味があったが、政治家は心の中で軽蔑《けいべつ》していた。政府機関によって許認可されている銀行にとって、政治と無関係であり得るはずがなく、むしろ政治と巧妙に繋がる部分がある。したがって銀行の頭取と政治家はパトロンとそのひもつきの関係にあるが、万俵はそんな素振りも見せない。見せないことによって、相手に距離をおき、なじめないものを感じさせ得るからだった。

一組五分の割で二時間に二十四組、六十七人の挨拶を受け終ると頭取室へ戻り、独りになった部屋の中で、万俵ははじめて姿勢を崩し、葉巻をくわえて、ぷかりと煙の輪を吐いた。今朝五時に志摩観光ホテルを出発し、九時過ぎに銀行に入ってから一時《いっとき》の休みもなかった。一歩、銀行へ入れば、エレベーターの中はもちろん、廊下を歩きながら、秘書からその日の日程を聞き、頭取室へ入るなり、五分刻みに人に会い、そのあと大口貸出の方針決定会議や資金会議、店舗不動産の取得に関する会議と、一刻の休みもないのが頭取であった。そしてそれらの最終の決定は、頭取が一人で裁決し、頭取一人の責任において判を捺《お》さねばならない。しかもその捺印《なついん》が、一つの会社の運命を左右する。

万俵は、椅子をたって、窓に寄り、空を見上げた。雲が切れ、風がありそうであったが、青く澄みきっている。まず鉄平と銀平が、次いで自分が志摩を出発したあと、妻と相子、鉄平の嫁と子供たち、二子、三子たちは、二台の車に分乗して、伊勢志摩のスカイラインを眺望して、今頃は自邸に向っているだろうと思うと、気持が和んだ。毎年、一族を伴って志摩半島へ出かけ、銀行の頭取という公人の立場を忘れて、完全に休息できるのは、考えてみれば、一年に年末からの四日間だけであった。

扉をノックし、秘書の速水が入って来、役員会食の時刻であることを告げた。

万俵大介は、車の背にゆったりと体をもたせかけ、年末から四日目に帰る自邸に向っていた。正午からの役員会食の後、商工会議所の新年名刺交換会、さらに関西銀行協会の年賀パーティをすませて来た万俵大介は、若い時からゴルフで鍛えて来た体とはいえ、さすがに疲れを覚えていた。

阪急岡本の駅まで来ると、車は山手に向って坂道を上りはじめる。車の正面に、六甲山脈が列《つら》なり、その豊かな稜線《りようせん》から、小さな山々の尾根が襞《ひだ》のように柔らかく重なり合いながら、分れている。その一つが、万俵家が数千町歩にわたる山林を所有している天王山の尾根であった。六甲山の山頂はまだ明るかったが、手前の天王山のあたりは日がかげりはじめている。姫路の播州平野の地主であった先祖が、なぜ阪神間のこの辺りの山にまで手を出していたのか詳《つまび》らかではなかったが、亡父の敬介にしても、祖父の龍介《りゆうすけ》にしても、地方の地主におさまりきらぬ野心家であったから、第一次世界大戦の時、万俵船舶で得た巨万の富を分散し、投資する意味で買い入れておいたものらしい。

天王山に登る山裾《やますそ》の坂道を六丁ほど上ると、海を見下ろす高い丘になり、そこが万俵家であった。天王山を背にして鬱蒼《うつそう》とした樹木に囲まれた一万坪に及ぶ敷地であったから、外からは建物はもちろんのこと、邸内の様子も全く見えない。御影石《みかげいし》を積んだ大きな門の前まで来て、はじめてそこが人の住んでいる邸《やしき》であることが解《わか》る。

門の前で車が停まると、突然、辺りの静かな空気を破り、威嚇《いかく》するような犬の遠吠《とおぼ》えが聞えた。門の大扉《おおとびら》が開かれ、

「旦那《だんな》さま、お帰りやす」

門脇《わき》の夜警室から、庭番夫婦が出迎えると、その背後《うしろ》から風を切るような音をたて、小牛ほどの犬が走って来、車から下りたった大介の周《まわ》りに尾を振って群がった。愛犬のファウン・グレートデン三頭であった。黄金色の滑らかに光る毛並を輝かせ、体高八十センチ、体重六十キロの大きく引き締まった体軀《たいく》と、頭の頂から鼻柱にかけての線と眼に品位があり、万俵家の犬らしい格を備えている。

門から玄関まで五分程かかったが、大介は門のところで車を下り、玄関まで歩くとを、運動不足になりがちな毎日の散歩代りにしている。大介は三頭の愛犬を従えて、緩《ゆる》やかな坂を上って行った。中程まで上ると、裏山の谷川から引いた水が流れ、流れにかけた石橋を渡ると、スペイン風の赤い屋根と白い塔が見えて来る。大介はそこで足を止めて、いま上って来たばかりの方向を振り返ると、愛犬たちも同じようにそこに踞《うずくま》った。眼下に芦屋《あしや》、岡本、御影など阪神間の街が一望のもとに見渡せ、その先には神戸港の海が広がり、海を埋めたてた灘浜《なだはま》臨海工業地帯が凸字《とつじ》型に突き出、工場群の煙突が並んでいる。そしてその東端の、一際《ひときわ》大きな煙突が、長男の鉄平が経営にあたっている阪神特殊鋼で、黒ずんだ煙を今日も吐き出している。毎日、見馴《みな》れた風景であったが、大介は、朝、邸を出る時と帰って来た時、必ず邸内の道の中程にたって阪神特殊鋼の煙突を眺める。したがって三頭の愛犬たちも、凛《りん》とした眼で大介と同じ方向を見、時々、甘えるように小牛のような体を擦《す》り寄せ、冷たい鼻先を大介の手に擦《こす》りつける。

玄関に近付くと、スペイン風の洋館だけではなく、野石積みの石塀《いしべい》を隔てて、数寄《すき》屋《や》造りの日本家屋が、見事な対比を見せている。和洋合わせて三百坪余りの建物であったが、洋風好みの大介は、殆ど洋館の方を使っている。急に三頭の愛犬が土を蹴《け》って走り出した。

玄関の厚い大きな扉が開き、ポーチに人影が現われた。妻の寧子《やすこ》と愛人の相子《あいこ》であった。来客の時は別として、大介の毎日の送り迎えは、女中たちに任さず、寧子と相子の二人ですることになっている。スペイン式の彩色タイルを貼《は》り詰めた広いポーチの左と右に別れ、寧子は渋い薄紫の和服、相子はローズ色のツーピースで、大介がポーチに着くまで、それぞれの姿勢と眼《まな》ざしで迎えている。大介はそのどちらにも視線を向けず、まっすぐ玄関のポーチに向って歩いて行く。そして一歩、玄関に入った時から、万俵大介は、阪神銀行の頭取という公人の立場を離れ、世間から完全に遮断された処《ところ》で、もう一人の万俵大介の生活が始まる。

玄関から居間までの間に、かなり広いホールがある。両側に、来客用の応接室とダイニング・ルームがあり、床にスペイン式の雪花模様の彩色タイルが貼り詰められ、渋いグレイと黒に統一された銀行の頭取室とは、全く正反対のカラフルな明るさに溢《あふ》れている。妻の寧子は、大介のすぐうしろを歩きながら、

「今日は、お疲れでございましたでしょう、志摩をお発《た》ちになりましたのが、五時でございましたもの――、私たちは正午までゆっくりして、発ちましたからよろしゅうございましたけど――」

まだ帰って来たままの装いらしく胸高に帯を締め、関西訛《なま》りのゆっくりとした語調で、云《い》った。

「そりゃあ、よかった、私は少々、疲れたな」

銀行にいる時とは別人のように解放的で明るくふくらみのある声で応《こた》え、居間に入って行った。スペイン松の太い梁《はり》を張り出した天井から、鉄製のランタンが吊《つ》り下げられ、部屋の正面に、背丈に近い高さの大きな暖炉がある。暖炉を囲む皮張りの粗野な趣を持った椅子《いす》も、樫《かし》の頑丈なテーブルも、壁に掲《かか》った壁掛《タピストリー》もすべて先代がスペインから船便で取り寄せた調度であった。大介は暖炉の上のパイプたてから、ダンヒルのストレート・グレーンのパイプを取った。一本の木から一つしか取れぬ木目《もくめ》の通ったもので、ここ二十年来、愛用しているパイプであったが、五分刻みの日程で動いて

いる銀行では、パイプなどくゆらせている余裕がない。帰宅して、愛用のパイプを口にくわえ、火を点《つ》ける時が、一日のうちで一番、解放感を感じる時であった。その間、相子は、ツーピースの上衣を安楽椅子《ソファ》に脱ぎ捨て、ブラウス姿で女中たちを差配して、お茶を運ばせ、暖炉の火加減を見させた。地下にボイラー室があり、他の部屋は暖房していたが、大介の好みで、居間だけは暖炉の火で暖めることになっていた。火加減が整うと、相子は大介のうしろに廻って上衣を脱がせ、新年用に新調しておいた絹のガウンを羽織らせた。女中たちをてきぱきと指図し、

「今日はお年賀のパーティが多かったと存じますが、お食事はすぐなさいます？」

相子はその日の大介の日程を頭において気を配り、行動している。

「そうだな、先に風呂《バス》を使いたいが、今日は久しぶりに、新年らしく檜《ひのき》の湯槽《ゆぶね》の方がいいが、できるかい」

「でも、あちらのお湯殿ではお寒いのではございませんかしら、それに今日はまだ焚《た》いていないのでは――」

寧子が云うと、

「いえ、そうお望みではないかと思って、ご用意致しておりましてよ、どうぞ」

相子はそう云い、女中たちに旦那さまがご入浴ですよと、云いつけた。ガウンに着

替えた大介は、居間を出、ホールを横ぎって日本館の湯殿の方へ足を向けた。父の敬介が生前には日本館に住まい、大介夫婦が西洋館に住んでいたが、敬介が亡《な》くなってからは、日本館は冠婚葬祭以外には殆ど使わない。山裾である地形を利用し、渡り廊下に高低をつけた凝った普請《ふしん》であったが、今は客殿と呼んでいる来客用の広間と仏間と湯殿だけを時々、使っている。

湯殿の戸を開けると、齢嵩《としかさ》の女中が湯槽の蓋《ふた》を開けて、六、七坪はあろうかと思われる広い湯殿を湯気で温め、脱衣場にもパネル・ヒーターを入れていた。檜の大きな湯槽に入り、ゆったりと浸《つ》かると、気分が爽快《そうかい》になり、特に今日のように疲れている日は、芯《しん》から疲れがほぐれる。その上、湯殿が南向きの小高く突き出たところにあったから、邸内が見渡せ、昼間なら神戸の海まで見渡せた。大介は、第一次世界大戦の時、万俵船舶を興《おこ》して巨富を得た亡父が、広大な邸を構え、この海を見下ろす湯殿から神戸湾を出入りする自社の船舶を眺め、悦に入っていたのかと思うと、豪放な父らしいと思った。近くでファウン・グレートデンの吠え声《ごえ》がした。

窓の外を見ると、二匹が凄《すさま》じい勢いで、背後の山に向って駈《か》けぬけて行った。夕闇《ゆうやみ》の中で金色の生きものが、風を切って疾走する美しい姿を見送り、大介は湯槽から上った。六十歳とは思えぬ筋肉質の締まった体であった。石鹸《せっけん》を体一杯に泡《あわ》だてながら、邸内へゆったり視線をめぐらせた。湯殿の東側の池を隔てた高みに、ル・コルビジェ風の白い建物があり、夜の灯りが点いている。長男の鉄平夫婦の住まいであった。灯りが各部屋に点いているところからみて、鉄平も今日は早く帰宅している様子だったが、大介たちと同じ西洋館に住んでいる次男の銀平と、娘の二子と三子の部屋は揃《そろ》って、灯りが点いていない。

湯殿から上り、洋館の居間に帰って来ると、暖炉の火が勢いよく燃え、冷えたビールとオードブルが用意され、寧子と相子とが向い合って、話している。大介は素肌の上にガウンを羽織った姿で、

「なんだね、その写真は――」

二人の間に置かれている写真を眼で指した。寧子は、困惑した表情で、

「銀平のお縁談《はなし》がまだ定《き》まっておりませんところに、相子さんが、また二子の縁談をお持ちになったので――」

「ほう、どこからの縁談《はなし》だね」

「オリエント電器の岩野さまのご長男さまで、結構なお縁談《はなし》です、でも、まず銀平の方から順番にお縁談《はなし》を定めて行きたいと、私は思うているのですけど――」

と云いかけると、相子はその言葉を遮《さえぎ》るように、

「銀平さんのように、いつまでもはっきりしない方の返事を待っていて、二子さんのいいご縁談を逃がしたりしてはつまりませんわ、第一、銀平さんの方は、数あるご縁談の中から大阪重工の安田さまと、京都大学の世界的な数学者でいらっしゃる三木教授のお嬢さまのお二方にしぼり、どちらかにおきめ戴《いただ》くことになっておりましてよ、それを銀平さんが、ぐずぐずとご返事を延ばしていらっしゃるのは、お厭《いや》だからではなく、あの人一流のいや味なポーズに過ぎないと思いますわ」

「でも、あんなに返事を長びかせているところをみると、何か考えるところがあるのかもしれませんし——」

寧子が、銀平をかばいかけると、

「銀平さんの考えって、一体、どんなお考えだとおっしゃるのです？　万俵家の婚姻は、普通の家庭の男女の結婚ではございませんでしょう、婚姻によって閨閥《けいばつ》を広げ、閨閥の力によって、さらに万俵一族、万俵コンツェルンを強大なものにしようという方針があるはずですわ」

「まあ、あなたはそんな……ご自分にお子さまがないから、そんなことがおっしゃれるのでございましょう」

寧子は、詰《なじ》るように云った。

「いいえ、私にとって二子さん、三子さんはもちろん、鉄平さん、銀平さんもみんな、自分の子供のように思っておりますわ、だって、私が家庭教師として情熱を傾けて教育し、りっぱに育てあげて参ったのですもの、或《あ》る意味ではお産みになっただけで、あとは人任せの寧子さまより、私の方が、お子さまの性格をどれだけよく知っているかしれませんわ」

相子は、妻であり、母である寧子の存在を蔑《ないがし》ろにするように云い、

「では、私はこれで――、ごゆっくり遊ばせ」

ひらりと椅子からたち上った。今夜は、妻の寧子が大介と寝室を共にする日だった。

万俵鉄平は、書斎で、軸受鋼《じくうけこう》の増産計画に関するレポートに眼を通していた。新年早々、技術部から専務室に届けられたレポートであった。経営者であるより技術者である要素の方が強い鉄平であったから、数字の並んだ決算報告書より、設備関係の報告書の方に興味があった。まだ十五頁《ページ》ほど残っていたが、眼を憩《やす》めるために窓の外を見た。

幾つかの庭園燈に照らし出された広い邸内の中央に、ヨーロッパの館《やかた》のような白い塔を聳《そび》えさせた洋館がくっきり浮かび上っている。昼間はそう異様に感じられない塔が、夜の灯りの中では不気味に見える。塔の中は螺旋《らせん》階段があるだけで、塔屋は望遠のための小さな円形の窓が切られており、一体、何のために塔を造ったのか、鉄平は理解に苦しみ、代々の地主とはいえ、第一次大戦で巨万の富を得た祖父の〝船成金〟の趣味かとも思ってみたが、昭和初年に、これだけの大きさと徹底した洋館を建てた祖父のことを考えると、尋常でない偉さを覚える。

扉《ドア》をノックする音がし、妻の早苗がブランディを運んで来た。藍《あい》大島の対《つい》の着物に、ゲランのオーデコロンの香りを漂わせている。

「あなた、もうお寝《やす》みになりますでしょう」

鉄平は、就寝前に、ブランディを飲む習慣があった。鉄平は窓から視線を離し、妻の方を振り向き、

「子供たちは、よく寝んでいるかい」

小学校一年生の太郎と、幼稚園の京子のことを聞いた。

「ええ、志摩からの長い車に疲れましたのか、お夕食を戴くと、すぐ寝みましたわ」

早苗はブランディを注ぎながら云い、

「来年からは、志摩へ行くのをやめに致しましょうよ」

「それはまた、どうしてだい？」

「だって、外国流の正式なディナーですから、子供たちはせっかく志摩へ出かけても、いつも先にお食事をさせられて、私たちが晩餐《ばんさん》をしている間は、子供たちだけでお遊びでしょう、去年まではまだしも、今年は太郎と京子が、親子水入らずで召し上っている方たちを見て、羨《うらや》ましそうな顔をしておりましたもの、といって、まさか、お舅《とう》さまを挟んで、毎日、お姑《かあ》さまと相子さんが一日交替に坐《すわ》る席へなど、子供たちを出せないじゃありませんか、この邸内でも、こうして全く離れた生活をしておればこそ、子供たちの眼にふれないのですわ」

父よりも祖父に似て、色が浅黒く精悍《せいかん》な鉄平の顔が、不機嫌に動き、再びテーブルの上のレポートを取りかけると、早苗の手が阻《はば》んだ。

「あなた、私、ほんとうに口惜《くや》しくて――、今日、私がお親しくしている芦屋病院の院長夫人が、二子さんのご縁談を持って来て下さったの、そうしたら相子さんったら、いろいろとお縁談《はなし》がございますので、その方面のことは私が一切を取り仕切ってお承りすることになっておりますと、横から出て来て、私をさしおいて院長夫人と話し合うのです、あの方は、一体、万俵家の何だっていうのです、お舅さまは愛人だとおっしゃるけれど、妻以外の女、所詮《しょせん》はお妾《めかけ》、今夜はフランス語、明日は英語のディナーと云うこの万俵家が、妻妾《さいしょう》同居の生活なんて……、化けものだわ、あなたたちは、それでよく平気でいらっしゃるわね」

早苗は我慢ならぬように云ったが、鉄平は分厚な肩を安楽椅子《ソファ》にもたせかけたまま、

「平気ではないが、僕たちの子供の時からのことだから――、それに何も知らない他人の眼には、母と彼女は、姉妹か、従姉妹《いとこ》同士のようにも見えて、別に不自然にうつらないんじゃないか、それを今さら――」

「今さら何だとおっしゃりたいの、でも、いくらなんでも毎日、妻の坐る位置に、二人が交替に坐る必要などありませんわ、お姑《かあ》さまは、なぜいつも、毅然《きぜん》として、妻の坐る位置に坐っておられないのです？」

鉄平は、さすがに応える言葉に窮した。母と相子の坐る場所が一日交替になったのは、いつの頃からか、鉄平の記憶にも定かではなかったが、妻の坐る位置に坐った者が、名実ともにその日の妻の役目を果すことになっていることを知ったのは、鉄平が成人してからであった。

「どうしてあなた方は、お姑さまのために、あの人を万俵家から出せないの、私には

あなた方ご兄妹《きょうだい》の気持が解《わか》らない、男性の銀平さんはともかく、未婚の二子さん、三子さんまで、妻妾同居ということにこだわりを持たず、平気でいられるなんて、私には全く理解できないわ」

早苗の眼に、侮蔑《ぶべつ》するような色がうかんだ。ブランディ・グラスを持つ鉄平の手が止まった。

「妻妾同居といっても、わが家の場合は、普通のそれと少し事情が違うことは、これまでに何度も君に話しているじゃないか、母は、戦前の京都の公卿《くげ》華族から、老女付きで嫁いで来、家のことは何一つ出来ない人だ、それが戦後、昔のような執事や老女がいなくなり、女中たちだけになった時、高須相子という才色兼備で、米国へも留学した経歴を持つあの人が、家庭教師として入って来たんだ、最初のうちは子供たちの教育だけであったのが、次第に家内《いえうち》全体を差配するようになり、いつの間にか、僕たちが父に頼みごとをする時でも、あの人を通してしか云えないような雰囲気が、出来上ってしまったんだ――」

「だから、あなた方は、あの人の存在を黙認し、妻である私まで、あの人の指図に従わなければならない雰囲気があるわけなのね」

早苗の言葉には、棘《とげ》が含まれていた。

「たしかに、私の父の大川一郎だって、お妾を持っておりますでしょう、でも本宅へ入れたりなど致しません、万俵家のこんな事情を知っていて、相子さんのような人が万俵家の結婚話を取り仕切っていると知っていたら、私、嫁いで参りませんでしたわ」

結婚して八年も経《た》っていたが、外から入って来た嫁にとっては、今なお黙認出来ぬように云った。早苗の言葉通り、万俵大介が、妻妾同居の生活を営んでいることは、世間に知られていなかった。それというのも、六甲山脈の裾《すそ》野の天王山、一山殆《ひとやまほとん》どが万俵家の地所で、その山裾に邸宅を構え、外からは家内《いえうち》を窺《うかが》い知ることの出来ない、外界から遮断《しゃだん》された生活であったからだった。そして、毎年の正月に、自家の別荘に出かけるような馴《な》じみ深さで、志摩観光ホテルに出かける時だけが、万俵一族の姿が外部の眼に接する時であった。

「それにつけても、あの人、どんな風にしてお舅さまと結びついているのかしら、あれだけの力を持っているのですもの」

女のいやらしさと残忍さを帯びた語調であった。鉄平は応《こた》えずに、先刻、父が使っていたらしい、灯りが点いていた日本館の湯殿へ眼を遣《や》った。そこに二十年ばかり前の出来事が、鮮明に残っている。

万俵家の入浴の時間というのは、特別な意味を持っていた。五時からはじまる入浴の時間には、子供たちが一斉に、洋館から日本館の広い湯殿に集まるのだった。それは祖父が健在であった頃の習慣で、祖父は自分の好みで作った大きな湯殿に孫たちを一度に入浴させるのが好きだった。したがって鉄平たちは男女ともに十五歳まで、母とともに、兄妹揃って入浴するのが、幼《ちい》さい時からの習慣であった。しかし母は、子供たちと湯殿へ入っても、子供はもちろんのこと、自分の体も洗おうとはせず、雛《ひな》人形のように美しく小柄な体をたゆたうように檜の湯槽に浸け、洗い場に上ると、背中から両手、両足、爪先《つまさき》から恥部まで女中に洗わせた。子供たちも女中たちに洗って貰《もら》うから、入浴時の湯殿は、邸内で一番賑《にぎ》やかな場所になる。その代り、湯殿以外の部屋は、その時間、ぴたりと動きが止まったように森閑として人影がなくなり、家中の人の動きが湯殿に集まってしまう。この入浴の時間が、鉄平以外の子供たちにとって、一日の中《うち》で一番楽しい時間であった。各自にあてがわれている部屋から、家庭教師の高須相子の監督を離れ、迎えにきた女中たちに連れられて、洋館から長い廊下を通って日本館の湯殿へ行く時の楽しさは、プールに飛び込みに行くような心の弾みがあった。

鉄平の記憶に残っているその日、弟妹《きょうだい》たちは、いつものように大声ではしゃぎながら湯殿に集まっていたが、一足先に入浴をすませ湯殿を出た鉄平は、バス用のガウンを羽織って西洋館に帰って来、父の居間まで来て、思わず息を呑《の》んだのだった。日頃から父しか入ってはいけない部屋、子供たちも勝手な入室を許されていない部屋の扉が細目に開いていて、その中に家庭教師の高須相子と父の姿があった。しかも、子供たちを膝《ひざ》の上に抱いたことのない父が、相子を膝の上に抱き、二人の姿が重なり合っていたのだった。思わず、鉄平が後退《あとずさ》りした時、背後に人の気配がした。振り向くと、死人のように蒼《あお》ざめ、動かない母の顔がそこにあった。その時の怖ろしいほどの愕《おどろ》きを、鉄平は誰にも話さなかったが、その頃を境にして、高須相子の自分たちに対する躾《しつけ》が厳しくなり、自分たちの教育、進学に関する決定権まで相子が持つようになったのだった。鉄平はそのことに激しい反撥《はんぱつ》を感じたが、肝腎《かんじん》の母の寧子は、公卿華族の門閥に生れたというだけで、相子に対抗し得るだけの家事を管理する力も、子供の教育をする能力も持ち合せないせいか、何事もなかったようなさり気ない平静さで、これまでと同じ生活様式を崩さなかった。

鉄平は曾《かつ》て自分も父たちと一緒に住んでいた白い壁と高い塔を持つ洋館に視線を当

て、

「たとえ、いくら話したとしても、君には、万俵家における高須相子の存在は理解できないだろう、しかし彼女は彼女なりの役割を果しているのだから――、それに今さらどうこう云《い》ってみても、仕様のないことだ」

妻との会話を打ち切るように安楽椅子《ソファ》からたち上った。しかし、一歩、万俵家の邸内に入れば、妻妾同居の生活を営み、一歩、邸外へ出れば、冷厳な姿勢で銀行の頭取としての業務を行い、世間でもそれで通している万俵大介という一人の男の性格が、父と子という間柄を離れて、冷徹怪異な人物として鉄平の心にのしかかって来た。

＊

なだらかな平原に広がる兵庫県三木の広野ゴルフ倶楽部《クラブ》は、日曜日の午前中であったが、人影もあまりなく、松林に囲まれたコースは、名門ゴルフ倶楽部らしい落ち着いたたたずまいを見せている。

万俵大介は、娘婿《むすめむこ》の美馬中《みまあたる》と十五番ホールのティー・グラウンドまで来ると、

「さあ、中君、今度は君が先行《オナー》だ」

と美馬を顧みた。

「やっと十三番を切り抜けたかと思ったら、今度は魔の十五番ホールですか、いつもこのホールでは痛い目にあわされてますから、一度パーを取ってみたいですな」

美馬はホールだてを検討するように地形を見定めた。ほぼ中央に、ホールを二分する大きな谷が横たわり、その向うに三つのバンカーがある。さらにグリーンの前面に窪《くぼ》みがあり、グリーンを四つのバンカーが大きく取り囲んでいる。美馬は、空を仰いだ。真《ま》っ青《さお》に澄み渡り、二月とは思えぬほど陽がさんさんと降り注いでいるが、松の小枝のそよぎでかなり強い北西の風が吹いているのが解る。この風は十五番ホールでは斜めの追風《フォローウインドウ》になると判断すると、美馬はきっと前方を見据え、クラブを振った。クラブ・ヘッドが空を切り、ボールは追風にのって谷の手前、二百四十ヤードの辺りのフェア・ウェイまで飛んだ。

「ほう、本日、最高の当りだね、まさに風さまさまじゃないか」

大介は冗談を云い、ティー・グラウンドにたつと、体重、身長、腕の強さに合わせて別注し、クラブ・ヘッドに自分のイニシャルを入れたケニー・スミスのクラブを取り、柔軟な身のこなしで、第一打を飛ばした。ボールは美馬の後方、四十ヤードの地点で止まった。

大介と美馬は、キャディにクラブを渡すと、ボールの落ちた地点に向って歩き出した。

「関西は、暖かいですね、子供たちも今頃は、お舅《とう》さんの家の広い庭で転げ廻っているでしょうな」

美馬は久しぶりの休日を楽しむように云った。大蔵省主計局次長の美馬は、正月の電話で舅《しゅうと》から孫の顔を見せかたがた来るようにと云われていたものの、越年した予算編成で多忙を極め、日曜も祭日もなく、連日徹夜であったため、延び延びになっていたのだった。それが一週間前の政府の臨時閣議で、最終的にまとめた大蔵省原案が認められ、各省に内示されたので、昨日の土曜日の午後から妻の一子と二人の子供を伴って、舅の家へやって来たのだった。しかし、それは単なる骨休めでも、家庭サービスのためでもない。銀行頭取と大蔵官僚の舅婿《おやこ》には、それなりに必要な話があるからだった。

「中君のお母さまは、お元気かね」

大介は、自分のボールが落ちた地点まで来ると、舅らしい気の遣い方をした。

「今年七十五歳ですが、おかげで元気で、兄の話では好きな短歌をまだ続けているそうです」

美馬の実家は、代々、茨城県の真言宗の住職で、父は十年前に死亡し、現在兄が跡を継いでいた。その美馬の次男の中《あたる》を、大介が一子の婿として選んだのは、美馬が大蔵省銀行局で金融機関の業務と財産の検査をする金融検査官として勤務していた時代である。検査部長の指示によって、六人の金融検査官が、各銀行の帳簿を洗い浚《ざら》え調べ上げるのだから、三十そこその検査官といえども、その権限は銀行を震え上らせる目付《めつけ》役であった。阪神銀行へ美馬が検査官として来たのは、二十九歳の若さだったが、女のように色白な容貌《ようぼう》をしながら、齢《とし》に似ぬ尊大さと俊敏さが目につき、逆に大介の気持を惹《ひ》いて、秘《ひそ》かに娘婿の候補者として身元調べをしたのだった。

その結果、彼が現在は大蔵大臣であり、当時は銀行局長だった永田と同郷で密接に繋《つな》がっており、将来の出世コースを保証されていることが判明した。そして、大蔵官僚が銀行頭取の娘を妻にすることの是非に迷ったのか、なかなか首をたてにふらなかった美馬を、二年がかりで口説き落したのだった。

「さてと――」

大介は、ボールの落ちた地点から前方を見た。七十ヤードほど先にある大きな谷とバンカーが、この地点からみると、ティー・グラウンドで見た時以上の距離をもって横たわり、前方のフェア・ウェイがほんの少ししかないように見える。普通なら谷越えして向うのフェア・ウェイを狙《ねら》って長打するところを、大介は敢《あ》えて九番のアイアンを取り出し、ショットした。ボールは谷のすぐ手前で止まった。こうして手堅く刻んで打って行き、あとは得意のアプローチで勝負する。その間に、相手が冒険してエラーで自滅するのを待つというのが大介の戦法であった。しかし、美馬も好プレイでひけをとらず、十五番ホールは美馬が勝った。

勝負は最終の十八番ホールに持ち込まれた。十八番は、いわゆるドッグ・レッグ・ホールで、全体が犬の足のような形をしていた。大介は十五番ホールの時の作戦と同じく、コースの外側を遠廻りになったが安全に攻めて行き、美馬は内側の曲った部分をカットして、最短距離を狙う戦法を取った。確率は低かったが、成功すればあとの攻め方において、断然、優位にたてる。

大介の第一打は、狙った通りの地点へ飛んだが、気負った美馬は力みすぎて失敗し、左方向の雑草地帯へ打ち込んでしまった。大介は、第二打を打った。ボールは次の第三打でグリーンが狙いやすい絶好の場所へ止まった。美馬の顔に自尊心を逆撫《さかな》でされたような表情がうかび、枯草の中に落ちたボールの前にたって、無理を承知で条件の悪いその場所から一気にグリーンを狙った。ボールは枯草と一緒に舞い上ったが、グリーンを大きくはずれ、その向うのバンカーへ消えた。そこには名にしおう深いアリソン・バンカーが横たわっている。

「しまった――」

美馬は口惜《くや》しげに云い、グリーンの裏へ廻り、バンカーからグリーンの上の赤い旗《はた》竿《ざお》をめがけてショットしたが、ボールは深いバンカーからなかなか出ない。第三打を首尾よくピンによせた大介は、グリーンの上から砂煙を浴びながら悪戦苦闘している美馬を、舅らしからぬ皮肉な笑いをうかべて見詰めていた。辛うじて美馬がバンカーから脱出して、グリーンにのせた時には既に六打で、勝負は大介が勝った。

「やっぱり今度も駄目でしたが、この次は必ず雪辱したいものです」

美馬が次回を期するように云ったが、

「いや、私だって、まだ二、三年は君の首根っこをおさえ続けてみせるよ」

大介は愉快そうに応じ、二人は上気した顔の汗を拭《ぬぐ》いながら、クラブ・ハウスへ引き揚げた。

シャワーを浴びたあと、クラブ・ハウスのラウンジに向い合い、ビールを注文すると、大介は、

「金融制度調査会の特別委の委員長は、もう内定したのかね」

正月の電話では、聞き出せなかったことを聞いた。

「ええ、内定してます、日本経済連合会の小野山《おのやま》事務局長ですよ」

「ふうむ、小野山——」

　小野山は日本経済連合会の中でも、金融系列にこだわる銀行のエゴイズムが企業再編成を阻《はば》んでいるから、金融機関の再編成を促進すべきだという意見の持主だった。

「そうすると、再編成のテンポが早くなる感じだね」

「そうですね、当初の予想より、一年早まるでしょう、何しろ小野山氏は相当な積極論者ですからね」

「君の云い方を聞いていると、小野山氏が推進力になって早めるように聞えるが、特別委は、政府の諮問《しもん》に対して、答申を出すとはいうものの、ほんとうは、大蔵省銀行局で作った構想にサインするだけなんだろう」

　美馬はビールを含んだまま、応えなかった。

「それにしても、どうして大蔵省は、そんなに金融再編成を急ぎたがるのかね、日本の銀行の規模は決して小さくない、げんに去年のアメリカン・バンク誌に掲《の》っていた世界の五百大銀行をみると、上位二十五行の中に、日本の四大銀行の五菱《ごりよう》銀行や大友銀行などは四行とも入っているし、わが行だって八十三位に入っている、それにもかかわらず、都市銀行の大型合併を促進することは、かえって金融機関の寡占《かせん》化体制を招き、産業支配の強化が行われるような弊害が出るかもしれないじゃないか」

「いやですねぇ、阪神銀行頭取のお舅さんが、そんなことをおっしゃっては、日本では、現在、預金量第一位の銀行でも、全国銀行中に占める占有率《シエア》は六パーセント程度に過ぎないから、都市銀行間に合併が行われることがあっても、寡占体制に繋がらないことぐらい、先刻ご承知のはずじゃありませんか」

そう云う時の美馬は、鼻にかかった女のような声にもかかわらず、はっとするような官僚的な冷たさが漂う。

「それにしても、何のためだね、そんなに金融再編成を急ぐのは？　財界だって積極的な支持はあんまりみかけられないじゃないか、しきりと急いでいるのは、君の大親分《ボス》である永田大蔵大臣や総理など、自由党の連中ばかりじゃないかね」

「お舅さん、私たちは、財界の意向を全く無視してやることなどは、出来ません――」

それ以上は、言外に微妙なニュアンスを響かせ、一旦《いったん》、口を噤《つぐ》み、

「ともかく再編成は、〝合併屋〟の異名をもつ春田銀行局長によって、強力に推し進められて行きますよ、ついこの間の省内の会議でも、彼は、各産業とも経済の国際化に備えて体質の強化に努めている時、金融機関だけが従来通りの過保護の体制に恋々《れんれん》としていることは許されないという強硬論をぶち、その具体化の火蓋《ひぶた》を切りました

よ」

「何だね、それは？」

「まだ公表を控えていますが、再編成の緒《いとぐち》として、いよいよ都市銀行に統一経理基準を実施しようということになったのです」

「しかし、あれは単なる経理上の問題だろう、再編成とどう繋がるのかね」

確か経理担当の専務からの報告でも、そうした性格のものだと聞いていた。

「そうやって皆、まだ気付いていませんが、あれを立案した奴《やつ》は相当な智恵《ちえ》者でしてね、統一経理基準が適用されると、各銀行の経理は全部ガラス張りになる、それがほんとうの狙いなんですよ」

美馬がそう云った途端、大介は、はっと虚を衝《つ》かれたように表情を動かした。これまで各銀行の決算方式はまちまちで、利益の出し方も或《あ》る程度、自由に操作できたから、実際には上位の四大銀行ほど収益が上らない銀行でも、何とか表面をつくろい、預金者の信用維持を図って来られたが、統一経理基準が適用されれば、各行とも同一の基準で決算を行わねばならないから、経理内容がガラス張りになり、銀行間の収益の格差がはっきりと表に出て来る。そうなれば、預金者の心理として、収益の高い銀行へ預金したくなるのは当然である。

大介は陽に輝いている芝生に眼を向け、黙り込んだ。美馬が云うような意図で統一経理基準が適用されるということは、近い将来、金利、配当、店舗の自由化が必ずなされるということであり、そうなれば預金金利や配当の高い大銀行に、ますます預金者が集まり、中、下位銀行の経営は、非常に苦しくなって来る。そう考えると、大介は怖ろしい思いがした。

都市銀行とはいえ、業界ランク十位という下位にある阪神銀行は、このままの状態で行けば、将来、上位の大銀行に統合、合併される危険がなきにしもあらずであるからだった。その危険性を避けるためには、今、眼前にいる娘婿の美馬をはじめとする閨閥《けいばつ》を駆使して、政官界に働きかけ、阪神銀行を生き残らせるための万全の策を、充分に時日をかけて布石しておかなければならないと思った。

暖炉のある広い居間で、母の寧子と東京から実家《さと》帰りして来た長女の一子を中心にして、二子、三子をまじえた母娘《おやこ》の楽しい団欒《だんらん》が、先刻《さつき》から続いている。

「お姉さま、メルシー・ボクゥ、すばらしいハンドバッグやわ、やっぱりフランス製でも、エルメスのでないと駄目ね」

二子が、テーブルの上に拡げたシックな包み紙から薄茶《ベージュ》のスエードのハンドバッグを取り出し、手で触《さわ》れば、そのまま指あとがつきそうなソフトな肌触りをいとおしむように云うと、三子も、

「お姉さま、私のペランの手袋《グラヴ》も素敵やわ、残念ながら関西では、肘上《ひじうえ》までのアーム・ロングのホワイト・キッドは見つからないの、これでパーティ・ドレスがぐんと引きたつわ、この頃、宮さま方だってアーム・ロングの手袋になると、絹地ですませていらっしゃるそうやけど、ヨーロッパの正装では、純白のキッドでなきゃあ、貴婦人とは云われへんのよ」

暖炉の前で、貴婦人を気取った身振りをした。

「そんなに喜んで下さったら、銀座を探し廻った甲斐《かい》があってよ」

一子は、姉らしい優しさを籠《こ》めて云った。

「でも、お勘定の方、お姉さまの家計にひびかないこと？」

二子が、高価なハンドバッグを抱えながら心配すると、三子が、

「大丈夫、お父さまが美馬中氏渡りに、毎月ちゃんと小切手をおきりになっていらっしゃるはずやもの、だから、これはそのリベートかな」

悪戯《いたずら》っぽい云い方をすると、母の寧子は、関西訛《なま》りのおっとりとした口調で、

「そんなお品の悪いことを云うものやありません、お姉さまには私からご迷惑にならないようにしておきます」

窘《たしな》めるように云った。

「いいのよ、お母さま、姉妹でこんなにあけすけなお喋《しゃべ》りが出来るのは、久しぶりですもの、それに子供たちも、あんなに大喜びですわ」

居間から見下ろせる芝生の庭で、慶応幼稚舎の宏《ひろし》と、幼稚園の潤が、鉄平の子供と一緒になって走り廻っている。みんな元気な半ズボン姿で、仲のいい歓声が居間まで聞えて来ていた。そんな子供たちの姿を、一子はうっとりとした表情で見守っている。三人の姉妹の中ではいちばん母に似、色白の細面《ほそおもて》に、一重の張りのある眼とつぼむような小さな口もとをし、三十五歳にしては地味過ぎる青磁色の着物を着ているが、それがかえって清楚《せいそ》な感じを増している。

「久しぶりに鉄平兄さんにお会い出来ると思ってましたのに、ご出張から帰っていらっしゃらないのですってね」

一子は、絶えず技術者らしい純粋な情熱を燃えたぎらせている鉄平の性格が好きであった。

「銀平さんの方は、どうしているの？」

弟の銀平のことを聞いた。母の寧子は口詰るように視線を落したが、三子は、右手でグラスを持つ恰好《かっこう》をし、

「銀平兄さんたら、お昼は至極、お品のいい銀行員だけど、夜ともなればプレイ・ボーイよろしく飲み歩き、土曜日の夜などは、いつも午前さまでご帰館、だから今日はまず、正午まではお寝《やす》みよ」

「じゃあ、相変らずなのね」

兄の鉄平と異なり、冷静すぎるというのか、いつも醒《さ》めたような表情でいる青白んだ弟の銀平の顔を思いうかべた。

「それで、ご縁談の方は、その後どうなっているの」

「肝腎の銀平兄さんが、せっかくの良縁にも、たいした熱意も示さず、かといって断わりもせず、ぬらりくらりで全く何を考えていらっしゃるか解《わか》らないの、だから、さすがの相子女史もいささか手をやいているようやわ」

二子が話した。

「相子さんは、また犬のお散歩かしら」

一子は、朝食で顔を合わせたきり、相子の姿を見かけなかった。

「きっとそうよ、わが家の貴公子、貴公女三匹を引き連れて、今ごろ裏山のお散歩よ、

ビスマルクは、高貴なる犬を暖炉の両側に従えるのは、富と権威の象徴だと云《い》ったそうだから、相子さんもその気でいるのかもしれないわ」

三子が、西洋史を専攻している学生らしい比喩《ひゆ》を持ち出した。

「面白い喩《たと》えじゃないの、きっとそのつもりで、ファウン・グレートデンを引っ張り廻しているのよ、でも、高須相子における富と権威というと、どういうことになるのかしら、まさか彼女自身が財産家であるはずはないでしょうしね」

大学を卒業した後もピアノを続けている二子が皮肉るように云い、

「でも、彼女、たしかに美人ね、四十を過ぎているはずなのに、誰がみても三十五歳以上には見えないわ、一体、何を使っているのかしら？　全身美容にでも通っているのかしら？　ともかく彼女には妖《あや》しさがあるわね、人の結婚の世話などするよりも、自分がどこかへさっさと嫁《い》けばいいのに――」

しゃきしゃきと畳み込むように云うと、

「あら困るわ、私がちゃんといいところへ嫁ぐまではいて貰《もら》わないと――」

三子がまぜっ返し、互いに顔を見合せて笑った。一子には、高須相子の存在が、少女時代から自分の心に暗い影を落していたが、妹の二子と三子には、さほど深刻な存在ではなく、家庭教師兼女執事、兼自分たちの良縁探し役という、からりとした割切り方をしている。

「さあ、坊やたちがお待ちかねだから、私たちも、そろそろ行こうかな」

二子と三子は、お揃《そろ》いのスラックス姿で庭へ降りて行った。

一子は、母と二人きりになると、暖炉に薪《まき》をくべ、ポットの紅茶を注いだ。

「お母さま、先程の銀平さんのことだけど、ほんとうにどうなっておりますの？」

「どうって、私にもよく解らないの、大阪重工の安田さまか、京都大学の有名な数学者の三木教授のお嬢さまか、どちらかのご縁談に定《き》めさせて戴《いただ》こうということになっているのだけど、どう定めてよいのか、私には……」

細面の白い顔をたゆとうようにかしげた。五十の半ばを過ぎながら、童女のようにあどけない仕種《しぐさ》であった。そんな仕種に出会うと、公卿《くげ》華族の出という特殊な環境から来るものか、それとも母の性格のどこかに何か脱落したものがあるのではないかと、一子は考えるのだった。

「どうしてお母さまは、ご自分の子供の結婚に、母らしいはっきりとしたご意見をお持ちにならないのです、私の時も今と同じでしたわ」

一子は、多くの縁談の中から、父の妹である叔母が持って来た大阪の繊維会社社長の令息を好ましく思い、心をきめていたのだが、父の意向で、相子に伴われて大蔵官僚の美馬中と見合いをさせられ、断わろうとすると、相子が「お父さまほどの方でも、大蔵省の銀行局にはご苦労遊ばしているのです、それだけにこのご縁談を承知して下さると、お父さまはどれだけお喜びになるかしれません」と強引に縁談を進めたのだった。その時も、母の寧子は何一つはっきりした意見を出さず、結婚式の日だけ、飾りもののように花嫁の母の席に坐《すわ》ったのだった。

「私って、駄目ね、何一つできないのですもの……」

寧子は、哀《かな》しげに、ぽつりと云った。

寧子の実家の嵯峨《さが》家《け》は、子爵《ししやく》とは名ばかりで、公卿華族という血統を唯一《ゆいいつ》の財産にして、娘たちを資産家に嫁《かたづ》け、その余沢で華族生活を維持して来た京都の貧乏華族であった。寧子たち三人の姉妹にも幼《ちい》さい時から一人一人の老女が随《つ》き、父をおもうさま、母をおたあさまと呼ぶ特異な環境の中で育てられて成人すると、手作りの雛《ひな》人形のように財産家へ嫁がされ、その時の巨額な結納金の大半が、華族としての体面を保つ手《て》元金《もと》という名目で実家に収納されるのだった。そして、その嵯峨家の現在の当主である寧子の兄は、趣味と実益をかねた関西洋蘭《ようらん》協会の会長として余り豊かでない生活を送っている。

一子は、ふと話題をかえるように、

「お母さま、子供たちのいる庭へお出になりませんか」

声をかけると、母は﨟《ろう》たけた顔を虚《うつ》ろにして、暖炉の中を見詰めている。暖炉の火が消えそうになり、黒く焼け焦《こ》げた薪が、ちろちろと黄色い炎を吐いている。虚ろな母の眼が、消え尽きそうな炎に吸い寄せられているのを見、一子は、この世間知らずのお姫《ひい》さん育ちの母の日常が、今も昔と少しも変らない状態であることを察した。


万俵大介と美馬がゴルフから帰り、晩餐《ばんさん》がすむと、一同は居間へ移り、食後の賑《にぎ》やかな団欒に一ときを過していた。暖炉に近い一番大きな安楽椅子《ソファ》には大介が坐り、娘たちは少し離れたテーブルを囲んで、他愛ないお喋りをしていたが、大介はパイプをくゆらせながら、今朝のゴルフの後《あと》、娘婿《むすめむこ》の美馬から聞いた話を思い返していた。

近く大蔵省銀行局の指導で統一経理基準が適用されることになると、銀行の経理がガラス張りになり、銀行間の格差がはっきりして来、阪神銀行のような下位銀行の経営は難かしくなって、いずれは上位四行の大銀行に吸収合併される危険に曝《さら》される――。そう思うと、大介は、食後の団欒に加わりながらも、明日、緊急に役員会を招集して、対策を練らねばならないと考えていた。

娘たちの高い笑い声がした。義兄《あに》の美馬を中心にして、二子と三子が喋っている。

「お義兄《にい》さま、大蔵省って、一番、閨閥のすごいところ、閨閥のメッカだなんて云われているの、ほんとうなの？」

末娘の三子が聞いた。美馬は、苦笑した。彼自身が、万俵家の長女である一子を妻にし、金融機関と閨閥を結んでいる。しかし、三子の質問には悪意がなく、若い娘の単純な好奇心であった。

「閨閥のメッカなどという表現は、大袈裟《おおげさ》すぎるけれど、まんざら間違いでもないねえ」

美馬は、いつものやや鼻にかかった女性的な声で云った。

「どんな方が、大蔵省のエリート官僚の花嫁候補におなりになるの？」

次女の二子も好奇心に満ちた表情で聞いた。

「一番多いのは実力政治家の令嬢だな、エリート意識の強い大蔵官僚でも、国会審議では代議士諸公にもみくちゃにされることが多いから、実力政治家を舅《しゅうと》に持っておけば、少しはお手柔らかにというところかな」

「その次は、どういうところなの？」

「そうだね、次となると、実業家の令嬢というところかな、大蔵次官から選挙に打って出ようとすれば、何といっても相当な選挙資金を必要とするからね」

美馬自身にも、あてはまるケースであった。

「じゃあ、数ある大蔵省の閨閥の中で、断然、光っているのはどなたなの？」

三子が、紅茶茶碗《ぢやわん》を手にもったまま、体を乗り出すようにして聞いた。

「そりゃあ、何と云っても、前主計局長の鷹野亮一《たかのりよういち》氏だろうね、あの人のお父さんは、三子ちゃんたちも知っている十年前に亡《な》くなられた鷹野亮輔総理で、奥さんの実家《さと》は、東京の財界でも超一流だから、大蔵省内の閨閥でもずば抜けている、何しろ主計局長時代、国会審議に行って、廊下で故鷹野総理に世話になった議員連中に出会うと、〝いや、坊ちゃま〟と挨拶《あいさつ》されたそうだからね」

「まあ、五十前後の局長が坊ちゃまだなんて、いくら何でも――」

二子と三子は吹き出した。

「笑い話じゃあないんだよ、だから大蔵省には、どんな才色兼備の女性がいようと、間違っても職場結婚するような馬鹿《ばか》な男はいないよ、まず自由党主流派の政治家か、一流会社の少なくとも常務以上の令嬢というところが狙《ねら》いだよ、どう、二子ちゃんと三子ちゃんならその資格十分だから、大蔵省で将来有望なのを探してあげようか」

「いやよ、お正月もゆっくり出来ないお姉さまを見ていると、私たち関西でののんびり育っている者には、とても大蔵官僚のお嫁さんなど向かないわ、お姉さま一人でたくさん！」

三子が、願い下げるように云うと、また笑いが起った。同じテーブルを囲んでいる母の寧子と姉の一子、少し離れた安楽椅子《ソファ》に坐っている次男の銀平も苦笑したが、大介だけは笑わなかった。ここにいる一族だけではなく、万俵不動産、万俵倉庫、万俵商事などの同族会社にいる一族のことまで含めて、今後の阪神銀行の在り方を考えると、家庭の団欒の時にさえ、笑えない場合がある。それが、一族の長たる者の肩にかかっている重みであるのかもしれなかった。

不意に濃厚なジョイの香水の香りが漂った。ワイン・レッドのワンピースを着た高須相子が入って来た。強烈な赤をびしりと抑え込むように巧みに着こなし、女豹《めひょう》のように大きく光る眼で居間を見渡し、

「あら、暖炉の火が小さくなっておりますわね」

と云い、ベルを押して女中を呼び、すぐ薪《まき》をくべさせ、

「美馬さんがお発《た》ちになるまで、まだ少し時間がございますから、飲物でもお持ちしましょうか」

女主人のような気配りを見せた。

「そうだな、まだ一時間程あるから、中君《あたる》、ブランディにしようか」

むっつり黙っていた大介が、はじめて口を開いた。

「ええ、僕はエキストラでも戴きましょうか」

美馬が応《こた》えた。相子は、居間の片隅にある洋酒棚から、ブランディとグラスを取り出し、まず今夜の客である美馬に注《つ》いだ。そしてその同じテーブルにいる一子たちの前にも、グラスを置きかけると、

「こちらは結構でございます」

ぴしゃりと一子が、母や妹たちの意向も聞かずに断わった。一瞬、気まずい雰囲気《ふんいき》が流れた。一子は、さっきの晩餐の席で、大介の左側の妻の坐るべき席に、高須相子が坐っていたことにこだわっていた。せめて万俵家の長女が、久しぶりに帰って来た時ぐらいは、相子に遠慮して欲しかったのだった。相子は、平然として、

「では、あちらのテーブルで、殿方ばかりで召し上って戴きましょう」

と云い、巧みに美馬と銀平を、大介のいるテーブルの方へ誘い出し、自分もそこに加わって、グラスにブランディを注ぎ、

「美馬さんがいらっしゃると、団欒が一段と楽しくなりますわ、鉄平さんがまだお帰りにならなくて残念ですけれど――」

相子と美馬の間には、相子が、美馬と一子との結婚を積極的に推進したということの他に、互いに万俵家のような富豪の家に生れず、中流の家庭に育ったという共通感のようなものがあった。

「今年も予算編成は大へんでございましたでしょう、この間の新聞でも、各省の方々が、徹夜で主計局の前で待っておられる写真が出ておりましたわね」

「ええ、毎年、十二月下旬から第一回の予算査定をするわけですが、九月頃から各省ごとに出されている予算資料は天井まで届くほど膨大なものでしてね、それを検討し、その説明を聞いた上で、よほどの理由がない限り、第一次査定はだいたい既定経費以外は、殆《ほとん》どゼロの査定をするわけです、そうなると、各省から猛烈な第二次要求が来て、ゼロ査定したものの復活を要求される、これに対して何とかかんとか理窟《りくつ》をこね廻して突っ撥《ぱ》ねる、そうすると、また第三次要求案が出されていよいよ終盤戦に入るんです、この頃から主計局の前の廊下は徹夜で順番待ちの各省の課長連で埋《うず》まり、攻める側も守る側も不眠不休の状態になり、どうにも話し合いのつかないものはいわゆる大臣折衝ということになるわけですが、大臣がやるべきだと定《き》めても、国家の金を預かっている主計官がノーといえばそれまでですよ、それにしても予算査定ともなると、どうしてああ乞食《こじき》がものを貰うように卑屈に頭を下げるのですかねぇ」

六兆円にのぼる国家予算を一手に握り、場合によっては大臣にも頭を下げさせておきながら、乞食呼ばわりするところに尊大なエリート意識が剝《む》き出しになっていた。美馬は快げに酒気に顔を紅《あか》らませ、さっきから黙ってブランディ・グラスを口に運んでいる銀平を見て、声をかけた。

「その後、銀平君の縁談はどうなっているの、阪神銀行頭取の御曹子で、慶応大学出身、眉目《びもく》秀麗、三十三歳の銀平君には、縁談は降る星の如《ごと》くだろう」

「降るだけでは、仕方がないのでしてねぇ」

「じゃあ、早く定《き》めればいいじゃないか」

美馬が云うと、銀平は青白んだ顔に薄い笑いをうかべた。

「相当、遊び廻っているということだけど、バー遊びが面白いってわけ？」

「バーなど、たいして面白くないですよ」

銀平は、素っ気なく云った。

「じゃあ、誰か好きな女《ひと》でもいるのかい？」

美馬は、わざと男同士のくだけた聞き方をした。

「僕の場合は、好きな女がいても、その場限りで決済できるのばかりですよ」

「それじゃあ、結婚の相手として、誰かいい人でもいるのかい？」

「あるはずがありませんよ、どうせ結婚したいという相手があっても、お父さんが簡単に承知するはずはないし、といって、何でもお父さんの仰《おお》せの通りになるのも、だらしないし――」

「それで、この間からの縁談に生《なま》返事しているというわけか」

大介の眼が、ぎょろりと光った。

「いや、一概にそういうわけでもありませんがねぇ」

銀平は、父よりも相子の方を見て、云《い》った。

「銀平さんって、いつもこんな応え方をするのよ、何事につけても傍観者的というのか、少年の頃からそんなところがあって、私、随分、困りましたのよ」

相子は、大介にとも、美馬にともなく云った。大介はぷかりとパイプをくゆらしたが、美馬は、銀平の方を見た。三十三歳の若さで、重役クラスが着るような服を着、ブランディ・グラスを手にして、深々と安楽椅子《ソファ》に体を埋めている。そして少し離れたところでは女ばかりでチェスがはじまっている。一子の姿が見えないのは、隣室で遊んでいる子供たちに帰り支度をさせに行っているらしい。

「相子さんは大へんですね、大家族の万俵家で、しかもそれぞれ、勝手気儘《きまま》な人たちばかりなんだから、縁談をまとめるとなると、一苦労でしょう」

「でも、万俵家をさらに大きくするためには、銀平さんのご縁談は、いろいろと大切な意味を持ちますし、それに相手の方の職業によっては、美馬さんとの関係もございますし——」

「もちろんです、銀平君の縁談は、私の立場にもかかわり合いを持つことですからね」

美馬中は、当然のように頷《うなず》き、自分も帰り支度を整えるためにたち上った。

美馬と一子と子供たちを乗せた車が、赤い尾燈《テール・ランプ》を見せながら、邸内の道をゆっくり降りて行った。相子は、玄関のポーチに一緒に列《なら》んで見送った寧子と玄関へ入り、ホールを横ぎって階段のところまで来ると、

「では、お寝《やす》み遊ばせ」

いつものようにさり気なく挨拶を交わし、階段を上った。二階の廊下を右へ折れ、突き当りの部屋が万俵大介の寝室になっている。ノックすると、応答はなかったが、相子は扉《ドア》を開けた。

渋いローズ色の絨毯《じゅうたん》を敷き詰めた寝室は、明るい野趣に富んだスペイン風の外観に

対して、優美なフランス風にしつらえられ、化粧台からナイト・テーブル、衣裳簞笥《いしようだんす》までですべて象牙色《ぞうげ》に統一されている。その部屋の真ん中には、豪華なベッドが並んでいた。象牙色に金色の縁取りをした三台のベッドであった。三台のベッドの真ん中のダブル・ベッドが大介、両側のシングル・ベッドが、寧子と相子のもので、年に何回かは三人同衾《どうきん》することもある。

ベッド・ルームに続いたバス・ルームで、シャワーを使う大介の気配がしたが、晩餐前にバスを使った相子は、服を脱いでオール・プリーツのナイト・ガウンに着替えると、化粧台の前に坐って、クレンジング・クリームをたっぷり掌《てのひら》に取り、化粧を落しはじめた。最初にクリーム状のクレンジングで落し、続いて乳液状のクレンジングで落し、さらにスキン・ローションで拭《ぬぐ》って行くにつれ、素顔の高須相子の顔が現われて来る。相子はさっき、一子が万俵家の長女であることを誇示するように振舞ったことを思い浮かべて、不快になった。ただ万俵家の娘に生れたというそれだけのことで、現在の一子があるのではないかと思うと、自分の幼い時のことが思い出された。

相子の家庭は、母を亡くし、父と弟と相子の三人暮しで、相子が大学進学の時、父は大阪府教育委員会の学事課長であったが、専門学校しか出ていないために、課長以上の昇進は望みがなかった。それだけに相子は学費負担が軽くすむ国立の奈良女子高等師範を選び、社会学を専攻した。そのあと、ガリオア・エロアの奨学資金を得て、カリフォルニア大学へ留学したのだったが、昭和二十三年頃のアメリカにおける留学生の生活は、現在のように恵まれた状態ではなかった。相子は、ガソリン・スタンドやドラッグ・ストアの店員のアルバイトをして卒業したが、卒業後、すぐ日本へ帰国しなかったのは、同じ社会学を専攻する教室の研究員であるリチャード・キーンと結婚したからであった。キーン家は富裕な家庭ではなかったが、父が陸軍大佐という軍人である上に、母がイギリス人であったから、英国風の厳格な家庭だった。したがって相子との結婚には強く反対したのだったが、結局は一人息子の懇願に押し切られた形になった。それだけに結婚してキーン家へ入ってからの相子は、ことごとに、厳しい英国風のマナーにそぐわない点を指摘され、特に舅のエドワードが日本人に対しては人種的偏見を持っていることを知った時、学究肌で心の温かいリチャードに対しては断ち難い愛情を抱きながら、それ以上、キーン家にとどまる意欲を失った。

僅《わず》か一年で離婚し、日本へ帰って来た相子に、思いがけない出来事が待ち受けていたのだった。戦後、国定教科書が廃止され、各校で自由に教材を選ぶ方式に切り替ったが、父は特定の教育図書出版社から物品を受け取って便宜を与えたという教科書汚職に連座し、実刑ではなかったものの、罰金刑を受けて懲戒免職になった。そのころ弟は大阪大学へ入学したところであった。そんな事情の中では、米国留学の肩書を持った相子であったが、一流企業には採用されず、さりとて、中小の企業へ行くことも気が進まず、将来をきめかねていた時、父の旧友から、万俵家が高給をもって欧米風の教育をする家庭教師を探しているからどうかという話があった。経済的な必要に迫られていた相子は、さらに仲介者を得て、万俵家を訪れたのだった。

最初に万俵大介に会ったのは、採用を決める面接のためであった。当時、まだ健在だった老執事に伴われて、一階の書斎へ入って行くと、万俵大介が書棚の前の椅子《いす》に坐《すわ》っていた。阪神銀行の副頭取であるとは聞いて来たが、年齢に似ぬ冷徹な容貌《ようぼう》に畏《い》怖《ふ》の念を抱いた。大介は相子の履歴書に眼を通し、まず仕事の内容が五人の子供の家庭教師であることを告げた。承知していますと応えると、父の件は口にせず、アメリカへ留学し、アメリカで結婚したあなたが、なぜ離婚したのかと聞いた。夫は心の温かい人でしたが、舅の日本人に対する人種的偏見が我慢ならなかったからと応えると、大介は頷き、執事に、妻と子供を呼んで来るようにと云った。間もなく、美しい妻と聡明《そうめい》そうな三人の子供が入って来ると、大介は、「あと二人の子供は、乳母がついて昼寝をさせているが、これが私の子供と妻です、やって行けそうですか」と聞いた。

美しい妻と聡明そうな子供を持ち、自ら家庭教師の採用にたち合いながら、父として、夫としての温かみに欠けているような印象ではあったが、相子は承知した。

二度目に大介と話したのは、万俵家へ入って一カ月目であった。広い邸内であったし、家庭教師が役目であったから、めったに顔を合わせる機会はなかったが、その日、長男の鉄平の部屋へ、一子と銀平の二人を集めて、英会話の勉強をさせていた。英国の上流家庭で用いられる敬語の使い方の練習であったが、何度繰り返しても敬語の云い廻しができない。少々、苛《いら》だった相子が、思わず、「あなた方は、馬にたとえれば毛並の優れたサラブレッドです、サラブレッドが名馬になるためには、毎日、厳しい調教を重ねるのです、あなた方も満二十歳の成人に達するまで、私の厳しい調教を受けねばなりません」と云った時、いつの間に扉が開いたのか、大介が入って来、「私も、二十歳まで祖父に厳しい教育を受けた、あなたは、私と同じ考えを持っている」と云い、強い眼《まな》ざしで相子の顔をまじまじと見詰めた。その日から相子は、大介に対して畏怖の念とともに、惹《ひ》かれるようなものを感じ、子供たちの教育方針、進学などについての意見を、積極的に大介に話すようになった。そして、相子が万俵家へ来てから半年目の或《あ》る日の夕刻、大介に書斎へ呼ばれた。その時間は、子供たちが一斉に入浴し、女中たちがそれにかかりきって、広い邸内の湯殿以外は人気《ひとけ》がなく、真空状態になっていた。森閑とした異様な静けさの中を大介の書斎へ入って行くと、大介は、傍《そば》へ寄るように眼で命じた。相子は一瞬、眩暈《めまい》するような震えを覚えたが、あとはそれを待っていたような自然さで、大介の体に抱かれた。初めのうちは、そのことにうしろめたさを感じていたが、次第に自分が大介の単なる愛人ではなく、妻の寧子以上に大介にとって必要な存在であるという自信を相子は持った。

大介の声がして、思い出が跡切《とぎ》れた。

「どうしたんだ、化粧台の前でぼんやり考え込んだりして、美馬たちが来て、疲れたのかい」

鏡の中に、バスから上ったばかりの大介の裸体が映っている。六十歳とは見えぬ艶々《つやつや》しく引き締まった体であった。若い時からゴルフで鍛えたせいかもしれない。相子は、昼間の大介に齢《とし》を感じる時があっても、寝室での大介には齢を感じたことがない。筋肉質の体と旺盛《おうせい》な性欲は、四十代の壮年のそれであった。パジャマをつけない裸のまま、大介は、相子をベッドの中へ抱き入れた。

大介の大きな手が、相子の首筋に触れ、豊満な肢体を老練な手馴《てな》れた愛撫《あいぶ》で、自在に締めつけて行き、足にまで触れた。忽《たちま》ち相子の肌が紅《あか》らみ、乳房の間から足の指先まで汗ばんだ時、大介のぬめるような声がした。

「今夜の爪《つめ》はきれいだ——」

足の爪に塗った銀色に光るペディキュアのことを云った。ペディキュアを塗っていない寧子の白い足が、ちらっと眼にうかんだ。

突然、ナイト・テーブルの上の室内電話が鳴った。時計を見ると、十一時であった。汗ばんだ裸のまま、片手を伸ばして受話器を取り、

「どなたでございますの——」

やっと、そう応《こた》えると、遠慮がちな寧子の声が聞えた。

「あのう……こんな時間にご免なさい、今朝、千鶴《ちづる》さまからお電話があって」

と云い、言葉を跡切らせた。相子の息遣いに気付いたらしい。

「それでゴルフから帰られたら、必ずお電話をほしいというおことづけを、私、忘れていて……ご免遊ばせ」

寧子は、うろたえ気味に云った。

「ご鄭重《ていちょう》に、お伝え致しておきます、では、お寝み遊ばせ」

相子は、受話器を置いた。

「なんだ、今頃？」

「お妹さまの千鶴さまから、何か急なご用でお電話があったそうですが、どうなさいます？」

「もう遅い、明日のことでいい」

そう云い、大介は再び両手を伸ばして、相子の豊満な肢体を愉《たの》しむように、自分の体の下に引き入れた。

朝、万俵大介の姿が玄関に見えると、三頭のファウン・グレートデンがポーチに坐る。

「お早う、アインス（一）、ツヴァイ（二）、ドライ（三）」

ドイツ語の数字をそのまま呼名にした呼び方をすると、三頭はぴんと耳をたて、両足を揃《そろ》えて、主人を見送る姿勢を取る。

「行っていらっしゃいまし――」

妻の寧子は、ポーチにたって夫を送り出したが、傍《かたわ》らにたっていた相子は三頭のファウン・グレートデンを連れて、大介に続いた。相子は、下の正門まで見送ることになっているのだった。寧子は、二人の姿が、玄関から二十メートル離れたロータリーの植込みの陰に見えなくなるまで、じっとポーチにたって見送っていた。その間中、相子は、自分のうしろ姿を身じろぎもせずに見詰めているであろう寧子のひっそりと動かない視線を感じ取っていた。無表情に近いほど感情を抑え、慎《つつま》しく振舞っている寧子であるだけに、或る意味では絶えず、影のように相子の気持につきまとっているとも云える。特に昨夜のように濃厚な情事があった翌朝は、ことさらそれを感じた。

寧子と自分とが一日交替に、大介と寝室を共にするといっても、いつも交わりがあるわけではない。体を触れ合うだけの時もあれば、また寝室を共にするだけで、大介は真ん中のベッド、相子は右側のベッドに別れて寝む時もあるのだった。昨夜のように首筋から足の爪先まで触れられ、恥ずかしいほど露《あら》わな昂《たかぶ》りに溺《おぼ》れることはそう度々ない。そんな時、突然、室内電話がかかり、とっさに乱れた呼吸を整えて受話器を取ったものの、情交の最中《さなか》である気配は、寧子に感じ取られているはずであるのに、今朝、食堂で顔を合わせた時も、寧子はいつもと同じ平静な表情で、ごきげんようと挨拶《あいさつ》し、いつもと変らず、大介を挟《はさ》んで朝食を摂《と》ったのだった。胸高に帯を締め、背筋をきちんと伸ばした姿勢で、音もなくオートミールのスプーンを口に運ぶ寧子の姿は、たおやかな気品に満ちている。そんな寧子を見ると、相子は、十数年間、大介を挟んだ生活をともに営みながら、寧子の心の中にあるほんとうの動きはいまだに解《わか》っていないと思った。それが公卿《くげ》華族という特異な門閥に生れた人間の血というものかともかく考えてみたが、時折、子供たちに見せる母親らしい気持の動きを見ていると、それは普通の女の気持と少しも変らなかった。

植込み越しに、人声がした。

「お早うおます！」

庭番の声であった。その方を見ると、庭番夫婦と出入りの植木屋が、五、六人入って、芝生の寒肥《かんごえ》と、蘇鉄《そてつ》やユッカなどの寒さに弱い樹《き》に巻いた霜除《しもよ》けの藁《わら》のゆるみを直している。

「ああ、お早う、ご苦労だね」

大介がねぎらいの声をかけた。相子も、

「ご苦労さま、芝生の方は寒肥だけでなくて、ローラーもかけておいた方が、育ちがいいんじゃないかしら、それにダイニング・ルームの前の噴水の配水管が少し傷《いた》んでいるから、あれも直しておいて――」

一家を取り仕切る夫人のように云いつけたが、いつもそれで通っているから、

「へい、その方も承知しとります」

庭番と植木屋も、鄭重に応えた。

大介は、そこから少し下って行った石橋のところで、いつものように足を止め、眼下に見える阪神特殊鋼の煙突を眺めた。今日も黒い煙を吐き、相子にとっては、何の変哲もない風景であったが、大介は、そこに万俵コンツェルンを代表する企業が、たゆみなく発展している実感を満喫しているらしい。

「昨夜のお話、早速、進めておきますわ」

「ふむ」

大介は頷いた。昨夜、情事のあと、大介は、美馬が金融再編成への足どりが速くなって来た情勢を報《しら》せてくれたことを相子に話し、その動きを念頭において、現在、進行している銀平の二つの縁談を検討した結果、阪神銀行の筆頭株主である大阪重工の安田太左衛門の次女の方に決めることにしたのだったが、考えてみると、鉄平の縁談を決める時も、一子の時も、母親である寧子は加わらず、大介と相子の閨房《けいぼう》の中で、万俵家の閨閥の枝が一つ一つ、広げられて行くのだった。

「片一方の京都大学の世界的な数学者でいらっしゃる三木教授のお嬢さま、あの方はご自身も才媛《さいえん》のほまれが高く、優秀な頭脳の血筋を万俵家に入れるという意味では、ほんとうにまたとない方で、ご親戚《しんせき》には元《もと》日経連会長もいらっしゃって、残念なんですけれど、これから金融界の情勢が厳しくなるのでしたら、本筋の銀行を補強することが何よりですもの、少々、三木さまのお嬢さまに見劣りするといっても、大阪重工の安田さまと縁戚関係を結ぶことの方が、万俵コンツェルンとしては必要なことですわ、出来るだけ早く、お縁談《はなし》をきめるようにしてみますわ」

相子の眼が生き生きと光った。万俵家の閨閥作りの時にこそ、相子には妻以上の権限が委《ゆだ》ねられ、それを自由に動かすことが出来るからであった。

「銀平も、これだけの事情があれば承知するだろうと思うが、何しろあの性格だからな」

昨夜、飲むほどに青白み、美馬にさえ閨閥結婚を揶揄《やゆ》するような云《い》い方をした銀平の姿が、相子の眼にも浮かんだ。

「解っておりますわ、銀平さんには、私からよくお話しして、取りきめることに致しますから」

「そうかい、じゃあ、相子に任せたよ」

大介は肩の荷を一つ下ろしたように云い、門へ足を早めた。三頭の愛犬も、大介と相子の前にたち後になって正門に向った。どれも黄金色の滑らかな毛を輝かせ、凜《りん》とした威風に満ちた体軀《たいく》で、いかにも犬の王者らしい。

「あの威風に満ちた姿と云い、悠然とした歩き方と云い、あなたによく似ていますわ

――」

相子は大きな眼を細めるように云った。

「万俵大介がファウン・グレートデンか、それで君は、この私を飼い馴らし、征服するようなつもりで、ファウン・グレートデンを買わせ、引っ張り廻しているのかね」

たしかにファウン・グレートデンを飼おうと云い出したのは、相子であった。

「あら、飼い馴らしていらっしゃるのは、あなたの方ではございませんの、寧子さんと私とを同時に――」

と云い、相子は形のいい歯をみせて笑ったが、眼だけは笑っていなかった。門のところまで来ると、迎えのベンツが待っていた。運転手は、恭《うやうや》しく扉《ドア》を開けた。相子も改まったもの腰で、

「では、お気をつけ遊ばしませ――」

車が動き出しても、上半身を屈《かが》めた姿勢で、万俵大介を見送った。高須相子の人前でのそうしたけじめの正しい姿勢と豊かな教養、そして子供たちの家庭教師であった経歴が、詮索《せんさく》がましい近隣の眼をも見事に遮《さえぎ》っていた。

その朝、阪神銀行の三階役員室では、融資方針会議が開かれていた。

十億円以上の大口貸出先の融資方針を決める最高会議であったから、万俵頭取も出席し、頭取を正面に、左に経理担当の大亀《おおがめ》専務、右に総務担当の小松専務が座を占め、それに向い合って、融資担当の渋野常務、業務担当の荒武《あらたけ》常務、外国担当の舟山常務、事務能率担当の新井常務の六人が坐っていた。

新年からの懸案であった平和ハウスの新規設備拡張に伴う十五億円の融資申込みの検討であったが、融資申込書と設備計画の書類が机の上に拡げられ、役員たちの意見は出尽し、あとは頭取の決裁を待つばかりだった。万俵頭取は、眼鏡の下の切れ長の眼をきらりと光らせ、

「プレハブ建築は、将来、家電メーカーにとって代る花形優良産業であるという見通しのもとに、当行は平和ハウスに対してずっと融資を続けて来、その融資方針は正鵠《せいこく》を射たわけであるが、収益面では何といっても、今までは水やり、肥《こえ》料やりの育成時期で、これからがほんとうの収益の時期になるのだから、ここで思いきって積極的に、融資申込金額の全額を認めて、さらに飛躍的な発展を期待すべきだと思う」

と断を下し、平和ハウスの十五億の融資は決定した。三時間にわたる審議が終り、ほっとした雰囲気《ふんいき》の中で、側近の大亀専務が、肥《ふと》った体を乗り出すように、

「平和ハウスに注ぎ込めと頭取が指令を出されたのは、たしか九年前でございましたね、当初はあんな玩具《おもちゃ》のようなバラック住宅を造る会社にと躊躇《ちゅうちょ》する役員が多く、私もその一人だったんですが、最近の目ざましいプレハブ住宅産業の成長を見るにつけ、今さらながら、頭取のご炯眼《けいがん》には敬服致します」

真底《しんそこ》から感服する体《てい》で云うと、小松専務も、

「たしかに頭取はプレハブ住宅産業の今日あることを読み取られておられたわけで、そうした頭取の、今日を読み、明日を見通される鋭い洞察力というか、明快な決断力は、日頃のご勉強もさることながら、やはり〝前頭取の血〟というものを感じますね」

先の大亀専務に劣らぬ阿《おもね》りを籠《こ》めて云った。万俵は葉巻をくゆらせながら、二人の専務の阿りをしごく当然のように聞いていた。

経理担当の大亀専務は、十二年前、本店営業部長の時に直属の部下が多額の貸金のこげつきを作って進退伺いものであったのを、万俵頭取が長い眼で使ってくれたことに感泣し、その時以来の寝食を忘れた働きぶりが認められて、専務に取りたてられたのだった。総務担当の小松専務は、小松という名に似つかわしく小柄で貧相な男であったが、戦後の農地解放その他で、一時、万俵財閥が浮沈の瀬戸際《せとぎわ》にたった時、万俵

家の財産保全のために計理士はだしの活躍をし、爾来《じらい》、万俵コンツェルンの金庫番的な役割を果し、それで専務に成り得たのだった。したがって二人の専務は、本来の銀行業務の上では、もはや格別の見識を持ち合せていなかったが、万俵はそれを承知で身近においていた。その代り四人の若い切れ者を常務に据えている。

四人の常務は、平均年齢四十九歳という若さであった。三年前、阪神銀行の体質改善を図るためという名分で、古参常務五人の首をばっさり切って、関連会社へ追いやったあと、能力厳選主義で選び抜き、抜擢《ばつてき》したエキスパートであった。つまり万俵の人事のやり方は、自分に徹底したサービスをする人間か、さもなくば、仕事に徹底的に役立つ人間のどちらかで、その他は容赦もなく切り捨ててしまう。したがって役員の中に、人事担当がいないのは、万俵自身が人事を握り、自由に生殺与奪の権を振るうためであった。

「では、頭取もお疲れでしょうし、昼食はこちらへ運ばせましょうか」

小松専務が、正午を指しかけている壁時計に眼を遣《や》り、気をきかせるように云うと、

「いや、まだ諸君に重要な話が残っている、統一経理基準の問題についてだ――」

役員たちは、呑《の》み込みかねるように頭取の顔を見た。経理担当の大亀専務は、

「その問題につきましては、以前、二度ほど役員会でも報告しておりますが、何

か？」

「解っている、しかし、君たち担当者の報告では、将来、大蔵省の行政指導によって銀行の経理方式が変るという、単なる技術的な問題に過ぎぬような報告ではなかったかね、ところがさる筋からの情報をもとにして考えると、あれは経営上の由々しい問題じゃないか」

昨日、広野ゴルフ倶楽部《クラブ》で、娘婿《むすめむこ》の大蔵省主計局次長の美馬中から聞いたことなど噯《おくび》にも出さず、役員たちの不勉強を叱責《しっせき》するように云い、

「大蔵省が、統一経理基準を持ち出して来た真意は、単なる経理上のテクニックの問題ではなく、これを梃《てこ》にして、将来、配当の自由化を図って、銀行間の競争を一段と激しいものにして行き、併せて、金利の自由化、店舗の自由化をも行なって、徐々に金融再編成を促進しようというのが、ほんとうの狙《ねら》いなのだ」

役員たちは、はっとしたように沈黙した。万俵頭取はじろりと役員たちを見廻し、

「この統一経理基準で大蔵省は、貸倒引当金、価格変動準備金、退職給与引当金など、いくつかの項目にわたって新しい基準を適用しようとしているが、中でも問題なのは貸倒引当金だろう」

銀行にとって、貸金は最も大切な資金である。もし仮に回収不能の貸金が高額に発

生し、収入が減って預金者に金利が払えなくなったり、配当が出来なくなるような事態になっては、預金者が迷惑を蒙《こうむ》るので、予《あらかじ》め貸出総額に見合って、一定の比率の貸倒引当金を引き当てることが必要とされていた。

融資担当の渋野は、いつも渋柿《しぶがき》を含んだような顔をしていたので、融資先の人から〝しぶちん〟と陰口を叩《たた》かれていたが、齢《とし》に似合わぬ渋い顔をさらに渋くし、

「統一経理基準が適用され、貸倒引当金が厳しく規定されると、引当金の率はこれまでの一・五パーセントからどの程度、アップされるのでしょうか」

「〇・三パーセントぐらいらしい、当行の貸倒引当金は――」

と万俵が云いかけると、渋野は即座に、

「現在の当行の貸金は六千五百億ですから、これまではその一・五パーセントの九十七億五千万を貸倒引当金として内部留保していますが、〇・三パーセント、アップになると、さらに十九億五千万円の上積《うわづみ》が必要となるわけです、当行の現在の収益力を考えますと、これは大へん苛酷《かこく》な額ですね、その点、上位の四行は、内部留保が厚く、既に一・八パーセント以上の貸倒引当金を積んでいるでしょう」

融資担当者らしい読みをすると、経理担当の大亀専務は頷《うなず》き、

「大友銀行、五菱銀行などは、既に二パーセント程度、引き当てているでしょうな、

つまりあのクラスだと、二兆円近くの貸金があるから、その二パーセントとしても、四百億の引当金を持っているわけですね」

重い口調で応《こた》えた。業務担当の荒武常務は、年中、各支店を走り廻って預金集めの尻《しり》をひっぱたき、厳しいノルマをかけるので、名前をもじって〝荒武《あらむ》者《しゃ》隊長〟と渾名《あだな》されているが、そのいかつい顔で頻《しき》りに煙草《たばこ》をふかし、

「表見《おもてみ》の預金額では、上位四行と当行のような都市銀行十二行の中で十位という下位行とでは、三対一ぐらいの差ですが、なにもかも含めた内部留保の数字で比較しますと、四対一ぐらいの開きが出て来る、その上、将来、配当が自由化されると、えらいことになりますな、現在、都市銀行の配当は大蔵省の指導によって九パーセントと均一的に定《き》められていますが、自由化になると、大銀行クラスは一五パーセント以上にしようとしてできないことはない、一方で、当行のような場合は統一経理基準の制約もあって、一〇パーセントにするのも、青息吐息ということになりかねない、そうなると、配当のいい上位の大銀行は、ますます肥って大型化するわけですが——」

素早い頭の回転で問題点を衝《つ》くと、万俵は、

「その通りだ、だから、統一経理基準に対しては大蔵省の通達を待つことなく、今から早速、準備に入って貰《もら》いたい」

一同に命ずるように云った。

「解りました、貸倒引当金の上積《うわづみ》、十九億五千万を留保するためには、何といっても預金量を増強して利益を上げるということが、最大の前提になりますので、これからは陣頭指揮にますます精を出して、預金集めに邁進《まいしん》致します」

荒武者隊長らしい意気込みで云うと、外国担当の舟山常務も、頭取に次ぐ瀟洒《しょうしゃ》な身装《なり》で、

「外国為替《かわせ》の方も、資本自由化に当って、最近の一年間で三〇パーセント増益になっており、引き続いてこのペースで利益を増やして行くつもりです、また国内営業部門と呼応して預金の増強にも一段と協力したいと思っています」

と云った。阪神銀行が、同クラスの都市銀行に比べて外国為替部門がずば抜けていいのは、神戸という地元の利も大きかったが、外国担当の舟山常務の手腕に負うところも見逃せない。それだけに余裕をもった云い方になった。今まで口を噤《つぐ》んでいた事務能率担当で最年少役員の新井常務は、

「皆さんのおっしゃる預金の拡大はもちろん重要なことですが、今度の統一経理基準の意味する最大の眼目の一つは、やはり各銀行の経営効率の向上ということにあると思います」

新進気鋭らしく一気にそう云って、言葉を継いだ。

「ですから、預金量を増やすと同時に、一店当り、一人当りの預金獲得の比率は他行に比べて効率がどうか、また資金運用益を上げるためにどれだけの経費を要したかという、いわば効率を、これからは絶えず考え、経費のコスト・ダウンを図らねばなりません、そのために事務能率部では、現在、一万円の預金を集めるのに、二百五十円かかる経費を、将来は三分の二までに切り下げるという思い切った効率化運動を計画して行きたいと考えているのです、さし当っては、一年前に買い入れた大型コンピューターも、そろそろ本格的に稼動《かどう》しはじめましたので、その成果のほどは是非、ご注目下さい」

と経営の能率化を強調する意見を出すと、万俵頭取は、やっと表情を和らげた。

「皆、積極的な姿勢で、これから迫って来る金融再編成にたち向ってくれるという意気込みを聞いて安心した、まだ他行では、統一経理基準の本当の狙いを知らずして、のんびりと構えているところもあるだろうが、当行はその辺のところを含んで、充分、ぬかりないようにして貰いたい」

そう締めくくりながら、役員一人一人の顔を見詰めた。

万俵にとって、ここにいる六人の役員は、たとえてみれば六頭だての馬車馬であった。阪神銀行という馬車を力を振りしぼって、ほんとうに牽引《けんいん》しているのは四人の若い常務であり、そのうしろで隊列の足並を揃《そろ》わせる役目は二人の専務であり、そして一番うしろで傲然《ごうぜん》と馬車に乗っているのが、頭取たる万俵大介であった。

＊

月曜日の午後一時過ぎは、阪神銀行の本店営業部が一週間のうちでもっとも多忙な時刻であった。

天井の高い重厚なたたずまいのロビーには、神戸の元町界隈《かいわい》の会社の経理関係者やオフィス・ガールたちが慌《あわただ》しく出入りし、特に預金や為替関係のカウンターには人影が多い。

万俵頭取の次男である万俵銀平は、貸付二課の課長席に坐《すわ》って、融資申込書と稟議《りんぎ》書《しょ》に眼を通し、判を捺《お》していた。生産部門の取引が主である貸付一課に対して、二課は商業部門が主たる貸付対象で、課長の万俵銀平の下に二人の課長代理と四人の課員がいたが、一人五、六十社を担当しているから、机の上の電話が絶えず鳴り続け、課員たちは、来客や電話の応対に追われ、人の出入りも慌しい。そんな中で万俵銀平は、グレイのサキソニー・フラノのスーツに、渋いブルーのネクタイを締めた一分《いちぶ》の隙《すき》もない瀟洒《しょうしゃ》な身装《みなり》で机に向い、周囲の雰囲気や慌しい人の出入りとかかわりないような姿勢で仕事を運んでいる。

眼の前の電話が鳴った。銀平は面倒そうに腕を伸ばして受話器を取った。

「もしもし、万俵課長でございますね、こちらは渋野常務の秘書でございますが、只《ただ》今《いま》、太平《たいへい》スーパーの太平社長が、常務の部屋へ見えておりますので、すぐご足労願いたいと、常務が申しておりますが――」

多分に頭取の御曹子であることを意識した言葉遣いであった。

「解《わか》りました、すぐ参ります」

銀平は受話器を置くと、自分より五つ齢上《としうえ》の課長代理に、

「例の太平スーパーの件で、渋野常務の部屋へ行くから、電話その他は、適当にさばいておいて下さい」

と云《い》った。課長代理は、太平スーパーと聞いただけで、

「かしこまりました、相当、お時間がかかりそうですね」

心得顔に応えた。

太平スーパーは、資本金二億、支店九店、年商九十億を計上する衣料中心のスーパー・ストアで、本店は、大阪と神戸の中間に位置する西宮にあったが、七年前から本

店貸付二課と取引をはじめ、阪神銀行がメイン・バンクであった。たまたま太平スーパーの太平社長が、大阪の繊維問屋街の丼池《どぶいけ》の丁稚《でっち》奉公から身を起した立志伝中の人物であることが地元新聞などを通してよく知られ、それが庶民にうけて、僅《わず》か十年で阪神間では五指に数えられるスーパー・ストアになったのだった。しかし一年前に東京の富士ストアが強力な資本を背景に進出して来たために、昨年の秋頃から押され気味になり、貸付課では経営不振を警戒していたが、遂《つい》に先月、一月二十日払いの支払手形を落す資金が五千万円ほど不足して、駈込《かけこ》みの融資を頼みに現われ、再び今朝、五日先の二月二十日の払いに当って、支払手形を落す資金手当を申し込んで来たのだった。これまでの貸金が十億近くあるだけに、銀平は、営業部長と融資部長とに相談したかったが、あいにく昨日から東京出張で不在だったため、融資担当重役の渋野常務へ直接、上申し、急遽《きゅうきょ》、二時から渋野常務を交えて、太平スーパーの今後の融資方針を、話し合うことになっていたのだった。

銀平は、太平スーパーの資金繰表《ぐりひょう》と貸出関係のファイルを持って、渋野常務の部屋へ向った。

応接用の安楽椅子《ソファ》に、太平スーパーの太平社長と、経理担当の専務が肩を落して坐っており、渋野常務は、渋面で、二人に向い合っていた。

「遅くなりました」

銀平が渋野常務の横に腰を下ろすと、貧相な顔に不似合いな金縁眼鏡をかけた成金趣味の太平社長は、腰を浮かし、

「今朝ほどは、また突然と、ご無理を申しまして、ほんまにすんまへん」

胡麻《ごま》塩《しお》頭をテーブルにこすりつけんばかりに云った。銀平はそれには応えず、黙ってダンヒルの巻煙草をシガレット・ケースから取り出し、火を点《つ》けた。銀平のような人間は、こうした一代で叩《たた》き上げた成上り者に対しては、体質的に肌が合わなかった。何事につけても、傍観者的な感情しか持たない銀平であったが、成上り者だけには、どうしようもない厭悪《えんお》感が伴い、順境にあって得意になればなったで、また逆境に落ちて卑屈になればなったで、神経にひっかかるものがあった。

太平スーパーの社長は、そんな銀平の心中を察するはずもなく、背の低い肥《ふと》った体をせり出し、

「万俵課長さん、今、常務さんにも、何とか今月、二十日払いの支払手形を落す二億ほどの工面をお願い致してますのやけど、課長さんからもお頼みしておくれやす」

親子ほど齢の開きがある銀平に、椅子《いす》からたち上って、体を二つ折りにして頼んだ。

「二億もの資金手当をそんなに簡単に云われては困りますね、僕はあなたの説明に、

納得しかねる点がありますから、もう一度、資金繰りがつかなくなった理由を、端的に説明して下さい」

銀平は煙草の煙をふっと吐き出しながら云った。

「ほんなら、私が説明させて戴《いただ》きます」

さっきから太平社長の横で、背を屈《かが》めて恐縮しきっている経理担当の専務が口を開いた。

「それは先日来、ご説明致しておりますように、去年、宝塚《たからづか》と川西《かわにし》の新興住宅地に二カ店、店舗を増やしましたが、土地の買付費が予想以上に嵩《かさ》んで、運転資金を圧迫しているのが最大の原因でして、決して売上の鈍化といったような経営不振に繋《つな》がるものではございません、その点のご理解をとくとお願い致したいのです」

と説明すると、社長の太平も、

「現に、先月一月の売上高は七億二千万円で、平均の月商七億五千万をやや下回りはしましたが、今年の暖冬異変が原因で、これから春物にシーズンがわりしますと、売上高はじきに回復しますし、半年後には、尼崎《あまがさき》と明石《あかし》の二カ店が開店五周年を迎えて、ますます好調に伸びていますので、年商百億の目標も今年中に達成できそうだす、ですから、ここは一つ、もう一回だけ無理を聞いて欲しおます、お願いします」

現在の資金繰りの悪さがあくまで一時的なものにすぎぬことを弁じたて、何とか二億の資金手当を引き出そうとする様がありありと見えた。

「それなら、担保は何を入れるのですかね」

渋野常務が聞いた。

「担保、それは……さし当って今まで差し入れている担保の中に、土地の急激な値上りで、当初の評価を相当、上廻っておるものもありますよって、そのふくみをご勘案の上、この度のところは……」

「担保なしと云うわけですか、それじゃあ話になりませんな、サブ・バンクの神戸相互さんに、この際、少し面倒をみて貰ってはどうですかね」

と突っ撥《ぱ》ねると、それまで平身低頭していた太平社長も、さすがにぐっと来たのか、金縁眼鏡の下の細い眼を瞬《しばたた》かせ、

「うちと阪神さんとのお付合いはかれこれ七年で、おたくの創立四十周年に当っては、預金担当の方から拝み倒されて、うちも随分、無理して預金をさして貰うてますし、これまでのお付合いを思うて、何とか助けて欲しおます、たった一回や二回の躓《つまず》きでそんなきついこと云いはるのは、酷《むご》過ぎます——」

かきくどくように云うと、

「そんな泣き落しより、もうお話しになってはどうですか」

銀平が冷やかな声で云った。太平社長はその言葉の意味が呑《の》み込めぬように小首をかしげた。

「当行にお隠しになっていることがおありでしょう、正直に云って戴きたいですね」

言葉は鄭重《ていちょう》であったが、容赦のない鋭い響きがあった。専務の方は一瞬、動揺の色をうかべたが、太平社長は、

「隠しだてなど、めっそうな、一体、何のことでおますやろか」

真底《しんそこ》、心当りのないような顔付をした。

「そうですか、じゃあ、お伺いしますが、おたくは最近、東京系の富士ストアにお客を取られて売上が大分、低下しているのではないですか」

銀平は、さり気ない語調で切り出した。城攻めにたとえれば、まず三の丸を攻めにかかったのだった。

「そんなことおまへん、富士ストアがいくら安売りで押して来ても、なんし、うちは十年来の老舗《しにせ》で、地元のお客はがっちり摑《つか》んでますよって、先月、暖冬異変で一時的に売上が低下したとはいえ、全体的にはむしろ順調に伸びてまっせぇ」

唇に唾《つば》を溜《た》めて抗弁した、銀平はむっと生理的な厭悪感を催して来るのを抑え、

「それじゃあ、当座預金の入金が落ちて来ているのは、どうご説明になるのです？ここ半年間の入金額から逆算すると、おたくの月商は、七億どころか六億位にしか思えませんがね」

「そら万俵課長さんの何かの勘違いやおまへんか、うちはおたくから総借入金の六割をみて貰ってますよって、月平均の売上七億五千万円の六割は、毎月ちゃんと入金さして貰うてるはずでおます、なあ、そうやな」

傍らの専務を顧みて云うと、専務も強く頷《うなず》いたが、銀平の眼には冷やかさが増した。

「そんな見えすいた嘘《うそ》を並べても駄目ですよ、こちらにはちゃんと資料が揃っていて、おたくが水増しの売上を報告していることぐらい、解っておりますよ、次に、おたくの仕入先筋の方で、近頃、太平スーパーは急に払いが悪くなった、これは何かあるのではないかということで、商品の納入を警戒しているという噂《うわさ》があるのを、ご存知ですか」

売上高に次いで、支払勘定という二の丸を攻めにかかった。

「そんな阿呆《あほ》なこと！　富士ストアが故意に流している悪質なデマだすわ」

「しかし、現におたくの支払手形の金額が以前にくらべて増えてきているのは事実で、手形のサイトも長くなって来ているじゃありませんか、これからすると、仕入価格もおたくから報告して戴いているのより、実際は相当、悪いように思われますが、如何《いかが》です」

太平社長は、狭い額に汗を滲《にじ》ませ、弁解の言葉を探すように口もとを動かした。太平スーパーにとって、乗るか反《そ》るかの事態だけに、絶対に本音は吐けない。なんとか云い抜けようとする苦しいあがきが見て取れたが、銀平は、動かない眼《まな》ざしで、追打ちをかけた。

「しかも、一番不思議なことは、ここ一年間のおたくの支払手形の受取人の顔ぶれを調べていると、最近、仕入とはあんまり関係のないところが混じっており、金額もかなりの額のようですね、一体、どういう取引で、こんなに金が動くのですか？」

暗に金融手形が混じっていることを指摘し、一挙に最後の本丸を攻め落そうとした途端、太平社長と専務の顔がみるみる青ざめ、体が震え出した。経営者にとって、金融手形や融通手形を指摘されることは、泥棒呼ばわりされることと同じであった。それだけに、それを云う側もよほどの覚悟がなければ、切り出せない。

太平社長の顔が引き攣《つ》れ、今一言、銀平が踏み込めば、たち上って銀平に摑みかからんばかりに殺気だった時、扉《ドア》をノックし、頭取秘書の速水《はやみ》が入って来た。

速水は一座の険しい気配を感じ取ったらしく、

「どうもご用談中を——、実は頭取がお会いになる約束だった方が、頭取の都合で急にお目にかかれなくなりましたので、渋野常務にということなのですが——」

手短かに用件を伝え、来客の名刺を示した。

「困ったな、今、はずせない用談だから、ちょっとお待ち戴けないか」

「承知致しました、先さまにはよく申し上げて、別室でお待ち戴くことに致しますから、よろしく」

渋野にそう依頼すると、速水はすぐ部屋を出た。この僅かな切れ目が、険しく緊張していた部屋の空気を和らげたようだった。渋野常務は、ほっと息をつくような表情で、

「どうも大へん、ご都合の悪いことをお聞きしたようですな、しかし、私ども主力銀行としては、出来るだけのことをして差し上げたいと思えばこそ、このようなたち入ったところまでお聞きしたわけで、決して他意はないのですよ、今日のところはおたくも充分、心の準備が出来ておいでではないようだし、当行も実際のところ、今の今、はっきりした判断を下しかねる状態なので、一応、お引取り戴いた方がよいと思いますが、いかがです？」

強いて柔らかい口調で云うと、太平社長はまだ震えの止まらない肩をすぼめ、専務

にいたわられて席をたち、部屋を出て行った。

渋野常務は、暫《しばら》く腕を組んだまま沈思していたが、銀平は机の上に拡《ひろ》げた資料を畳み、

「常務、早速、明日にでも本部から緊急の特別調査を入れて、徹底的に帳簿を洗いましょう、すぐ調査部へ指示をお出し下さい」

と云うと、安楽椅子《ソファ》からたち上った。たかだかスーパー・ストア一社の社運がどうなろうと、意にも介さないというようなもの腰であった。


淡い間接照明に包まれたナイト・クラブ『ムーンライト』では、幾つものテーブルから賑《にぎ》やかなホステスや男たちの声が聞えていたが、万俵銀平はカウンターに片肘《かたひじ》をついて、独りグラスを空けていた。

毎晩のように独り飲み歩く銀平は、テーブルよりも、勝手気儘《きまま》に入って行き、ふらりと出て行けるカウンターの方を好んでいた。阪神銀行の行章をはずし、スーツの袖《そで》口《ぐち》からエルメスのホワイト・ゴールドのカフス・ボタンをのぞかせてハイボールを飲んでいる万俵銀平は、誰の眼にも銀行員という地味なタイプには見えない。

「ダブルでもう一杯――」

　その二杯目を飲みかけた時、

「万俵君――」

　銀平を呼ぶ声がした。振り返ると、頭取秘書の速水であった。秀《ひい》でた額に澄んだ瞳《ひとみ》を湛《たた》え、贅沢《ぜいたく》ではなかったが、秘書らしい整った身だしなみをしている。銀平と同じ慶応大学の経済を卒業し、同期に阪神銀行へ入行したのだった。行内では営業の貸付課と秘書課に分れ、殆《ほとん》ど言葉を交わすこともなかったが、銀行の外で顔を合わせれば、友人同士の親しい言葉を交わし合う間柄であった。

「今日も独りかい」

　速水が云うと、銀平は、

「うん、僕は独りで飲む主義なんでねぇ」

〝頭取の御曹子〟ということが、いつも銀平を不快にしていた。三十代の貸付課長にしては人並以上の仕事をしているにもかかわらず、〝御曹子〟であるために正当には評価されず、心にもない社交辞令を云われ、内心で反撥《はんぱつ》されている。そのことを知っている銀平は、そんな手合と飲むより、独り気儘に飲む方が酒がうまい。

「それで、速水君も独りかい？」

「いや、僕はお客さまの接待だよ」

そう云《い》って、奥のボックスを眼で指した。大口取引先の東亜化学の秘書室長で、阪神銀行側からも秘書課長が出て、ホステスたちがテーブルを取り巻いている。そして、その周《まわ》りのテーブルにも、神戸や大阪の大会社の幹部連の酒気に紅《あか》らんだ顔が見られた。

速水は、接待している客の方へ視線を配りながら、

「今日のこと、もう少し相手の立場も考えて、応対してやったら——」

「今日のことって？」

「渋野常務のところへ来ていた太平スーパーのことだよ」

「ああ、あのことか——」

早速、明日にも太平スーパーの経理を緊急調査するように渋野常務に進言しておきながら、銀行を出るなり、太平スーパーのことなど、銀平の念頭にはなかった。それがたとえその会社の死活に繋がることであるとしても、一歩、銀行を出れば、銀行員であることを忘れ去ってしまう。速水は、そんな銀平の徹底した合理主義というか心の冷たさに、何か云いかけたが、

「つまらないことを云ったようだね、じゃあ、失敬——」

くるりと踵《きびす》を返し、接待している客のテーブルの方へ去って行った。

独りになると銀平は、自分と速水英二が、同じ齢《とし》で、同じ大学を出ながら、人生に対する姿勢も、人間に対する愛情の持ち方も、すべての点で違っていることを今さらのように感じた。しかし優れた知性と情感を兼ね備えた速水にして、自分の心中は、到底、理解出来ないだろうと思った。三杯目のハイボールを注文しながら、銀平は時計を見た。昼間、高須相子から電話がかかり、今夜は重要な話があるから、銀行からまっすぐ帰宅してほしいと云って来たのだったが、もう十時を廻りかけている。ハイボールを飲み終ると、銀平はナイト・クラブを出、自分の車は駐車場に預けっ放しにして、タクシーを拾った。

玄関のポーチにタクシーを横付けてベルを押すと、若い女中が出迎えた。

「お帰りなさいまし、相子さまがお待ちでございます」

と伝えたが、銀平はそれに応《こた》えず、ホールを横切って階段へ向った。

「あら、お帰りなさい、先程からお待ちしておりましてよ」

階段のところに高須相子がたって、艶然《えんぜん》と笑っていた。

「ちょっと、つき合いがあったもので、どうぞ、僕の部屋へ――」

銀平は先にたって階段を上り、父の部屋とは反対側の突き当りにある自室へ入った。

そこは以前、兄の鉄平が使っていた部屋で、八畳の広さの書斎兼居間と六畳ほどの寝室が続いている。銀平はテーブルを挟んで相子と向い合うと、黙って煙草《たばこ》を喫《す》った。相子もきれいな手つきで煙草を喫い、

「銀平さん、早速ですけど、あなたのご縁談のことね、関西財界の重鎮《じゅうちん》でいらっしゃる大阪重工の安田さまのお嬢さまと、京都大学の国際的な数学者の三木教授のお嬢さまと、どちらになさるか、もう二カ月もご返事が遅れていますから、今夜こそはっきりお気持を聞かせて戴《いただ》きたいの」

相子と大介との間で、既に大阪重工の安田太左衛門の令嬢と定《き》めておきながら、それを噯《おくび》にも出さず、切り出した。

「また、あの縁談《はなし》ですか、どっちだっていいですよ――」

いつものように素っ気なく応えた。

「ほんとうに、どちらでもおよろしいの？」

「ああ、いいですよ」

あしらうように銀平が顎《あご》をしゃくった途端、相子の眼がきらりと光った。

「じゃあ、大阪重工の安田さまのお嬢さまにお定め致しましょう、安田さまなら、財界人としてのお家柄と云い、ご資産と云い、ご一族、三代に遡《さかのぼ》ってのご親戚《しんせき》もごりっ

ぱで、これでお父さまもご安心なさいますわ」

　すかさず、銀平の言葉を抑え込んだ。

「どうぞ、ご随意に、これであなたの閨閥《けいばつ》作りの点数が、また一点上りましたね、兄と姉に続いて、今度は僕、そしてそのあと二子、三子と、あなたは何年かごとに、万俵家の閨閥作りをして愉《たの》しみ、僕たちはそれに翻弄《ほんろう》されるんだ――」

「まあ、翻弄だなんて――、まさか、あなた方は自分たちと全く異《ちが》った階層の方と結婚しようなどとは、本気で考えたりなさらないでしょう、それとも甘いセンチメンタルな気持で、閨閥結婚を否定しようとでもなさっているの？」

　銀平の顔に白い笑いがうかんだ。

「とんでもない、僕は、閨閥こそエリート社会を泳ぐための、より有効な手形であるとさえ思っておりますよ、ただ、その手形をあなたから発行されることに、こだわりを感じているだけですよ」

「まあ、なんて云い方をなさるのです、私が閨閥作りを真剣に考えるのは――」

「万俵家の繁栄のためと云いたいのでしょう、でもほんとうにそれだけですかね、僕は他《ほか》に、あなた自身も気付いていない、何かもう一つの理由が、あなたを閨閥作りに熱中させているような気がする――」

銀平の声には陰湿な暗さがあった。

「どうしてそんな云い方をなさるのです、私がここへ来た頃のあなたは、少し神経質すぎるところはあったけれど、素直で明るい少年でしたわ、それがいつごろからか、急に変ってきてしまって――」

「そうです、僕もそんな気がします」

銀平は、母が自殺未遂した日を境にして、自分の性格が変ったことを知っていた。

銀平がまだ少年だった冬の或《あ》る夜、激しい木枯しの音のなかで、異様な人の気配に眼を醒《さ》ました。廊下へ出ると、母の寝室に向って走る人影が見えた。銀平は、とっさに母が急病だと思った。母はここ暫く子供たちとも殆ど口をきかず、塞《ふさ》ぎ込んでいたからだった。すぐ母の寝室へ駈《か》けて行くと、その時はまだ健在だった執事の松井が、扉《とびら》の前にたちふさがって、「お母さまは心臓発作を起されたのですが、お医者さまがお見えになったから、もう大丈夫です、お部屋へお帰りになるよう」と寄せつけず、後から駈けつけて来た姉の一子ともども、その部屋に入れなかった。仕方なく不安な思いで各自の部屋へ帰ったが、銀平は気持の昂《たかぶ》りがおさまらず、来客用の寝室のベランダから一階の屋根に降り、父の書斎の上まで行くと母の寝室が覗《のぞ》けることを思いつくと、パジャマの上にセーターを着て、そっと母の寝室が見通せるところまで這《は》って行った。そして、ガラス戸越しに母の異様な姿を見た。

執事の松井は心臓発作と云ったが、ベッドに仰向いた母は鼻にゴム管を差し込まれていた。そして、傍らの看護婦が持っている筒状のガラス器から透明な液がたえず母の鼻の穴へ流し込まれ、看護婦がそのガラス器の位置を低くすると、黄色く濁った液が母の体内からガラス器へ逆流していった。ガラス戸越しの銀平にも、そのとき、母が毒物か睡眠薬を飲んで、胃を洗滌《せんじよう》されているのだと解《わか》った。その間、父と高須相子は身動き一つしない母の枕《まくら》もとに列《なら》んでたっていたのだった。医者や看護婦、それに女中たちが慌《あわただ》しく動いている中で、相子がそっと父の方へ体を寄せ、薬瓶《くすりびん》らしいものを示して何かを囁《ささや》いた。その瞬間、母を見守っていた父がその薬瓶を手にとると、にべもなく床へ投げ捨て、まるで他人を見るような眼で母を見た。それは銀平にとって、父親の顔ではなかった。銀平は屋根から墜落しそうな衝撃を受けたが、その日からかなり大きくなるまで、銀平は木枯しの吹きすさぶ夜になると、時々、ベランダから屋根伝いに母の寝室を覗きに行き、母の安らかな眠りを確かめないと寝られなくなった。銀平は、その時のことを自分の心にだけ秘めていたが、次第に自分の気持が頑《かたく》なに内に向って閉ざされるようになり、父親さえ信じることの出来ない、何事に対しても傍観者の姿勢しかとれない性格になったのだった。

銀平は、目の前の高須相子を見なおした。それから長い歳月が経《た》っているが、濃艶《のうえん》な美しさをいっそう増した高須相子という女の存在は、年とともに万俵家を大きく動かすようになっていた。

「それにしても、いやに気忙《きぜわ》しい話じゃないですか、美馬の義兄《にい》さんがいらして、何か急がなければならないような話でもあったわけですか?」

「そう、さすがに銀平さんらしいお見通しよ、あの方から金融再編成の足どりが早くなると伺い、お父さまはその時のことをお考えになって、阪神銀行の大口株主である大阪重工の安田さまをお考えになったのですわ」

「じゃあ、早速、お役にたつというわけですか、どうぞ、お縁談《はなし》をお進め下さい」

銀平は、銀行業務を処理するように事務的な語調で云った。

太平スーパーの本店は、阪神電車の西宮東口の駅前にある。そこは戦前からの古い家並に混じって戦後の住宅やアパートがぎっしりと建て込んでいる住宅街の真ん中で、すぐ近くには商店街や公設市場があり、朝の活気に満ちみちていた。間口十間の太平スーパーの店先には、オーバーや肌着や靴下から、牛肉、野菜、歯ブラシに至るまで、特価の目玉商品を書き出した派手なチラシが貼《は》り出されて、特価デーの客寄せの雰囲気を盛り上げていたが、まだ朝のせいもあってか、買物する主婦たちの入りは意外に少ない。

店先に車が停まり、三人の男が下りてきた。阪神銀行本店の調査部員二人と、営業部貸付課長の万俵銀平で、昨日の二億の手形駈込みで、急遽《きゆうきよ》、太平スーパーの経理を特別調査しに来たのだ。三人は店内へ入ると、客足の悪い店内をぐるりと見廻してから二階の社長室へ上っていった。

「これはこれは、お忙しい中をお運び戴いて恐縮でおます、むさくるしいところでおますが、どうぞこちらへ――」

調査は昨日の夕方、知らされていたので、太平社長は揉《も》み手で迎えた。十畳程の広さの部屋には、てかてかと光る合成皮革の応接セットが置かれ、飾棚には極彩色の壺《つぼ》や絵皿が麗々しく並べたてられていた。

「本日はお邪魔します、こちらは本行の調査部員です」

事務的に云った。

「ほんまにこのたびはえらいお手数をかけまして——、けど、阪神銀行さんのようなりっぱな銀行に、この際、うちの経営状態を診断して貰《もら》えるということは、願うてもないことやと思うてます、ご調査のあとは、別席を設けておりますよって、ひとつ、よろしゅうに——」

饗応《きようおう》作戦で、調査に手ごころを加えて貰おうという下心が見えすいていた。

「そうしたことは、おかまいなく——、それより早速、帳簿を拝見させて戴きましょうか」

万俵銀平が慇懃《いんぎん》無礼な語調で促すと、太平社長の傍らに畏《かしこ》まっている専務と経理課長は、総勘定元帳や補助帳簿の分厚な綴《つづ》りなど、銀行側の要求通り、二年前まで遡った財務関係の諸帳簿を運び込んで来た。

「ほんなら、私はこれから余儀ない業界の集まりがありますよって、ちょっと失礼さして貰います、ご不審の点は専務と経理課長がお傍におりますよって、何でもお尋ね願います」

太平社長はそう云い、専務と課長に、

「腹蔵のないところをお話しして、うちの内情をよう納得して貰うんやでぇ」

まことしやかに云い残して、そそくさと席をたった。最高責任者の社長がいては、抜きさしならぬことを聞かれた時に、言を左右にして答えを逸《そ》らすわけにゆかず、席をはずすに越したことはないという判断らしい。

太平社長が出て行くと、二人の調査員は用意された机に移り、ワイシャツ姿で調査を開始した。

「まず、総勘定元帳から拝見しましょう」

年長の調査員が専務に云い、二年前からの分厚い帳簿を開いて、銀行に提出されている貸借対照表の数字と突き合せて行った。その間、万俵銀平は応接ソファに坐《すわ》ったまま、二年分の資金繰表をもう一度、仔細《しさい》に点検して行った。

総勘定元帳の照合は一時間半程で終った。

「では、次に補助帳簿を――」

一息つく間もなく調査員が云うと、ずっとたち合っている太平スーパーの専務と経理課長は、三十冊近い帳簿を机の上に積み上げた。二人の調査員は手分けして、現金、預金、借入金、支払手形、仕入等の項目別に、明細が記帳されている帳簿を調べにかかった。このあたりから調査は本格的になり、もし太平スーパーが妙な経理のからくりをしていれば、それを摘発する手がかりが見つけ出せる。それだけに、調査員の方もスーパー側の専務と経理課長も緊張した面持になり、室内は帳簿を繰る音と、双方の短いやり取りの声以外、しんと静まり返った。

昼食後も、三十冊近い帳簿調べはなお続き、時計は午後二時を指していた。帳簿の山に囲まれた二人の調査員はワイシャツの袖《そで》をたくし上げ、指先を黒くしていたが、銀平は相変らず上衣も脱がず、ソファに坐ったままの姿勢で、二人の調査員の手が廻らない帳簿を調べていた。本店営業部の貸付課長の前、四年間、調査部にいたから、こうした調査には二人以上に慣れている。

「仮払金帳簿を出してみて下さい」

若い方の調査員が云った。

「ええっと――、あ、これです、どうぞ」

経理課長は帳簿の山の中から探して提出した。調査員は慣れた手つきで頁《ページ》を繰り、仮払先を一つ一つチェックして行ったが、ふと手を止め、

「この三千五百二十一万円の仮払金は、何の払いですか？」

「それは、その……店の規模が大きくなるに従い、九つの支店分の仕入商品をそれぞれの店がバラバラに仕入れるのでなく、まとめて仕入れることが出来ますと、何かと低コストにつきますので、今度、この近くの国道沿いに配送センターを建設することにしましたんで……、三千五百二十一万円はその建築費の手付金です」

「ほう、そんなものを造られるなどとは貸付担当の僕も聞いてませんでしたねぇ」

すかさず、銀平が言葉を挟んだ。

「おかしいですね、社長が申し上げているものとばかり思っていましたが――」

「全くお聞きしてませんね、建設会社との契約書をみせて戴きましょうか」

「さてと、あの契約書は――、確か経理部長が保管しているんだったね」

専務は、経理課長に云った。

「はあ、ところが、部長は目下、病気で休んでおりまして――」

「経理部長が先月でおたくを辞めたことは、さっきトイレットへ行った時、たまたま、店員から聞きましたよ」

銀平は、専務たちの逃げ口上を封ずるようにきめつけ、

「どこなんです、この三千五百二十一万円の払出先は？」

鋭く追及した。

「申しわけありません……、実は、社長の個人的な事情で支出したものでして――」

「そうすると、社長の借金というわけですね」

銀平はそう云ったが、信用はしなかった。朝からの四時間近い調査で、太平スーパーの経理は資産にかなりの腐れと水増しがある一方、負債額は実際以上に低く抑えら

れており、各項目にわたって二重帳簿を作って粉飾している疑いが次第に濃厚になって来たからであった。経理部長という重要ポストにある役職者が先月辞めたのも、それを裏付ける要素かもしれない。銀平は専務の方を向き、

「昨日、当行へ来られた時、お聞きしかけた不審な支払手形の件ですがね、おたくの社長があまりに昂奮《こうふん》されたので、あれ以上お聞きするのを差し控えたのですが、それは、この支払手形帳簿にも載っている門脇《かどわき》商事のことなんですよ、そことおたくとは、どんな取引がおありなんですか?」

と詰問《きつもん》した時、扉《ドア》が開いて、太平社長が蒼惶《そうこう》とした様子で入って来た。一旦、逃げの術《て》を打ったものの、そこは自分一代で築き上げた事業であったから、気になって帰って来たらしい。硬《こわ》ばった雰囲気を感じ取ると、わざと惚《とぼ》け面《づら》で専務を見、

「一体、どないしたんや、えらい難かしい顔をして――」

「いえ、別に――、今、門脇商事のことを……」

専務が戸惑い気味に云《い》いかけると、

「ああ、あれでっかいな、そらご不審に思われても仕方おまへんわ、門脇商事という名前はけったいだすが、二年程前に、京都の織元と提携して和服のレデエ・メエドを始めた新しい会社で、うちなどの衣料品スーパーには、打ってつけのとこですよって、

去年からとんとん拍子に取引が始まったんだす」

　昨日の取り乱しようとは打って変った落着き方で申し開きをした。

「ほう、和服のレディ・メイドの会社なんですか、和服なら去年の九月頃から、この一月までに総計七千万近い取引があっても当然なわけですね、よく売れていますか？」

「そらもう昨今はなんせ、レデエ・メエド時代ですよって」

「それは結構です、ところで、仕入台帳に、この門脇商事は記帳されているだろうね」

　銀平は二人の調査員を顧みて聞いた。もし仕入台帳に記載されていなければ、門脇商事の支払手形は、商取引のものでないことが証明出来るわけだ。

「記載されています、仕入回数と、支払手形を振り出した回数も合致してます」

　調査員が帳簿を見ながら応《こた》えると、

「ほれ、ちゃんと合うてますやろ、けど、ご不審の点は徹底的に調べてはっきりして貰《もろ》うた方が、うちとしても気持がよろしおますわ」

　太平社長は、顔中を笑い皺《じわ》にし、声を上ずらせた。銀平は一瞬、怯《ひる》みかけたが、

「それはどうも、では社長のお言葉通り、念のために仕入伝票と注文書の綴りを見せ

て戴きましょう」

と云うと、俄《にわ》かに太平社長の顔から笑いが消えた。持って来させた仕入伝票にも、注文書にも、門脇商事の名前は皆無だった。

「どういうことですか、これは――、ここに積まれているのは、二重帳簿じゃありませんか」

「そんな……まるで税務署みたいな云い方やおまへんか」

太平社長も開き直るように云い返した。営々として築き上げてきた自分の事業を生かすも殺すも、ここが勝負という切迫感があった。しかし銀平はじっと相手を見据え、

「銀行は信用取引ですからね、そちらが悪質な粉飾をして事実をあくまで隠す腹なら、もはや当行としては手を引くより仕方がありません」

と云い放った。主力銀行の阪神銀行が手を引けば、さし当って二月二十日払いの二億の支払手形が不渡りになり、太平スーパーは倒産することになる。太平社長の皺だらけの顔が引きつれた。

「――申しわけおまへん、門脇商事というのはご推察通り、高歩《たかぶ》業者でおます」

遂《つい》に金融手形であることを認めた。

「実は、一年前に東京の百貨店系の富士ストアが進出して来てから、店員を引き抜か

れたり、特売のチラシを刷っている業者にスパイを入れて、うちの特価デーに同じ目玉商品をさらに安値でぶっつけて来るなど、大資本にものを云わせたえげつない攻め方をされて売上が急に減り、ここ一年、あっという間に二億近い赤字を出しました、その穴埋めのために、高歩業者から危険を承知で、七千万近い金を借り、去年の九月から繰り廻しておりましたんだす」

一気に吐き出すように話すと、傍らの専務と経理課長も、うなだれた。

「で、金利はいくらです？」

「日歩、七銭でおます」

「随分、悪質な業者から借りたものですね」

年利に換算すると二割五分、阪神銀行が太平スーパーに貸している金利は七分七厘《りん》であるから、太平スーパーの金繰りの窮迫ぶりは手にとるようにうかがえた。

「では在庫を実際に当ります、商品台帳の簿価《ぼか》にも不審な点がありますので」

二人の調査員がたち上りかけると、

「えらい失礼だすが、店員の上っぱりを着用してほしおます、店にはお客さんや仕入先筋も出入りしますよって、銀行の調査を受けていることが解《わか》ったら、それこそうちは……」

太平社長は、哀願するように云った。二人の調査員はさすがに嫌な顔をしたが、仕方なく紺《こん》の上っぱりを着た。銀平は衿《えり》の行章だけをはずして、売場へ足を向けた。

いつの間にか、外は暗くなり、蛍光燈《けいこうとう》に照らし出された店内には、勤め帰りらしい会社員や、夕方の買物の主婦たちが出入りしていた。それでも特価デーにしては客足が少ない。

「全商品はとても調べきれないから、衣料は男女オーバーと狐《きつね》の衿巻、食料品はラーメンと罐詰《かんづめ》の抜《ぬき》調査をします」

二人の調査員は、まっすぐオーバー売場へ行き、ハンガーに下っている品物と、商品台の下の戸棚のなかのストック品を数えはじめた。銀平は両手をポケットに突っ込んだまま、それをみていたが、やたらにマネキンを多くして陳列面積を埋め、品数の不足を補っている様子が見て取られた。明らかに商品台帳と現物の在高《ありだか》の間にも大きな開きがあるようだった。

銀平が煙草《たばこ》をくわえてガラス窓に寄ると、眼の上に派手なネオン塔が見えた。『富士ストア』という赤いネオン・サインが大きく点滅している。それは五百メートルほど離れた甲子園寄りにあるはずなのに、ネオン塔でみると、眼と鼻の先のように見える。銀平は、無表情にネオン塔を見詰めながら、この調査が終った後の、太平社長に云うべき言葉を考えていた。それは、どんなに執拗《しつよう》に、今日の調査結果を聞かれても、「いずれ後日、取りまとめまして、――」と答える次第になるはずだった。

二章

神戸港に臨んだ灘浜《なだはま》臨海工業地帯は、朝からスモッグに掩《おお》われ、石油化学工場や、機械、造船工場から吐き出される煙が、北西の季節風に煽《あお》られて、海側の上空へ幾筋もの縞《しま》模様を描き出している。

その中で一際《ひときわ》、高い煙突から煙を吐き出しているのが、万俵コンツェルンの一翼である阪神特殊鋼であった。大阪寄りの東南端に二十五万坪の敷地を有し、製鋼工場、圧延工場、製管工場など、十棟近い工場が並び、岸壁には特殊鋼の原料となるスクラップを輸送する船が碇泊《ていはく》している。

工場内に、午前八時の就業を告げるサイレンが鳴り、カーキ色の作業衣を着た従業員たちが小走りに、或《ある》いは自転車に乗って職場へ急ぐ姿が見られた。

万俵大介の長男で、この阪神特殊鋼の専務である万俵鉄平は、ワイシャツの上に作業衣をつけ、安全用の黄色いヘルメットを冠《かぶ》りながら、事務本部の玄関の階段を駈《か》け下り、大股《おおまた》な足どりで製鋼工場へ向った。父の大介に似て長身であったが、色の浅黒い精悍《せいかん》な容貌《ようぼう》は、祖父の敬介を思わせ、分厚い肩を押し出すように歩いて行く姿には、まだ三十八歳の専務とはいえ、資本金六十億、従業員数三千人の阪神特殊鋼の実質的経営者らしい堂々とした威風がそなわっている。

「専務、お早うございます、今日はご出張あけで、お休みではなかったのですか？」

背後《うしろ》で声がし、振り向くと、工場長の一之瀬《いちのせ》がすでに各工場を見廻って来たらしく、ジープから降りて、足早に近寄って来た。

「お早う、五日間も工場を離れていて、休めるものかどうか、解るだろう――」

白い歯をみせて、鉄平は応《こた》えた。通産省の重工業局製鉄課との打合せと、大口ユーザーへの挨拶《あいさつ》廻りのために、ここ五日間上京し、今朝の一番機で帰って来たのだったが、伊丹《いたみ》空港から工場へ直行したのは、鉄平のような技術屋経営者にとって、五日間も工場を離れていると落ち着かないからだった。

「相変らずのご気性ですな、もっともその専務の気性で、当社はここまで大きくなったんですな」

鉄平より一まわり以上も年上の一之瀬は、温厚そうな眼を細め、九州訛《なま》りのある口調で云《い》い、

「で、これから製鋼工場ですか」

電気炉工場の方へ眼を向けた。六十トン電気炉をはじめ、各工場はまだかなり先にあったが、二人には、電気炉から聞えてくる低い振動音や、鋼《はがね》が圧延されて製管される高い金属音が、独特の響きをもって体に感じ取られる。

「今日の工場の調子は、よさそうだな」

鉄平は工場全体から響いて来る快調な音を聞き分けるように、ぎょろりと大きな眼を動かして歩調を早め、一之瀬工場長もそれに従った。

鉄平が東大の冶金《やきん》科を卒業後、マサチューセッツ工科大学を経て阪神特殊鋼へ入ったのは、昭和三十年であった。当時、既に工場の一部は現在地に移転していたが、もともと阪神特殊鋼は、祖父の敬介が、第一次世界大戦の時、神戸市長田区にあった小さな鉄工所を買収し、第二次大戦が終結するまで、軍需景気に便乗して、みるみる大きくのし上げた会社であったが、戦後十年間は、従来のような軍需産業に依存した行き方は出来ず、さりとて特殊鋼の消費先である自動車、機械工業はまだ興隆期に入っておらず、苦境の時代だった。

しかし、アメリカ留学で自動車産業の発展を具《つぶさ》に見て来た鉄平は、ベアリングの素材となる軸受鋼《じくうけこう》の将来性を見通し、大量生産によるベアリング鋼の製造を強く主張して、高級鋼の生産一本で手堅く経営して行こうとする中小企業的感覚の幹部たちと鋭く対立した。この時、製鋼部長だった一之瀬だけが、若い鉄平の説を支持し、近代的な大型設備の導入を実現したのだった。その結果、自動車産業の飛躍的発展に伴い、時流に遅れて倒れて行く群小の特殊鋼メーカーを尻目《しりめ》に、業界では姫路特殊鋼と並んで、首位を争う規模にまで発展し、今では完全に首位にたった。

「君、こんなスクラップを使っているのか」

六十トン電気炉のある第一製鋼部の工場の前まで来ると、鉄平は、そこに野曝《のざら》しに積み上げられているスクラップの山を指した。鉄の塊や厚板などの一級品スクラップに混じって、自動車を圧縮した薄板や旋盤の切り端などの二級品があったからだった。鉄平のような技術者気質《かたぎ》の者は、二級品スクラップは使わない主義であった。

「それは致し方ありませんよ、いくら専務の指示でも、そうそう一級品スクラップばかりでは、採算が合いませんからねぇ」

一之瀬は宥《なだ》めるように云った。鉄に情熱を傾け、ひたむきに突き進む鉄平を、一之瀬はいつも温かく見守り、助けてきたが、ともすれば採算面を度外視しかける経営者としての欠点を、巧みに補う老練な術《すべ》も心得ていた。

「解《わか》った――、しかし最近、銅《カッパー》の率が上り気味だから分析値によっては、認めるわけにはいかないよ」

鉄平はそう云うなり、六十トン電気炉工場へ入った。

ターミナル駅の構内のような、天井の高い大きな建物の真ん中に、高さ四メートル、直径七メートルの巨大な電気炉とその付帯設備が据えつけられ、四十人近い従業員が働いている。一回に六十トンの溶鋼が出来る大量生産用の電気炉で、他にも三十トンと十五トン炉がそれぞれ三基あった。製品の品目に応じて、原料のスクラップと銑鉄《せんてつ》にカーボン、シリコン、ニッケル、クロームなどの特殊な合金を加え、電気で溶解して、鋳型《いがた》に鋳込み、一個二トンの鋼塊にするのが電気炉工場の工程で、全工程の中でもっとも重要な部門であった。というのも特殊鋼というのは、その名の通り特殊な鋼であり、成分の混じり工合、不純物の入り方が鋼の生命を大きく左右し、ちょっとした外れによって、それが使用される自動車、飛行機、機械部品などに重大な〝欠陥〟を及ぼすからであった。それだけに原料を溶かして鋳込めば事足りる普通鋼メーカーとは異《ちが》った苦心があり、特殊鋼が育ちより氏といわれる所以《ゆえん》でもある。

「よし、出鋼だ！」

張りのある声が広い工場に響いた。製鋼部長の金田で、ちょうど電気炉で溶解した鋼が、規定の温度に達して、出鋼する時間だった。そんな時は、たとえ、専務、工場長が入って来ようと、従業員たちは見向きもせず、百トン吊《づ》りのクレーンで取鍋《とりべ》を電気炉の方へ動かし、そこから鋳型に鋳込む作業に取りかかるのだった。

「出鋼、少し待て！」

鉄平の声で、一斉に動作が止まった。

「温度は、大丈夫だろうな」

大股に金田の傍《かたわ》らへ廻って、鉄平は確かめた。この金田をはじめ、各工程の部長クラスは、鉄平が母校の東京大学の冶金科へ直接、足を運んで採用した優秀な技術者たちであった。

「はい、千六百度に上っております」

「分析値はどうだったかね」

金田が、分析値を説明すると、

「銅《カッパー》が気になっていたが、それならいいだろう、しかしシリコン〇・一八パーセントは少ない、〇・二五パーセントまで上げることだ」

てきぱきと指示し、直ちに電気炉の成分調整が行われた。

「じゃあ、再分析してみましょう、おい、試験片を造ってくれ」

金田が傍らの作業員に命じた。手に火傷《やけど》のあとがある白髪頭の熟練工が、鉄製の長い杓《しゃく》を取り、電気炉の取口から真っ赤に溶けた溶鋼を汲《く》み出した。十五年ほど前までは、こうした熟練工が鋼の色を見て、勘で判断したものだが、今は試験片をつくって、エア・シューターで分析室へ送り、二、三分もすればその分析値が出てくる仕組になっている。

鉄平と一之瀬工場長、金田製鋼部長は、分析値の結果を聞くため、中二階にある管理室へ上って行った。電話は二分でかかって来た。金田は受話器をとって、黒板に分析値を書いて行った。

鉄平は素早く成分データに眼を通し、

「これでよし、出鋼だ！」

出鋼のサインを出すと、直径六メートルの巨大な取鍋がクレーンで電気炉の前に寄せられ、高温のため白光を放っている溶鋼を受けた。その後、一旦《いったん》、脱ガス槽《そう》に入れられてから、電気炉の横にずらりと並べられている鋳型のところまで動かされて行った。そしてここで鋳型への注ぎ込みが始まる。取鍋から燃えるような溶鋼が勢いよく鋳型に注ぎ込まれると、一瞬、眼を射るようなオレンジ・レッドの強烈な光と凄《すさま》じい熱が放射され、作業員たちは熱風に顔を紅《あか》らませ、汗を滴《したた》らせた。

鉄平も頬を紅潮させて、中二階の階段から作業状況を見詰めていた。出鋼に際して最も重要なことは、溶鋼の中に入っている酸素を如何《いか》に少なくするかということで、低酸素化のための脱ガス方法は、阪神特殊鋼が世界に誇る技術のひとつだった。

鋳込みが終ると、鉄平は一之瀬とともに電気炉工場を出、鍛造、圧延工場へ向った。

「専務、ちょっとお話が！」

圧延工場へ入りかけると、製鋼部長の金田が追いかけて来た。めったに感情を剝出《むきだ》しにしない冷静な性格であるのに、顔に怒気を含んでいる。

「どうしたんだ、何かあったのか」

鉄平と一之瀬工場長がたち止まった。

「今、帝国製鉄から連絡があって、今日も銑鉄を送れないと云って来たのです、これで今日まで五日間、ストップですよ」

資力が足らずに溶鉱炉を持てない特殊鋼メーカーは、どこでも、原料の大半がスクラップであったが、鋼の質をよくするために、溶鉱炉をもっている大手メーカーから銑鉄を買い入れて混入しており、阪神特殊鋼は地理的に最も近い帝国製鉄尼《あまが》崎《さき》製鉄所から月三千トンの銑鉄を買い入れていた。

「またか――」

鉄平は太い眉《まゆ》を寄せた。これまでにも時折、帝国製鉄の「万やむを得ない事情により」という一片の口上で銑鉄がストップされ、苦い経験を舐《な》めさせられていた。

「理由というのは、何なんだね」

一之瀬工場長が聞いた。

「それが例の如《ごと》く説明なしで、ほんとうに連中は大企業であることを笠《かさ》にきて、横暴ですよ」

「全くだ、高炉をもたない中小メーカーはいつも連中に振り廻されて、泣き寝入りだ」

鉄平は憤懣《ふんまん》やるかたない口調で云い、

「よし！　今から向うの所長に会いに行く」

精悍な眼を光らせた。

「しかし、石川社長にご相談された上でなくても、よろしいのですか」

一之瀬は、鉄平の叔父である社長の石川正治のことを云った。

「相談したって、どうせ、もう暫《しばら》く様子を見ようと云うにきまっている、それより今から行く旨《むね》、向うへ連絡しておいてくれ」

と云うなり、鉄平は事務本部の方へ体を翻した。

帝国製鉄の尼崎製鉄所は、阪神特殊鋼の約七倍、百七十万坪の広大な敷地を持って

いる。そこには十数棟の工場が整然と並び、三基の高炉がひときわ高く聳《そび》えたってい
た。
万俵鉄平は、窓越しに高炉の見える贅沢《ぜいたく》な応接室で、所長と向い合っていた。所長
は営業出身の鉄鋼マンらしく、身ぎれいな装《なり》でソファに足を組み、
「わざわざお越し下さいまして、どうも、万俵頭取とは会合の席などで、ちょいちょ
い、お目にかかっておりますが、相変らず、異色財界人ぶりを発揮しておられますね
え」
慇懃《いんぎん》過ぎる「ございます」調で、一しきり阪神銀行頭取の御曹子を意識した社交辞
令を述べたあと、
「時に、突然、お運び戴《いただ》いたご用向きは何でございましょう？」
「ほかでもありませんが、ここ五日間、おたくから銑鉄を送って戴《いただ》けないので、事情
を伺いに来たのですよ、うちとしては、おたくから月に三千トンの銑鉄を入れて戴く
契約をしており、その分を計算に入れて生産計画をたてているのですから、その辺を
お考え戴かないと、工場の操業にさし支えるのです」
鉄平は、技術屋らしく直截《ちょくせつ》に切り出した。
「ほう、そんなことになっていますか、そのことなら、工程部長を呼びましょう」

言葉は丁寧であったが、用件が解ると、そんなことは、重役であり所長である自分にではなく、せいぜい、工程部長にかけ合うべきだと云わんばかりに、すぐ工程部長を呼んだ。

「君ぃ、阪神特殊鋼さんは銑鉄のことで、大分、お困りの様子だから、何とか考えてさしあげてはどうかね」

工程部長が入ってくると、所長は鷹揚《おうよう》な口調で云った。

「ところが、例の高炉が腹下ししているのですから、私どもとしても、どうしようもないのでしてね」

高炉の腹下しというのは、炉の内部の壁に不純物が堆積《たいせき》し、そこが動かなくなって、正常な稼動《かどう》が行われなくなることだったが、その言葉つきは、鉄平に対して悪びれる様子がないどころか、妙に底意地が悪かった。

「しかし、おたくは二千立方米《リューべ》二基、三千立方米《リューべ》一基と、大型高炉が三基もあるのですから、一基が不調になったからと云って、うちへ全然、送れないということはありませんでしょう、日産一万五千トンのうち、ストップしているたったの五百トンぐらいは都合をつけて、送って戴きたいものです」

鉄平が頑として云うと、工程部長は薄い笑いをうかべた。

「たった五百トンなどと云って貰《もら》っては困りますよ、うちはおたくと違って、十四工場が操業していて、一工場に八百人から九百人、全部で一万二千人の作業員が口を開けて待っているんです、いくら高炉の不調がうちの責任とは云え、よそさまの心配まで致しかねますね」

他の中小メーカーだったら、そこまで云われると、大手メーカーの逆鱗《げきりん》に触れることを怖《おそ》れて引っ込むところだったが、鉄平は怯《ひる》まずに語気を強めた。

「じゃあ、うちとの契約を一方的に破るというわけですね」

「まあ、そんな短気なことをおっしゃらずに……何しろたった五百トンとおっしゃっても、今もご説明しましたように、うちにはたくさんの工場と従業員がいるのですからねぇ、おたくの生産計画を寸分も狂わせたくないとおっしゃるなら、前にもおっしゃっておられた高炉建設を実現されたらいかがです、おたくは他と違って、阪神銀行がうしろに随《つ》いておられる上、あなたご自身、マサチューセッツ工科大学に留学された優秀な技術者なんですからねぇ」

その莫大《ばくだい》な建設費の調達が困難なことを百も承知で、所長はあしらうように口をはさんだ。鉄平は腹の底からこみ上げて来る憤《いきど》りを咽喉《のど》もとで噛《か》み殺しながら、

「じゃあ、私の方も、小なりとはいえ、自前で高炉を持つべく大いに努力致しますか

ら、その節はよろしく」

挑むように云《い》い、

「ともかく、ストップされている銑鉄については、おたくの誠意ある回答を是非とも願いたいものです、明日、また参りますから――」

強引に云い残し、憤然と席をたった。


鉄平は帝国製鉄から一旦、社へ帰って、一之瀬工場長や金田製鋼部長と善後策を練ったあと、猪名川《いながわ》のクレー射撃場へ車を走らせた。

山を切り拓《ひら》いた猪名川クレー射撃場は、四時を過ぎると、陽がかげりはじめたが、周囲の空気を突き破るように銃声が響いていた。

射台《スタンド》のあたりには、撃ち終った三、四人の人影が見え、自慢の銃を皮ケースにおさめて、クラブ・ハウスへ引き揚げて行ったが、万俵鉄平ともう一人だけが、射台《スタンド》にたっていた。

鉄平は、ブローニングのスーパーボーズドをかまえ、前方十五メートルの壕《ごう》から機械的に飛び出す皿形のクレーを撃っていたが、さっぱり当らない。たまに当ったかと思うと、クレーの端をかすめて、その破片が、不様《ぶざま》に芝生の上に落ちた。二発撃つ毎《ごと》に射台を替えて行くのだったが、いたずらに薬莢《やつきよう》が足もとに散らばり、二ラウンド、五十発撃って、点数は六十点にも満たなかった。点数を数えている顔馴《な》じみの係員も、

「万俵さんにしては、今日は調子がよくありませんね」

気の毒がるように云った。帝国製鉄と銑鉄のことで争ったくすぶりが、まだ尾を曳《ひ》いて残っているらしい。

鉄平の銃歴は、猟が好きだった祖父に端を発し、学生の頃から祖父のお伴《とも》をして、北陸の雉子《きじ》撃ちや、丹波《たんば》の山奥の猪《しし》撃ちに出かけた。父の大介はゴルフ好きで、あまり猟を好まなかったが、それでも時々、鉄平とともに祖父のお伴をした。どちらかといえばお祖父《じい》さんっ子の鉄平は、ゴルフ好きの父や銀平から離れてひとり、鉄砲を撃っていることが多かった。母の寧子はそれを好ましく思っていなかったが、鉄一筋の鉄平の、唯一《ゆいいつ》の趣味をとめるわけにもいかなかった。

ターン！

鉄平から三つ間をおいた射台で、五十そこそこの紳士が、見事にクレーを撃ちぬいた。横で当てられると、よけいに苛々《いらいら》し、よほどクラブ・ハウスへ引き揚げようかと思ったが、派手な射撃コートを着て屯《たむろ》している富豪気取りの連中と顔を合わせることを考えると、それも神経に障《さわ》った。鉄平は暫く前方に見える緑の山を見詰め、弾を装《そう》

塡《てん》し、深呼吸してから、今度は慎重に銃床を胸に当てて引金に手をかけた。

ターン！

クレーは、こなごなに砕けた。鉄平はさらに次の射台に移り、銃口をかまえた。秒速七十メートルの速さで飛び出し、上空へ舞い上るクレーが、不意に銑鉄《せんてつ》の塊に見えた。鉄平は太い眉を吊り上げて目を見張り、連射した。見事に的中し、鉄平は獲物《えもの》を追うような猛々《たけだけ》しい心のたぎりを覚えた。と同時に、ふと三年越しに練り続けた高炉建設を、父の協力を得て実現しようという決意が、ふつふつと湧《わ》き上って来た。

その翌日、万俵鉄平は憤りを抑えきれない表情で、叔父の石川正治社長と向い合っていた。

帝国製鉄尼崎製鉄所からすでに六日間も銑鉄が入らず、そのことで鉄平が今朝、再び交渉に出かけて帰って来たところだった。

「帝国製鉄の云い分は昨日と同じく、依然として不調の高炉のどこが悪いのか、原因不明で、生産は三分の二に落ちて自社操業にも支障をきたすおそれがあるから、おたくへは廻せないの一点張りなんですよ、他《ほか》ならぬ高炉のことだから、うちとしても或《あ》る程度は譲歩するつもりですが、こちらから出向かなければ、その理由を説明しないし、迷惑をかけるとも云わない、それどころか、こちらが催促がましく云うと、そんなに文句があるなら、今後一切、売らない式の高圧的な態度を取る」

無念そうに云って唇を結んだ。鶴《つる》のような痩身《そうしん》を回転椅子《いす》にもたせかけて聞いていた石川社長は、

「――その気持は解《わか》る、しかし、昨日、帝国製鉄へ談じ込みに行った時、もしや失礼なことを云って、心証を害したというようなことは、ないだろうね」

遠慮がちに聞いた。特殊鋼業界のトップ・クラスである阪神特殊鋼とはいえ、超マンモス企業の帝国製鉄からみれば、中小企業に過ぎない存在であったから、それが気に懸《かか》るらしい。

「どういう意味なんですか、それは」

鉄平は、太い眉を動かした。

「いや、その、何だよ、それで向うは、今日も故意に銑鉄をストップしているというようなことは、ないのだろうねぇ」

石川社長は慌《あわ》てて言葉を濁した。明治維新の元勲《げんくん》の一族という毛並で、万俵大介の実妹の婿《むこ》になり、格別の経営手腕もなかったが、阪神特殊鋼の社長におさまっている

石川正治は、万俵家の長男で、阪神特殊鋼の技術を背負ってたっている専務の鉄平には、何かにつけて控え目だった。鉄平はそんな消極的な叔父に業《ごう》を煮やすように、「だいたい、日頃からわが社に限らず、中小メーカーが無抵抗すぎるから、〝鉄は国家なり〟などという思い上った特権意識をむき出しにした大手高炉メーカーに、ますます舐《な》められるんだ」

と云って、椅子からたち上り、

「僕は、考えに考えぬいたのですがね、このあたりでわが社も抜本的な対策を講じないことには、今後の飛躍的発展は望めない、それで三年越しの懸案である高炉建設を、今年、思いきって決断すべきだと思うのです」

「高炉建設――そんな社運を左右するような大事業を、いくら鉄平君、君でも……」

口ごもるように云いかけた時、インターフォンが鳴った。

「秘書課でございますが、只今《ただいま》、常務の連絡会が終りまして、ご報告したい件があるとのことですが、およろしいでしょうか」

「今、専務と用談中だから、後にして貰うように」

石川社長がそう云い、きりかけると、鉄平はインターフォンに向って、

「いや、ちょっと待ってくれ給《たま》え、僕の方に用件があるから、三常務揃《そろ》って、こちら

へ来るように伝えてくれ給え」

太い声で命じた。

経理担当の銭高《ぜにたか》常務、営業担当の川畑常務、設備担当と工場長を兼務している一之瀬常務の三人が入って来ると、石川社長は応接用のソファに席を移し、三人の常務も腰を下ろしたが、鉄平だけはたったまま、

「急に集まって貰ったのは、目下、討議を願っている今年度の設備計画について、大幅な再検討を加えて貰いたいからだ」

と切り出した。工場長の一之瀬は、ほぼ見当がついているらしく、温厚な表情を変えなかったが、銭高と川畑は、訝《いぶか》しげな顔付をした。

「今、社長に話していたところだが、帝国製鉄からは今日も回答ゼロだった、こういうことは、これからも度々、起るだろうし、スクラップの値の動きもとみに変動が激しく、こうした原料ルートの不安定が解消されない限り、わが社の飛躍的発展は期待できない、それでこの際、年来の懸案である高炉建設を実現すべきだと思うのだが――」

常務たちは、愕《おどろ》くように顔を見合せた。鉄平はかまわず、熱っぽく言葉を続けた。

「時期的に考えても、わが社は鋼塊《こうかい》から最終製品までの設備の近代化をほぼ完了した

段階だから、このあたりで高炉で銑鉄をつくり、それを転炉で精錬《せいれん》して、鋼塊に鋳込《いこ》むという一貫生産の設備に会社の総力をかけるべきではないだろうか、もちろん、特殊鋼業界で初めての大事業ではあるが、特殊鋼メーカーとしてわが社ほどの規模になって、まだ原料を外部に頼っていること自体が問題だと思うのだ」

そこまで云って一同を見廻すと、細い小作りの顔に口髭《くちひげ》をたくわえた銭高は、ねっそりした調子で意見を述べた。

「そりゃあ、専務のおっしゃる通りでございまして、鉄に携わっている者にとって、高炉を持ち、原料を自家生産することは夢でございますよ、けれど、何と申しましても、たとえ中程度の高炉でも、付帯設備まで入れますと、二百億以上の資金が必要な大事業ですから、今度のことで性急にお決めにならず、もっと日をかけて慎重に検討すべきだと思います」

「もちろんだ、僕が高炉建設を持ち出したのは、決して今回のことで感情的になって云い出しているのではない、ここ三年間、絶えず考え続けて来たことで、特に去年の暮頃からは製鋼部の金田部長を中心とする技術グループに、その技術的な検討とともに、便益計算をやらせ、充分にメリットが出るという自信を持ったからだ」

「ほう、そんなことをやっていたなど知らなかったねぇ――」

石川社長はやや不快げに云い、経理担当の銭高と営業担当の川畑も心外な顔をした。というのも、阪神特殊鋼は、鉄平を中心とする技術屋グループで主流を占められ、ともすれば技術偏重になって、事務系統が軽んぜられる社風があったからだ。

「それに致しましても、技術グループの方々がどういう計算をして、そんな報告を専務に申し上げたのでしょうかねぇ、なにしろ、高炉というのは、電気炉のように生産量に合わせて、自由に止められるものではなく、稼動し始めたら、故障が起らない限り、三百六十五日、のべつまくなしに銑鉄が出て来るから、製品をしゃにむに作らなければなりません、それだけの製品をはかす市場がほんとにあるんでございますか、その見通しなしに、資本金の数倍もの大事業をそう簡単に決めるわけには参りませんからねぇ」

銭高は三年前に阪神銀行からさし向けられている常務だったから、高炉建設が決定されれば真っ先にその皺寄《しわよ》せをかぶる立場にあり、最初から反対であった。

「その懸念《けねん》は二年前にも聞いたよ、しかし、通産省が二年前に出した見通しはかなり強気だったが、実績は常にそれを上廻っている、それからみると、今後も需要の過半を占める自動車産業は、資本の自由化に対処するため、設備投資を続行して大幅な増産計画をますます進め、ベアリングはいくら生産しても追いつかないぐらいだし、特殊棒鋼でもわが社は輸出に力を入れているから、需要について僕は強気なんだ」

浅黒い顔を引き締めて、鉄平は力説した。

「しかし高炉をもって一貫生産すれば、原価はいくらに下りますか、そのあたりを綿密に計算しないことには――」

営業担当の川畑常務が質問した。

「細かい数字は、改めて役員会で報告させるが、鉄源だけでトン当り五千円、最終的な製品の段階まで考えると、最低一万五千円は、コスト・ダウン出来る計算だ」

「専務がおっしゃるように安くなるのでしたら、大いに売りまくりたいところですが、業界のシェアはある程度、がっちり固められていますから、急に今までの二倍も三倍もの製品を売り込むことができますかねぇ」

川畑は製品が売れさえすれば賛成だという営業マンらしい云い方をした。

「需要がある限り、価格が安くなれば製品は売れるし、シェアも拡げられる、それが経済の原理じゃないか」

鉄平がきめつけるように云うと、経理の銭高常務は口髭を撫《な》でながら、

「ところが現実はそう簡単に参りません、売れるというはっきりしたメドもなしに高炉をたてて、三十九年の時のような大不況に出くわしでもしたら、どういうことにな

りますか、いくら大幅なコスト・ダウンが出来たとしても、そうした不況の場合のことを考えたり、膨大な設備資金の金利や、新たにかさむ人件費やらを考えると、私たち経理畑の者にはそら怖ろしいような計画でございますね」

　鉄平の営業的な甘さをただし、その度に金繰りの苦労をさせられている者の皮肉が籠《こ》められていた。鉄平は最前から黙っている工場長の一之瀬を見やった。

「一之瀬君、君はどう思う？」

「私は心情的に申しまして、どんなに小さくてもいい、高炉が持てたらと、常々思っています、しかし高炉建設の技術をどうするのか、それを考えますと、正直云って、躊躇《ちゅうちょ》せざるを得ないのですよ」

　温厚な語調で云うと、石川社長はわが意を得たように頷《うなず》き、

「もっともだ、それだけに慎重な上にも慎重に考えて貰《もら》いたい、だいたい日本のどの特殊鋼メーカーもまだ手をつけてない高炉建設を、なんでよりによってうちが冒険しなければいかんのか、そこのところが私にはさっぱり解らんのだよ」

　と云うと、鉄平は精悍《せいかん》な眼をぎらりと光らせた。

「今、皆さんが云ったような懸念をすべて考えた上で、なお断行しようというのが僕の結論です、問題は資金調達が可能かどうかという点だが、これは、専務である僕が

全責任をもつ、つまりメイン・バンクの阪神銀行に融資を依頼すると同時に、サブ・バンクの大同銀行にも、強く協力方《がた》を懇請する、幸い、今度、日銀から大同銀行の新頭取に就任された三雲《みぐも》さんは、私がマサチューセッツ工科大学に留学していた時、たまたま日銀のニューヨークの駐在参事をしておられた関係で親交があり、特に公共的な産業の育成に関心の深い人だから、大いに期待出来ると思う」

もはやそれ以上、鉄平に反対する者はなく、資金調達さえ可能ならばという空気に変って行った。

万俵家の芝生の庭の横に、ボイラー暖房の洋蘭《ようらん》の温室がある。三十坪ほどの広さのなかに、カトレア、シプリペジウム、ミルトニアなど、百数十種類にわたる洋蘭が、紫、紅、淡桃色、黄、ブルーと、色とりどりの花を咲かせ、室内は春のような温かさだった。

寧子《やすこ》は、昼食後、庭番夫婦に鉢の植替えや株分けをさせ、自分はピンセットで根ぎわに生えている雑草を一本一本、丹念に抜き取っていた。

「奥さま、大丈夫でおますか、新《さら》のピンセットの先は尖《とが》ってまっさかい、お手を傷《いた》めはらんといておくれやす」

庭番が気遣うように云《い》うと、寧子は五十半ばとは思えぬ細面の白い顔をかしげた。

「大丈夫よ、私でも蘭のことなら人並に出来ます」

家事は何一つ出来ない寧子だったが、洋蘭栽培に関しては人並以上だった。昔から洋蘭は王侯貴族の趣味と云われて、実家の嵯峨家も戦前からそれに凝り、専門の園丁までいたほどだから、見よう見真似で覚えたのだった。

ガラス越しに、鉄平の妻の早苗の姿が見えた。クリーム色のカーディガンの衿《えり》もとを寒そうに合わせ、温室へ入って来るなり、カーディガンを脱いだ。

「お姑《かあ》さま、相変らず、お精がお出になりますこと、温室に入ってらっしゃるときが、いちばん生甲斐《いきがい》を感じてらっしゃるみたい――」

寧子はそうかもしれないと思った。家事をはじめ、家内《いえうち》全般の差配を相子が取り仕切っている万俵家の中で、たしかに自分のすることといえば、昔から続けている鼓《つづみ》の稽古《けいこ》と洋蘭の栽培ぐらいだった。特に今日のように、夫の大介が東京へ出張している日は、のんびりと、殆《ほとん》ど一日中、温室で過してしまう。

「鉄平さんは、このところまたお忙しいようね」

「ええ、なんだか、また大きなお仕事が始まるようですから、致し方ありませんわ」

早苗は、政治家の娘らしく割り切った云い方をした。

「それは大へんね、ところでいかが？　あなた方のお部屋へどれかお好きなのをお持ちになっては」

寧子が云うと、早苗は棚の上に並んでいる鉢の一つ一つを覗《のぞ》き込み、純白の大輪《たいりん》の花に目を止めた。

「皇太子さまご夫妻がハワイへご訪問になった時、美智子妃殿下がお好み遊ばしたというのに因《ちな》んで、クラウン・プリンセス・ミチコと名付けられたそうです、清楚《せいそ》で気品がございましょう？　それを上げましょうか」

「まあ、およろしいの、嬉《うれ》しいですわ」

早苗は、純白のカトレアの鉢を両手で大事そうに抱え取ったが、

「そうそう、お姑さま、今、母屋《おもや》におりましたら、芦屋の千鶴《ちづる》叔母さまからお電話がございまして、この前の日曜日、お姑さまにお電話でおことづけをしておいたのに、お返事がないけれどと、少しお冠《かんむり》のご様子でしてよ」

と伝えて、温室を出て行った。寧子は、思わずピンセットの手を止めた。この前の日曜日、大介と美馬がゴルフに出かけている留守中に、大介の妹の千鶴から電話がかかり、帰宅したら大介に伝えると云っておきながら、ついうっかり忘れてしまい、夜

になってから大介の寝室へ電話をかけたのだった。しかし受話器を通して相子のただならぬ息遣いを聞き、慌てて電話をきってしまったのだった。あの時のなまなましい気配を思い出しながら、寧子は、相子という一人の女性の存在が、かつては自分を自殺に追いやったこともあるのを、今さらのように思い返した。

寧子が十九歳で嫁いで来た最初の夜、夫の大介は、お前は幼な過ぎる、昔から宮さまや華族の出の女は、交わりのあと始末も人にして貰うほど幼いと聞いていたが、お前もそれと同じだなと云った。そのくせ、その幼さを愉《たの》しむように、寧子の手を取り足を取って、営みの技巧を教え込んだのだった。鉄平を妊《みご》ると、忽《たちま》ち寧子の体から遠ざかったのは、結婚前から面倒をみている女がいたからだった。それを知っても、寧子がさほど取り乱さなかったのは、寧子に随《つ》いて実家の嵯峨家から来ていた老女から、かねがね十四代も続いている万俵家のような家に嫁いだからには致し方のないことで、その上、大介は人一倍、その方の欲求が強いようだから、今後も女性関係での苦労は覚悟しなければならないと、因果を含められていたからだった。そして次第にそうしたことが、寧子にも当り前のことのように思われて来たのだった。

したがって高須相子が、子供たちの家庭教師として万俵家へ入って来た時、寧子は大介と相子もいつかは、という諦《あきら》めに近い気持を抱いていた。しかし現実に、半年目に二人の関係が出来たことを知った時は、今まで感じたことのない苦痛を覚えた。これまでと違って、夫の体と繫《つな》がっている相子と同居しなければならぬ上に、長男の鉄平の眼に、それが触れたからである。それでも寧子が何も云い出さなかったのは、公卿《くげ》華族の家で手作りの雛《ひな》人形のように育てられて、人と争ったり、自分を主張したりする強い意志と性格に欠けていたからだった。それだけに、舅《しゅうと》の敬介が死亡したのを境に、公然とした形を取りはじめてからも、抗《あらが》いようがなかった。これまで夫婦の寝室だった部屋の前に、新たに寧子と相子の寝室をしつらえ、晩餐《ばんさん》の時は二人が一日交替で大介の左側の妻の座に坐《すわ》り、その夜の寝室も共にすることになっていた。初めのうち寧子は、さすがにそれを拒んだ。しかし、相子は冷然とした表情で、「じゃあ、あなたご自身でお子さまの教育から家事の管理を遊ばしますか」と云い放った。寧子が嫁いで来る時に随いて来た老女も既にいなくなり、相子に対抗し得るだけの能力を持たない寧子は、そう云われれば、無念の思いをこらえるより仕方なかった。

妻の座を犯す女性と一つ家《や》に顔を合わせ、何気なく装い、さり気なく語り合う生活は、寧子のように人と争うことの出来ない性格の者でも、時々、万俵家を去ってしまいたい衝動に駈《か》られた。しかし長男の鉄平は別として、他の子供たちが、母の身にそんな変化が起っているなどとは知らず、豊かに満ち足りて、美しく育っている姿を見ると、心が鈍った。それにもかかわらず、子供たちのためという寧子の最後の心の支えさえ、無惨《むざん》に引き裂かれるようなことが起った。

それは、一日交替で妻の座を替ることになってから二年目の新年を迎え、例年通り年末から一家揃《そろ》って、志摩観光ホテルで過して帰って来た夜の出来事だった。その夜は、寧子が夫と同衾《どうきん》する日であったから、いつものように白絹《しらぎぬ》の夜着《よぎ》に着替えて、大介の寝室へ足を踏み入れたが、その瞬間、寧子は思わずたちすくんだ。いつの間に誂《あつら》えて運び込まれたのか、今までの古い二台のベッドに替って、新調の豪華なベッドが三台並んでいた。三台の真ん中がダブル・ベッド、両側がシングルで、その一方には相子の豊満な肢体が横たわっていた。呆然《ぼうぜん》として大介を見詰めると、「今夜から時々は、こうして三人で同衾しようじゃないか」と云うなり、寧子の体を真ん中のダブル・ベッドへ引き入れ、同時に隣のベッドの相子をも引き入れ、両腕に二人の女の体を抱いたのだった。寧子は、必死に抗ったが、相子はなまなましい息遣いで大介の体にまとわりついていった。そして眼も眩《くら》むような行為が、寧子の目の前で行われ、あまりの恥ずかしさに嗚咽《おえつ》しかけた寧子をも、やがて獣のような交わりの中へ加えたのだった。屈辱に体が灼《や》け爛《ただ》れ、心も狂いそうになって、交わりが終った時、寧子は万俵家を去る心を決めた。これまでも妻妾同居《さいしょう》の生活に耐えて来たが、妻の立場を完膚《かんぷ》なきまでに踏み躙《にじ》る妻妾同衾という屈辱には耐えられなかった。

その翌朝、寧子は実家へ帰り着いた。だが、戦後の嵯峨家は寧子を迎え入れるだけの余裕を失《な》くし、当主である長兄に伴われて、牽《ひ》かれるようにまた万俵家へ戻って来たのだった。そして二度目に妻妾同衾を求められた時、「夫婦の交わりは獣のようなものではございません」と激しく拒んだが、「お前の口からそんなことが云えるのか、それなら離婚《さ》って貰おう、離婚されるだけの理由は身に覚えがあるだろう」と残忍な響きをもった声で突き放すように云われた。寧子はその夜、睡眠薬自殺を図った。

帰って行く家もなく、さりとて妻妾同衾にも従えない寧子は、自ら死を選ぶよりほかはなかったが、ブロバリンの致死量を誤り、未遂に終ってしまったのだった。死ぬことさえ、自力でかなわぬ自分を思うと、寧子はもはや、大介にも相子にも、抗うことを諦めてしまったのだった。

背後《うしろ》で庭番の声がした。

「奥さま、そろそろおしまいになりましたら？　お疲れが出やおまへんか」

「そうね、もう四時、二子《つぎこ》も三子《みつこ》も、帰って来る頃だわね」

ほっと溜息《ためいき》をつくと、寧子はピンセットをおいて温室を出た。

＊

東京麴町《こうじまち》の行邸《こうてい》を午前八時三十分に出た万俵大介の車は、代官町をぬけ、皇居の濠《ほり》端《ばた》を右に見て、丸の内の阪神銀行東京支店に向っていた。

冬枯れの景色の中で、皇居の常磐木《ときわぎ》の緑が、豊かな水を湛《たた》えた濠に美しく映えている。万俵大介は毎月数回上京するが、麴町の行邸から東京支店に向うこの朝の道が、一日のうちで最も清々《すがすが》しい。やがて車はパレス・ホテルの横を左へ折れ、日本の金融街といわれる大手町通りに入る。大友銀行、富国銀行、第三銀行、五和銀行をはじめ、日本の大銀行がずらりと両側に建ち並ぶ通りには、午前九時の開店を待ち受けるように車の列が続き、足早に銀行へ入って行く人影が眼につく。日本の金融の心臓部としての鼓動が、車の中の万俵にも伝わって来るような充実した朝の風景であった。

万俵はふと、ニューヨークの世界的な金融街であるウォール街を思い出した。超高層ビルが林立して空を遮《さえぎ》り、終日、陽のあたらない道路の両側に、ニューヨーク株式取引所をはじめ、モルガン、チェイス・マンハッタンなどの国際的大銀行が、非人間的な威圧感をもって並んでいる。朝九時、地下鉄から吐き出されるビジネス・マンの流れで、はじめて人間の街としての活気を帯びて来るのだった。

丸の内ビルの横を通り、五菱銀行を斜めに見て、車は九時に馬場先濠《ぼり》に面した阪神銀行東京支店に着いた。戦災で焼け残った神戸の本店の重々しいバロック風建築と異なり、軽快な直線とクリーム色の壁面をもった近代的な建物は、一階の営業部の玄関も、ホテルのロビーのような明るさと華やかさを採り入れている。

「頭取、お早うございます」

日程表を抱えた秘書が玄関まで出迎えており、エレベーターの中でその日の日程を報告した。エレベーターを降りると、頭取室に続く廊下には、本店と同じ真紅の絨毯《じゆうたん》が敷き詰められている。万俵は、頭取室に向いかけたが、エレベーターを挟《はさ》んで反対側にある『阪神銀行東京事務所』と書いてある部屋の方に、ちらっと視線を向けた。

「何か、ご用でも――」

秘書が聞くと、いや、いいと云い、そのまま、頭取室に入った。馬場先濠に面した五階の頭取室からは、二重橋が見え、さらにその向うに緑青《ろくしよう》を吹いた新宮殿の屋根が望まれた。いつ見ても、心の静まりと安らぎを覚えるたたずまいだった。しかし、一度、視線を金融街へ移すと、建ち並ぶ建物こそ荘重であり、或《ある》いは近代的に洗練されているが、そこでは眼に見えない各行の凄《すさま》じい銀行戦争がしのぎを削っている。万俵は東京へ来る度に、関西にいる時には感じられない強い競争意識に駈られる。先週から娘婿《むすめむこ》の美馬中に電話して、永田大蔵大臣と会う席をつくってくれるように頼んでいるのも、その一つの現われであった。

万俵は窓際《まどぎわ》から離れ、秘書に東京事務所長の芥川《あくたがわ》常務を呼ぶように云った。東京事務所というのは、関西の銀行が必ず備えている機能である。東京地区の業務を統轄《とうかつ》することと、中央官庁との交渉を担当する部門になっているが、何といっても、対政界、対大蔵省工作を主な仕事にし、その面の情報収集活動が優先した。したがって所長たる者の資格は、政、官界の人脈地図に精通し、他行より一刻も早く正確な情報を得る能力を持っていることが必要であった。人によっては、東京事務所を忍者部隊と呼ぶこともある。

東京事務所長の芥川常務が入って来た。細い華奢《きやしや》な体に、渋いグレイのダーク・スーツを着、縁なし眼鏡をかけた姿は、見るからに気障《きざ》な感じを与えたが、鼻の右横にある大きなほくろがそれを救って、むしろ洗練された機敏な銀行マンを思わせた。

「頭取、お早うございます、昨夜は宴席が三つも重なりましたので、さぞお疲れでございましょう」

昨夜は五時半から七時半まで取引先を招待、七時半から九時までは逆に大口融資先からの招待、九時から十時半までは経済記者招待という三つの宴席が重なり、万俵は、いささか疲れを覚えていた。

「だが、君も大へんだったろう、三つ目の席の十時半以降は君に任せて、私は先に失礼したからねぇ」

「あれから二次会に銀座のクラブを二軒ほど廻り、十二時過ぎにお開きにし、今朝は小金井《こがねい》で〝朝の特訓〟をして参りました」

〝朝の特訓〟というのは、早朝ゴルフのことで、何か密談を凝らす時、朝の六時、七時ごろからコースを廻り、何くわぬ顔でそれぞれの職場へ出勤することだった。

「誰なんだ、相手は？」

「例の社民党の中根正義先生ですよ」

毎年、年賀受けの日に必ず、阪神銀行本店へ年賀に現われる大蔵委員の社民党議員で、選挙地盤の事情さえ許せば、いつでも自由党から立候補しそうな男であった。

「別に急な用件ではなかったのですが、中京銀行の東海車輛《しゃりょう》に対する不良貸付を、大蔵委員会で問題にするということを耳にしましたので、早朝ゴルフをやりながら、真偽のほどを確かめたのです、不正貸付は事実だそうですが、十億程度のことで、大蔵委員会などで問題にされるのは、日頃のつき合いが悪かったからでしょうねぇ、私など大蔵委員と名のつく限り、与党議員はもちろんのこと、野党議員には特に念を入れて、常日頃からサービスに努めるよう心がけております」

芥川は、東京事務所長としての日頃の自分をいささか顕示するように云ったが、事実、大蔵委員会は、銀行に対して、融資先の倒産や不良貸付、店舗新設をはじめ、その他《ほか》、どんな些細《ささい》なことでも、問題にしようと思えば、出来るのだった。その点、芥川は抜け目なく、要所要所に術《て》を打っている。黙っているが、満足そうな万俵頭取の顔色を読み取ると、芥川はさらに機敏にたち廻った。

「頭取、今夜は、永田大蔵大臣とお目にかかられますか？」

「多分、大同銀行の新頭取就任パーティのあと、会えるだろう、美馬が、その段取りをつけてくれているから――」

「では、永田大臣が近く開設される新しい事務所のお祝いには、どれぐらい致しましょう？　もちろん、各行が幾らぐらいにするかは打診しておりますが、美馬さんともご相談したいと思いながら、なかなか連絡がつかなくて――、それに差し上げるからには、どこよりも早く、例の架空名義の口座に振り込んでおきたいと思いまして――」

「まあ、永田大蔵大臣とうちは、なみのつき合いじゃないから、その辺のところは手落ちのないようにしておくことだ」

そう云《い》い、万俵は葉巻を一服くゆらし、

「ところで東京地区における業務面のことだが、目下、申請中の埼玉県大宮《おおみや》の店舗新設の認可は、下りそうかね」

都市銀行の店舗新設は年間、一行当り一店舗が大蔵省銀行局によって認可される。関東方面の地盤が弱い阪神銀行は、人口が急増しつつある大宮に新店舗の申請をしていた。

芥川はこれまでの調子の良さと異なり、やや言葉に窮するような気配を見せ、

「何しろ大宮は、他行も眼をつけているところですから、激戦になりそうです」

と困難な状況を強調してから、

「しかし大宮支店獲得は、頭取の強いご指令もあり、どこと競願するか、有力な建設業者を使って調べさせました、その結果、東京の富国銀行と大阪の平和銀行が秘《ひそ》かに駅前周辺の土地の買収にかかっていることが解《わか》り、銀行局で冷飯を食わされている連中に当りをつけて内偵しましたところ、やはり、富国、平和の二行が競願しており、さらに店舗開設要望書に記入している両行の希望順位を教えてもらいましたら、富国銀行は、大宮の他に川崎にも新店舗を申請しており、むしろそちらの方にウェイトが

あるようですから、問題は大阪の平和銀行です」

一店舗の新設によって平均二十億の預金が集まるから、各行とも新店舗の開設には血眼《ちまなこ》になり、深く潜行した争奪戦が昼夜をわかたず、繰り拡げられるのだった。

「それで、君はどういう術《て》を考えているのかね」

芥川は、顔のほくろにちょっと手を当てて、眼をまたたかせた。

「二行以上が競願している時は、何と云っても大義名分の筋書を作った上でなければ、大蔵省の方も、他行への云いわけがたちませんから、当行としては、関西の代表的な家庭電器メーカーであるオリエント電器が大宮に大型の新工場を設立するので、その融資銀行として是非とも大宮に店舗を持ちたいという理由を強調すると同時に、大いに働きかけて、平和銀行に順位振替の指導をして貰《もら》うことを考えております」

芥川の云う順位指導というのは、大蔵省の担当官に働きかけて、平和銀行に、第一希望の大宮は無理だが、第二希望の地区ならすぐ認可の用意があるという行政指導をさせて、希望順位を変更させるという意味だった。

「平和銀行にしても、相当、大蔵省に食い込んでいるから、油断ならないが、金融再編成の前だから、一店でも有力な支店を増やして体力を増強しておかなければならない、もちろん、最後は政治ベースの話合いになるだろうが、そこが君の腕のみせどころだ」

万俵は、芥川の力量を試すように云った。

ホテル・オークラの平安の間で、大同銀行の新頭取就任披露パーティが開かれていた。

会場の入口には、金屏風《きんびようぶ》を背にして、前頭取、新頭取を頭に、専務以下の役員がたって、来賓の一人一人を迎えている。万俵大介は会釈《えしやく》して、専務、常務たちの前を通り、新頭取の三雲祥一《みぐもしよういち》の前で足を止め、

「ご就任、おめでとうございます」

と挨拶《あいさつ》した。三雲頭取は五十六歳と思えぬ若々しい顔を紅潮させて、

「有難うございます、今後とも、およろしく」

鄭重《ていちよう》に頭を下げ、隣にたっている前頭取も、

「私同様に、よろしくご指導のほどを——」

先輩らしい言葉を添えた。会場に入ると、各銀行の頭取をはじめ、政、官、財界五百名近い人々が集まっていた。

総理大臣と大蔵大臣の姿は見えなかったが、政界からは通産大臣をはじめ、衆参両院議員の実力者、大蔵委員、官界からは大蔵次官をはじめ、主計局長、銀行局長、理財局長らの姿が見え、日銀からは副総裁をはじめ理事たちまで来ているのは、新頭取が日銀からの天下《あまくだ》りでもあるからだった。財界からは大企業の社長、専務たちの顔が揃《そろ》い、銘々、テーブルの上のオードブルを取ったり、カクテルやハイボールに口をつけながら談笑していた。中には好都合の連絡場所とばかり、気忙《きぜわ》しく動き廻る政治家や経営者も見かけられた。

そんな中で、万俵大介は、全国銀行協会の会長である富国銀行の巌《いわお》頭取と五菱《ごりょう》銀行の鵜川《うがわ》頭取、それに大蔵次官と銀行局長の四人が、グラスを手にして、談笑している姿を眼にした。両行とも日本を代表する上位の二大銀行であったが、富国銀行の巌頭取は、戦後の大きな疑獄事件には必ずといってもよいほど、一度は名前が出て来る男であり、五菱銀行の鵜川頭取にしても、政治献金の贈収賄《ぞうしゅうわい》事件に関係しながら、不思議と責任を追及されず頭取の座についている。それに比べると、今、万俵大介が金融再編成を前にして、閨閥《けいばつ》を利用し、あらゆる政治手段を駆使して、阪神銀行の利得を図ろうとしていることが、極めて小さいことのように思われた。そして何かといえば、銀行に対して高姿勢を打ち出す大蔵次官と銀行局長が、巌頭取と鵜川頭取を前にして、にこやかな愛想笑いをうかべて話している。万俵大介のように毛並と財力に恵まれて育ちながら、たまたま、都市銀行第十位の阪神銀行の頭取であるということのために、巌や鵜川の下位にたたねばならぬのかと思うと、不快だった。しかし万俵は、銀髪端正な顔に微笑を湛えながら、巌たちの方へ近寄った。

「やあ、万俵さん、昨日はどうも、いろいろとご尽力を――」

巌は、昨日の全国銀行協会の理事会で、万俵が長期金利の改訂問題について信託協会説得の打開策を提案して、会長を支持したことを云った。

「いやいや、あんなことでお役にたてば――」

と云い、重藤《しげとう》大蔵次官と春田銀行局長に挨拶すると、

「いいところへいらした――、今、僕たちで〝日銀哺育箱《ほいくばこ》〟説、つまり日銀のようにお札を発券しているだけの安易なところに育った連中が、都市銀行のような斬《き》った張ったの激しい競争の場へ出て来るのは、哺育箱育ちの赤ん坊がいきなり普通食を食べるようなもので、忽《たちま》ち下痢《げり》を起すんじゃないかと話していたんですよ」

日頃、日銀を紙幣発券局呼ばわりして憚《はばか》らぬ重藤次官は、尊大な云い方をした。

「以前、大同銀行の次期頭取は、大蔵からという噂《うわさ》を耳にしたことがありましたが、どうだったんですか？」

万俵は、笑いながら聞いた。

「さあ、そんな噂がありましたかねぇ」

春田銀行局長が、妙な含み笑いをうかべて云った。

大蔵省と日銀の天下り先の競争は、絶えず激烈を極め、どこかの銀行で日銀出身の頭取が失敗すると、すぐ大蔵省出身が進駐して行くのだ。

入口に、日銀総裁の姿が見え、鷲鼻《わしばな》のように尖《とが》った鼻に大きな眼をきらつかせ、にこりともしない表情で入って来た。

「それそれ、噂をすれば何とやらで、日銀神宮の神主さまのご入来《じゅらい》だ」

重藤次官が揶揄《やゆ》するように云った。日銀では業務終了の三時になると、今でも厳《おごそ》かに拍子木を打って終業の時刻を告げる習慣がある。万俵大介は思わず苦笑し、巌、鶫川頭取も、顔を見合せて笑ったが、日銀出身の他行の頭取たちは、最敬礼で総裁を迎えた。そして総裁の出席を待っていたかのように、三雲新頭取が就任挨拶を述べるために、会場正面にあるマイクの前にたった。色白、面長の顔だちにいかにも日銀出身らしい品の良さが滲《にじ》み出、心の昂《たかぶ》りを抑《おさ》えるように静かな口調で、

「この度、はからずも大同銀行の頭取就任を仰《おお》せつかりましたが、五十六歳の今日まで日銀という世界しか知らぬ私が競争激甚《げきじん》、特に金融再編成が真剣に論議され、推進

されようとしております都市銀行の頭取に就任致しますことは、まことに責務重大にして、相当なる覚悟をもって臨まねばならぬものと存じております、何卒《なにとぞ》、各行、各界の皆さま方の温かいご指導と、ご支援のほどをお願い申し上げます」

言葉短く、謙虚に挨拶した。事実、三雲祥一は、日銀へ入行以来、その中枢《ちゅうすう》に近い秘書室、海外勤務、調査局などのエリート・コースのみを歩んで理事になり、戦後はじめて国債を発行するにあたって、大蔵省と金融証券業界の双方に納得の行くような国債発行の条件をまとめたことが評価され、一時は副総裁とも噂されたことがあった。しかしそれは、三雲自身の実力ばかりでなく、戦前の貴族院議員だった父を持ち、母も旧財閥の出であるという毛並に負うところも多分にあったようである。

それだけに都市銀行第八位の大同銀行とはいえ、もとは貯蓄銀行の寄り集まりから発足した銀行であったから、図体《ずうたい》は大きいが、内容的には相当な体質改善を行わなければならない。その頭取に就任することは、衆目の見るところ前途多難であった。しかし日銀出身の銀行家たちは、また一人、日銀出身の頭取が出たことを喜び、結束を固め合うように、挨拶を終えた三雲頭取の周りに集まった。そんな光景を生粋《きっすい》の都市銀行の頭取たちは皮肉な眼《まな》ざしで眺め、引き揚げかける者もあったが、三雲頭取は、出席者の一人一人に挨拶するために、会場を廻りはじめた。

万俵大介と一緒にいた巌、鶴川頭取と重藤次官、春田銀行局長たちは、挨拶が終ると早々に帰ってしまったが、万俵はその場に残っていた。三雲は万俵の前に来ると、

「関西での披露パーティでご挨拶させて戴《いただ》くつもりでしたのに、早々にお出まし戴き、恐縮でございます」

心から嬉《うれ》しそうに云い、

「ご長男の鉄平さんは、相変らず、お元気ですか？　私がニューヨークの駐在参事時代、マサチューセッツ工科大学に留学しておられ、時々、ご一緒にブリッジをしたものですが、あの頃から阪神特殊鋼の将来に大きな夢を燃やしておられましたね」

「おかげで、あれが中心になって若い技術陣を作り、そのスタッフが阪神特殊鋼を背負ってたっている形です、おたくにはいつもお世話になっていますが、今後とも何かとよろしく――」

万俵は、阪神銀行の頭取としてではなく、鉄平の父親らしい挨拶をした。

「いえ、私の方こそ、いろいろとご指導を願います、特に当行は関西方面に弱いことで、早速にも担当常務を送り込んで業容を強化したいと存じておりますので、よろしく」

それが単なる社交辞令でないことは、真摯《しんし》な深い眼ざしで解った。万俵は内心、常

務一人を送り込むことぐらいで簡単に融資順位が上るものかと思い、三雲の日銀育ちらしい甘さを感じ取ったが、にこやかな笑顔で、

「じゃあ、失礼——、ご来阪の折はひとつ、ゆっくりお目にかかりたいものです」

と挨拶し、時間を気にするように、ちらっと時計を見た。その時、蝶《ちょう》ネクタイを結んだ給仕長が目だたぬように、そっと万俵に近寄って来、電話がかかっていることを告げた。予《あらかじ》め、電話がかかって来たら、取り次ぐように頼んでおいたのだった。足早に会場を出、クロークの前の電話を取ると、

「もしもし、お舅《とう》さん、さっき大臣の秘書から、今日の予算委員会は最後の質問者が五時半までで終る見込みだから、六時過ぎならというお返事ですよ」

娘婿《むすめむこ》の美馬中からであった。


入口から玄関まで打水に湿り、香がたきしめられている新橋の料亭『金田中』の廊下を、芸者たちが艶《なま》めいた裾《すそ》さばきで行き来し、お座敷の挨拶を交わす声以外はしんと静まりかえっている。

奥まった二十畳程の座敷で、万俵大介は、永田大蔵大臣と歓談していた。その席に

は芸者が侍《はべ》り、華やかに座を彩《いろど》っている。

「このところお久しぶりですね、こうして大臣のご謦咳《けいがい》に接するのは――」

万俵は端正な銀髪姿で、床の間を背にした永田大臣の盃《さかずき》に酌をした。

「いや、どうも――」

永田大臣は、万俵の盃を愛想よく受けてから返盃《へんぱい》した。背が低く瘦《や》せている上に、色が黒く、一国の大蔵大臣にしては、風采《ふうさい》が上らなすぎたが、三白眼《さんぱくがん》に凄味《すごみ》がある。

万俵は、永田大臣の返盃を口に含みながら、

「美馬から聞いたのですが、大臣はこの間、ついに五段の免状をとられたそうですね、碁《ご》は美馬も好きで、ちょっとした天狗《てんぐ》気取りでいるだけに、大へん羨《うらや》ましがっておりましたよ」

表向きは、暫《しばら》く謦咳に接していないからという口上で設けた席だけに、まずくだけた話題を持ち出した。

「あら、頭取、それをあんまりおっしゃっちゃ駄目、大臣はただでさえ近頃、そのご自慢話ばかり、でも変なのは、五段になってから急にお打ちにならなくなったの、もしかして、ナーさまのは、段は授ける、しかれども以後、絶対打つべからずのあの類《たぐ》いじゃないのかしら」

永田大臣が贔屓《ひいき》にしている若い美妓《びぎ》が、潤《うる》むような円《つぶ》らな瞳《ひとみ》で云った。

「また桃太は、そんな口をたたく、今度、もう一度、云ったら、自慢のそのぴちぴちした頰を針でつついてやるぞ、さぞ、若水《わかみず》が勢いよく吹っ飛ぶだろうな」

永田大臣が齢甲斐《としがい》もなく、眼を細めて戯《たわむ》れると、

「おっほっほっ、桃太ちゃんの頰っぺなら、十メートルぐらい、若水が吹き出るんじゃないかしら」

年増《としま》の姉芸者が、合の手を入れた。

「いや、二、三十メートルは充分飛ぶな、どうだ、桃太、ちょっと突っついてみるか」

まだ二十《はたち》そこそこの芸者の、水蜜桃《すいみつとう》のようにみずみずしく張った頰に、大臣の上機嫌な手が伸びると、賑《にぎ》やかな笑いが起った。ここへ来る前、芥川常務が「最近、大臣にお気に入りの若い妓《こ》ができましてね、今夜はそれをよんでいますから」と囁《ささや》いたのだった。対政界、対大蔵工作を受け持つ阪神銀行東京事務所長の芥川は、政、官界の人脈地図とともに、どの大臣が、どの芸者を贔屓にし、その姉妹芸者は誰かという芸者の閨閥《けいばつ》地図まで頭に入れて宴席を設けているのだった。

一しきり座興が続くと、永田大臣は若い美妓の手を離し、

「大同銀行のパーティへ行かれたそうだが、三雲新頭取の印象は、どうでした？」

真顔で、万俵に聞いた。

「なかなか、いいですね、日銀出身にしては、珍しく意欲的なタイプじゃないですか」

万俵は、昼のパーティで、三雲頭取の甘さを見抜いたことなどは曖《おくび》にも出さず、オーナー頭取らしい余裕をみせて応《こた》え、芸者たちに眼配せした。それを機会《しお》に、芸者たちは巧みに座をたった。

二人きりになると、万俵は、

「こういう機会に、ひとつ大臣のご意見を、ざっくばらんにお伺いしたいのですが――」

さり気ない笑いをうかべながら、今夜の席の目的をじわりと切り出した。

「ほう、意見などと改まられて、一体、何のことですかねぇ」

永田大臣は脇息《きようそく》に体を寄せ、盃を口につけたまま、聞き返した。万俵は、床の間を背にして尊大な姿勢で坐《すわ》っている男を見詰めながら、この男が、大蔵次官から政界入りした直後の或《あ》る一時期、時の総理の経済政策に徹底的に楯《たて》ついて、冷飯食いをしていた時のことを思い出した。娘婿の美馬と同県人であること、そして美馬が真底から尊敬し、将来は大蔵大臣になる人物ということで、美馬と一緒に、永田の家を訪ねたことがあった。その時、永田は縁《へり》のすりきれそうになった畳の部屋で、きりぎりすのように瘦せた小さな体で肩をいからせ、開口一番、時の総理を〝財政理念のない無学の輩《やから》〟とこき下ろした。以後六年間、徹頭徹尾、それで貫き通し、今日の座を築き上げたのだった。その間、万俵は美馬を通して、先物買いの意味で、ずっと永田へ経済的援助を続けて来たのだった。その男が、今、一国の経済行政を握る実力大臣になって、自分の前に趺坐《あぐら》をかいている。

「このところ、とみに金融再編成の論議が高まり、金融制度調査会の特別委員会で答中案が練られていますが、大臣は、この問題に対して、どんな考えをお持ちなのか、それをお伺いしたいのですよ」

「さあねぇ、何しろ日本には銀行の数が必要以上に、多過ぎますからねぇ」

永田大臣は、煙草《たばこ》をくわえながら、微妙な笑いを三白眼に漂わせた。その一言は万俵の胸に鋭く響いたが、永田大臣は煙草の煙をふうっと吐き出し、

「それに目下、企業の大型合併を急ぐ時代になっているから、大型企業に資金供給をする銀行側も、業容を大きくして貰《もら》わないと、何かと不都合が起って来るわけで、銀行が再編成されて大型化することについては、政府も積極的な考えを持っています、

それが今後の政策を進めるに当って基本的な考えですな」

献金を受けている手前、永田大臣の言葉遣いは概《おおむ》ね丁寧であったが、時々、尊大な言葉になって、権威をちらつかせる。

「しかし、大臣、そういう大義名分をおしたてられますと、片っ端《ぱし》から小は大に食われるという論法になり、さしずめ当行などのような資金量の低い銀行は、巨大資本の上位四行に食われてしまえということになりそうですね、それでは今の金融再編成は、上位四行と大蔵省による一種の〝策謀〟と云《い》われても、致し方ないでしょうね」

「策謀ととるか、日本経済の前進と解釈するか、それは、立場の相違によってさまざまだね、しかし、銀行の再編成論議は、前大蔵大臣の頃から云われながら、実際になかなか進展をみなかった、それは銀行に対する長すぎた保護政策もさることながら、銀行間の合併は一般の企業の合併に比べて、いろいろと難かしい制約がある、一例をあげると、大友銀行と第三銀行が合併すると、規模の上ではマンモス銀行が出現することになるが、日本の二大ゴム会社の一方は大友、一方は第三銀行がメイン・バンクになっているから、二行の合併によって自動車のタイヤに必要なゴムの寡《か》占度《せんど》が五七パーセントにもなり、一つのマンモス銀行の意向で、ゴム業界が左右されることになる、そうなると消費者から厳しい批判が起り、国としての産業政策がやりにくくなる

――」

大蔵省出身らしい話し方をすると、万俵はすかさず、
「そうすると、銀行の合併は、必ずしも規模の問題だけできまるというものではないわけですね」

大臣の言葉を抑え込むように云った。
「そりゃあそうですよ、銀行にはそれぞれの特質というものがあり、その特質が合併することによって効果を増すというものでなければねぇ、つまり銀行の合併には、規模の大小の問題と同時に、質の問題があるから、なかなか机上案《デスク・プラン》通りにはいかんものでね」

途端、万俵の眼が、きらりと動いた。机上案《デスク・プラン》という言葉が出るからには、大蔵省には既に、どの銀行とどの銀行を合併させよう、もしくはさせたいという具体的な青写真が用意されているということだろうか――。万俵は、永田大臣が云ったその言葉に、総毛だつような怖《おそ》れを覚えたが、平静な表情をつくろい、
「大臣のおっしゃるように、規模の大小だけで、銀行間の合併はきめられるものではないとすると、たとえば、その銀行の業容次第によっては、小が大を食う場合もあり得るということですね」

ぴたりと永田大臣に視線を向けて云った。永田は一瞬、三白眼を動かし、その言葉の意味を探るように万俵の顔を見返したが、

「まあ、そういうことも、あり得る話かもしれませんな、しかし、それにはせめて預金順位がシングルになっていないとねぇ、あっはっはっはっ」

不意に天井に響くような高笑いをした。めったに声を出して笑わない万俵も、笑った。しかし、二人の眼だけは、互いに笑っていなかった。

永田大臣の胸中には、冷飯食いの時代から今日まで一通りでない金銭的な借りがあり、何か容易ならざることを考えているらしい万俵大介に、片棒を担《かつ》がされるかもしれぬという警戒心があったし、万俵大介には、これで大臣と意思の疎通《そつう》が出来たとはいえ、預金順位がシングルになっていないと、と云う大臣の言葉は、都市銀行十二行中、十位の阪神銀行では問題外という意味なのか、預金量を増やして九位になれば考えてみてもいいという意味なのか、確たる言質《げんち》を得るに至らない焦《あせ》りがあった。

ルーム・ライトを消した車のシートに、万俵大介は体を埋め、フロント・ガラスを見詰めていた。いつの間にか、小雨《こさめ》が降りはじめている。

少し疲れていたが、万俵の頭は、妙に冴《さ》え冴《ざ》えとして、さっき会った永田大蔵大臣の凄味《すごみ》のある三白眼と、薄い唇から出た一語、一語を思い返していた。

大蔵大臣が、銀行合併に対して積極的な考えを持っていたことは、阪神銀行の今後を左右する重大な事柄であった。しかし、亡父の代に一介の地方銀行から発足して、営々と築き上げ、自分の代になって都市銀行にまで発展させた阪神銀行を、国家の金融行政のためという大義名分で、むざむざと上位銀行に吸収合併されてなるものかという思いが、万俵の気持の中ではっきりとした形をとって強まってきた。たとえ今日の席で確たる答えを得られなくとも、暗黙のうちに永田大臣と意思の疎通を交わした以上、どんな手段を尽しても巨大銀行に呑《の》まれることを防ぎ、阪神銀行に有利な合併の相手を秘密裡《り》に考え、その布石をしておこうと決意した。

大介の脳裡に、父の敬介の顔がうかんだ。あの豪放磊落《らいらく》な父もこうした厳しい経営者の試練に耐え、それを乗り越えて銀行を中核とした今日の万俵コンツェルンの基礎を築き上げたのだろうか――、大介はそう考えると、万俵コンツェルンの総帥《そうすい》であり、阪神銀行の頭取としての重味が、両肩にぐいと食い込んで来るような息苦しさを感じた。

フロント・ガラスを真正面から叩《たた》く雨の音で、大介は窓外へ眼を遣《や》った。車はもう砧《きぬた》をすぎ、世田谷の成城にある美馬の家まで間もなくであった。美馬は大臣との会談が終った頃、麹町《こうじまち》の行邸《こうてい》へ伺うと云ったのだったが、大介は行邸で会うより、久しぶりに娘の家を訪ねてやりたいと思ったのだった。

生垣に囲まれた二百坪程の敷地に、和洋折衷《せっちゅう》の建物が建っている美馬の家の前で車が停まった。運転手が扉《ドア》を開け、助手席にのせていた手土産の包みを抱えて、先に門のベルを押した。門を開ける人の気配がし、

「お父さま、お待ちしておりましたわ」

和服姿の一子《いちこ》が、傘を父にさしかけて出迎えた。玄関へ入ると、

「お祖父《じい》ちゃま、いらっしゃい！」

慶応幼稚舎に通っている宏《ひろし》が、可愛《かわい》いお辞儀をした。

「遅いのに起きていてくれたのかね、潤はもう寝《やす》んでいるんだろう？　これはお土産だ、潤には明日《あした》、お兄ちゃまから渡しておやり」

孫を膝《ひざ》の上に抱いたことのない万俵であったが、運転手から包みを受け取り、宏の手に渡した。

「有難う、これ、約束の電気自動車？」

「そうだ、欲しがってたドイツ製のだよ」

「ほんとう？　凄いや、お祖父ちゃまはどうせパパと大切なお話があるんでしょ、ぼく、お部屋で動かしてみるよ」

こましゃくれた口調で云い、ばたばたと廊下を走り、子供部屋へ駈《か》けて行った。

応接間へ入ると、ストーブで部屋が温められ、酒と果物の用意が整えられていたが、美馬の姿は見えない。

「つい先程、美馬から電話があったところですの、どうしても、うまく宴席がぬけられなくて、三十分ばかり帰宅が遅れるから、お父さまによくお詫《わ》びしてほしいということですわ」

「中君も、何かと忙しいのだね、しかし、高級官僚たる者、夜のお座敷がかからないようでは駄目だよ、相変らず遅いのかい」

「ええ、毎晩十一時より早く帰宅することはありませんし、日曜だってゴルフでしょう、子供たちと夕食を共にするのは、月に一、二度ですわ」

と応えたが、別段、不足がましい口振りではなく、静かな声で話した。万俵にしても月に数回、上京するが、仕事に追われ、美馬の家へ来るのは、年に一、二度であったから、娘の一子とゆっくり話し合うことなどはなかったが、三人の娘の中で、一子が一番、母親の寧子に似ていた。色白の細面に一重の張りのある眼とつぼむような小さな口もとが、寧子の若い時とそっくりであった。

「中君が忙しい上に、子供が幼稚園や学校へ行くようになると、若い女中だけでは、大へんだろう」

「ええ、そりゃあもう、でも、子供はやはり、母親自身の手で……」

と云いかけ、一子は言葉を跡切《とぎ》らせた。それ以上云えば、自分たちが母の手で育てられず、家庭教師の高須相子によって育てられたことを恨むことにしかならない。

「お父さま、何かお召し上りになります？」

「いや、中君が帰ってからにしよう、そのお冷水《ひや》だけ貰おう」

一子はテーブルの上の氷水を入れたポットを取って、グラスに注ぎ、

「この間は、久し振りに岡本の家で、お母さまや妹たちとお喋《しゃべ》りをして、のびのびさせて戴《いただ》きましたわ、子供たちも、お祖父ちゃまのところはお庭が広くていいって、大喜びでしたわ」

「近いと、ちょいちょい来られるのだがねぇ、しかし、ここも、そろそろ手狭になったんじゃないか」

大介は、一子が美馬と結婚する時に建ててやった、十畳の応接間の他《ほか》に五室ある四十坪程の家を見廻すように云った。

「いいえ、主計局の中で美馬が、いま一番、広い家におりますのよ、殆《ほとん》どの方は3DKの公務員宿舎か、持家でもだいたい百坪の敷地に三十坪ぐらいのお家の方が多うございますのよ、それにお手伝いさんを使っていらっしゃるお宅など、まずないのですって――」

主計局次長で手取り、十四、五万円ほどのものであったから、それが普通の生活であった。

「別にかまわないじゃないか、この応接室のカーペットも少し古くなっているから、北欧風のフックになったのと変えることだ、それにこの絵も、いつも同じじゃないか、今度、ビュッフェか、何か持って来るから、かけ替えることだね」

万俵は、まるで自分の家の模様替えをするように、次々と云った。

「でも、お父さまがあまりなさると、かえって美馬が喜ばないのですわ――」

「どうしてだい、父親が、娘の家の世話をやいたっておかしくないじゃないか」

万俵大介のような育ちの者には、茨城県の田舎寺の息子に生れ、東大を出、大蔵省に入って、銀行の頭取の娘を娶《めと》り、その援助を受けている美馬の屈折した心理は解《わか》らなかった。

車が停まる音がし、お手伝いが門を開ける気配がすると、一子もすぐ出迎えた。美

馬は慌《あわただ》しい足音で、応接室へ入って来るなり、

「お舅《とう》さん、お待たせして申しわけございません、今夜の大臣とのお話は如何《いかが》でしたか？」

気懸《きがか》りそうに聞いた。

「うむ、大臣はやはり本腰で、銀行合併を考えている様子だね」

「そりゃあ、その大臣の任期中に一つでも銀行の合併を実現させれば、その大臣の大へんな点数ですからねぇ」

「大臣の口から、机上案《デスク・プラン》という言葉が出たんだが、銀行局で考えていそうな銀行合併のカードの組合せは、どんなものだろうねぇ」

もと銀行課長から近畿《きんき》財務局長、理財局次長を経て、主計局次長になり、今もなお銀行局の情報を知り得る美馬に聞いた。

「大臣がそんな言葉を滑らせましたか、じゃあ、銀行合併の具体案は相当、深く潜行して進んでいるようですね」

と云い、美馬はちょっと言葉を切ってから、

「基本的には、五菱、大友などの財閥系銀行を核として、それに非財閥系銀行をくっつける組合せになりますが、財閥系銀行との合併は、いくら対等合併だと云っても、

うしろに大きな財閥がひかえているので、みな恐怖心を持ち、相手行《こう》の幹部、行員間に強い反撥《はんぱつ》があって、なかなか巧《うま》く行かないらしいですよ」

「そりゃあそうだ、銀行の合併が、財閥強化策になっては、金融再編成の大義名分を失ってしまうからね」

「その点、非財閥系銀行の上位、つまり東京の富国銀行や、大阪の五和銀行などに、適当な中下位銀行を組み合せる方式は、比較的やりやすいでしょう、具体的には富国銀行と埼玉相銀、五和銀行と第三銀行などが云われています」

と云うと、万俵は一子の運んで来た熱いほうじ茶を飲みながら、

「つまり、完全な弱肉強食型だな」

「まあ、そういうところでしょうね」

美馬は、こともなげに云った。無意識に出る言葉の裏に、永田大蔵大臣と共通した官僚独特の酷薄さがあった。

「それから俗に〝大蔵銀行〟とか〝日銀銀行〟とかと陰口を叩《たた》かれている日銀出身の頭取がいる都市銀行同士、または大蔵省出身の頭取がいる都市銀行同士の合併という問題になると、一概に何とも云えませんね」

「しかし都市銀行で合併のトップをきるのはどこかな、今日の大同銀行のパーティで、

銀行局長と日本自動車の専務と、妙にひそひそと仲間うちのように歓談しているのをみかけたが、特に懇意なのかね」

「ええ、春田銀行局長は、威勢のいい金融再編成論をぶってはいますが、日本自動車の社長の姪《めい》を貰っていますから、そこのメイン・バンクである五菱銀行に都合の悪いカードは、まず組めないでしょうね」

「ふうむ、銀行合併に閨閥《けいばつ》が絡《から》む要素もあるというわけだね、なるほどねぇ――」

万俵が言外に君だってそのためじゃないかという意味合いを籠《こ》めて云うと、美馬は酔いざめしたような冷えた表情で、

「だからと云って、あまり露骨なことは出来ませんよ、大蔵省銀行局という大きな機構の中で決定することですから、そう一人や二人の思惑通りに参るものではありませんよ」

釘《くぎ》をさすように云ってから、

「お舅さんは、何か思惑でも、おありなんですか？」

美馬は、頻《しき》りに銀行合併のカードの組合せを知りたがる舅《しゅうと》に眼を向けた。

「いや、思惑など、別に――」

万俵の真底で秘《ひそ》かに考えていることを、まだ美馬などに話す段階ではなかった。

「それより中君、今後、カードの組合せの読みを間違えないよう、充分なアンテナを張って貰いたい」

「おっしゃるまでもありません、それは私とて充分、心得ておりますから——」

慇懃《いんぎん》な言葉で応《こた》えた。

*

四日間の上京を終えて、万俵頭取が阪神銀行本店へ帰って来たのは、午後一時過ぎであった。

帰る早々、二組の来客との応対をすませ、頭取室で一息つくと、万俵は秘書の速水がさし出すコップを受け取り、ビタミン剤と消化剤を一気にのみ下した。

「医者の息子を秘書にするものじゃないな、薬を飲むことまで予定に入れられるんだから」

口もとを拭《ぬぐ》いながら云《い》ったが、口ほどでもない証拠には表情が柔らかい。

「頭取のご健康に留意致しますのも、私の職務の一つでございますから」

速水は澄んだ眼《まな》ざしで云い、

「渋野常務が、太平スーパーの件で、取り急ぎの報告があるそうです」

と伝え、融資担当の渋野が入って来た。

「どうだったのかね、調査の結果は？」

シガー・ケースから葉巻を取り出しながら、万俵が聞くと、渋野は、

「貸付担当の万俵課長と調査部員二名が太平スーパーの本店へ出向き、徹底的に帳簿を洗いましたところ、昨年五月から本年の一月までに、不良在庫を含めると、五億円の赤字を出しながら、粉飾決算で従来通りの利益を計上し、当行はじめ、サブの神戸相互から、融資を引き出していることが判明致しました」

「去年の五月から、そんな粉飾を続けられて、どうして今まで見抜けなかったのだね、担当者は、一体、何をしていたのだ」

万俵は、直接の貸付担当者が自分の息子の銀平であるだけに、よけい苛《いら》だたしい不機嫌な声で云った。

「ご叱責《しっせき》はごもっともですが、太平スーパーはもともと、社長があああした叩き上げの人物だけに、経理については極度の秘密主義で、順調な時でさえ、なかなか実情を話さないほどですから、不振に陥ってから、よけいに実情を洩《も》らさぬよう、あの術《て》この術で胡麻化《ごまか》しにかかったのです、もし万俵課長が、高歩《たかぶ》業者からの金融手形を見破らなければ、もっと深みに落ちこむまで、はっきりとした実態が摑《つか》めなかったのではな

いかと思い、むしろ私としては、万俵課長の緻密《ちみつ》さに驚いているくらいです」

万俵銀平の手落ちどころか、功績であることを強調したが、万俵はにこりともせず、黙って葉巻をくわえた。渋野はさらに言葉を続けた。

「それで五億の赤字の内訳ですが、おおよその推定では経常損失が約三億円、換金不能の不良在庫が二億円程度と思われます、太平はこの五億円の穴を、比較的最近、当行およびサブの神戸相互から借り入れた二億円と、高歩業者から借りた七千万円、そしてこの二月二十日の支払手形を落すためと云って、依頼して来た二億円で、何とかカムフラージュしようとしていた様子です」

そこまで云った時、突然、廊下から昂《たかぶ》った濁声《だみごえ》が聞えて来た。

「――頭取がいはるのやったら、五分や十分、会わしてくれてもええやないか、あかん！　頭取やないと話にならん！」

太平スーパーの社長の声で、速水がおし宥《なだ》めている気配がした。咳《しわぶき》一つ憚《はばか》られるように静まり返った頭取室に続く廊下には、不似合いで下卑《げび》た声であったが、二億円の手形決済を間近に迫られているだけに、緊迫した響きがあった。万俵の顔に、嫌悪《けんお》の色が奔《はし》った。

「ちょっと、私が出て参りましょう」

渋野がたちかけると、

「いや、速水が適当にあしらうだろう」

平然と云い、話を続けた。

「それで君としては、太平スーパーの始末をどうつけるつもりでいるのかね、あそこには、今までに十億円程の貸出しがあるだろう」

渋野は、やっと静まった廊下の方へちらっと視線を向け、

「如何《いか》に早期発見とはいえ、かなり重症のところまで進んでおりますので、さし当って二月二十日の面倒をみてやったとしても、一時しのぎにしかなりませんから、これを機会に根本的な対策を考えねばならぬと思っております、まず第一案は二月二十日の二億円の手形決済資金は、他行から工面させることにして、もしそれが駄目なら不渡りを出させる強硬手段です、当行としては非常に大きな犠牲になりますが、担保は一応、充分ですから最終的には貸出しの取立ては可能です、第二案は、如何《いか》に経営不振に陥ったとはいえ、太平スーパーのブランドは地元で通っており、九カ店のうち半数以上の店舗の立地条件がかなりいい点など、まだ見るべきところも多分に残っていますので、この際、資金を注ぎ込んで再建を図ること、第三案は――」

渋野は、俄《にわ》かに声を落した。

「第三案は、この際、思い切って東京の百貨店系の富士ストアに、太平スーパーをひっつけてしまうことです、富士ストアとしても、西宮店の成功に勢いを得て、関西進出を大々的におし進めてくるであろうというのが、業界の専《もっぱ》らの噂《うわさ》ですから、太平スーパーなら、咽喉《のど》から手が出るほど欲しいところだと思うのです、この場合、当行としては、太平スーパーは失うものの、十億円の貸金は富士ストアに肩替りさせて、債権保全が完全に出来ますし、さらにもう一つ、これを機に東京系の富士ストアとの取引が開始出来、私としてはこの案が最善の策と考えます」

債権の保全に関して、渋野は融資担当役員らしい業《わざ》を策した。

「太平スーパーの再建は、見込みないのだね？」

万俵は、念を押すように聞いた。

「経営の三要素は、人、物、金で、中でも経営者の能力が最も大きな要素ですが、太平スーパーの場合、その点が致命的だと云えます、大阪丼池《どぶいけ》の丁稚《でっち》奉公から一代で叩き上げた人物だけに、商才はかなり認められますが、所詮《しょせん》は古いタイプの商人で、今日のスーパーのように、画期的な仕入技術や斬新《ざんしん》な商品センスを必要とする量販システムにはかなりのズレがあるように思います、なにしろ、最近の大手スーパーは、日本の家電メーカーと対抗して、香港《ホンコン》製の扇風機を国内コストを下廻る値段で仕入れて、廉価《れんか》販売したり、また生鮮食品にしても、自社で牧場経営からはじめるというようなアイデアが実際に行われる時代なんですから」

「なるほど、そこまで急テンポで進んでいる今日のスーパー業界では、あの社長による再建策はもはや無意味だね」

ぷかりと葉巻をくゆらせて云い、

「それなら君の云うようにこの際、太平スーパーを思いきって切り捨て、巧く富士ストアにくっつける策が、当行にとっても望ましいだろうが、手形決済はこの二十日だから、それまでに、今の案を最上の策とは決めつけてしまわず、さらに検討して貰《もら》いたい」

万俵が、何かもっと巧妙な方策を求めているらしい様子を感じ取ると、渋野はかしこまりましたと応えた。

「さてと、時間が少しあるな、オリエンタル・ホテルの地下で、整髪して来よう」

万俵は、くわえている葉巻を消し、回転椅子《いす》からたち上ると、渋野は自分の来客を待たせている斜め向いの部屋へ慌しく入って行った。

万俵は車の用意を云いつけ、廊下の真ん中を、上半身をまっすぐに伸ばして、ゆったりとした足取りで歩いた。それは人目のあるなしにかかわらず、自然に身についた美しい洗練されたポーズだった。しかし役員応接室の角を曲った途端、万俵は、足を止めた。廊下の向うから太平スーパーの社長が、せかせかとした足取りで、やって来る。

「あっ、頭取、やっぱり、頭取――」

太平社長は廊下中に聞えるような大きな声で云い、背の低い肥《ふと》った体で、万俵に走り寄り、

「ああ、よろしおました、なんとしても頭取にお目にかかりとうて、昨日《きのう》、一昨日《おととい》と二度伺い、今日また、さっき伺うたんだすけど、お客さんやったそうで、実は――」

廊下の真ん中であることもかまわず、憔悴《しょうすい》の滲《にじ》み出たどす黯《ぐろ》い顔に、成金趣味の金縁眼鏡だけが異様に光り、思い詰めた表情で切り出しかけた。

「いや、伺ってます、二月二十日の手形の件ですね、しかし、私は今から重要な会があって、下で車を待たせていますからお話は後日、伺いましょう」

「ちょ、ちょっと待って下さい、うちが粉飾して、おたくさんを胡麻化してたのは、たしかに悪うおます、けど、これにはわけがおまして、何とか二十日の融資はお願いします――」

取り縋《すが》るように云った。万俵はそれには応えず、

「粉飾の件は、大へん遺憾《いかん》に思っています、しかしおたくの今後については、できるだけおたくの立場を考慮するという方針で、善処方を検討しておりますから、何かそちらにご要望の旨《むね》があれば、担当者にお申しつけ戴《いただ》くことです」

万俵は、態《てい》よく太平社長を振りきり、エレベーターへ向った。

調髪をすませてきた万俵は、一際《ひときわ》、端正な顔だちでブラック・コーヒーのカップを右手に持ち、窓際にたっていた。そこからは神戸港の中突堤にある赤いポート・タワーが望まれた。今は向い側の建物に遮《さえぎ》られてポート・タワーしか見えないが、初代頭取である父が健在であった時は、この同じ窓から、遠くの沖に碇泊《ていはく》している外国船が眺められた。

万俵はゆっくりと視線を窓と反対の壁面に移した。そこには初代頭取である亡父の肖像写真が掲げられている。十三代続いた播州《ばんしゅう》の地主の出らしい大振《おおぶ》りな目鼻だちと精悍《せいかん》な眼光で、室内を睥睨《へいげい》するような表情であった。

机の上の直通電話のベルが鳴った。受話器を取ると、相子のよく通る声が聞えて来た。

「お帰り遊ばせ、お疲れでございましたでしょう、お仕事中、申しわけないのですけれど、大阪重工の安田さまのことで、取り急いだ用がございましたので――」

銀行にいる万俵にはなるべくよけいな電話をしないことにしていたから、相子は気を遣うように云った。

「今ならいい、どういうことなんだい？」

「実は、今、お仲人《なこうど》さまの方からご連絡がございまして、お見合いの日取りは来週の土曜日ぐらいで如何《いかが》でしょうか、お場所はご希望があれば、ということですの――」

万俵は、すぐ予定表を見た。

「銀平の都合がよければ、私は来週の土曜日で結構だ、場所は女性の方はいろいろと身支度の時間がかかるだろうから、安田さんの都合のいい方でいいよ」

「じゃあ、このあとすぐ銀平さんに連絡をとって、あちらさまにお返事致しておきます」

相子は、てきぱきとした口調で用件を話し終えると、急に声を柔らげ、

「お帰りは、いつものお時間でおよろしゅうございますのね？」

「うむ」

「お料理は、何かお好みのものがございましたら――」

「任せるよ、相子に――」

と応えながら、万俵の声も柔らいだ。電話を通して、留守中も銀平の縁談を進行させ、家内《いえうち》をきり廻している相子の生き生きとした動きと豊満な肢体が感じ取られたからであった。

電話をきり、コーヒーを飲み終えると、

「お父さん、お邪魔します」

阪神特殊鋼の専務をしている長男の鉄平が、頭取室へ入って来た。

「ああ、鉄平か、このところ顔を合わせていないが、相変らず忙しそうだね」

万俵は自分の前のソファを眼で指した。鉄平は、浅黒い精悍な顔に白い歯を見せながら、

「忙しいのは、お父さんも同じでしょう、少しお時間を戴きたいのですが――」

「いいよ、少し早いが、軽く食事に出てもいいよ」

「ところが、六時から宴会があるものですから――、今日は、融資の件でお願いに上ったんですよ」

改まった口調で云った。

「例の今年の設備拡張の件かね？」

鉄平の向いのソファに腰を下ろすと、万俵は、父の顔から頭取の顔に戻った。

「ええ、いろいろ検討したのですが、二年前に一度、ご相談したことのある高炉建設を、今年、思い切ってやりたいと思うのです」

「なに、高炉建設――、あれは断念したのではなかったのかね、第一、二年前とちがって、今から建てるとなると、建設資金は二百億を超えるだろう？」

あまりに突然で、直截《ちょくせつ》な申し出に、万俵は愕《おど》きと不快の入り混じった気持で応じた。

「そうですね、付帯設備を含め、二百五十億ほどかかる見込みで、そのうち半分ほどを、阪神銀行で面倒みて戴きたいと思っています、もちろん半分と云っても、三年間の延べ払いです、事業計画書は、今、階下《した》で営業部長のところへ提出して来ましたから、あとでゆっくりお目通し戴き、ご諒承《りようしよう》を得たいのです」

鉄平は分厚な肩を前に乗り出し、一途《いちず》な熱っぽい表情で頼んだ。

「しかし、高炉建設などという社運を左右するような計画をそんな性急に定《き》めるなど、無謀じゃないかね、社内の意見はどうなんだ？」

「経理と営業は消極的です、しかし、自動車、航空機、機械産業の成長とともに、これからますます特殊鋼の需要は伸びるし、量産のためには、高炉建設よりほかに抜本的な解決策はないのです」

鉄平はさらに高炉建設の必要を説くうち、ソファからたち上り、室内をぐるぐると歩き出した。気持が昂ったり、焦《あせ》ったりする時の癖で、大介がどんな時にも感情を露《あら》わにしないタイプであるのに対して、猪突《ちょとつ》猛進型の鉄平は、すぐ体の動きで感情を表に出してしまう。鉄平は部屋の正面の頭取机のところまで来ると、皮張りの大きな回転椅子にかけ、机の上のメモ用紙をビリッと破り、高炉と付帯設備、それによる生産量を手早くボールペンで書き出した。

「僕の計画では、大体、この程度の規模でやろうと思っているのですよ」

大介はそのメモを受け取ろうとして、思わずはっと息を呑《の》んだ。頭取机の回転椅子に坐《すわ》っている鉄平の顔と、その上に掲っている亡父敬介の顔が重なり合うように眼に映った。太い眉《まゆ》、精悍な眼、浅黒い肌、分厚な肩の感じが亡父に酷似している。鉄平は回転椅子の両腕に肘《ひじ》をかけて、設備の規模の説明をしながら、椅子を回転させた。そうすると、まるで亡父の敬介がそこに坐り、仕事をしているような生々《なまなま》しささえ迫って来る。

大介の胸に、健在な頃の父の姿が思い出された。毎朝起きると、真っ先に庭下駄を履いて、池の前にたち、ぽんぽんと手を叩《たた》いて鯉《こい》を呼ぶ。その音で三十数尾の鯉が群れるように集まり、敬介の投げ与える餌《えさ》を争うように食べたが、敬介が〝将軍〟と呼んでいる吉野川産の五十年を経た体長八十センチの錦鯉《にしきごい》だけは、池の鯉が群れ集まったあとから悠々と姿を現わし、敬介の手から直接、餌を受け入れる。そして敬介が池の中へ手を入れて、その背中をさするのを待って再び池の底へ沈み、あとは誰が手を叩いても決して姿を見せなかった。その錦鯉は、不思議なことに鉄平が手を叩くと、姿を現わすのだった。顔だち、気性ばかりでなく、手を叩く音まで、祖父似なのだろうか。もしや、鉄平は——？　大介はこれまでにも、時々、自分の心の中で頭を擡《もた》げ、自分を苦しめてきた鉄平の出生に関する疑念が心を掠《かす》めた。

「お父さん、僕の説明を聞いていて下さるのですか」

鉄平の大きな声がしたが、大介は殆《ほとん》ど耳に入っておらず、黙って頷《うなず》いていた。

「じゃあ、お父さん、よろしくお願いします」

鉄平は時間を気にするように、大股《おおまた》な足どりで部屋を出て行った。大介は、そのうしろ姿を凝然と見詰めた。

万俵家のダイニング・ルームでは、東京出張から帰って来た万俵大介を囲んで、久しぶりに揃《そろ》って晩餐《ばんさん》がとられていた。

二十畳ほどの部屋の中央にがっしりとした樫《かし》の大テーブルが置かれ、天井にシャンデリアが点《つ》いていた。テーブルの正面には、大介が坐り、その左側の席に、今夜は妻の寧子が坐り、右側に相子、そして寧子の隣の銀平の席は空《あ》いたままで、二子と三子が向い合って坐っている。二人の女中の給仕で料理が運ばれて来た。

「まあ、嬉《うれ》しい、今夜は久しぶりでスペイン料理なのね」

三子が、はしゃぐように云《い》うと、相子は、

「そう、まず、オードブルは、しらすうなぎのアングーラス・ア・ラ・カスエラなのよ」

宴会続きの東京で、きまりきった日本料理ばかりに辟易《へきえき》している大介の味覚を配慮して、相子が女中たちに指図して作らせたメニューであった。アングーラス・ア・ラ・カスエラは、しらすのように小さく透き通った生きたうなぎの稚魚をさっと湯通しし、オリーブ油で軽くいため、にんにくと唐がらしを加えた料理で、世界の三大珍味の一つともいわれる。

スペイン風の鮮やかな青磁の皿の上に、しらすうなぎがよそい分けられると、一同はきちんと背筋をのばした姿勢でフォークの音もたてずに食べ終えた。三子はナプキンで口もとを軽くおさえながら、父の方を見、

「東京のお姉さまに、銀平兄さまのこと、お話しになりましたのん?」

「うむ、大阪重工の安田さんのお嬢さんの方にきめたことを云うと、お前たちと同窓だし、気心が知れて、いろんな意味で好都合ですねと云っていたよ」

「そうなの、安田万樹子《まきこ》さんは、私と同じ英文科だったから、よく存じ上げているわ、大へんなスキーヤーで、学生時代から冬休みには、フランスのモンブランへ滑りに出かけたりする方やから、よく目だったわ」

二子が云うと、三子も、

「そうね、美人やけど、少しばかりお派手なようやわね」

相槌《あいづち》を打ちかけると、相子があとの言葉を遮った。

「でも、見目《みめ》ほどではございませんのよ、お仲人の芦屋の伊東さまのお話でも、万樹子さまは一見、お派手に見えるけれど、何といっても、母方のお実家《さと》が大阪の旧家のご一族だけに、あれでなかなか昔風の地道なお考えも持っていらっしゃると云っておられましたわ、それに上流階級の婚姻に必要な五つの条件のどれ一つとして欠けていらっしゃいませんわ」

「まあ、五つの条件ってなあに?」

三子は、好奇心に溢《あふ》れた声で聞いた。

「そう、この際、三子さんたちにも覚えておいて戴かなくては――、それは、家柄、係累《けいるい》、資産、父親の履歴と社会的地位、本人の履歴の五つです、安田さまの場合は、三代に遡《さかのぼ》ってごりっぱなご係累ばかりで、大阪重工の規模と業容については、誰よりも阪神銀行の頭取でいらっしゃるお父さまがご存知ですから、問題ないわけ――」

縁談のことを話す時の相子は、大きな眼が輝き、豊かな胸もとまで生き生きと息づくようだった。そして、事実、相子が云うように大阪重工は、明治二十八年創業の造船と機械部門を主体とする重工業会社であり、資本金九十億、年商二千億、一割の配当を出す一流企業であった。

「それでお見合いは、お昼、銀行の方へお電話致しましたように来週の土曜日ということにきまりましたけれど、その場所や出席する双方のお人数、服装などについては、明日、私が、伊東さまのところへ伺っておきめすることになっておりますの」

「それにしても銀平は、どうしてこう遅いのだ」

ワイン・グラスを口に運びながら、大介が不機嫌に云うと、皿に盛られたパエージアの蛤《はまぐり》と海老《えび》の殻をきれいな手捌《てさば》きではずしていた寧子は、銀平の空席へ眼を向け、

「きっと、お仕事が忙しいのでしょう、このところ、ずっと忙しいと申しておりました」

かばうように云うと、大介は、太平スーパーのことかと思ったが、

「昼、銀平に電話した時はどんな様子だった？」

と相子に聞いた。

「例の調子で、僕はいつだっていいですよ、場所もどこだっていいというお返事でございましたわ」

「じゃあ、すべて君の裁量で運べばいい」

寧子をさしおき、大介と相子で縁談を運んでいることに対して、二子と三子は、一子や鉄平ほどに疑問も反撥《はんぱつ》も感じない様子で、

「とうとう、銀平兄さまもプレイ・ボーイの年貢《ねんぐ》のおさめ時が来たというわけね、ご結婚後のお住まいは、どちらになるのかしら？」

三子が、父に聞いた。

「きまってるじゃないか、この邸内だよ、ちょうど日本館の方は殆ど使っていないから、客殿、仏間、湯殿などは残すとして、他は洋風に改築すればいい」

「まあ、御影《みかげ》か、芦屋のマンションやと思っていたのに——」

自分のことのようにがっかりすると、

「とんでもない、お父さまのおっしゃる通りですわ、万俵家の御曹子が、マンション

住まいなんて、一万坪のこの邸内に、一戸を構えるのが穏当でしょう」

相子が、大介の言葉を引き取るように云った。

「じゃあ、私たち、女の子に生れてよかった——、男だったら、一生この邸内から出られないところやったわね」

二子と三子は、顔を見合せてころころと笑い、デザートを終えると、食堂を出て行った。

三人だけになると、急に座がしんと静まり、窓の外の闇《やみ》が深くなった。暗闇の中で一箇所、明るい灯《あか》りが点いているのは、池を隔てて東側にある鉄平たちの住まいであった。その灯りを見詰めながら、大介は、昼間、鉄平が頭取室へ現われた時に感じた疑惑を思い返していた。

頭取の回転椅子《いす》に坐り、高炉建設計画を熱っぽく話しながら、くるりと一回転した時、偶然、亡父の敬介の肖像写真の下に鉄平の顔が重なり、まるで亡父の敬介がそこで執務しているような衝撃を受けたのだった。これまでも鉄平が父親より、祖父似であることは誰もが認めるところで、小学校へ入る頃からは歩き方、声から、箸《はし》やフォークを上げ下ろしする手つきまで酷似していたが、今日のように曾《かつ》て敬介が坐っていた頭取の椅子に鉄平が坐り、その顔と肖像写真が重なり合うのを見たのは、はじめてのことだった。

「あら、もう十時ですわ」

相子の声がし、それをしおに、大介がたち上った。

「では、ごゆっくり、お寝《やす》み遊ばせ」

今夜は、妻である寧子と大介が同衾《どうきん》する日であったから、相子はさり気ない挨拶《あいさつ》をし、大介を見送った。

大介はガウンのポケットに片手を突っ込み、パイプをくわえたまま、食堂を出、二階の寝室へあがって行った。そのうしろから和服姿の寧子が、白足袋を履いた足もとで、スリッパの音をたてずに静かにあがって行く。

大介は寝室へ入ると、上衣を脱ぎ、パジャマ一枚になってから、眼鏡をナイト・テーブルの上に置いた。眼鏡をはずすと、大介の顔からは昼間の冷徹な威厳が消え、両の眼と分厚な唇に脂《あぶら》ぎった逞《たくま》しさが露《あら》わになる。大介は三台並んでいるうちの真ん中のダブル・ベッドに仰向いた。寧子の帯を解きはじめる気配がし、大介がその方へ視線を向けると、小柄な寧子はうしろ向きになって、素肌を見せるのをはばかるような仕種《しぐさ》で着物を脱ぎ、白絹の夜着に着替えていた。そして着替え終ると、

「およろしゅうございますか」

と云い、静かに大介のベッドへ入って、そっと寄り添うように夫のそばに体を横たえたが、自らは決して求めて来なかった。それは寧子が嫁いで来た最初の夜から変らない。まるで雛《ひな》人形のように白い小づくりな体で、大介の大きな体を受けとめるだけであり、何の技巧も知らなかった。夫婦の交わりのあと始末さえ出来ないほどの幼さであったが、大介はその幼さをもの足りないと思うと同時に、動かない人形を自儘《じまま》に揺り動かすような楽しみもあった。そうした性的技巧の無さというか、淡泊さは、長い歳月を経た今もあまり変らなかったが、大介が今もって寧子に惹《ひ》かれるのは、纏足《てんそく》のような九文にも満たない白い足であった。年中和服で、真夏にも単衣《ひとえ》の白足袋を履いている寧子の足は、静脈が透けて見えるほど白い。

大介は寧子の足をまさぐった。大介の掌《たなごころ》に入るぐらい小さく、滑らかで柔らかい足だった。大介は何度もまさぐっては、その足を自分の体のあらゆる部分に触れさせて、愉《たの》しんだ。その間、寧子は、相子のように体を捩《よじ》らせたり、嗚咽《おえつ》したりせず、黙って眼を閉じ、なされるままになっている。大介は寧子の足を愛撫《あいぶ》しながら、銀色に光るペディキュアを塗った相子の指の長い足を思い出した。それは男に能動的に挑んで来る足であり、寧子のそれは、どこまでも受身の女の足であった。大介は寧子の足から手を離し、小柄な体を引き寄せながら、

「鉄平は齢《とし》とともに、ますます祖父《じい》さん似になって来たな」

「ええ」

大介の顎《あご》の下で、寧子の顔が頷いた。

「ゴルフが嫌いで、鉄砲いじり、猟が好きなところまで似ているね」

「ええ」

寧子はまた頷いた。

「父親の私より、むしろ祖父の血を濃く受け継いでいるようだな」

大介はそう云うなり、ナイト・テーブルの上の水差しを取る振りをして、ぱっと電気スタンドを点けた。灯りの中で、寧子は露わにはだけた肌を隠すように体をつぼめたが、胸もとがかすかに震えている。それは交わりの最中《さなか》に灯りを点けられたはじらいとも、また大介の言葉に対する動揺とも受け取れた。


高須相子は、着物の裾《すそ》を翻《ひるがえ》すような颯爽《さっそう》とした歩き方で、神戸の街のトーアロードを山手《やまのて》から海岸通りに向って歩いていた。遠い背後に摩耶《まや》山が聳《そび》え、青く澄みきった空には二月とは思えぬ陽が輝いて、久しぶりの外出に足もとが躍るような軽やかさだった。

トーアロードの両側には、神戸の最も高級な洋裁店、貴金属、洋品店などが並んでいる。高級な店ほど表にウィンドウを構えず、扉《ドア》を閉ざしているが、中は豪華な絨毯《じゅうたん》を敷き詰め、一種のサロンになっている。

相子はその一軒の扉を押した。グレイと金色で統一したサロン風の店内から、女主人が姿を現わし、

「まあ、奥さま、ご機嫌よろしゅう、今日はお珍しい和服でいらっしゃいますのね、すばらしくお似合いでございますわ」

相子を奥さまと呼び、ブルーの臈纈染《ろうけちぞめ》の着物に濃紺《のうこん》の綴帯《つづれおび》の姿をほめたが、相子自身、自分は洋服の方がよく似合うことを知っていた。それを承知で和服にしたのは、銀平の縁談で仲人《なこうど》である伊東家を訪問するからであったが、〝高須夫人〟で通っている相子は落ち着いたもの腰で、女主人の愛想を受け流し、

「今日はちょっと、急いでいるのだけれど、この間、頼んでおいたビニイのシルクは入って？」

イタリアのビニイのシルクは、世界の絹の女王であった。

「それがまだでございますの、入りましたら、もちろん、真っ先に奥さまのために、

お取り致しておきますわ」

「じゃあ、お願いしてよ」

相子は鷹揚《おうよう》に云い、店を出た。シックな洋服姿や外人の人影が多いトーアロードで、相子の和服姿は人眼についた。ブルー系で統一したモダンな和服にサファイア・ミンクのストールをかけた姿は、外交官夫人のように見え、振り返る人もいる。三宮センター街のところまで下りて、『ドンク』の前まで来ると、相子は二階のティー・ルームへ上って行った。広くはないが、美味《おい》しいコーヒーの飲める店であった。

相子はコーヒーを飲みながら、これから訪ねる伊東夫人のことを考えた。大阪の大手商社の一つである伊東商事の会長夫人であったが、船場《せんば》の旧家の出で、今なお御寮《ごりょう》人然とした生活をし、阪神間の上流家庭の中で、船場の旧家出身の夫人を集めて『御寮人会』をつくり、いわゆる芦屋マダムといわれる社長夫人たちの『芦屋会』とは対照的であった。伊東夫人に云わせると、「芦屋会など、いくら大企業でも、所詮《しょせん》はサラリーマン社長夫人の集まりでおます、それに比べますと、こちらは、自前《じまえ》会社の社長、会長夫人で、由緒《ゆいしょ》正しい船場出身の御寮人さんたちの集まりでおます」と云うことになり、『芦屋会』の夫人たちにいわせれば、「今頃、御寮人会などとは、古ぼけた大時代感覚もいいところでございますわ、自前社長とおっしゃいますが、それもせいぜいここ二、三年で、実力のある経営者と交替しなければなりませんわ」と云うことになり、それぞれ反目し合っているが、関西の上流階級の夫人たちの会は何といっても、この二つによって占められ、結婚適齢期の娘や息子を持っている母親たちは、どちらの会ともうまくやって行かなければならない。今度の万俵家と安田家との縁談は、大阪重工の安田社長がオーナーでこそなかったが、夫人が、船場の旧家の出であるということから、伊東夫人の橋渡しで、万俵家との縁談が始まったのだった。『御寮人会』にしても、『芦屋会』にしても、相子からみれば時間をもて余している上流階級の夫人たちの他愛ない集まりに過ぎぬようなものだったが、万俵家の閨閥《けいばつ》づくりの推進役である相子にとっては、一種の結婚カード交換所のようなところであった。

コーヒーを飲み終ると、相子は階下《した》に降り、手焼きのクッキーを進物用の箱に詰めさせ、駐車場に待たせてあるハイヤーを呼んで、山芦屋《やまあしや》の伊東家へ向った。

車が山芦屋に近付くと、一丁四方の長塀《ながべい》に囲まれた邸宅がずらりと並んで、樹齢を重ねた松が眼にたち、高級住宅街らしい閑静なたたずまいになる。その中で御影石の上に杉の生垣をめぐらせた数寄屋《すきや》造りの邸宅が伊東家であった。

相子は、門前より半丁程ひかえたところで車を降りると、和服の衿《えり》もとを直し、裾をきちんと整えた。そして手土産を胸もとに抱え、さっきトーアロードを颯爽と歩いていた時とは別人のような慎しさで門前まで歩き、インターフォンを押すと、老女が扉を開いて奥へ案内した。大小の築山《つきやま》と池を配した広い庭は、隅々まで手入れが行き届き、庭に面した客間には香が焚《た》かれ、床の間には蕪村《ぶそん》の俳画が掛けられている。

廊下を渡って来る静かな足音が聞えて襖《ふすま》が開き、鉄色無地の着物を着た伊東夫人が、座敷机を隔てて、相子の前に坐《すわ》った。相子は一瞬、見合いの下《した》相談とはいえ、改まって無地の着物を着て来ればよかったと悔いた。船場の御寮人たちの衣服のしきたりの厳しさは聞き知っており、伊東夫人とは去年の夏から五、六回会い、その度に船場風の更衣《ころもがえ》のしきたりを守った衣裳《いしょう》に感じ入っていたのだった。

「本日は、心得ぬ衣服で参りましてご無礼申し上げます、また、昨日はお電話で失礼致しました、おかげさまで、来週の土曜日に安田さまのお嬢さまとお見合いの段取りに運ばせて戴《いただ》きましたが、お場所のほどは、万俵は安田さまのご都合のおよろしいようにと申しております」

相手の意を迎えるために、もの云《い》いまで別人のようになっていた。白髪混じりの頭を庇髪《ひさしがみ》に結い、鼈甲《べっこう》の笄《こうがい》をさして御寮人然とした伊東夫人は、

「それはご鄭重《ていちょう》に――、実は安田さまの方では、少々、遠うても、もと有栖川宮《ありすがわのみや》邸の

『ヴィラ・舞子』の方が、格式があってええと、云うてはるのでおます」

　柔らかく、耳にまとわるような船場言葉で話した。

「では双方の出席者の顔ぶれ、服装は、どのように致しましたら、およろしゅうございましょうか？」

　相子は、さらに鄭重に聞いた。

「ご念の入ったお言葉でおます、出席者は、ご当人同士の他《ほか》に、双方のご両親と仲人、服装は安田さまのお嬢さまは、カクテル・ドレスをお召しになりはりますから、おたくさまはタキシードがおよろしおます」

「で、当方の両親の服装はどのように？」

「父親の方は絹のダーク・スーツ、母親の方は三つ紋の必要はございまへんが、一つ紋をお召しになりはったら――」

　と云い、ふと気懸りそうに、

「不躾《ぶしつけ》なことをお聞きしますけど、おたくさまの奥さまは、公卿《くげ》華族のお出で、殆《ほとん》ど世間とのおつき合いがないそうだすけど、大丈夫でおますか？」

「さあ、それは……」

　相子は、躊躇《ためら》うように言葉を跡切《とぎ》らせた。

「これまでご長男とご長女のお見合いの時は、どうしてはったのでおます？」

「何分、世間馴《な》れしておられませんので、いつも私が……」

「ほんなら、あんさんも是非、出ておくれやす」

「ですけれど、安田さまの方のご意向が――」

わざとさし控えるように云うと、伊東夫人は慌《あわ》て気味に、

「いえいえ、あんさんが出てくれはらんと困りますよって、それはご諒承《りようしよう》して貰《もら》います、お見合いの席で殿方がべらべら話すわけに参りまへんから――」

「では、お言葉通り、出席させて戴きます」

謙虚に頷《うなず》くと、伊東夫人は、ほっと吐息をつき、

「今度のご縁談は去年の夏からのことで、お互いに気疲れでおましたな、大阪重工の安田さまのお嬢さまは、お家柄、ご資産、ご係累《けいるい》ともに揃《そろ》うてはり、一方、京都大学の三木教授のお嬢さまの方は、何というてもお頭《つむ》のええ血筋を入れるという点とお美しさではこれ以上ない惜しい方でおました」

真底、惜しそうに云った。相子は、

「三木教授ほどの世界的な数学者のお嬢さまともなれば、正直なところ当方のような実業界の者には、窮屈な感じが致しまして、それにご承知のように当人の銀平は、三

十三歳まで独身を通すような気儘《きまま》な性格でございますので――」

銀平自身のせいにし、閨閥結婚の目的をもって決めた印象をひた隠しにしたが、相子の頭は、大阪重工、設立明治二十八年、資本金九十億、事業は造船、機械部門ということを諳《そら》んじていた。

お茶に次いで、果物が運ばれて来ると、伊東夫人はふと声を細め、

「おたくさまの奥さまは、世間の噂《うわさ》では、少しお頭《つむ》がお弱いので、あんさんが一切を取り仕切ってはるということでおますけど――」

憚《はばか》るように聞いた。思わず相子の顔に残忍な笑いが滲《にじ》みかけたが、

「いえ、お育ちから来る印象で、そう見えるだけでございます、そうでなければ、私がいくら一生懸命にお子さまたちの教育を致しましても、揃《そろ》って一流大学へ進学できるはずがございません」

寧子をかばうように云うと、

「あんさんは、ほんまによう出来たお人でおますな、お若い時に外国で勉強されたあんさんが、万俵家のお子さまたちの家庭教師をおやりになり、今はあれだけのご大家を差配してはる、昔で云うたら鴻池《こうのいけ》、住友はんの大番頭みたいな重いお役目でおますな」

大番頭という古くさい言葉がひっかかったが、鴻池、住友の大番頭並に評価された点は不快ではなかった。同時に世間からは、万俵大介の愛人と見なされているよりも、重々しく定着する。相子は柔らかな微笑をうかべ、

「とんでもございません、私のような者をそのように云って戴きましては……」

慎しく応《こた》えながら、阪神間の旧家を中心とした上流階級で隠然たる力を持っている伊東家の御寮人に、曾《かつ》ての鴻池、住友の大番頭扱いされたことは、万俵家における地位をさらに揺ぎないものにする上で、決して損ではないと思った。

阪神銀行の役員会議室で、万俵頭取を中心に六人の役員が、〝丸テーブル会〟と呼ばれている定例役員会を開いていた。丸テーブルを囲んで、各担当の役員が重要案件を出し合って最終的な決裁を下す会議であるから、役員たちは万全の準備を整えて出席しないと、万俵頭取の厳しい叱責《しっせき》を浴びる。

経理担当の大亀専務、総務担当の小松専務に次いで、業務担当の荒武常務が万国博会場の建設用地となる茨木《いばらき》、千里地域の土地買収金をめぐる預金獲得についての報告を終えると、融資担当の渋野常務が目下、問題になっている太平スーパーの融資につ

いて、説明をはじめた。

「太平スーパーの件については、既に先日の融資方針会議でご報告した通りですが、その後、あらゆる面から検討を重ねましたところ、もはやこれ以上の融資は出来ないという結論に達しました」

重い口調で云うと、大亀専務は、

「それは融資打切りという意味ですか、この段階で当行が手を引くと、少しうるさいことになりはしませんかねぇ」

世評を懸念《けねん》するように云った。小松専務も、

「あの太平社長はマスコミに立志伝中の人物ということで売って来ただけに、銀行に情け容赦もなく潰《つぶ》されたなどと騒がれると、当行の信用に大きな傷がつくからねぇ」

頭取の体面にいささかでもかかわるようなことがあってはと、その方に過敏すぎるほど神経を働かせていた。

「もちろん、その点は充分、考慮しており、当行の債権保全の点から申しましても、倒産させるようなことは致しません、私としては、太平スーパーをこの際、思い切って富士ストアに合併させ、その見返りとして、富士ストアには太平スーパーの負債を肩替りして貰うと同時に、富士ストアと当行との取引をはじめさせて貰える、これが

最善の策と判断したのです」

渋野が云うと、業務担当の荒武常務は、

「そりゃあ、名案ですな、実は東京系の富士ストアには、もう三年も前から何とか取引のとっかかりを得ようと、プッシュしているのですが、向うは東京の富国銀行がメインですから、なかなか難かしくてね、それだけにここで富士ストアとの取引が始まれば、たちまち十億や二十億の預金が獲得出来、一石二鳥にも、三鳥にもなる名案ですよ」

いかつい顔を綻《ほころ》ばせるように云うと、

「いや、私は、そうは思わない」

万俵は、ぴしゃりと云った。役員たちは驚いたように万俵を見詰めた。

「私としては、たとえ小なりとはいえ、スーパーというような有力企業をむざむざ手放すことはないと思う、太平スーパーは、万俵商事に貰っておくよ」

まるで拾い物でもするような無造作な調子で云ってのけた。万俵商事は、万俵コンツェルンの系列企業であり、主に阪神特殊鋼の商事部門として、機械金属などの固物《かたもの》一本でやって来たが、四、五年前から綜合《そうごう》商社への脱皮を図りつつあるのだった。万俵は、言葉を続けた。

「万俵商事としては、流通機構に乗り出したいにも、時期既に遅しで、手をこまねいていたところだ、それだけにこの話には大いに乗り気で、たとえ五億の赤字があっても、スーパーの経営権を是非とも貰いうけたいと云っている」

銀行の頭取であると同時に、万俵コンツェルンの総帥《そうすい》としての立場を含めた意向であった。一瞬、役員たちは沈黙したが、〝家令専務〟と陰口を叩《たた》かれ、万俵コンツェルンの金庫番的役割をも兼ねている小松専務は、

「さすがは頭取のご見識でございます、太平スーパーはいかに経営が傾いたとはいえ、阪神間に九カ店も店舗をもって、地元では名前が売れていますから、この際、安く買い叩いて、万俵コンツェルンの持物にするのは、まことに結構な案だと存じます」

と云うと、荒武常務が首をかしげた。

「ご主旨はわかりますが、スーパー経営に経験のない万俵商事が、この競争苛烈《かれつ》な業界に性急に打って出ることは、果して大丈夫なものでしょうか、その辺を考えますと、はっきり申して、現実的には少々、無理を感じます」

持ち前の性格で、はっきり云うと、小松専務はむっとしたが、万俵は頷いた。

「その疑問は当然だ、渋野常務も、その点を懸念して、再考を求めて来た、しかし私としても、安易な考えは毛頭なく、資金は万俵商事がみても、仕入、販売方式など、

経営上の問題については、富士ストアと提携してやって行きたいと思い、渋野常務に富士ストアの東京本社へ行って、意向を打診して来て貰ったところ、向うもかなり乗り気の様子らしい……」

と云い、渋野にその先を説明するよう、眼で命じた。

「富士ストアとは、まだ非公式の話合いの段階ですが、当方が持って行った提携の条件は、株の持合いと共同仕入の二点です、これに対して向うでは、太平スーパーの株を三分の一以上保有し、更に役員を一、二名送ることを条件にしており、いろいろ折衝した結果、当行がそれを呑《の》めば、一応まとまるところまで話が進んでおります、つまり株の持合いによって、商事は商事で、富士ストアという大きな舞台へ伸びて行くことが出来ますし、当行には預金、貸金が出来るというわけですよ」

「ほう、小の虫を土台に、随分、大きな話をおまとめになったものですなあ、さすが寝《ね》業師《わざし》、渋野常務ですよ」

外国担当の舟山常務が云うと、大亀専務が、

「そりゃあ、渋野常務の力量もさることながら、やはり頭取の遠謀深慮によるもので、全く恐れ入ります」

心服するように云い、他の役員たちも頷いたが、万俵はにこりともせず、

「太平スーパーの二億の支払手形の期限は、たしか今日だったな、太平社長は来ているのかね」

「早くから来て待っています、頭取から結果を申し渡されますか？」

渋野が云うと、

「いや、そんなことは君が云い給え」

万俵は冷然と云った。


太平社長は、もう二時間以上も渋野常務が現われるのを応接室で待っていた。胡麻《ごま》塩《しお》頭は眼に見えて白くなり、金縁眼鏡の下の眼も落ち窪《くぼ》んでいる。阪神銀行が支払手形の期限ぎりぎりまで返事を延ばしてきたのは、何とか救済のために尽力してくれているからだろうとは思いつつも、長時間待たされていると、椅子《いす》に坐《すわ》っていても、不安で貧乏ゆすりがおさまらない。時計を見ると、とっくに三時半を廻っている。自分の帰りを、今か今かと待っている専務以下従業員のことを思うと、いてもたってもいられず、もう一度、頭取付秘書の速水に連絡を頼もうと腰を上げかけた時、渋野常務と貸付課長の万俵銀平が現われた。

「どうでおました？　今日が支払手形の最終期限で、サブの神戸相互も、メインの阪神銀行さんが支払わなければ、後押しは出来んと云うてますよって、もうおたくさんだけが頼りでおます」

太平はいきなり縋《すが》りつくように云ったが、渋野は黙ってソファに腰を下ろし、万俵銀平も、黙ってソファに足を組んだ。

「どないしたんです、も、もしかして――」

太平の声は震えていた。渋野はさすがに眼を伏せるようにして口を開いた。

「大へん、申し上げにくいことですが、只今《ただいま》の会議の結果、もはや事態がここまで至った以上、社長のあなたには、経営責任をとるという意味で、退いて戴きたい、そうして戴かない限り、今回の二億の支払手形の面倒はみられないという結論になりました」

「そ、そんな阿呆《あほ》な！　一体、この太平スーパーを誰の会社と思うてるのや、わしの一生をかけて、ここまでにしたんや、あんたらが、勝手にことを決める権利がどこにあるのや！」

大声で怒鳴り、万俵銀平の前にたちはだかった。

「あんたやろ！　あんたが人の店を、税務署みたいに調べ上げて、血も涙もない報告を出して、融資をストップさせたんやろ！」

と云うなり、銀平の両腕を引っ摑《つか》んだ。渋野は慌てて、二人の間に割って入り、

「太平さん、落ち着いて下さい、あなたの会社が倒産するか、どうかの瀬戸際《せとぎわ》なんですよ」

強い語調で窘《たしな》めると、太平は、はっと我に返ったように、ソファにへたり込んだ。その間、万俵銀平は顔色一つ変えなかったが、日頃から生理的嫌悪《けんお》を持っている成上り者に、腕を摑まえられた不快な感触が体の中を走った。

渋野は、太平の気持が鎮《しず》まるのを待って、

「ともかく当行としては、何とかおたくの再建が出来ないものか、考えに考え抜いたんですが、経理内容を洗った結果、五億もの赤字が出て来たのでは、どうしようもありません、当行の役員の間には、粉飾決算で銀行を騙《だま》し続けて来たような会社とは、この際、はっきりと手を切れという考えと、この際、富士ストアに合併させようというプランと、二通りの強硬意見が大勢を占めました、会議が長引いたのも、そのせいなんですよ」

と説明すると、太平は青ざめた顔を上げた。

「私が社長を退陣したら、融資の面倒をみてくれるというのは、どういう意味だす？」

「私と万俵貸付課長としては、太平スーパーという会社自体は、何とか残してあげたいと考え、そのために銀行として出来ることといえば、当行と親密な関係にあり、信用のおける商社ということで、万俵商事に引き取って貰うべく交渉しているのですが、五億もの赤字があると、おいそれと向うも乗って来てはくれませんでねぇ、それでもようやく、富士ストアが経営指導に協力してくれるのなら、引き受けてもいいというところまで、話は進んでいるのですが、あなたのご意向は如何《いかが》ですか？」

阪神銀行と万俵コンツェルンの利得のために考え出した案であることなど曖《おくび》にも出さず、渋野は云《い》った。

「富士ストアやなんて！　あんなとこが介入して来るのやったら、いっそのこと倒産した方がましや、おたくさんから誰か来て戴《いただ》いても結構だすよって、もう一回だけ私にやらして下さい、死んだつもりで一生懸命にやります、これ、この通りだす！」

太平は、拝むように手を合わせて床《ゆか》に坐り込んだ。さすがの渋野も瞬時、口ごもったが、

「太平さん、今はもうそんな段階ではないのですよ、あなたがここで身を退《ひ》いて会社と従業員を助けるか、あくまで我《が》を張ってすべてをぶち壊すか、二つに一つなのです」

平静に、即答を促すように云った。

「私は、銀行に騙されたんや――」

太平は肩をわななと震わせ、腸《はらわた》から迸《ほとばし》るような声で叫んだ。

「銀行が騙したなど――、少しは言葉を慎んで戴きたいものです、当行としては尽せるだけ尽した上での結論なんです」

「いや、初めから万俵系の会社へ取り込むために、わざと期限ぎりぎりまで返事を延ばし、どうにも身動きがつかんところへ追い詰めておいて、ぱくっと乗っ取ったんや、そやから、こないだこの廊下で頭取を摑まえて頼んだ時も、出来るだけ最善の策を検討しているというような嘘《うそ》をついて逃げたのや、ええ服きて、上品な顔して、することは、盗《ぬす》っ人《と》と同じや」

太平が床から起き上り、語気を荒らげかけると、それまで一度も口をさし挟《はさ》まなかった万俵銀平は、机の上に書類を拡げた。

「これにお目を通して、判を戴きたいのですが」

慇懃《いんぎん》に、太平の前へ押しやった。太平は眼を瞬《しばたた》かせ、その書類を見た。『誓約書』とタイプで打たれた書類には、太平スーパーの株式の全部を万俵商事に譲渡し、社長は直ちに引責辞任して、相談役に退くことが明記されていた。

「この誓約書に判を捺《お》せと云いはるのだすか、これは私に死ねというのと同じことや、私はまだ現役で働ける、働きたいのや！」

太平は、銀平に向って吠《ほ》えるように云ったが、銀平はいささかも表情を動かさず、

「まあ、あなたも、ここ十年ご苦労の連続だったのですから、ここ暫《しばら》くはのんびりされたらいかがです」

「ご苦労——、のんびり——、この私から仕事を毟《むし》り取って、子守せえといいはるのか……」

太平は虚脱したように、がっくりと肩を落した。

＊

神戸から高速道路を行き、須磨浦《すまのうら》を過ぎると、舞子ヶ浜まであと十分程であった。安田家との見合いのために、舞子ヶ浜の『ヴィラ・舞子』に向う万俵家の車には、万俵大介と寧子、相子が後部の座席に坐り、銀平は助手席に坐っていた。大介はダーク・スーツ、寧子は象牙《ぞうげ》色一つ紋に佐賀錦《さがにしき》の帯を締め、相子は薄緑色の訪問着に錦織の袋帯、そして見合いの当人である銀平は、セミ・タキシードに蝶《ちょう》ネクタイという身《み》装《なり》だけは整えていたが、背中をずらし気味に坐り、片肘《かたひじ》を窓枠《まどわく》にかけ、これから見合

いに出かける本人という改まった様子はいささかもない。

舞子ヶ浜に入ると、窓の外に淡路島が驚くほどの近さで眺められる。左に海を見ながら、車は山側に向って坂道を登って行った。鬱蒼《うっそう》と木立が茂った緩《ゆる》やかな坂を登り詰めたところに『ヴィラ・舞子』と呼ばれる元有栖川宮《ありすがわのみや》別邸が建っている。

門から玉砂利を敷き詰めた道を入って行くと、桃山式破風《はふ》造りの車寄せがあり、ボーイが出迎えた。総檜造《ひのきづく》りの建物の中は、襖《ふすま》と障子をはずし、畳の代りに絨毯《じゅうたん》を敷き詰め、元御座所《ござしょ》であった大広間は、ロビーに使われている。正面の一間半の大床《おおどこ》と床脇《とこわき》の天袋《てんぶくろ》は、摺金箔《すりきんぱく》の昔のままの形を残し、その前に緞子《どんす》張りのどっしりとした安楽椅子《ソファ》とテーブルが置かれ、御座所を取り巻く鞘《さや》の間《ま》は廊下として用いられていたが、今日の見合いのために大広間ごと貸し切られていた。

万俵大介は、御座所の間に入ると、時計を見た。約束の三時より十五分早かった。

「土曜日の午後だから、車が混むと思ったが、意外と早く着いたな」

と云い、そこから一望のもとに見渡せる庭を眺めた。三月初旬で、一万坪余りの芝生は、まだ枯芝色であったが、樹齢を重ねた松が、上に向って枝を伸ばさず、低く半円形に枝を拡《ひろ》げて、いくつもの緑の島を形造っていた。その松の背後に紺碧《こんぺき》の海が拡がり、海を隔てた真向いに淡路島が見え、島と海と緑の庭が渾然《こんぜん》と溶け合って、山を取り入れた万俵家の庭とは対照的な美しさを呈していた。

「見事なお庭でございますこと、ここなら他《ほか》のホテルと違って人目にたたず、しかも格調があって、万俵家と安田家のお見合いの場所としては、申し分ございませんわ」

縁談をここまで運んで来た相子は、安田家がきめた見合いの場所に満足そうに云った。

「さすが安田さんだね、いいところへ眼をつけられた」

大介は、ゆったりと椅子に坐った。大阪重工の社長である安田太左衛門と大介とは、取引銀行の頭取とその筆頭株主会社の社長という間柄だけでなく、ロータリー・クラブや関経連の役員同士という昵懇《じっこん》の仲であったし、銀平もまた自行の筆頭株主会社の社長として面識があり、見合いの相手の安田万樹子《まきこ》とも、パーティで一、二度顔を合わせたことがあった。むろん相子にしても、下見《したみ》の意味で、万樹子とは既に顔を合わせており、四人のうちで寧子だけが、安田家の誰をも知らず、先刻《さっき》から、不安そうに白い顔を緊張させていた。

やがて静かなロビーに人の気配がしたかと思うと、安田家と仲人《なこうど》役の伊東夫人たちが姿を見せた。伊東夫人は、庇髪《ひさしがみ》に銀鼠《ぎんねず》ぼかしの訪問着を着、御寮人《ごりょうん》然としたもの腰で、

「これはこれはお早いお着きで、仲人役の私が、万俵さまより遅れまして申しわけござりまへん」

と断わりを云い、一同に席をすすめた。広間の正面大床の前に置かれたテーブルを挟《はさ》んで、万俵大介と安田太左衛門、寧子と安田夫人、その次に見合いの当人である万俵銀平と安田万樹子、その隣に高須相子と仲人の伊東夫人が向い合って坐った。伊東夫人は、帯の間に挟んだ祝儀《しゅうぎ》扇子を出し、

「本日は、ご両家のお見合いの御祝儀、めでたく相纏《まと》まりますよう、不束《ふつつか》ながら手前が仲人役を勤めさせて戴きます」

船場《せんば》風の大時代がかった挨拶《あいさつ》をし、

「改まって、ご両家のご紹介を致すまでも無《の》う、ご当人さま方もパーティのお席でお顔を合わせておられますから、お初の方だけ、ご紹介させて戴きます、安田社長さまの横におられますのが、奥さまの佳江《よしえ》さま、万俵頭取さまの横におられますのが、奥さまの寧子さま、銀平さまのお隣が、万俵さまの家内《いえうち》を取り仕切られ、お子さま方のご教育もなさって来られた高須相子さまでおます」

相子の紹介になると、寧子は身じろぐように眼を伏せたが、相子は慎しく一礼し、銀平は眼の端に白い笑いを滲《にじ》ませた。しかし安田家の人たちは、高須相子に対して、

伊東夫人の言葉通りに受け取っているせいか、鄭重《ていちょう》にお辞儀をした。

純銀の見事なティー・セットで、ボーイが一同に紅茶をつぎ終ると、万俵大介は、

「不思議なご縁ですね、まさか安田さんと息子の見合いの席にならぶとは」

ちょっとてれるように云うと、安田太左衛門も、

「いや全くその通りですね」

いささか面映ゆげに頷《うなず》いた。安田太左衛門は、その名前に似ない小柄で洗練された紳士であったが、三年前、五十六歳の若さで大阪重工の社長になっただけに、実力経営者らしい風格が漂っていた。母親の安田佳江も、大阪重工の創業者の姪《めい》にあたり、船場の旧家の出らしい古風な品がうかがわれたが、二十三歳の万樹子はその父にも母にも似ず、派手な雰囲気《ふんいき》を身につけていた。パリの高級衣裳店《オートクチュール》の型紙《パターン》で誂《あつら》えたらしいシルエットのカクテル・ドレスを着ていたが、胸もとと耳に大粒の南洋真珠のネックレスとイヤリングを飾り、腕には文字盤の周囲にダイヤモンドをちりばめた時計をはめている。せっかく眼と肉感的な唇が目だつ容貌《ようぼう》を持ちながら、贅沢《ぜいたく》過ぎるアクセサリーが、かえって軽薄な感じを与えていた。

「ところで、おたくで造っておられる日本一のドック、いつ頃、竣工《しゅんこう》の予定なんですか？」

万俵が聞くと、

「五月中旬ですが、このところドックのマンモス化も止《とど》まるところを知らずで、半年もたてば五十万トンよりさらに大きなのがどんどん出来るでしょう」

「なるほど、タンカーは大型化するほど経済効率がいいにきまっていますが、その代り、万一の事態が起った時のことを考えると、その損失は膨大ですからね」

銀行家らしい慎重な意見を出しながら、万俵大介は、万樹子を観察し、安田太左衛門は、銀平を観察していた。

仲人役の伊東夫人は、絶えず、両家の取りなしに気を配り、

「安田社長さまの方は、ご承知のように岡山の庄屋さんのお出で、秀才三兄弟と云われるご評判でおます、お兄さまは中央製紙の社長さま、弟さまは五井地所の社長さまで、それぞれのご令息、ご令嬢たちは、一流企業の社長や重役の子女とご縁組になり、辿《たど》って参りますと、宮家ともご縁戚《えんせき》になりはるのでおます」

いかにも家同士の閨閥《けいばつ》結婚らしく、まず両家の縁戚関係が話題になり、双方の頭の中にこの結婚によるメリットが弾《はじ》かれていた。万俵大介にとっては、金融再編成の流れを前にして、自行の筆頭株主である大阪重工の社長であり、関西財界に顔のきく安田太左衛門と姻戚関係を結ぶことは何かと有利であったし、安田側からみれば、大型

設備投資に追われる重工業会社として、融資銀行は一行でも多いほど有難く、しかも都市銀行のオーナー頭取である万俵大介との縁組は大きな魅力であった。

一しきり、両家の縁戚関係が話題になると、伊東夫人は如才なく、

「万樹子さまのご趣味は、たしかスキーと音楽でおましたかしら――」

当人同士に話題を向けた。

「ええ、スキーは、雪が降りはじめると、じっとしていられないほど好きですわ、でも、近頃は日本のスキー場はどこも俗化していて、とても滑る気がしないので、スイスへ参りますの、ちょうど姉のハズバンドが、外交官でジュネーブにいますから、父から電報を打って貰《もら》うと、義兄《あに》はどんなに忙しくても空港まで迎えに来てくれて、クリスマス・ホリディを利用して、姉と子供たちも一緒に、モンブランへ連れて行ってくれますの、今年のお正月は兄夫婦と一緒でしたのよ」

実兄は大阪重工の営業部長で、万樹子は三人兄姉の末子であった。そのせいか、よく云えば、おおらかとも云えたが、自分の父の財力と社会的地位に絶対の信頼をおいて、人生に何の疑問も持たない人間の軽薄さが、喋《しゃべ》れば喋るほど露《あら》わになる。

「万俵さんは、スキーをなさいますの？」

万樹子は、自分より十齢《としうえ》上の銀平に好奇の眼《まな》ざしを向けて聞いた。

「いや、僕は性来、ものぐさで、降りたり、上ったりのスキーはどうも」

ものの柔らかに応《こた》えたが、それとない皮肉がこめられていた。しかし、万樹子はそんな含みには気がつかず、

「じゃあ、スポーツはお好きじゃありませんのね」

と云うと、相子がにこやかに、

「そんなことございませんのよ、ゴルフはお父さま似でハンディ十五でございますし、ヨットの操縦もお出来になりましてよ」

「まあ、ヨットを！　私、学生時代、お友達のヨットに乗せて戴いてすっかり魅せられてしまい、操縦を習いたいと父に頼んだのですけれど、許してくれませんの」

「それでしたら銀平さん、もう少し暖かくなったら万樹子さんをヨットにご招待なさっては？」

冬の間は、西宮ヨットハーバーに繋《つな》ぎっ放しになっているヨットのことを云うと、銀平は、黙って煙草《たばこ》をふかしはじめた。長身端麗な容姿でセミ・タキシードをさり気なく着こなし、気障《きざ》なほど瀟洒《しょうしゃ》でありながら、どこかにニヒルな冷たさがあって、若い女性なら誰しも心惹《ひ》かれそうなタイプであった。

二人の話が跡切《とぎ》れると、伊東夫人はまた巧みに話題を変えた。そして、

「この『ヴィラ・舞子』は有栖川宮さまのご別邸でおましただけあって、ご普請《ふしん》は、すべて木曾《きそ》の御料林から選《よ》り抜かれた檜ばかりでご造営しはりましたそうで、あとでお食事を致しますダイニング・ルームは、京都御所の紫宸殿《ししんでん》の天井を模した御殿風の格子組《こうしぐみ》になっておます」

と云うと、安田佳江は、さきほどから一言も語らない万俵寧子の方を見、

「奥さまは、嵯峨子爵《さがししやく》さまのお出でおますから、宮さまがご別邸にあらせられた時には、おいでになったのではございませんか？」

と聞いた。寧子は白い顔をかしげるようにして、はじめて口を開いた。

「有栖川宮さまの妃殿下さまにお声を賜わり、おたあさまのお伴で、このご別邸にご伺候申し上げ、筑前琵琶《ちくぜんびわ》をお聞かせ戴いたことがございます、その時、先刻《さつき》、車で上って参りました坂——、あれは二頭だてのお馬車が上って来るのにちょうどいい勾配《こうばい》にお造りになっているそうでございますが、あの坂をお馬車で上って参りましたことを覚えております」

母親でありながら、見合いの席らしい心配りは何一つせず、宮さまの思い出話だけを妙に生き生きとした表情で話した。安田夫妻はそれを奇異に感じたらしく、顔を見合せると、伊東夫人は素早く、

おます？」

「さあ、この辺で、銀平さまと万樹子さまは、お庭でもお散歩しはったら、いかがで

二人きりで話をさせるように仕向けた。

「僕の方は、別に二人きりで話さなければならないようなことは――」

銀平はしぶりかけたが、万樹子は、

「あら、私は、お庭を散歩したいわ、こんな薄暗い御殿のような建物の中にいると、気が滅入《めい》ってしまいそう――」

無邪気に云うなり、カクテル・ドレスの裾《すそ》をひるがえしてたち上った。銀平と万樹子は大広間から階段を下り、並んで庭を歩き出した。

そのうしろ姿を眺めながら、相子は秘《ひそ》かに人事興信所で調べた安田万樹子の素行を思いうかべていた。表面は単に贅沢で我儘《わがまま》なブルジョア娘にしか映っていないが、豪《ごう》奢《しゃ》な服装に包まれているその体は、既に男を知っていた。そのことを、万樹子の両親はもとより、仲人の伊東夫人も知らなかったが、相子だけは知っていた。それを知りながら、敢《あ》えて素知らぬ顔でこの縁談を進めたのは、阪神銀行頭取の万俵大介が、金融再編成に対処して行く上で、筆頭株主である大阪重工との関係を密にしておかねばならないからだった。それを考えると、安田万樹子が少々、傷ものであっても、我慢

しなければならない。それが、家のため、企業のための閨閥結婚というものであった。しかも結婚するその当人が、ことごとに相子を皮肉な眼でみている銀平であってみれば、相子にとってはいささかの痛痒《つうよう》も感じないことであった。

万俵鉄平と銀平は、神戸港に臨んだ海岸通りの郵船ビルの地下のバーから外へ出、タクシーを探したが、つかまらないまま、海岸通りを三宮の方へ向って歩き出した。弟の銀平は見合いの服装であるセミ・タキシードの上に黒のドスキンのコートを重ね、兄の鉄平は逞《たくま》しい体にトレンチ・コートを無造作に羽織って、兄弟でありながら、容《よう》貌《ぼう》も性格も、服装の好みもすべて対照的であった。

「見合いをした夜ぐらい、お父さんたちとまっすぐ家へ帰ったらどうなんだ、全く困った奴《やつ》だ——」

各国の珍しい酒が置いてある静かなバーで、たまたま、阪神特殊鋼の技術者たちを犒《ねぎら》っていた鉄平が、見合いの帰途、ぬけ出して来たらしく、独りカウンターで飲んでいる銀平を見つけ、一緒に帰ろうと促したのだった。

「兄さんこそ、せっかく部下と飲んでいらしたのに、途中で席をたっていいのですか？」

「彼らと話していると、鉄談議はつきないが、今夜、家で調べものがあることだし、ま、いいよ、それより、どうだった？　今日の見合いは」

「別に、どうってことはない、兄さんの時と同じでしょう」

銀平は投げやるように云《い》った。そう云われると、鉄平は、自分の結婚も、父と相子の画策で、時の通産大臣の娘との話がどんどん運び、見合いは儀礼的に過ぎなかったから、何とも応えようがなかった。

「安田さんのお嬢さんは、気に入ったのかい？」

「可もなく、不可もなしというところだな」

そう云いながら、銀平は二人になって『ヴィラ・舞子』の庭を歩いた時のことをちらっと思いうかべた。広い庭をたいした話題もない退屈さと馬鹿馬鹿《ばかばか》しさを味わいながら歩いて、大きな松の樹陰《こかげ》に来ると、銀平は、万樹子の肉感的な唇を男の視線で真っ正面からまじまじと見詰めた。その時の万樹子の表情には、何の恥じらいも、憤《いきどお》りの色もなく、むしろ銀平の視線を迎えるような反応さえ見せて、既に男を知っている様子がうすうす感じられた。しかし銀平にとって、そんなことはたいした問題ではなかった。

「それで、例の女性の方の問題は、始末がついているのかい？」

弟思いの鉄平は、気懸《きが》りそうに聞いた。

「どの女のことですか？　兄さんが云っているのは」

「小森章子《あきこ》とか云ったろう？　その場限りの決済ですまない例外がいたじゃないか」

「――終りましたよ、とっくに」

「そうだったのか、僕はまた――」

鉄平は弟の横顔を見遣《みや》りながら、云いかけて口を噤《つぐ》んだ。どんな場合にも心の底を見せることのない銀平だったが、行きかう車のライトに照らし出された銀平の顔に、哀《かな》しみとも苦渋ともつかぬ表情がうかんでいたからであった。


銀平と小森章子の出会いは、五年前の夏の六甲にさかのぼる。毎年、七月の下旬から九月下旬まで、六甲の山荘へ居を移す万俵家では、距離的に大した違いはなかったから、父も鉄平も銀平も、山荘から通勤し、休日にはゴルフのあまり好きでない鉄平も加わって、六甲カントリー・クラブで時を過す。

その日は、六甲に上ってまだ間もない日だった。雨もよいの人影のないコースを鉄平と銀平が廻っている時、若い女性が一人で打っていたのを一緒にプレイに誘ったのが、小森章子とのきっかけだった。さして大きくはない灘《なだ》の酒造家の娘で、油絵をやっているため、ずっと今まで東京で暮し、ゴルフは始めたばかりですと、清楚《せいそ》な顔で笑ったが、髪を断髪に切り揃《そろ》え、銀平と同じ二十八歳でありながら、なお独身であるところに、強烈な個性が感じられた。その日から銀平は新鮮な思いで小森章子との付合いをはじめて、夏の終りには、二人は深い間柄になっていた。絵を描くということで比較的自由な行動のとれる章子との関係は、三年続いた。時として我《が》の強い二人の間には摩擦があったが、銀平の傍《そば》から離れてベッドを滑りおりるなりキャンバスにたち向う章子は、いつまでたっても新鮮で、銀平が一度でも結婚の意思を持った相手がいるとすれば、章子以外にはない。しかし、父と母との生活を見ている銀平には、結婚に対して何の期待も持てず、結婚とは一戸を構え、一組の男女の表札を門口へ掲げることだという程度の感覚しかなく、自分から結婚を口にするのは億劫《おっくう》だった。そして銀平のそうした心の内側を知った章子は、四年目の夏、突然、「パリへ行って、私の人生を四年前の方向へ戻して来るわ」と云って、銀平のもとから去って行ったのだった。

鉄平と銀平は、暫《しば》く黙ったまま、歩いた。タクシーの空車は、依然として来ない。

「で、安田家との結婚はいつ頃になる？」

鉄平が話をもとに戻すと、

「それは、わが家の結婚プロデューサーの相子女史がいろいろなことを勘案した上で定《き》めるでしょうよ」

他人事《ひとごと》のような口調で応えた。

「やらせておけばいいよ、男には結婚以外に、自分を賭《か》ける仕事というものがあるじゃないか」

銀平と異なって、ものごとを向日的に考え、積極的に行動する鉄平はそう云うと、精悍《せいかん》な眼をきらりと光らせ、対岸の大阪湾臨海工業地帯の煙突から夜空を灼《や》くように吹き出している赤い炎を見詰めた。

「銀平、阪神特殊鋼もいよいよ、高炉を建設することに踏みきったよ、資本金六十億の会社が、八百立方米《リューべ》の高炉一基、転炉二基を中心に、全部で二百五十億、資本金の四倍もの設備投資に賭けるのだ、むろん完成までには大へんな困難があると思うが、やり抜いてみせるよ、どんなに小さくてもいい、自社で高炉を持って銑鉄《せんてつ》から一貫生産するのは、僕の長年の夢だったんだから——」

「兄さんはいいですね、自分の情熱を燃やし得る仕事をしているんだから——」

「それはまた、いつもの皮肉かい？」

鉄平が云うと、

「いや、皮肉なんかじゃない、湿地帯の隠花植物のような人間が集まっている銀行という組織体は、僕の性《しょう》に合いませんよ、お父さんのように、銀行の頭取なるが故《ゆえ》に謹厳公正、品行方正を求められ、社会的に抑圧されたものは、世間から遮断《しゃだん》された家の中で、妻妾《さいしょう》同居という異様な形で発散するという神経の持主でなければ、とても頭取など勤まりませんからね、その点、僕は、お父さんとは、頗《すこぶ》る違う」

銀平は、父を冷やかに批判するように云った。

「たしかにお父さんは、僕たち子供と母の生活を滅茶苦茶《めちゃくちゃ》にしているが、経営者としてはりっぱだ、お祖父さんの代には地方銀行だった阪神銀行を、全国第十位の都市銀行に発展させたし、万俵鉄工を阪神特殊鋼と改称し、近代的設備を持つ特殊鋼メーカーに成長させたのも、お父さんの力によるものだ、父親としてはどんな欠点があっても、経営者としての優れた力は認めるべきだよ、さっきの高炉の件も、お父さんには一応、諒承《りょうしょう》を取りつけてあるが、今後、何かとお前も側面援護を頼むよ、明日は、通産省へ行って、重工業局長に会って来るんだ」

鉄平は不意に足を止めると、そこから見える尼崎の帝国製鉄の方に向って傲然《ごうぜん》と挑むように云ったが、銀平は、無表情だった。

国会議事堂を見ながら、車が霞《かすみ》が関《せき》三丁目を右折すると、前方に八階建ての大きなビルが見える。大きいという以外に何の特徴もない殺風景な建物であるが、それが日本の産業行政を司《つかさど》る通産省であった。万俵鉄平は、車の中から精悍な眼で通産省を見上げた。阪神特殊鋼の高炉建設の件で、十一時に重工業局長と会う約束になっているのだった。

「重工業局長が、たとえ、二、三十分とは云え、よく時間の都合をつけてくれましたね、これも大川先生の政治力のおかげです」

鉄平の傍《かたわ》らで、阪神特殊鋼東京支社の広岡調査部長が車を降りる支度をしながら、もう一度云い、鉄平も頷《うなず》いた。

特殊鋼業界のトップクラスとはいえ、帝国製鉄をはじめ、大手鉄鋼メーカーと比べれば、中企業の規模に過ぎぬ阪神特殊鋼の高炉計画について、重工業局長が、直接会うということは、まず例外であった。普通なら鉄鋼業務課の課長か、課長補佐ぐらいと話し合うのが常識であった。もちろん、本省における課長、課長補佐というのは、エリート官僚であり、一般の企業における課長や課長補佐などとは比べようもない大きな権力を、企業に対して持っている。したがって、局次長、局長ともなれば、よほどの場合でなければ会えなかったが、阪神特殊鋼の齢若《としわか》い専務である万俵鉄平が、通産省の中でも主流である重工業局長とじかに話し合えるのは、自由党の党人派グループの領袖《りょうしゅう》で、元通産大臣であった岳父《がくふ》の大川一郎が、よろしく根廻ししておいてくれたおかげであった。

車が通産省の正面玄関に停まると、鉄平は運転手が扉《ドア》を開けるのも待たず、大股《おおまた》な足どりで、エレベーターへ向った。大臣や次官、官房長の部屋はこの建物の二階にあり、重工業局は七階にあった。

約束の時間きっかりに重工業局長の受付へ行くと、女子職員が局長室へ案内した。本省の局長室にしては、簡素すぎるほどがらんとした部屋であった。石橋局長は、自分のデスクの前にたったたまま、電話中であったが、万俵鉄平の姿を見ると、早口で気《き》忙《ぜわ》しく電話を切った。

「お待たせしました、どうぞ」

鉄平は、局長の前に坐《すわ》り、随行して来た広岡は入口に近い椅子《いす》に腰をかけると、石橋局長は、広岡の方はちらとも見ず、ソファの肘《ひじ》に両手をのせ、足を組んだ。昨年、四十八歳の若さで重工業局長になり、省内きっての出世頭と云われているだけあって、大柄な風格と相まって、自信に満ちた表情が齢以上の押出しを感じさせる。

「ご多忙のところを、ご無理なお時間をお割《さ》き戴《いただ》き恐縮です」

鉄平が鄭重《ていちょう》に挨拶《あいさつ》すると、

「いやあ、一昨日《おととい》、次官からお会いするようにと云って来られたんですが、何しろ急なんで、時間のやり繰りがつきかねますがとご返事したら、今度は、大臣から是非、時間の都合をしろと云われまして――、ですから申しわけないのですが、二十分程しかないのですよ」

暗に鉄平の岳父である大川一郎の線で話が持ち込まれて来たことを、迷惑そうに云った。

「申しわけありません、高炉計画書の提出期限が、三月末日ですので、事前に局長のご諒解方を得ておきたいと思いまして――」

鉄平は率直に頭を下げ、

「実は、今度の高炉計画ですが、高炉を持たないわが社はいつも原料不安に悩まされていますし、五年先、十年先の需要見通しを考えますと、このあたりで少々無理をしても抜本的な体質改善を図らねばならないと考え、八百立方米《リューベ》の高炉一基と転炉、アッセルミル圧延機その他付帯設備を入れて、総額二百――」

と云いかけると、石橋局長はろくに説明に耳を傾けず、

「だいたいの話は、鉄鋼業務課長から聞いていますよ、しかし、転炉だけで止《や》められたらどうですか」

高飛車に、鉄平の言葉を遮《さえぎ》った。

「転炉だけ――、すると、肝腎《かんじん》の溶銑《ようせん》は、どうしろとおっしゃるのですか？」

鉄平は、むっとして反問した。

「それは、お近くの帝国製鉄から分けてお貰《もら》いになればいいじゃないですか、莫大《ばくだい》な資金をかけて無理に高炉を建てても、どれほどのメリットがあるか、これからの高炉は二千立方米《リューべ》、三千立方米《リューべ》とますますマンモス化し、またそうしないと、鉄鋼なんてものは、もはやメリットが出てこない時代なんですからねぇ」

「それは普通鋼メーカーの場合でしょう、わが社としては、自社で作る製品の原料獲得という意味で、それに見合った規模の高炉を考えたのです、転炉だけで、その中へ入れる溶銑を他《ほか》へ頼るとなると、今まで以上に原料的に不安定になりかねません」

随行して来ている広岡は、はらはらするような表情を向けたが、鉄平は強い口調で云った。石橋はちらりと切り返すような視線を向け、

「なるほど、それほど高炉建設に強い決意をお持ちなら、当局ではお止めする権限はないのですから、計画書を提出されれば、受理致しますよ、しかし、実際にこれを承認するしないの権限は、ご承知のように業界の自主的な話合い、つまり自主調整によって決められることですから、問題は、その方面の筋を、どう納得させるかですねえ」

と云ったが、これまで業界内の話合いが、すんなりとついたためしはなく、いつも揉《も》めれば、通産省が〝裁定〟という名目のもとに乗り出し、実質的には、通産省の意向が大きく動く。そしてそれは、帝国製鉄と富国製鉄の意向を多分に代弁する色彩が強い。鉄平は、何をぬけぬけしいことをと思いながらも、ここは何としても通産省の支援が必要であったから、

「その方面には当社の事情をよくご説明して、ご納得戴くことに致しますが、ともかく、局長のご諒解を得ませんことには――、で、来週早々に設備、生産、資金の各計画書を鉄鋼業務課へ提出致しますから、どうか、よろしくご支援下さい」

と頭を下げると、石橋は、

「大臣からのお声がかりであったことも、課長や課長補佐たちに伝えて、慎重によく検討するように伝えておきましょう」

政治的な含みをもった答え方をした。

鉄平は、ホテル・ニュージャパンの八階にある大川一郎事務所を訪れた。二室続きの贅沢《ぜいたく》な部屋で、取っつきの部屋には二人の秘書の机と、陳情客の待合せ用の椅子が並び、奥が大川一郎の部屋であった。

「どうぞ、ちょうど来客がすっかり終ったところでございますから——」

秘書が云うと、奥から大川一郎の精力的で脂《あぶら》ぎった顔が覗《のぞ》いた。ソ連対外貿易省の招待で、二週間の訪ソを終えて五日前に、帰国したばかりというのに、忙しそうに机の上の書類に眼を通している。

「お舅《とう》さん、おかげさまで今朝、通産省へ行って参りましたが、ご帰国早々のお疲れの中をお手数かけました」

と礼を云うと、大川一郎は鋭い眼光を和らげ、

「いやあ、これぐらいのことで疲れていては、政治家は勤まらんよ、ソ連は今、シベリア開発が、バイカル湖の東側にまで延び、ヨーロッパから資材を運んでいてはコスト高になるから、日本からの資材輸入を望んでいるんだ、日本の財界もこの辺で、ソ

連ともっと積極的な経済協力を考えることだよ」

まだ訪ソの昂奮《こうふん》が残っているのか、一気にそう喋《しゃべ》りまくり、

「ちょうどいい、帰国後、連日、宴会続きで、今夜ぐらいはゆっくり寛《くつろ》ぎたいと思っていたところだし、鉄平君も来たことだから、家で飯を食べよう、家内も久しぶりで喜ぶだろう」

妾宅《しょうたく》を構えている大川一郎であったが、娘婿《むすめむこ》の来訪となると、岳父らしい気遣いを見せ、自宅での晩餐《ばんさん》に誘った。

クライスラーに乗り、小石川の茗荷谷《みょうがだに》の大川邸に向ったが、その間も、大川一郎は、車に備えつけのマイクロ・テレビでニュースを見、書簡類の封を切り、鉄平に話しかけ、一刻の休みもなく時間を使い、

「銀平君の縁談は、きまったそうだな」

「おかげさまで、大阪重工の安田社長のお嬢さんにきまりましたよ」

「そりゃあよかった、大阪重工なら業容はいいし、安田体制は十年以上続くと云われている実力社長だから、何よりだよ」

口にこそ出さないが、これで選挙の時の資金パイプが一本増えたというような響きがあった。

車が大川邸の前に着き、運転手がクラクションを二つ鳴らすと、門脇《わき》の昔の下男部屋のような建物から二人のボディ・ガードが走り出て、大きな門を開き、車が玄関に着くと、大名屋敷のような式台に、妻の和代をはじめ、四人の書生と二人の女中が両手をついて出迎えた。いつもの情景ながら、鉄平には、地方の網元の出とはいえ、戦前は、権力と闘うべく新聞記者になった記者出身の岳父が、こうした大時代な出迎え方を平気でさせている神経が呑《の》み込めなかった。

「鉄平さん、ようこそ、早苗から電話があって、お待ちしておりましたんですよ」

糟糠《そうこう》の妻の老いというのか、姑《しゅうとめ》の和代は夫より老《ふ》けて見える顔を綻《ほころ》ばせて云《い》い、奥座敷へ案内した。五、六百坪程の敷地に二階建ての数寄屋《すきや》造りで、玄関から奥座敷へ入る廊下は、庭に面した広縁になり、庭には地元議員や業者などから贈られたらしい見事な庭石や燈籠《とうろう》が並んでいた。

「どうだ、いい燈籠だろう、あの築山《つきやま》の前のが利休形《りきゅうがた》だよ」

茶人が喜びそうな珍しい利休燈籠を自慢しながら、大川は丹前に着替え、座敷机を挟んで鉄平と向い合った。姑は、女中たちを指図して料理を運ばせ、鉄平と夫とに酌をした。大川はぐいと盃《さかずき》を空けると、

「どうだった？　今日の重工業局長との話合いは――」

「お舅さんのおかげで、直接、石橋局長と話し合えましたが、最初、高炉は無理だから、転炉だけにしろと云うんですよ、もちろん、僕としてはあくまで高炉建設をやりたいと、お願いして来ましたがね」

高圧的であった石橋の態度を思い出しながら応《こた》えると、大川の盃を持った手が止まった。

「なに、転炉だけにしろと——、生意気なことを云う奴《やつ》だ、早速、文句をつけてやる、だいたい奴らは、帝国製鉄と富国製鉄の霞が関出張所員だと云われているほど、あの二大製鉄との癒着《ゆちやく》ぶりは甚《はなは》だしい。私が通産大臣をしてる時、解《わか》ったんだが、製鉄関係の会議を開くと、その内容が帝国製鉄と富国製鉄には一時間後に筒抜けになり、その次の大手メーカーには三時間後、中クラスでも、三日後には伝わっているという工合だ、したがって、私が通産大臣在任中に二大製鉄と繋《つな》がっている連中を相当ぶった切り、思いきった人事をやったつもりだったが、息の根を止めるに至らなかった、しかし、私が大臣在任中に面倒をみておいた手兵の五人や十人は幹部級に残っておるから、舐《な》めた真似《まね》はさせん、阪神特殊鋼の高炉建設の許可は是が非でも、今期に認めさせる」

そういう時の大川一郎の鋭い眼光は、さらに鋭さを増し、どすのきく濁声《だみごえ》とともに威圧感を持つ。事実、通産省の現職大臣は、官僚出身であったが、大川一郎が曾《かつ》て通産大臣であった時に行なった一種の恐怖人事ともいうべき思いきった人事は、現職を去った今も、通産官僚たちの印象に残り、現職大臣には及ばずとも、相当な残存勢力が残っているのだった。しかも三十五人の代議士を抱えている大川一郎は、総裁選ともなれば、キャスティング・ボートを握る派閥の長であったから、現職であるなしにかかわらず、隠然たる力を持っている。したがって、これまでも、万俵家が姫路に所有している農地が中国縦貫道路に買収される時は、大川一郎が建設省に働きかけて有利に取り計らい、阪神特殊鋼の機械輸入などについても、大きな力をかしていた。と同時にそれに充分に見合う報酬を受けていた。

姑が銚子《ちょうし》を替えに席をたつと、大川は右手の小指を前に出し、卑猥《ひわい》な笑いをうかべ、

「女の方はどうなんだい、早苗も母親似で、味の悪い方じゃないか？」

「まあ、まあってところですよ、だが、今の僕はその方より、おったてたいのは高炉、高炉なら抱いて寝たいほど可愛《かわい》いってとこですよ」

鉄平が白い歯を見せて、からからと笑った。

「一基、二百五十億もする高炉を抱いて寝たいなどとは、ふてぶてしいことを云うじゃないか」

大川が眼をしばめるように上機嫌に云った時、書生が憚《はばか》るように入って来て、大川にメモを渡した。

「ちょっと用談の電話だ、失礼する――」

席をたち、隣室の電話器を取ったが、地声が大きいから、鉄平の耳にも聞えて来る。

「――うん、やって来たが、話にならん、包みが小さい――、うん、もう四、五日したらまたやって来るだろう、そうだ、そのたかによって、据えおきか、値上げかを考える――」

どうやら、仲間うちのやり取りらしいが、露骨に利権の臭《にお》いがし、包みというのは金包みのことらしい。しかし、手短かに電話をきると、大川は、何食わぬ顔で、もとの席に戻り、

「で、お父さんの方は、どんなご様子かね？　このところ暫《しばら》く会っていないが――」

「元気ですよ、近々一度、お会いしたいと云ってましたが、金融再編成論が喧《やかま》しく取沙汰《ざた》されていますので、これから父も大へんでしょう、美馬さんに何かと相談している様子です」

美馬の名前が出ると、大川は眉《まゆ》を顰《しか》め、

「あいつは嫌な奴《やつ》だ、大蔵官僚の典型的な慇懃《いんぎん》無礼さと、小利口さを持った奴だ、永

田大蔵大臣にべったりだから、私と姻戚《いんせき》関係にあることを、ことさらに敬遠するようなポーズを取る、何かの会合で顔を合わせることがあると、わざと時間をずらせたりして、実に陰湿だよ」

不快そうに云ったが、鉄平には、父の万俵大介が、官僚出身である永田大蔵大臣と密接に繋がっている大蔵省主計局次長の美馬中《あたる》と、党人派主流である大川一郎との両方に閨閥《けいばつ》を作り、どちらに権力の座が動いても、安全なように考えている胸中が解っていた。大川は、盃《さかずき》をふくみながら、

「鉄平君、〝保険つなぎ〟という言葉を知っているだろう、家が焼けても保険をかけてあるから大丈夫というあれだよ、君の親父《おやじ》さんは、官僚派が落ち目になっても、党人派が落ち目になっても、決して損にならんように両方に〝保険つなぎ〟をしているわけさ、しかし、これは何も阪神銀行頭取の万俵大介に限ったことではない、財界人というのは、絶対、一つのものに賭《か》けない習性を持っているんだよ、だから、私は、いつも財界人のことを、商人どもが何を云うかなどと放言して、憎まれとるんだよ、あっはっはっはっ」

そう云い、愉快そうに笑ったが、ソ連帰りの疲労のためか、声の割に酒気がさめかけた顔色は冴《さ》えず、顔全体が少しむくんでいるように見えたのが、鉄平の気に懸った。

翌日、万俵鉄平は、東京支社での販売会議を終えると、爽《さわ》やかな笑いをうかべて、会議室を出た。ここ二、三カ月の販売成績が良好に伸びているからであった。

窓から東京駅が見える東京支社は、八重洲《やえす》ビルの三階にあり、支社長以下六十名の社員が、営業、技術、調査、総務の各部に分れて机を並べ、広い室内には活気が漲《みなぎ》っている。鉄平は、社員たちの机の間を大股《おおまた》な足どりで歩き、専務室へ入りかけて、壁面のポスターに視線を止めた。安全用のヘルメットをかぶった凛々《りり》しい鉄鋼マンが、日の出を見詰めている躍動的なポスターであった。もちろん、神戸の本社にも随所に掲げられているポスターで、目新しくはなかったが、昨日、通産省に行って重工業局長とじかに話し合い、さらに岳父の大川一郎にも会って、高炉建設計画が現実性をもって歩み出した時だけに、その厳粛で力強いポスターに心を惹《ひ》かれたのだった。

「専務、三時十分過ぎですから、大同銀行へお出かけ願います――」

背後《うしろ》から、昨日、通産省に同行した広岡調査部長が声をかけ、支社長も、慌《あわただ》しく総務部へ車の用意を命じた。

「ああ、もうそんな時間か――」

鉄平は急いで、エレベーターで地下の駐車場へ降りた。大同銀行は、阪神特殊鋼にとって、阪神銀行に次ぐ融資率の高い銀行で、今度の高炉建設についての融資を依頼するために、三時半に頭取と面会する約束になっているのだった。

車に乗ると、広岡は分厚い書類袋を鉄平の鞄《かばん》の横に置き、

「では、よろしくお願い致します」

神妙な顔つきで云った。分厚な書類袋の中には、阪神銀行へ出してあるのと同じ融資中込書と事業計画書が入っていた。

大同銀行の新頭取である三雲祥一は、鉄平がマサチューセッツ工科大学に留学していた時代に、たまたま親交があったが、高炉建設というような膨大な設備資金の調達となると、父が頭取をしている阪神銀行に頼みに行くようなわけにはいかないと思った。

車は凄《すさま》じいラッシュを縫って日本橋に向った。本石町《ほんごく》まで来ると、日本銀行が、その威厳を誇示するように聳《そび》えたっている。大同銀行本店は、ちょうどその日本銀行の斜め後方にある。八階建ての大きなビルであったが、全体から受ける印象が、どこか野暮ったく、堅実一本の行風が建物にまで反映しているようだった。大同銀行は、今でこそ預金量九千二百億の都市銀行第八位の存在だが、その前身は、各地方に有力な

基盤を持っていた十幾つかの貯蓄銀行が、戦後、一つに合併した寄合世帯である。したがって、人材的な面でも多少の問題があり、頭取は、大同銀行が発足した当初から今日に至るまでの二十年間、ずっと日銀からの天下りであった。

大同銀行二階の役員受付に上ると、

「いらっしゃいませ、頭取にご面会の阪神特殊鋼の万俵さまでいらっしゃいますね」

受付の女子行員が鄭重《ていちょう》に、頭取室へ案内した。

「やあ、暫く――、ほんとうに暫くでしたね」

三雲頭取は回転椅子《いす》からたち上り、鼻筋の通った面長の顔に懐《なつ》かしさを籠《こ》めた笑いを湛《たた》えながら、手をさし出した。鉄平もがっしりとした手を出し、

「すっかりご無沙汰致しております、この度は頭取にご就任、おめでとうございます」

十数年ぶりの握手を交わした。

ソファに向い合うと、三雲はまじまじと鉄平を見詰め、

「あれからもう十三年も経《た》つんですねぇ、ブリッジは今でもやっていますか？」

当時を懐かしむように聞いた。留学生の鉄平と、日銀ニューヨーク事務所の参事とでは、年齢的な開きがある上に、住まいも遠く隔たっていたが、阪神銀行がニューヨ

ーク支店を持っている関係で、鉄平は休暇になると、よくニューヨークへ出かけた。そんな時は必ず数日間滞在したから、銀行関係の三雲とも顔見知りになり、互いにゴルフよりブリッジが好きなところから、会えば必ず、カードを楽しんだ。そしてブリッジをしながらも鉄の話をはじめると止《とど》まるところを知らない鉄平を、三雲は〝情熱居士《こじ》〟と呼び、鉄平は、酔えば必ず若山牧水の歌を口ずさむ三雲を〝純情居士〟と呼び、人間的な情緒を失いがちな海外生活の中で、互いに心の触合いを感じ取っていたのである。

「おかしなものですね、日本へ帰って来ると、すっかり疎遠になってしまって、今の僕は、一日が四十八時間あってほしいと思うほどの忙しさに追いまくられていますが、三雲さんは如何《いかが》ですか？　日銀と、こうした都市銀行とでは、何かと勝手がお違いになるんじゃないでしょうか」

曇り一つなく拭《ふ》き磨かれた窓ガラスの向うに聳えたっている、荘重な日本銀行の建物に眼を向けながら、鉄平は聞いた。

「そうですね、日銀時代は、公定歩合の上げ下げや、景気調整といった政策的な仕事でしたから、常に日本経済全体の展望をしっかり捉《とら》えた上でものを考えねばならないという難かしさはありましたが、都市銀行の世界は、預金、貸金一つとっても、毎日毎日が、俗な言葉で云えば、斬《き》った、はったの激しい競争に明け暮れ、しかもその結果は、すぐ数字で冷酷に評価されるのですから、厳しいところだとつくづく感じますよ、しかし、さし当って今、私が心を砕いているのは、一日も早く大同銀行の行風に馴《な》染《じ》み、行員たちの心に溶け込むことですよ、何しろこの大同銀行も、都市銀行に転換してスタートしてから二十年になりますから、貯蓄銀行時代からの中堅幹部、若手行員が育って来て、今なお上層部が日銀からの移入人事であることに、反感を持ちはじめているようですから」

それ以上、三雲は云わなかったが、もの静かな語調の端に、就任一ヵ月程で、早くも行内の人事関係で苦労しているらしい気配が感じられた。

「ここ暫くが何かとお難かしい時期なんですね、そんな時に恐縮なんですが、実は、当社では本年度の設備計画として高炉建設を計画し、目下、通産省と折衝中ですが、本日はその融資依頼に参ったのです」

と云い、携えて来た書類袋の中から、六、七センチもの厚さの融資申込書と事業計画書を三雲頭取の前へ出した。

「ほう、おたくが高炉建設を――」

三雲は、驚くように云った。

「そうです、何としても高炉を建設したいと思っております、今後の特殊鋼の需要見通しは、自動車、機械産業の成長と見合せ、ますます増大することに間違いありません、そんな時、今のように原料のスクラップや銑鉄《せんてつ》を外部から買って、小さな電気炉でやっていたのでは、いつまでたっても原料不安は解消しませんし、思いきった大量生産も出来ません、そこで原料から自前《じまえ》で大量生産するために、高炉からの一貫生産体制をこの際、作ろうと決心したのです、幸い当社では以前から所有している埋立地がありまして、高炉建設用地と、鉱石、コークスなどを積んで来る船の岸壁は出来ていますから、建設費は、比較的安くすみ、八百立方米《リューべ》の高炉一基、転炉二基、アッセルミル圧延機一台、その他の付帯設備を入れて、総額二百五十億で出来る見込みをつけています」

三雲は、鉄平の示した設備計画書と便益計算書をテーブルの上に拡《ひろ》げ、厳しい眼《まな》ざしで数字を見て行ったが、やがて顔を上げ、

「高炉建設の工期は、着工が今年の六月で、完成が翌年六月となっていますが、実際に高炉が稼動《かどう》し、営業ベースにのりはじめるのはいつ頃からですか？」

「順調に稼動さえすれば、半年で充分、営業ベースにのりはじめます」

「そうなると、製品販売トン数は、従来の三十三万トンから一挙に二倍以上の六十八

万トンになり、大幅にコスト・ダウン出来るわけですね、当然、売値ダウンが考えられますが、今までよりどの程度、下げられるのですか？」

「高炉、転炉の設備によってトン当り、平均一万五千円ぐらいのコスト・ダウンが可能になりますが、新設備の償却、借入金の金利、人件費の増加などを考えますと、売値の引下げは、トン当り五千円前後、と見ております、むろん、こうした合理化によるプライス・ダウンによって、従来のシェアは大幅に崩れ、一時は業界に大きな波紋を投じるでしょうが、国際競争力をつけるためには、必要不可避なことですし、第一、少しでも、良質低廉《ていれん》なものを作り出すのが企業家の社会的使命だと思うのです」

鉄平は、若い企業家らしい理想をもって、三雲頭取の質問に応え、さらに言葉を継いだ。

「それで肝腎《かんじん》の資金調達なのですが、二百五十億のうち、五十億は当社の自己資金でまかない、二百億は、メイン・バンクの阪神銀行四〇パーセント、準メイン・バンクである大同銀行さん三〇パーセント、残りの三〇パーセントは長期開発銀行、信託銀行、信用金庫で調達したいと思っておりますが、いかがなものでしょうか？」

生《き》一本に迫るように云った。

「当行の阪神特殊鋼に対するこれまでの融資比率は、たしか二五パーセントだったと思いますが、それより五パーセント増やしてほしいというご意向なんですね、それでメインの阪神銀行さんは、既に四〇パーセントの融資を、お認めになったのですか？」

三雲は聞いた。メインの意向がどうであるかということは、重要なことであった。それは、メインがその企業の経営内容を最も詳細に把握《はあく》しているからであった。

「阪神銀行としての正式な回答はまだ貰《もら》っておりませんが、父には、よく高炉建設の計画内容を説明し、理解して貰っていますから、確実だと思います、しかし、いくら父が頭取をしている銀行とはいえ、総額四〇パーセント以上の融資は、阪神銀行自体が大同銀行さんより規模が小さく、とても無理ですので、この際、大同銀行さんに、平行メインになって戴《いただ》きたいというのが、私の率直なお願いです」

三雲は暫時《ざんじ》、考え込むように沈黙したが、

「ご主旨はよく解《わか》りました、当行はご承知のように、預金量こそ都市銀行中、第八位で店舗数も多いのですが、正直なところ、規模の割に、これといった優良融資先に恵まれず、新頭取としての私の仕事は、一つでも優良な企業を取引先にして、当行の内容を充実させることだと思っています、今、あなたのお話を聞き、特殊鋼という日本の基幹産業の一環を担《にな》っておられる公益的な事業であるということと、あなた自身の事業にかける熱意と勇気にも、実のところ、大いに動かされました、もちろん、この融資申込書と事業計画書については、審査部で慎重に検討してからでなければ、ご返事出来ませんが、私の気持としては、大いにご協力したいと思っています」

静かな声であったが、曾《かつ》て留学生であった一人の青年が企業家として逞《たくま》しく成長しつつあるのを心から喜び、励ますような温か味があった。

「有難うございます、只今《ただいま》の頭取のお言葉で、高炉建設という大事業にたち向う私の心が、どれほど励まされ、勇気づけられたか解りません――」

鉄平は深々と一礼しながら、冷厳な父と異なった別の頭取像を、そこに見出《みいだ》した思いがした。

麻布六本木の二丁目辺りには、個人の邸宅が並ぶ閑静な一角がある。その中で、一軒だけ粋《いき》な黒塀《くろべい》を囲《めぐ》らせ、庭に四季の植木を取り入れている待合がある。

鉄平は、その家の奥座敷で、湯上りの浴衣《ゆかた》に茶羽織を重ね、清元の「保名《やすな》」を習《さら》えていた。

姿もいつか乱れ髪
誰《た》が取りあげていふことも
なたねの畑《はた》に狂ふ蝶《てふ》（合）チン　テチン……

三味線を弾いているのは芸者でなく、待合『つる乃家《のや》』の女将《おかみ》である芙佐子《ふさこ》だったが、四十前の目尻《めじり》の切れ上ったはっきりした顔だちで、

「駄目、駄目、からっきし間《ま》をはずしていますよ、そんな保名じゃあ、まるで艶《つや》がなくって、恋に狂うどころか、恋醒《ざ》めしちゃいますよ」

ずけずけ云《い》った。

「だが、不粋《ぶすい》な僕が、亡《な》くなった祖父《じい》さんに倣《なら》って、清元をやるだけでもましだろう」

いささかくたびれたように云うと、

「じゃあ、今日のお習いはこれくらいにして、お食事は何を召し上る？」

「そうだな、勝手を云うが、塩鮭《しおざけ》と佃煮《つくだに》ぐらいを食べたいな」

「ようございますとも、よそでは云えない勝手を云って戴くのが嬉《うれ》しいですよ」

と云い、三味線を置きながら、

「あとで、びっくりなさる顔合せがございますよ」

「誰だい、びっくりする顔合せって？」

「まあ、お楽しみ、ちょんの間の出替りってことがあるじゃありませんか」

悪戯《いたずら》っぽい云い方をして、席をたった。独りになると、鉄平はごろりと仰向けになった。いつもはぎっしり詰った日程に追われる東京出張で、鉄平自身、仕事がすめば飛ぶように神戸の工場へ帰って、鉄の塊を見ないことには落ちつかなかったが、今日は、大同銀行の三雲頭取と十三年ぶりに会った心の昂《たかぶ》りが醒めやらず、馴染みのつる乃家へ寄ったのだった。

襖《ふすま》が静かに開いたかと思うと、

「まあ、ぼんぼん、ようおいでやす」

芙佐子の養母である老女将であった。六十近いというのに、ぬき衣紋《えもん》にした衿《えり》もとの肌がはっとするほど白い。亡くなった祖父の妾《めかけ》で、大阪の新町《しんまち》の芸者だったのを落籍《ひ》かして、神戸では目だつからと、大阪に一軒家を持たせて囲っていたのだった。そして時折、岡本の邸《やしき》へも呼んでいたから、鉄平も子供の頃からよく知っていた。

「なんだ、女将か、珍しい顔合せというのは」

鉄平は、むっくりと起き上って笑った。

「へえ、この頃、大阪のわての店へはあまりお越しやないのに、東京の娘の店へ来てお目にかかれるとは、偶然でおますな、けど、こないしてお久しぶりでお目にかかったら、ますます亡くなりはった大旦那《だんな》はんにそっくり、太い眉と云い、大きなぎょろりとした眼と云い、ほんまに生写し――」

と云い、仲居が運んで来た塩鮭と佃煮に、鉄平が箸《はし》をつけかけると、

「それ、そのお箸の持ち方までそっくり……」

吸い寄せられるように鉄平に見惚《みと》れ、

「ぼんぼんがお生れになった時の大旦那はんのお喜びようは、よう忘れまへん、外の囲い者のわてにまで、お赤飯と目の下一尺の鯛《たい》を初孫《ういまご》の内祝やと届けてくれはり、お名前をつけはるお七夜《ななや》の日はまた、えらい騒ぎでおましたそうで、大旦那はんは、銀より上の位の金平とつけたいと仰《おお》せになりはったら、ぼんぼんのお父さんが、金平では落語家《はなしか》みたいやと云いはって、鉄平というお名になったそうでおますな」

老女将がさらに云いかけると、

「もういい、みんな何度も聞いている話だよ、それより、ぼんぼんと呼ぶのは止《や》めてくれよ、三十八にもなって、ぼんぼんでもあるまいが」

鉄平は睨《にら》むようにぎょろりと眼を動かしたが、老女将は昔を懐《なつ》かしむように、

「いいえ、なんぼ齢《とし》行きはっても、わてには、いつまでも大旦那はんのお膝《ひざ》にいてはったぼんぼんのお姿が眼に灼《や》きついておます、そうそう、初節句の時も、大旦那はんは日本一大きい鯉幟《こいのぼり》をたてるのやと云いはって、三越に注文しはったあげく、売場にある一番大きいのでは気に入らず、三越の屋上にたってるのを欲しいと店長さんに無理云いはって、とうとうそれをお邸の屋根の上へたてはったのだす、ともかく、ぼんぼんのこととなると、何でも日本一やないと気に入らん、それほど真底、可愛《かわ》ゆうに思うてはったのでおます」

そう云われると、平素はあまり思い出さなかったが、鉄平は祖父のことを思いながら、老女将の酌で盃を重ねた。

祖父に関する思い出の中には、不思議と祖母の姿がなかった。祖父は、鉄平が二十二歳になるまで長生きしたのに対して、祖母は、鉄平の十歳の時に亡くなっていたからであったが、それにしても祖母の印象が薄いのは、家の中における祖父の存在が大き過ぎたせいかもしれない。色が浅黒く大きな体軀《たいく》をした祖父は、性格も豪放磊落《らいらく》そのもので、祖母だけでなく、父の大介さえも、祖父の前では影が薄かった。鉄平がもの心つくようになって知った祖父は、定紋付きの車に乗って銀行へ出かける祖父であり、花見時になると、庭に緋毛氈《ひもうせん》を敷いて園遊会を開き、その都度、大勢の来客の他《ほか》に、きれいどころまで集めるのだった。そんな時、祖父は必ず、鉄平の自慢をしたのを覚えている。それが恥ずかしくて、中学へ行く頃になると、鉄平は園遊会の日は必ず、学校から遅く帰るようにしたが、そうすると、祖父は最初は激しく叱責《しっせき》し、あとはわびしげに鉄平の顔を見詰め、翌日、驚くほど贅沢《ぜいたく》なものを買い与えて、銀平や一子を羨《うらや》ましがらせた。贅沢といえば、祖父は、母の寧子を格別に扱い、何かと云えば「お母さまは華族さまの出だからな」と云い、どんな贅沢でもさせて、昔は王侯貴族のものだったと云われている洋蘭の温室を建てたのも祖父であった。それだけに祖父の存命中は、父の大介も高須相子も、勝手な振舞いは出来ず、鉄平が父と相子の情事を垣間《かいま》見てからも、その数年後、祖父が死亡するまでは、表だった振舞いはとれず、母の立場は安泰であった。

その祖父は、或《あ》る朝、いつものように起きるなり、庭下駄を履いて池の鯉《こい》に餌《えさ》をやりに行き、池の縁に這《は》いつくばるような姿で脳溢血《のういっけつ》を起して、三日目に死亡したのだったが、その通夜《つや》の席で三人の女が祖父の亡骸《なきがら》に取り縋《すが》って泣いた。それは祖父の囲っていた女たちで、激しく嗚咽《おえつ》する女たちの姿を見ていると、鉄平も同じように涙を流し、喪主として枕《まくら》もとに坐《すわ》っていた父の大介も眼を潤《うる》ませたが、なぜか母の寧子だけは涙一滴見せず、凍りついたように動かない視線で、祖父の死顔を見詰めていた。万俵家の中で一番心やさしく、傷つきやすいはずの母であるのにと思った記憶が、今も鉄平の胸に残っている。

「ぼんぼん、どないしはったんでおます?」

老女将の声がした。鉄平はにやりと白い歯を見せ、

「祖父の死んだ日のことを想《おも》い出していたんだよ、あの時、現われた三人のきれいな女のうちの一人が、皺《しわ》くちゃのあんたかと思ってねぇ」

「まあ、いややこと、二十年近うも前の話やおまへんか、わてもその頃はまだ若うおましたさかいな、さあ、もっとおあがりやす——」

老女将は、鉄平に酌をし、

「このあと、誰か若い妓《こ》を呼んでおきまひょか?」

心得顔に云った。

「さあ、今晩はどうしようかな」

「ぼんぼんみたいなええ体をしてはって、奥さん以外の女《おなご》はんも抱かんと、鼻血が出まっせぇ」

いつもは老女将のいうような芸者遊びをして、旺盛《おうせい》な性欲をさっと爽快《そうかい》に処理する鉄平であったが、今夜はあまり気がすすまない。それは昨日から通産省、岳父の大川一郎邸、今日は自社の販売会議、そして大同銀行への融資依頼と、いささか疲れ気味であることもあったが、それ以上に三雲頭取に会った清冽《せいれつ》な余韻が、心の中にまだ尾を曳《ひ》いているせいかもしれなかった。

「いや、今夜は日航の最終便で帰るよ、これから大きなものを建てなきゃあならないんだ」

鉄平は、解《げ》せぬような顔つきで見詰める老女将にそう云うと、盃をおいて帰り支度をはじめた。

三章

阪神銀行本店の講堂では新入行員の入行式が行われていた。

咳《しわぶき》一つなく静まりかえった講堂の正面壇上には、向って左側に万俵頭取以下七名の役員、右に人事部長をはじめ十二名の部長がずらりと居列《なら》んでいる。そして、神戸港を象徴する紺碧《こんぺき》の地に波濤《はとう》を思わせる三本の曲線をくっきりと染めぬいた大きな行旗が中央に掲げられていた。

式次第を進めている人事課長の声が一段と改まって、

「只今《ただいま》から、頭取のお話を承ります」

と云《い》うと、新入行員たちは、威儀を正して、万俵頭取を迎えた。銀髪端正な頭取が行旗の前にたつと、それだけで威風あたりを払い、新入行員たちは信用と品位を重んじる銀行という企業に入った自負心を今さらのように感じる。万俵はそうした新入行員たちの心理をすべて熟知した上で、重々しく口を開いた。

「皆さん、ご入行おめでとう、学園紛争の中で学業を続け、今また入行試験の難関を突破されて来た諸君を、われわれの職場に迎えることが出来ることは、まことに嬉《うれ》しく、力強く感じる次第です、銀行員たることを自らの職業として選び、これから活躍されんとする諸君に、頭取として一言、激励の言葉をお贈りしたい」

そこで一旦《いったん》、言葉を切り、一同を見廻した。二百名の新入行員のうち八十名が大学卒、百二十名が高校卒で、人材即資産、即生産設備ともいえる銀行にとって、新規採用者への期待はどこよりも大きい。

「銀行は、信用を売り、信用を買う仕事であります、つまり命の次に大切と云われるお金を預かり、有利に運用して信用を得る仕事であるから、銀行経営は何よりもまず堅実であらねばなりません、しかし堅実であると同時に、積極的であれというのが私の持論であります、堅実性と積極性は必ずしも両立しない場合があります、堅実のあまり萎縮《いしゅく》してしまっては前進がなく、また前進し過ぎて破綻《はたん》を来たすのでは堅実性に欠けますが、この両者を兼ね備えることが銀行経営の要諦《ようたい》であると思います。

最近、金融再編成の促進がやかましく取沙汰《とりざた》されている中で、銀行間の競争はますます激甚《げきじん》になる一方であります、それだけにわれわれは堅実性と勇気を持って銀行競争に打ち克《か》ち、近い将来、必ずや業界における当行の地位を向上させるという使命を、役職員一同、強く持たなければなりません、したがって小成に安んずるという考えの人が、もしこの中にいるとすれば、それは当行の行風に合わぬ人であり、今からでも遅くないから去って戴《いただ》きたい、しかし金融界の今後の激動期に、当行の一員として大いに実力を磨き、能力を発揮したいと思う人物には、当行は充分酬《むく》いるに吝《やぶさか》でない、当行の人事方針は一切の学閥、門閥に捉《とら》われず、実力精鋭主義をもって貫き、諸君の卓抜した仕事に対して必ず正当なる評価をもって応《こた》えることを、ここに約束し、諸君の大成を祈ります」

頭取の言葉は、若い新入行員たちの心を魅了した。

入行式が終了すると、万俵は爽《さわ》やかな表情で頭取室へ戻った。恒例の行事ではあったが、経営トップ、ことに万俵のようなオーナー頭取にとって、毎年、新しい人材を入れ、規模を拡大していくことは、大きな充実感と自信が漲《みなぎ》る時であった。

回転椅子《いす》に深々と体を埋《うず》め、葉巻をとり出して、ほっと一息つくと、秘書の速水が入って来た。

「速水君、今日はどこも入社式で、来客はないし、行内の会議もないし、午後から久しぶりにゴルフの手ほどきをしてやろう、それまでに仕事を片付けておき給《たま》え」

煙を吐き出しながら、上機嫌に声をかけると、速水は秀《ひい》でた額の下に柔らかい笑いをうかべ、

「では、お言葉に甘えさせて戴きますが、頭取はその前に、一つお仕事をおすませ下さい、毎朝新聞の榎本《えのもと》記者が、入行式のことで取材に来られています」

「ああ、榎本君か、彼なら会おう」

毎朝新聞の榎本記者は、万俵が昵懇《じっこん》にしている経済記者の一人であった。万俵が概してマスコミにうけがよいのは、経営者としての優れた資質もさることながら、常々、政治家と官僚とマスコミの三者対策を遺漏《いろう》なく進めておけばたいていのことは罷《まか》り通るという万俵一流の考えで、マスコミにも接しているからだ。しかも相手が経済記者なら、思いがけない企業情報を得る場合もある。

榎本記者は慌《あわただ》しく入って来るなり、

「頭取、急ぎの記事で恐縮ですが、今日の夕刊で、今年の新入社員への〝社長名言集〟を特集するのです、頭取の訓話の概略は、今、速水さんから聞いたんですが、要は堅実をモットーとする銀行界において、阪神銀行の万俵頭取は〝勇気なき者は去れ〟という話をされたということですね」

「まあ、そんなところですが、銀行家は、私の他《ほか》に、どんな人が入るのですか？」

さり気なく聞いた。

「富国銀行の厳頭取です、毎年、ドイツの哲学者の高邁《こうまい》な言葉を引用して話すのがお好きのようですが、あの政治的言動の多い頭取が、カントの、ショーペンハウエルのと云い出すかと思うと、歯が浮きますね」

榎本記者は、辛辣《しんらつ》に云い、

「ところで頭取、富国銀行の関西における最近の動きは、少しおかしいと思われませんか？」

当然、万俵がその動きを察知しているかと思い込んでいる口調で聞いた。万俵はとっさに何のことかと聞き返しかけたが、口を噤《つぐ》んだ。同業の動き、特に上位四大銀行に関する情報は、金融再編成の問題があるだけに、どんな些細《ささい》なことでも、知っておきたかったからである。榎本記者は、

「東京の金融界では、富国銀行が遠からず系列下の地方銀行を合併するというようなことが流布《るふ》されていますが、僕の勘では、あれはゼスチャーに過ぎませんね、本心はあくまで都市銀行間の大型合併をやりたがっており、頻《しき》りに関西系の銀行を物色している感じですよ」

確信ありげに云った。万俵は、内心、動悸《どうき》が鳴るような驚きを覚えたが、

「榎本さん、いやに自信ありげな推理じゃありませんか、で、富国銀行が結婚したがっている相手は、どこだと思うのですかね？」

平静を装い、じわりと聞いた。

「さあ、そこまではまだ解《わか》りませんが、あの銀行のことだから、これと狙《ねら》ったら、二年でも三年でもかけて、真綿《まわた》で首を絞めるようなじわじわしたやり方で、呑《の》み込んでしまうでしょうな」

榎本記者はそう云って笑ったが、万俵は応えず、窓外へ眼を向けた。その時、机の上の電話のベルが鳴った。秘書課経由ではなく、外からの直通電話であった。榎本記者は、それを機会《しお》に、

「じゃあ、夕刊締切の間際《まぎわ》ですから、これで失礼します」

足早に出て行った。万俵は扉《ドア》が完全に締まりきってから、受話器を取った。

「もしもし、芥川でございますが」

東京事務所長の芥川からであった。

「ああ、私だ――」

政官界工作を担当する芥川との電話の時は、部屋に人がいなくとも、万俵の声が自然に低くなる。

「午後の定時連絡電話でもいいことなんですが、ちょっとお耳に入れておきたいことがございまして――」

電話を通して聞える芥川の声も低く、そこで一旦、言葉を切ってから、

「実は昨日、都市銀行協会の懇話会で、富国銀行の竹中常務と一緒だったんですが、会のあと、二人で何げない雑談をしていると、富国銀行と阪神銀行の両行で、預金の相互受払いの業務提携をやらないかと、もちかけて来ましてねぇ」

つい今しがた、榎本記者と富国銀行の動きについて話していたばかりだったから、万俵は思わず、受話器を持ち直した。芥川のいう預金の相互受払いというのは、富国銀行と阪神銀行の二行で店舗の共同利用を行おうということである。

「東京に店舗が少ない当行にとっては、びっしりと碁盤の目のように詰った富国銀行の東京の店舗を利用させて貰《もら》えることは、有難すぎる話だ、しかしそれに反して、富国銀行の方のメリットは少なすぎるが、その点はどうなんだ？」

「そこなんです、当行にとってあまりうま過ぎる話なので、竹中常務にその辺の探りを特に入れたんですが、富国銀行の取引先が最近さかんに阪神間へ進出しているのに、関西における支店がやや手薄で何かと取引先に迷惑をかけているため、阪神銀行の店舗網を活用させて貰えれば、大いに富国銀行としてもメリットがある、折から富士ストアと太平スーパーの提携がきっかけで、両行も株の持合いをするようになったのだから、この際、ぜひお近づきをと、竹中常務はいうんです」

低い声をさらに絞って、説明した。万俵は頷《うなず》き、

「そういえば、クレジット・カードの業務提携を云って来たのも、あの直後だったし、このところ、富国銀行は少々、しつこすぎるようだな」

と云い、暫《しばら》く思案した。

「実はついさっき、毎朝の榎本記者が来て、富国銀行は関西系の都市銀行との合併を考え、目下、極秘裡《ごくひり》に物色中の気配があるという情報だが、真相はどうなんだね？」

「ほう、やはりそうでしたか――、私もその情報は三日前にキャッチして、目下、裏付け調査をやっており、そこへ昨日の富国銀行からの預金の相互受払いの誘いですから、内心、ぎくりと致しました、むろん、こちらで確実な調査を急ぎますが、本店の方でも特に融資先関係で何か異常な動きがないか、ご調査を戴きたいのです、もし仮に富国銀行が当行を狙っているのなら、当行の主力取引先には必ず接近を図っているはずですから」

芥川は、ますます声を殺すようにして云った。

「うむ、その点については、早速、渋野常務に当らせる、預金の相互受払いの提携のことは、只今、本店で検討中と、富国銀行へ返事しておき給え」

大介はそう云って、電話をきった。

もはや入行式の充実した満足感は吹き飛び、得体の知れぬ不気味な圧迫感が背後から音もなく、忍び寄って来るような思いがした。上位四行の大銀行が、金融制度調査会の特別委の答申を待たずして、秘《ひそ》かに合併の相手を探しはじめていることが事実であるならば、それは由々しい事態であった。阪神銀行のように、上位四行から眼をつけられやすい業容の銀行はもはやこれ以上、坐《ざ》して待つような安易さは許されない。すぐにも美馬を呼んで、食われる前に食う方策を考え、決意しなければならぬ時が近付いて来たのだった。

大阪ロイヤル・ホテルの十五階にあるロイヤル・トップのステージでは、ジュリエット・グレコの『シャンソンの夕』が開かれていた。

ステージを囲む三十近いテーブルに、ダーク・スーツを着た男性やカクテル・ドレスを着飾った女性たちが席を占めていた。万俵銀平と安田万樹子もステージに近い席を占め、カクテルを飲みながら、本場のシャンソンに聴き入っていた。

ステージでは第一部が終り、第二部に入って、『愛の讃歌《さんか》』が唄《うた》い出された。二色のライトが交錯する中で、真っ黒に光るドレスをまとったグレコは、栗色《くりいろ》の長い髪を肩まで垂らし、マイクを胸に抱くようにして唄っている。

「いいわね、まるでパリのナイト・クラブにいるみたい」

万樹子は、カクテル・グラスに口をつけながら、そっと銀平の肩へ体を寄せるようにして囁《ささや》きかけた。見合いをしてから一カ月経《た》っていたが、万樹子とデートするのは、今日で二度目だった。万樹子からは三日にあげず、電話がかかって来ていたが、銀平は仕事の多忙を口実に避けていた。別に万樹子を嫌っているわけではないが、目だちすぎるほど派手な服装をした万樹子と並んで歩くことがやりきれないのだった。今夜も、銀ラメのリボンレースのカクテル・ドレスに、銀色の靴を履いた万樹子の姿は、人目にたち過ぎ、香水も二十三歳の未婚の女性にしては濃艶《のうえん》であり過ぎた。

ステージに眼を向けると、グレコの歌はブルーのスポット・ライトの中で、『枯葉』に変った。瘦《や》せぎすで知的な容姿であったが、心で唄うその声は、聴く者の心を深く包んで酔わせる。銀平はふと、まだパリにいるだろう小森章子のことを思い出した。まる三年、体の交渉を持ちながら、一言も結婚を口にせず、最後に「パリで以前の自分を取り戻して来るわ」と云い、絵の勉強に渡仏してしまった小森章子のことを思うと、銀平は結婚そのものが面倒であったことと、さほど大きくない灘の酒造家の娘と結婚に漕《こ》ぎつけることの煩《わずら》わしさから、そのまま別れたとはいえ、今、安田万樹子との結婚を目前にし、苦渋に似た思いが横切った。

スポット・ライトがステージの上のグレコの姿を消し、激しい拍手の中で、『シャンソンの夕』は終った。テーブルを埋めた人々は、口々にグレコの唄を讃《たた》えながら席をたった。

「万樹子さん、ご機嫌よう――」

華やかな声がし、若い女性が万樹子のそばへ近寄って来たが、銀平の姿に気付いて、

「あら、ご免なさい、お邪魔して――」

「いいのよ、ご紹介致しますわ、私の婚約者《フィアンセ》の万俵銀平さんですの、こちらは女学院時代の同窓生の吉野春子さん――」

万樹子は双方を紹介した。

「はじめまして、万樹子さんのスキー仲間の悪友なんですの、でもご結婚遊ばしても、どうぞ悪友をお見捨てなく――」

背の高い女性は、快活に笑った。

「万俵です、よろしく」

銀平は、無愛想にそれだけ云うと、女たちのお喋《しゃべ》りにつき合わされるのを避けるように、さっさと階下の駐車場へ降りて行った。

マーキュリーを運転する銀平は車の流れを巧みにきり抜け、出入橋《でいり》の高速道路にのった。小雨がぱらつきはじめ、高速道路のオレンジ色のライトが潤《うる》むように光っている。万樹子は助手席に体をもたせかけ、

「よかったわね、今夜のグレコ、それにロイヤル・トップのあの雰囲気《ふんいき》もすばらしかったわ」

いかにも満ち足りた口調で云ったあと、

「それにしても、先程、私のお友達にご紹介した時、どうして一緒に話して下さらなかったの？」

不満そうに云った。

「僕は、女性のお喋りにお付き合いするのは苦手でしてねぇ」

「まあ、あなたって、いつもそんな素っ気ない応え方をなさるのね」

「これは僕の性格でしてね、別にどうってことはないんですよ」

「それにしても、素っ気なさすぎるわ、過去にお好きな方でもおありになったのかしら？」

詮索《せんさく》がましい聞き方をした。銀平はスピードを増しながら、

「なかったと云《い》ったら、嘘《うそ》でしょうね」

「じゃあ、どうしてその方と結婚なさらなかったの？」

「その点は、あなたも一緒じゃないですか、あなただって僕と同じように曾《かつ》ては好きな人がいたかもしれない、しかし、いざ結婚となると、両親がお膳立《ぜんだて》した料理のフルコースを選ぶというわけでしょう」

前方を見詰めたまま云った。万樹子は一瞬、眼を伏せたが、すぐ銀平の横顔をじっと見詰めた。

「あなたって、妙にニヒルなところがおありなのね」

「ニヒル——、僕がニヒルというのですか、ニヒリストでは極めて現実的で実証的な銀行員は勤まりませんよ」

そう云って銀平が白い笑いを浮かべた時、車がスリップし、急ブレーキをかけた。降り出したばかりの高速道路のカーブを横すべりし、危うくガード・レールにぶつけるところであった。

「大丈夫？　お酒はそう召し上らなかったはずでしょう」

万樹子が青ざめた顔で云うと、

「いや、スピードの出し過ぎだ、百二十キロで飛ばしていたからねぇ」

銀平は、スピードを落した。

西宮まで来ると、ぱらついていた雨が上り、安田万樹子の家がある芦屋までは間もなくであった。

「結婚式まではあと二カ月半ね、東京と大阪で二回だし、両方で六百人余りお招きするから、いま、そのお支度で大へん――」

万樹子は、浮き浮きした口調で云った。

「そんな大げさな……無意味なことだな」

「だって、あなたのお父さまも、私の父も、東京と関西の両方にお仕事がまたがっているし、私の両親は、兄も姉も結婚してしまって、私が最後だから、出来るだけ多くの方をお招《よ》びしたいと云ってますわ」

大きな眼を輝かせ、譲らない語調で云った。

「それにおたくの高須さんも、万俵・安田両家の披露宴なら、東京と大阪で二度するのが当然だとおっしゃってましてよ、あの方、ご聡明《そうめい》で、おきれいで、てきぱきしてらして、第一、あなたのこと、とても大切に思ってらして、あなたのお家、まるで〝二人おふくろさん〟みたい――」

無邪気に云った万樹子の言葉が、鋭く銀平の胸に突き刺さった。しかし銀平はそれ

を顔に出さず、

「ともかく僕は、二度、披露宴をやるなど、まっぴらですよ、だいたい最近の財界の派手な結婚式を見ていると、両家があらん限りの力を振りしぼって、まるで果し合いでもしているようで、馬鹿馬鹿《ばかばか》しい限りですよ」

吐き捨てるように云い、あとは万樹子の話しかけにも応じなかった。

車は芦屋川沿いに少し浜側に下り、安田太左衛門邸の門前に着いた。

「お入りになりませんこと？　父も帰っていると思いますわ」

万樹子はドレスの裾《すそ》を翻《ひるがえ》し、車を降りながら誘った。

「この間、お送りして来た時、お目にかかっているから、今夜はこれで失礼しますよ」

「だって、せっかくですもの、少しでもお寄りになってよ、どうしてもおいやなの？」

万樹子は高い門柱の陰で、すねるように云った。銀平はいきなり万樹子の背を門柱の陰に押しつけ、顔を両手に挟《はさ》むと、その分厚い肉感的な唇に強く唇を捺《お》しつけた。万樹子はそれを求めていたかのように、厚い唇で巧みに受けいれ、銀平の愛撫《あいぶ》に身をゆだねた。

そのあと、万樹子は愛のしるしを得たように満ち足りた表情で、

「さようなら、お寝《やす》みなさい――」

甘く湿った声で云ったが、銀平は車をスタートさせて通りの角を曲った途端、左手でポケットからハンカチーフを取り出し、女の口紅と唾液《だえき》のついた口もとをぐいと、拭《ぬぐ》い取った。

銀平の車が行ってしまうと、万樹子は、うっとりと潤んだ表情で、門のベルを押した。

はじめて銀平と交わした口づけが、万樹子の気持を華やいだものにしていた。

「お帰りなさいまし」

「ご苦労さま――」

門を開けに出た女中にも、いつになく犒《ねぎら》いの言葉をかけ、玄関から両親の居間になっている奥座敷まで、グレコの唄った『バラ色の人生』を口ずさみながら、カクテル・ドレスの裾をひらひらと翻すように歩き、襖《ふすま》をからりと開けた。居間に、和服姿に寛《くつろ》いだ父の太左衛門が、母の佳江と向い合って、お茶を呑《の》んでいた。

「只今《ただいま》――、お父さまも、今日はお早いのね」

エナメルのセカンド・バッグを脇《わき》へ置き、父の前に坐《すわ》った。太左衛門は、その名前

に似ない小柄で温和な顔を綻《ほころ》ばせ、

「今夜は、久しぶりに、宴会がなかったから早く帰ったんだよ、万樹子の方は楽しかったかい？」

婚約者とシャンソンを聞きに行った娘を優しく見た。

「ええ、二年ぶりに来日したグレコは、すばらしかったわ、それに今夜は、銀平さんも、上機嫌で話して下さり、楽しかったわ」

まだ銀平との抱擁が尾を曳《ひ》いているように、ぬるむような声で云った。

「ほう、あの青年が、上機嫌で喋る時もあるのかね」

太左衛門は、家柄、学歴、頭脳と、多くの点に恵まれながらも、何か一つ欠けているような感じを受ける万俵銀平の姿を思いうかべていた。父の万俵大介に似た端麗な容姿と明晰《めいせき》な頭脳を持ち、将来、銀行経営者たるにふさわしい資質を備えながら、どこかに血の通っていない冷たさを感じるのは、何によるものか。大阪重工の社長として、毎日、多くの社員を見ている安田太左衛門にも、腑《ふ》に落ちないものがあり、興信所に、万俵銀平の結婚調査を依頼したのだった。その結果は、本人に関する事項として、経歴、収入、資産、健康状態、素行、友人関係、思想、信仰などの項目について調査されて来たが、いずれも問題になるような点はなく、素行の項に、「バー遊びを好み、ホステスとの肉体交渉なきにしもあらずであるが、いずれもその場限りの金銭的な関係で、特定の相手なし」と記されていた。阪神銀行の頭取の御曹子で、三十三歳の独身男性であれば、当然のことであり、ホステスとのその場限りの交渉がない方が、逆に疑惑を持たねばならぬことであった。そして本人の家庭に関する事項として、家庭環境及び生活状態、父母及び兄弟姉妹関係が記されていたが、ここにも問題点がなく、紳士録や年鑑などに記載されている以外のことは見出《みいだ》せなかった。それでも、太左衛門自身は、もう一つ積極的になれないものがあったが、当の万樹子が、見合いから帰ったその日、万俵銀平との結婚をきめてしまっていた。

「万樹子にも、お茶を入れましょうか？」

母の佳江が聞くと、

「ううん、私は結構よ」

と云いながら、万樹子は、二間《けん》の大床《おおどこ》に飾られている結納《ゆいのう》飾りを見詰めた。白木の大台に、金銀の水引のかかった目録・長熨斗《のし》・結納金包・末広・友志良賀《ともしらが》・子生婦《こんぶ》・素留女《するめ》・松魚節《かつおぶし》・家内喜多留《かないきたる》の九品の結納飾りが豪華に並び、嫁ぎ行く家の格式と富裕さが物語られていた。万樹子は指にはめている婚約指輪を改めて眺めた。三カラットのブルー・ホワイトのダイヤモンドが、燦然《さんぜん》と輝いている。万俵家という関西財界でも指折りの家柄と資産、その上、万俵銀平自身の瀟洒《しょうしゃ》としたダンディな容姿が、万樹子の心を浮きたたせていた。母の佳江も床の間を見、

「ほんまに、ごりっぱなお結納やこと、さすがお古いお家柄だけあって、一つ一つが作法に叶《かの》うたご仕儀で、私も嬉《うれ》しゅうに思います」

船場の出である佳江は、船場言葉の混じった標準語で母親らしく喜んだが、ふと気《き》懸《が》かりそうに、

「このお結納と云い、その後の結婚式の日取りや式場、ご招待客のお人数など、みんな当のお母さまがなさらず、あの高須さんとおっしゃる女執事みたいな方が取り仕切ってなさるのは、私たちからみると、何かおかしいような気がするのでおます」

と云った。

「おかしい？　どういう意味なんだい」

「むろん、あれほどのご大家ですさかい、女執事みたいな方がいはっても、決しておかしゅうはないのだすけど、あの方と、奥さまとの言葉のやりとりや、もの腰をみてたら、妙に奥さまの方が、遠慮をしてはるようで、その点がちょっと気懸りになるのでおます」

「それは、向うの奥さんが、公卿《くげ》華族出のお姫《ひい》さま育ちで、高須さんが一切を取り仕

切っているから、そんな風に見えるだけだろう」

太左衛門の方は気にしなかったが、佳江の方は、

「けど、あの高須さんが、まるで銀平さんの実のお母さまみたいに、何から何まですべて裁量して、ものごとが運ばれているところが、何かやっぱり――」

「やっぱり、どうだというんだね？」

太左衛門が問い返すと、佳江は、

「不躾《ぶしつけ》な勘繰りかもしれませんけれど、あの方が、あの家で、あれほど実権をふるえるのは、もしや、やっぱり――、万俵さまと……」

口ごもらせた途端、太左衛門の温和な眼が厳しく光った。

「軽率なことを云うんじゃない、他《ほか》の企業の社長と異なり、銀行の頭取というのは、他人の大切なお金を預かっているから、教育者並に、女性問題を非常に厳しく云われる職業だ、それだけに、都市銀行の頭取には、女性問題がないとされている、もしそんなことがあったら、そのスキャンダルを理由に、退陣を迫られるのだ、それほど銀行家にとって女性問題のスキャンダルは致命的なんだから、もしお前が心配するように、あの女性が万俵頭取と何かあるとすれば、秘《ひそ》かに外に囲うはずだ、第一、興信所の調べでも、本人の家庭環境という項目のところに、何もなかったじゃないか」

「ほんなら、お仲人《なこうど》の伊東さんの御寮人はんが云いはった通りに、お子さんたちが幼《ちい》さい時は厳格な家庭教師で、今は万俵家の家内《いえうち》一切を切り盛りされる女執事みたいな方ですやろか――」

佳江はまだ全面的に納得のゆかぬ口調で云うと、万樹子が口を挟んだ。

「お母さまは、どうしてそんな風におっしゃるの、高須相子さんという方はすばらしい人よ、私は正直なところ、雛壇《ひなだん》の飾り雛のような華族出のお母さまより、英語、フランス語がペラペラの才色兼備の高須さんに好意を持つわ」

万樹子は結納納めの翌日、仲人の伊東夫人の家で高須相子と出会ってイヴニング・ドレスやカクテル・ドレスの相談をした時、彼女の好みの良さとマナーの詳しさにすっかり魅了されたことを思い返した。その高須相子に外国流の洗練された家庭教育を受けた銀平は、さらに好ましい存在に思えたが、それにしても最前、車の中で、「過去に好きな方でもおありだったの？」というさりげない問いに対して、「その点は、あなたも僕と一緒じゃないですか」と云った銀平の言葉は、万樹子の気になった。

しかし、尾形賢一と自分とのことは、絶対、誰にも知られていないという確信が、万樹子にはあった。

万樹子が、尾形賢一を知ったのは、大学のスキー部の合宿で志賀高原へ行き、たまたま同じ山小屋に大阪の大学から合宿に来ていた尾形たちのスキー・クラブと出会った時であった。その中で、背の高い、筋肉質の逞《たくま》しい体をぴったりとスキー服に包み、急斜面を雪煙を上げて大胆に滑走する尾形賢一の男性的な美しさに眼を奪われたのだった。しかも彼は学生スキーで常に入賞し、女子学生たちの注目を集めていた。しかし尾形自身は、寡黙《かもく》で無骨な性格であり、コーチを頼まれれば、親切にコーチした。派手好きな万樹子は、尾形のコーチを受けながら、尾形のように衆目を集めている男性が自分の恋人であれば、どれほど誇らしいかと思い、積極的に尾形に甘えた。そんな万樹子に、尾形は甘ったれのブルジョア娘と苦笑しながらも、好意を抱いたようだった。そして、これが学生生活最後の合宿という冬の或《あ》る日、互いの部員たちがゲレンデへ出払ってしまった人気《ひとけ》ない山小屋の一室で、どちらからともなく体を重ね合せてしまったのだった。その時、窓から雪の反射光が射《さ》し込み、掩《おお》いかぶさった尾形の逞しい背の上に、真っ白い光が目眩《めくるめ》くように輝いた情景が、今も万樹子の眼に鮮やかに残っている。冬休みが終ってからも、万樹子は尾形との秘かな交渉を続けていたが、彼が大学を卒業して、一流企業の就職試験に失敗し、二流の食品会社に就職した頃から、万樹子の眼には、スキー場で学生スキーヤーとして衆目を集めていた尾形が、俄《にわ》かに、凡庸な小市民的な人間に見え、さらに二人の経済的環境の違いも加わって、次第に齟齬《そご》を来たしはじめたのだった。尾形は深刻に苦しんだが、万樹子は、最初から父の財力と社会的地位によって間違いなく保証される結婚を選ぶことにしていたから、至極あっさりと別れを告げてしまったのだった。だから、先刻《さつき》、万俵銀平が、過去に好きな人があったかもしれないのは、お互いさまじゃないかという意味のことを云ったのは、彼一流の自嘲《じちよう》めいた皮肉かもしれないが、もしや、高須相子がどこからか聞き知っていながら、わざと知らぬふりをしているのではないかという一抹《いちまつ》の不安が、万樹子の胸を捉《とら》えた。

万俵家の広大な庭の一角に、煌々《こうこう》と夜間照明が点《つ》き、銀平の結婚後の新居のために、日本館の半分を取り壊して南欧風の洋館に改築する突貫工事が進められていた。鉄骨の打込みや、コンクリート・ミキサーの音が周囲の静まりの中で鳴り響いている。

高須相子は、自室の窓から工事現場の様子を見遣《みや》りながら、シャツ・ブラウスに、スラックスという甲斐甲斐《かいがい》しい姿で、机の上の受話器を取り、阪神特殊鋼の社長で銀平の叔父である石川正治に電話をしていた。

「ええ、当方も今日は朝から銀平さんの結婚披露宴の名簿作りを致しておりますの、ご親戚《しんせき》、知人、友人はあげればきりがありませんが、企業関係の方は、まだ大分、増えるようなご様子ですか？　それとも――、ええ、承知致しました、それによりまして、うちわの方のお人数はしめなくてはなりませんので――」

政、官、財界の来賓や、阪神銀行をはじめ阪神特殊鋼、万俵商事、万俵不動産、万俵倉庫など関連企業の招待客については、石川正治が中心になって取りまとめ、家内《いえうち》の関係は相子が取り仕切っているのだった。

電話を切ると、相子は足どりも軽く、階下へ降りて行った。銀平の結婚式の準備も、新居の工事も着々と進んでいることが、相子の気持を晴れやかにしているのだった。

居間に入ると、テーブルの上に、作りかけの名簿がきちんと置かれていたが、寧子の姿は見えない。先程、食堂で顔を合わせた時、寧子の方から食後すぐに名簿作りを始めましょうと云っていたのに、もう八時を廻っている。相子はふと居間の続きになっている広間を覗《のぞ》くと、そこに寧子がいた。飾棚の正面に置かれている結納の受書《うけしょ》、長熨斗、末広が載った白木の台から、奉書紙にしたためられた受書を手に取り、うっとりと見惚《みと》れるように見入っている。それは万俵家から、仲人の伊東夫人の手を経て、安田家へおさめられた結納金、金五百万円也《なり》と三カラットの婚約指輪に対する安田家の受書であった。

「寧子さま！」

声をかけられると、寧子は驚いたように振り返り、受書をもと通りに白木の台の上に置いて、すぐ居間の方へ入って来た。

「もう八時を過ぎておりましてよ、ご親戚関係の方は、いかがなさいまして？」

昼の間に一応、下選《したよ》りをしておいてほしいと、寧子に頼んでおいたのだった。

「それがまだ出来ていませんの、どなたにご遠慮して戴《いただ》けばいいのか、よう解《わか》らなくて――」

「まあ、お昼から申し上げておいたじゃありませんか、私の方は、銀平さんの恩師、友人関係のリストをほぼ仕上げましてよ、ご親戚関係はあなたがなさるのが当然じゃありませんか、それにあなたのお実家《さと》筋のこととなると、私はさっぱり存じ上げませんもの――」

暗に、旧華族という肩書以外にこれという企業家も有名人も見当らぬ寧子の実家で人員調整をすればいいと云《い》わぬばかりの云い方をしたが、寧子はおっとりとした口調で、

「ほんとうに、あなたは、何でも手早《てばよ》うにお出来になるのね、私ってどうしてこんなに何も出来ないのでしょう――」

白い顔をかしげた。

「首などかしげていらっしゃる時じゃありませんわ、披露宴は、関西だけでなく、東京でも致しますし、その時は、大蔵大臣をはじめ、政、財界のお歴々もご出席下さるのですよ、石川正治さまをはじめ銀行の秘書課の方は、その方面のことで手一杯ですから、うちわのことは、あなたと私とでちゃんと運ばねばなりません」

東京は帝国ホテルで、大阪は新大阪ホテルで、披露宴が行われることになっているのだった。

親戚関係の名簿を前にして、なすこともなく、つくねんと坐《すわ》っている寧子の姿を見ると、相子は腹だたしい思いがした。

「少しは、しっかり遊ばして下さいましな、鉄平さん、一子さんの結婚式に次いで、今度で三度目ですから、見よう見真似《みまね》でもお出来になるはずじゃありませんか」

「ですけれど、私は、ご親戚筋ともあまりおつき合いが無《の》うて、名簿のお名前を拝見しても、どなたがどういうご縁続きだか、見当がつかない方もあって……」

困惑するように云い、

「でも、華族の結婚の時のように、宮内省《くないしょう》へ届け出なくていいですから、よろしゅうございますわね」

寧子は、ぽつりと何の脈絡もなく、呟《つぶや》いた。そして咎《とが》めだてるように自分を見詰めている相子に気付くと、

「引出ものは、銀のティー・ポットでございましたわね」

取り繕うように云った。

「そう、銀器ですが、皇族のようにご紋章は入れません」

寧子が〝宮内省〟云々《うんぬん》と云った言葉に対する皮肉であった。三子が入って来た。

「あああら、まるでオフィスのような大忙しさね、一体、何人ぐらいお招きするの？」

「大阪で三百名、東京で三百五十名ほどお招きするの、だから個人関係の名簿作りも大へんで、三子さんにも手伝って戴きたいくらい」

相子はシャツ・ブラウスの袖《そで》をたくし上げ、名簿に記されている氏名の上に印《しるし》をつけて行くと、三子は、机の上にある銀行関係の名簿をぱらぱらと繰り、

「まあ、すごい顔ぶれやわ、まるで阪神銀行頭取、万俵大介の結婚式みたい、東西の一流財界人が、ずらり綺羅星《きらぼし》の如《ごと》くやわ」

驚嘆の声を上げた。阪神銀行そのものは、都市銀行中、十位のランクであったが、オーナー頭取である万俵大介の財力と顔をもってすれば、この程度のことはなし得るのだった。と同時に、ことさらに今度の銀平の結婚式を派手にするのは、大阪重工の

安田社長と姻戚関係を結び閨閥《けいばつ》の枝を現在以上に拡《ひろ》げることによって、財界における万俵大介の力をデモンストレーションしておこうという意味合いが含まれ、相子もそうした意図をすべて呑《の》み込んだ上で行動しているのだった。

三子は、さらに母の前にある親戚関係の名簿を覗き込み、

「大川のおじさまは、鉄平兄さまの岳父でいらっしゃるから、東京と大阪の両方にお出になるのね、あのおじさまったら、ダブル・ハートの強心臓が売物だけに、おっしゃることが面白いわ、いつだったか、うちへいらした時、万俵家はお上品ムードの親《おや》父《じ》さんより、話に聞く亡《な》くなった祖父《じい》さんの方が面白うて出来がいい、わしの婿《むこ》は幸い、祖父さん似らしゅうて、わしとうまが合うて結構だ、三子ちゃんの結婚相手も、お祖父さんやわしに似たタイプの方が男らしくていいよと、しゃあしゃあとおっしゃるのよ」

と云うと、寧子は、

「そんなお品の悪いお喋《しゃべ》りをするものではありません」

と三子を窘《たしな》めたが、相子は、たしかにこの万俵家には、大介型と敬介型のはっきりした二つの型《タイプ》があると思った。銀平は、父の大介に似、端麗な容姿から瀟洒《しょうしゃ》としたもの腰までそっくりであったが、鉄平は、色の浅黒い精悍《せいかん》な顔つきから逞しい体軀《たいく》まで、

亡くなった敬介に酷似し、特にそのぎょろりとした眼で直視されると、相子は威圧感を覚える時さえある。鉄平は、銀平と異なり、からりとした性格で、相子にからむようなことはなかったが、あまり容貌《ようぼう》が亡くなった敬介と似ているので、時々、鉄平の視線に出食わすと、曾《かつ》て自分を見下すようにじろりと見ていた敬介の視線を連想し、万俵家の中で、自分が心秘かに一目《いちもく》おいているのはやはり鉄平であると自覚するのだった。その点、銀平の持っている冷たさは、一種の虚無的な脆《もろ》さがあり、怖《おそ》れるほどのものではない。

「銀平さん、まだかしら？」

相子は、銀平の友人関係の名簿に印をつけていたペンを止めた。

「まだよ、今夜は万樹子さんとデートだけど、銀平兄さま、どんな顔して、まことしやかなデートをしているのかしら？」

三子がおどけるように云っていると、門の方から車の音がし、やがて銀平が居間の前を横切って、二階へ上りかけた。

「あら、お帰りなさい、今夜はいかがでしたの？」

相子が声をかけると、

「別に、どうってこともありませんよ」

素っ気なく応《こた》えた。

「銀平さん、あなたの友人関係で、お聞きしたいことがあるのよ」

と云うと、銀平は居間へ入って来たが、一歩、室内へ入るなり、何か異様な思いに取りつかれたように表情を硬《こわ》ばらせた。

「どうしたの？　今、相子さんと二人で、あなたの結婚披露の準備をしているところよ」

母の寧子が云ったが、寧子と相子が二人、向い合って自分の結婚準備に大童《おおわらわ》になっているその光景を見ると、銀平は、ついさっき、安田万樹子から、まるで〝二人おふくろさん〟みたいねと云われた言葉が、再び思い返されたのだった。

「友達のことなど、どうだっていいですよ、あなたは、何でもやって下さり過ぎますよ」

銀平は冷やかな口調で、相子に云った。

「なんてことをおっしゃるの、あなたの結婚のために、こんなに一生懸命になっているのに――」

「それが有難迷惑なんですよ、おかげで安田万樹子から、おたくは〝二人おふくろさん〟みたいねと云われましたよ」

「まあ〝二人おふくろさん〟だなんて……」

寧子は哀しげに眼を伏せたが、相子は勝ち誇るように笑った。

＊

六甲山の朝は、四月初旬というのにまだ霜柱がたち、肌寒い。

万俵大介は、カシミヤのセーターの上に厚手ウールのガウンを羽織り、スリッポンの靴裏で霜柱を踏みしだきながら、山荘内の雑木林をゆっくりと歩いていた。辺りは野鳥の羽搏《はばた》きと囀《さえず》り以外、森閑と静まり返り、山全体がまだ冬の眠りから醒《さ》めきっていない。

鶯《うぐいす》の鳴声で、大介は足を止め、左手の深い谷の方へ視線を向けた。鶯は見えなかったが、夏に聞く音色より澄んで美しい。六甲山の自然も、ここ数年、目に見えて荒れ、野鳥も少なくなったが、万俵家の山荘がある聖者の道《シュライン・ロード》の辺りは、まだ自然の美しさが保たれている。万俵家の山荘は、先々代の龍介の代に、一山いくらの単位で買い入れたから、谷や沢を含めて十数町歩にわたり、六甲山のたいていの野鳥と植物に恵まれていた。

大介は、再び山荘内の雑木林の中を歩きながら、腕時計を見た。十時半を廻っている。日曜日の今朝、七時半に岡本の邸《やしき》を車で出、久しぶりに六甲山の山荘へ来たのは、静養のためではなく、娘婿の大蔵省主計局次長の美馬中を東京から呼び寄せ、秘《ひそ》かに会うためであった。約束の時間は十一時だから、今頃、美馬はもう大阪伊丹《いたみ》空港から六甲山へ向っているはずであった。雑木林を抜け、山荘の前庭に戻って来ると、

「旦那《だんな》さま、もう中へお入りになりはった方がよろしおます、お体が冷えまっさかい」

シャベルで庭の盛土を直している管理人が、遠くから声をかけた。

「いや、少し汗ばんで来たぐらいだ、そろそろ、美馬もつく頃だろう」

「へえ、そう思うて、家内《かない》がお部屋を暖こうにしておりますよって」

勤めてからもう十五年になる管理人は、素朴な口調で応えた。

テラスから、南向きの広間に上ると、大介は、薪《まき》が燃えている暖炉の前のロッキング・チェアにどっかりと腰を下ろした。広間の壁面はすべて生節《いきぶし》の檜《ひのき》の乱張りで、天井には一抱えもある太い松の梁《はり》が通り、山荘らしい野趣が溢《あふ》れている。

パイプに葉を詰めかけると、車の音がし、ガラス戸越しに下の門からS字型に曲った道を上って来る車が見えた。

「やあ、日曜日というのに、すまなかったね」

大介はパイプを片手に、舅《しゅうと》らしい犒《ねぎら》いの言葉で迎えると、美馬は鞄《かばん》一つ持たぬ軽装で、

「お待たせしたのではありませんか、飛行機が二十分程遅れましたので――」

と云い、大介の横に腰を下ろした。

「シーズン・オフの山荘というのも、なかなかいいものですね、下界は桜が満開というのに、こうして人気《ひとけ》のない処《ところ》で、暖炉を焚《た》きながら、鶯の鳴声に耳をすますなんて――」

美馬が軽くロッキング・チェアを揺すりながら寛《くつろ》ぐように云うと、大介は運ばれて来た紅茶にブランディを滴《た》らし、

「岡本の邸でもよかったんだが、銀平の結婚準備や新居改築などで、何かと騒がしく、落ち着かなくなってね、永田大臣は、東京の披露宴には出席して貰《もら》えそうかね？」

「ええ、秘書官は、何とか都合をつけると云っていますから、まず大丈夫でしょう、当日は、富国銀行の厳頭取もお招きするんですか？」

美馬は女のような色白の顔に、微妙な笑いをうかべて云った。

「当方にとって招きたくない客でも、相手が全国銀行協会の会長となれば、来て貰わないと画龍点睛《がりようてんせい》を欠くからねぇ」

苦々しげに云い、手にしていた紅茶茶碗《ぢゃわん》をサイド・テーブルの上に置くと、

「それで中君、この間、電話で話したように富国銀行から申し入れがあった預金の相互受払いの業務提携だがね、君はどう考えるかね、当行にとってメリットがありすぎることをもって、ただちに富国銀行が当行との合併をもくろむ布石と考えるのは、早計過ぎるだろうか？」

入行式の日、東京事務所長の芥川常務から、そのことを電話で報《しら》せて来た時、背筋が凍るような不安感に駈《か》られたことなど気振《けぶ》りにも見せず、平静な様子で聞いた。

「その預金の相互受払いの業務提携を持ち込んで来る前にも、クレジット・カードや新種預金の業務提携を云って来たんでしたね」

元銀行局銀行課長であった美馬は、念を押すように云った。

「そうだ、二月に万俵商事が吸収した太平スーパーと、富国銀行がメイン・バンクである富士ストアとが、業務提携した時、銀行間でも二パーセントの株の持合いをしたんだが、それ以後、どうも通常のコマーシャル・ベースを越えた過度の便益供与が多過ぎる、つまり、ラヴレターが来すぎるように思うのだ」

「それで、融資関係の方はどうなんです、その方面にも手が廻っているんですか？」

「融資担当の渋野常務に調査させたところ、当行が九年前から水やり、肥料《こえ》やりで今

日まで育てて来た平和ハウスに、先月末、まるで公定歩合のような安いレートで、ぽんと七億円貸し付けたのをはじめ、その他《ほか》の当行の大口取引先にも、積極的な融資態度を示して来ているらしい、しかも芥川からの報告では、富国銀行の竹中常務が、マスコミ関係に、当行と富国銀行が親密な仲であることを、故意に捏造《ねつぞう》して流している節《ふし》があるというのだ」

業務提携を表面に押したてて来ると同時に、阪神銀行の大口融資先にも〝微笑外交〟で接近し、阪神銀行と富国銀行は親密な間柄であるという既成事実を作りあげようとしている。ここまで材料が揃《そろ》えば、もはや富国銀行が阪神銀行との合併をもくろんでいるとみて、ほぼ間違いがなさそうであった。注意深く耳を傾けていた美馬も、

「富国銀行は、元来、政治的な動きがうまい銀行で、政府その他の公金関係に密着して、大規模な預金の吸上げを行ない、トップ・バンクの座を維持しているのですが、最近、大友銀行や五菱銀行の飛躍的な躍進で、トップの座が脅《おび》やかされて来たから、今のうちに都市銀行間の大型合併をやってのけ、大きく水をあけておきたいというのが偽らざるところでしょう、そうなると、財閥系銀行でもなく、日銀、大蔵閥でもない都市銀行で、しかもただ一人のオーナー頭取を擁する阪神銀行を狙《ねら》ったのは、的を射てますね、しかし、お舅《とう》さんの方で応じる気持がなければ、それほど気になさるこ

ともないでしょう」

それだけのことで自分を呼んだのですかといわんばかりに云った。大介は赤々と燃える暖炉に眼を遣《や》りながら、この五日間、富国銀行の不気味な動きに対する不安を誰にも見せず、独り胸中に畳み込んで来たことを思い返し、暫《しば》し沈思してから、

「中君、実は、今日は極秘で君と話したいことがあってね、忙しい中をわざわざ東京から六甲山まで来て貰ったのも、そのためなのだ」

美馬の視線を、真っ正面から捉《とら》えた。

「というのは、なるべく近い時期に、阪神銀行に、どこか似合いの婿を見つけて、合併したいのだ、その婿探しに是非とも、元銀行課長であった君の智恵《ちえ》と力をかりたい」

「婿探し？　花嫁ではなく、敢《あえ》て婿といわれるのですね――」

美馬は、大介の勢いに、ややたじろぐように反問した。

「そうだ、阪神銀行より小さいところではなく、大きいところと合併したいのだ、かといって、もちろん当行が、吸収される合併ではない、対等、もしくはそれを上廻るリーダーシップのとれる合併をやりたい、つまり〝小が大を食う〟合併を成功させて、配当、利子、店舗の自由化までに業容を拡大しておきたいのだ」

万俵は眼をぎらつかせ、迫るように云《い》った。

「しかし、お舅さん、はっきり云って、そんな都合のいい合併など、よほど思わぬハプニングでもなければ、実現不可能な話ではないでしょうか、それとも、具体的に、どこかお心づもりでもおありなんですか？」

「いや、具体的には、さし当ってない、しかし、二月に『金田中』で永田大臣と会った時、銀行合併は、規模の大小だけできめられるものではない、質の問題がある、つまり業容次第によっては、小が大を食うこともあり得るという見解を聞いたのだ、もっとも大臣は、私の気持を暗に察したらしく、そのためには、せめて預金順位がシングルになっていなければねぇと、意味あり気に付言したがね」

「ほう、あの時、もうそこまでのお話合いが、出来ていたんですか」

美馬は、いささか鼻白むように云い、

「で、阪神銀行が、急に預金量を増やして九位になれる目算は？」

「現在九位の平和銀行とは、五百億の開きがあるが、九千二百人の全行員に夜討ち朝がけの預金合戦を命じれば、出来ぬ話ではない」

大介は、まるで将棋の駒《こま》を動かすように、自信に満ちた声で云い、

「問題は、食う相手だ、むろん当行が大友銀行や五菱銀行などの上位行を食えるわけ

がないのだから、それは問題外として、中位の銀行のほんとうの経営内容を何とか洗ってくれないか、大蔵省が銀行に講評する各行の業容と、大蔵省に保管されているそれとは、大分、開きがあるところもあるそうだから、そこのところを知りたいのだ、それを握っているのは銀行局以外にないのだからねぇ」

そのために日頃、何かと経済的な面倒をみてやっているのではないかというニュアンスを、言外に響かせた。

「そりゃあ、お舅さんの云われるように各行のほんとうの経営内容を握っているのは銀行局以外、ありません、しかし、これは銀行局の中でも極秘資料ですから、おいそれとはつつけませんし、無理押しすれば、私自身の立場が困ったことにもなりかねませんからねぇ」

鼻にかかった抑揚のない声で云い、暫《しばら》く黙り込んだが、

「それは非常にお急ぎなんですか？」

と云い、上衣の内ポケットからびっしり日程の詰った手帖《てちょう》を取り出した。

「うむ、急ぐ、出来ればこの一カ月以内にでも、六位の中京銀行から、九位の平和銀行までの各行の業容を知らせてほしい、そうして洗って貰えば、案外、図体《ずうたい》は大きいが中身はよくない、当行にとって恰好《かっこう》の合併相手が浮かんで来るかもしれない」

大介はそう云って、燃えさかる炎の中へ新しい薪を投げ入れた。それは、もはや大介の胸中で、銀行合併の火蓋《ひぶた》がきられたという事実を象徴するような動作であった。

高須相子は、車を運転し、六甲山から大阪の伊丹空港に向っていた。皮のブレザー・コートを羽織り、ネッカチーフを巻いた相子は、いつもよりさらに若々しく、美馬と並んでいると、傍目《はため》には、仲の良い中年夫婦の日曜ドライブのように見えたが、相子は大介と美馬との密談が終った頃、山荘へ行き、六甲山ホテルから取り寄せた料理で美馬をもてなしたあと、空港へ送って行く途中だった。

美馬は、先刻《さつき》の大介の依頼をいささか重荷に思っているらしく、浮かぬ顔で黙って、煙草《たばこ》をくゆらせていたが、相子は、明るい声で話しかけた。

「せっかくの日曜日に、ほんとうに恐縮でございましたわ、今日はゴルフのお約束でもおありだったんじゃあございませんの？」

と云うと、美馬ははじめて口を開いた。

「まあ、お互いさまじゃないですか、相子さんだって、このところ銀平君の結婚式の準備で大へんなんでしょう」

「ええ、今度はいろんな意味合いを籠《こ》めて、披露宴を派手にやることにしていますので、大へんですわ、あなたのおかげで、東京での披露宴は、政、官界の大物の方にいらして戴《いただ》けて、安田さまの方も、大へんなお喜びようでございますわ」

車は、中腹の急カーブにさしかかったが、相子のハンドル捌《さば》きは見事であった。

「安田さんのお嬢さんと銀平君とは、うまく行きそうなんですか？」

「向うは相当なお熱の上げようなんですけれど、銀平さんは例によって、素っ気ない応対ぶり、万樹子さんから三日にあげずのお誘いの電話があっても、お断わりしっぱなしだったんですけど、先日、やっと二度目のデートで、グレコのシャンソンを聞きに行ったところですの、でも、何とかうまく行くんじゃないかしら、どちらも相当なものだから――」

「と云うと、安田家のお嬢さんも、何か？」

「興信所に素行調査を依頼しましたところ、万樹子さんは学生時代に既に男性を知ってらっしゃるし、銀平さんだって、前にちょっとお話しした小森章子という女性とのことがございますでしょう、だからお互いさまですよ」

相子は、下から登って来る対向車を避けるためにハンドルを左にきりながら云った。

「ほう、あれほどの良家の子女に対しても、素行調べとは、さすが相子さんらしいやり方ですね、しかし、向うだってご同様に、興信所を使ってこちらを調べれば、銀平君の女関係どころか、万一、あなたとお舅さんのことが――」

と云いかけると、相子は窓から吹き込む風にネッカチーフの端を靡《なび》かせ、

「銀平さんについては、バー遊びが派手で、不特定多数の女性とのつきあいはあっても、特定の女性関係はなしという調査結果になりましょうし、私のことは、あなたと一子さんの時も、鉄平さんの結婚の時にも、一切、解《わか》らなかったじゃありませんか、興信所は警察でも何でもないいんですもの、世間的な聞きこみ、会社関係、友人関係などの問い合せをもとにしてまとめるのですから、その辺の防備さえ常に万遺漏《ばんいろう》なくしておけば、大丈夫ですわ」

「そうすると、相子さんの方が、興信所より役者が一枚上だったということですか」

「ということになりますかしら、ふ、ふ、ふ」

相子は、声をたてて笑った。

車はいつの間にか、六甲登山口のあたりまで降りて来、真下に帯のように細長い神戸の街と港が望まれ、気温も下界並になって、四月の陽気がたっていた。

大臣室で省議が終ると、主計局次長の美馬中は、時計を見た。午前十一時から始ま

った省議は、昼食を挟んで、終ったのが四時だった。各省別の既定経費の削減が議題で、放っておくと、各省庁の経費は年々、切りがなく増えて行くから、大臣、次官、主計局長を中心に、官房長、主計局次長以下、担当主計官が出席して、その洗い直しを討議したのだった。

一国の財政を預かる大蔵省で、主計局は、各省の予算を厳しく査定する権限を持っていたから、エリート官僚が綺羅星《きらぼし》の如《ごと》く群れている省内でも、主計官僚は特に一目《いちもく》おかれている。美馬は、延々五時間に及んだ省議に、やや疲れを覚えたが、すぐ次長室へは帰らず、銀行局の方へ向った。昨日、舅の万俵大介から頼まれたことに取りかかるためであった。そして大臣室の前を通り、階段の方へ行きかけると、

「美馬君――」

と声をかけられた。振り返ると、大蔵大臣を訪ねて来たらしい厚生大臣が、秘書官を伴い、美馬の方へ近付いて来、

「例の医療保険の件、あれ、来年度予算で何とかできるように、一つ君の力で頼むよ」

耳うちするように云った。

「はあ、それは前年度予算以来、事情は、よく承っております、微力ながら努力させ

て戴きます」

美馬が慇懃《いんぎん》に応《こた》えると、厚生大臣は、

「じゃあ、くれぐれもよろしく頼むよ」

もう一度、念を押すように云ったが、厚生大臣が行き過ぎると、美馬の顔に快感に似た笑いがうかんだ。予算を牛耳っている主計局次長なるが故《ゆえ》に、大臣でさえ下手《したで》に声をかけるのだった。美馬は、仕立おろしのチャコール・グレイのスーツに、同系色のネクタイを締め、一分《いちぶ》の隙《すき》もない身のこなしで、四階の銀行局へ上って行った。

銀行局は、銀行局長室、財務審議官室、総務課、銀行課、中小金融課、検査部の順に各室が並んでいた。美馬は曾《かつ》ての古巣であり、勝手知ったところであるから、個室になっている検査部長室をノックすると、部長室付の秘書が、お出かけですと告げた。格別の用件はなかったが、金融検査官のベテランである田中松夫に声をかけるのに不自然にならないように、まず検査部長と雑談を交わしてからにしようと思ったのである。検査官室の方を見ると、殆《ほと》んどが銀行検査に出払い、ぱらぱらと十人程の金融検査官が居残っているところに、やや猫背で机に向っている田中松夫の姿が見えた。美馬はまっすぐその方へ近寄って行き、背後《うしろ》からぽんと肩を叩《たた》いた。振り向いた田中は驚いたように、美馬の顔を見、たち上ろうとしたが、

「いいんだよ、それより、今夜、ちょっと時間を空《あ》けてくれないか」

美馬は、わざとおおっぴらに云った。どうせ自分と田中が会っていれば、誰かの眼にふれるであろうことを考えた上でのことだった。田中は驚きと警戒心の入り混じった表情で、

「何か、急なご用でも――」

年齢は美馬より四、五歳上であったが、エリート・コースにのったキャリア組と、万年冷飯食いのノン・キャリア組との差別が歴然とあり、今や全く上司に対する言葉遣いで云った。

「都合がつけば、弁慶橋の染八に来てくれないか、六時ごろがいいな」

と云うと、田中の方が、傍目《はため》を気にするような小声で、

「承知しました、お伺い致します」

と応えた。美馬は当然のように頷《うなず》き、銀行局を出ていった。

その夜、美馬が弁慶橋の小料理屋『染八』の二階へ上って行くと、約束の時間より十分早かったが、既に田中松夫は先に来て待っていた。角ばった顔に丸い縁の眼鏡を

かけ、百貨店の既製服売場で買ったような平凡な服を着、ネクタイだけは飲屋の女将《おかみ》にでも貰《もら》ったのか、妙に目だった趣味の悪い柄ものを締めていた。美馬の姿を見ると、田中は組んでいた趺坐《あぐら》を坐《すわ》り直し、

「先ほどは、どうも——、突然で驚きました」

曾て美馬が銀行局検査部にいた時には、同じ検査官であったが、十六年の間に、美馬と田中の間には、主計局次長と万年検査官という大きな隔たりが出来てしまってい た。東大出のエリート官僚は、検査部に入って金融検査官になっても、せいぜい二年ぐらいで、あとは特急列車並の速さで課長、部長、次長に栄進して行く。しかし私大出の田中は、鈍行列車よろしく万年金融検査官として、検査部の主《ぬし》的な存在になっているのだった。

「こうして向い合うと、いつも検査部時代のことを思い出すねぇ、あの頃はほんと世話になったねぇ、とにかく銀行の帳簿は解りにくいものだから、とても見よう見真似というわけにはいかなくて、君のおかげで助かったもんだ、まあ、久しぶりに呑もうじゃないか」

すぐ酒と料理を注文した。銚子《ちょうし》が運ばれて来ると、美馬は仲居に席をはずさせ、

「時に仕事の方は、どう?」

と云いながら酌をし、田中は恐縮しきって盃《さかずき》を受け、

「相変らず、地方のどさ廻りみたいなもので、地方の都市銀行へ検査に行ったら、ご承知のように、一月《ひとつき》は家を留守にしますのでねぇ」

ややくたびれたように云った。金融検査官というのは、検査部長の指示を受けて、都市銀行から地方銀行、相互銀行、信用金庫に至るまでの金融検閲を予告なしに、〝抜き打ち検査〟し、一ヵ月程の日数をかけて、徹底的に内容を洗い出す。その検査報告に基づいて、もし不良貸出、預金導入の面で不審な点があれば、銀行は銀行局から厳しい監督を受け、時には新店舗が認可されないということにまで影響する。それだけに銀行は、全智全能《ぜんち》を搾《しぼ》って、帳簿面《づら》を整えるから、検査する側も、銀行経理の仕組について精通していなければならない。田中松夫は〝検査の左甚五郎《じんごろう》〟と云われ、この道二十数年の経験と勘で、一ヵ所数字が動けば四十数ヵ所に波及するといわれるほど複雑な銀行の帳簿を快刀乱麻を断つ如くチェックするベテランであった。美馬が検査部に入って、都市銀行へ出かけた時も、表向きはエリート官僚の彼がキャップになって、田中のようなベテランがサブにつき、検査の実際面を補ってくれるのだった。その代り美馬は、田中がたまたま、阪神銀行の支店がある加古川《かこがわ》出身であるところから、何かと面倒を見、酒好きの彼によく飲ませていた。そんなことが、今夜の呼出しから、

にも役だっていた。

「ところで、最近は、どこへ検査に行ったんだい？」

「名古屋の中京銀行で、目下、その講評を整理中です」

検査官は六、七人が一組になって検査に行き、一ヵ月間で、伝票のつき合せから、貸出情況、預金の動き、資金内容、融資先まで、一件一件について丹念に調査し、本省へ帰ってから、また一ヵ月ほどかかってその調査結果を作成し、『講評』として上司に提出するのだった。したがって大銀行の場合はともかく、中下位銀行の場合は、講評の是非が一行の浮沈にかかわる時がある。美馬は中京銀行と聞くなり、顔が引き締まるのを覚えた。昨日、万俵大介が調べてほしいと云った銀行の一つである。

「どうだい、この頃の銀行は、どこも合併に神経質になっているんじゃないかね？」

「そりゃあ、そうですとも、うかうかしていたら、いつ呑まれる立場になるかもしれませんから、この頃は、検査に行ってみると、一種の殺気みたいなものを感じると云っても云い過ぎではありませんでしょうね」

田中は盃をあけて、美馬に返盃《へんぱい》した。美馬はそれを受けながら、

「君は今年で、幾つになったんだっけな？」

美馬は知っていながら、呆《とぼ》けるように聞いた。

「齢《とし》ですか、うかうかしているうちに、四十九歳、来年で五十歳です――」

「ほう、そうすると、そろそろ退官後の行き先を考えなきゃあならないね」

「ええ、しかし、美馬さんなどと違って、私どものような私大出のノン・キャリでは、これという行き先もなく――、一方、子供たちは大学へ入る齢頃ですので、少しでもましなところをと、気ばかり焦《あせ》っていますよ」

「子供さんは、どちらの大学へ？」

「それが昨年、今年と続けて東大を失敗したのですが、父親の私に懲《こ》りて、アルバイトして何年浪人してでも、絶対に東大へ入らなければ一生うだつが上らんと、頑張っております」

下積みの官僚の父親と、その息子の姿が、だぶるように美馬の眼に映った。

「実は、君も知っているうちの舅《おやじ》の阪神銀行系列の白鷺《しらさぎ》信用金庫に、常務クラスのしっかりした人物がいなくて困っている、誰か人材はいないものかと、頼まれているんだがねぇ《え》」

気をもたせるように云うと、田中はひと膝《ひざ》のり出すような態度を示した。しかし美馬はわざとさり気なく、

「その舅《おやじ》がね、都市銀行の六位行から九位行までの経営内容の実態を詳しく知りたが

っているんだよ、ところが、僕は今、銀行局を離れているから、なかなか詳しい事情が解らなくてねぇ、弱っているんだよ」

ごく軽い調子で云《い》った途端、田中は顔を硬《こわ》ばらせた。詳しい事情を知るとなると、検査報告しかない。コピーが欲しいのだということが、田中にはすぐ解った。銀行検査の結果は、『講評』という名で、一応、検査した銀行に通達されるが、それは他行にも知れる半ば公的なものであった。ただしそれとは別に大蔵省内にもう一通、詳細に記載されている検査報告がある。そこには、その銀行の経営内容だけではなく、「頭取の融資態度甘し」とか、「頭取の私生活に疑問あり」という点まで記入されている場合があり、頭取のポストを左右し得る力を握っている大蔵省銀行局にとっては極秘情報に属するものであった。美馬がいうコピーというのは、それを指しているのであった。

「しかし、あれは……、詳しい検査報告のコピーは、ご承知のように㊙の書類ですから──」

田中が顔色を変えると、美馬はすかさず、田中の盃に酒を注ぎ、

「そりゃあ、君の立場として困ることは解るよ、下手すると、馘《くび》にかかわることだからねぇ、しかし、君の馘の心配は、たしか六年前にも一度したことがあったよなぁ」

と冷やかに云った。田中の視線が畳に落ちた。それは六年前、美馬が銀行課長だった時、田中松夫が行なった小さな汚職のことだった。金融検査官は、銀行でコーヒー、紅茶以外の接待は一切受けてはならず、昼食に出された丼物《どんぶりもの》の代金も支払わなければならないし、宿泊はその地方の財務局の寮に泊ることが慣行となっている。したがって夜の酒席はもちろん、宿泊の饗応《きょうおう》も固く禁じられているにもかかわらず、大阪のさる銀行へ検査に行った田中は、キャバレーのホステスと馴染《なじ》みになり、つい女と泊ったホテルの支払いを銀行に任せてしまったのである。それを競争銀行と覚しきところからの投書で、銀行局へ密告され、問題になりかかったのを、美馬がもみ消してやったのだった。顔を蒼《あお》ざめさせ、黙り込んでしまった田中の表情を確かめてから、美馬は冷たい薄笑いをうかべ、そのくせ言葉だけはひどく優しく、

「あの程度のことは、君の運が悪かっただけのことだよ、そのことは別として、君ももう齢だから、この辺で晩年を故郷でゆっくり送るのも一つの考え方だよ」

言葉に或《あ》る種の感慨をもたせるように云うと、田中の表情が動いた。そして暫《しばら》く黙り込んでいたが、盃を一杯ぐっと空けると、

「検査報告のコピーは、六位から九位まで、私の手もとには揃《そろ》っていませんから、担当している者を調べて、全部、手に入れておきましょう」

嗄《かす》れるような声で約束した。

「そりゃあ有難い、できたらこの一カ月以内ぐらいに揃えて貰えれば助かるんだよ、銀行局も、僕がいた時より、銀行行政が自由化されているはずだが、相変らず、銀行に対して絶大なる力を持っているようだね、僕たちからみれば鼻紙ぐらいにしか思っていない資料を血眼《ちまなこ》になって欲しがる――。ねぇ、田中君、おかしいじゃないか――、しかし、君も僕も、そのおかしさの上に趺坐をかいているようなものだなあ、さあ、話がきまれば、お互いにリラックスして飲もうじゃないか」

美馬は、田中の気持など斟酌《しんしゃく》せず、ぽんぽんと手を叩《たた》いて仲居を呼び、料理と酒を追加した。


成城のあたりは、夜の十時を過ぎると、森閑と静まり返り、邸町《やしきまち》を走る車の音だけが響いてくる。

一子は、子供と若いお手伝いを先に寝《やす》ませ、独り居間のソファに腰かけて、フランス刺繡《ししゅう》をしていた。毎晩のように帰りが遅い美馬を待つ間、いつも、そうして時間を過している。

玄関に車の停まる音がすると、一子はすぐ門を開けに行った。

「お帰りなさいまし、今夜はお早うございますのね」

「今夜は僕の用事ではなく、お舅《とう》さんの使い走りだよ、主計局と銀行局との二役をしなきゃならないから、とてもじゃないが身がもたんよ」

美馬は不機嫌に云い、一子が揃えたスリッパを履いて、居間へ入った。

「子供たちは、もう寝んでしまったのかい？」

美馬は、どんなに不機嫌な時でも、必ず一度は子供のことを聞く。

「ええ、とっくに――、宏は明日、学校の遠足で多摩へ参りますので大喜びです、潤も扁桃腺《へんとうせん》の熱が下り、二人ともいつもより早く寝みましたの」

「そうかい、主計局にいると、家庭放棄はやむを得んねぇ、われながらよく体が保《も》つと思うよ、省議や局議がある日は、だいたい午前十時頃から昼めしを挟んで、延々夕方まで続く時があるし、会議がすんだかと思うと、下から稟議書《りんぎしよ》が上って来るのが夕方からだから、退庁は平均七時半か八時、それから宴会が、多い時は二つもあるから、同じ大蔵省でも主計局にいる者は、局長以下末端に至るまで残酷物語だよ」

酒臭い息を吐いて珍しく愚痴ったが、一子は、美馬が口癖のように云う「忙しい、忙しい」という言葉を冷やかに聞いていた。

結婚当時、銀行局検査官だった美馬は、始終、地方銀行の検査と称して家を空《あ》け、一子はそれを本気にしていたが、結婚して半年目に、美馬が他《ほか》の女と関係していることを知るなり、実家へ帰ったことがあった。もともと美馬より、叔母の千鶴《ちづる》がすすめる大阪の繊維会社社長の令息との結婚を望んでいたのに、父が、美馬の将来を見込んで、相子と二人がかりで強引に美馬との結婚を推し進めたのだった。その美馬が結婚前から、バーのマダムと深い関係にあり、結婚後も、地方出張と偽って、マダムの家にしばしば泊っていたことを知って、一子は妊娠四カ月の体で離婚を決意した。その時、美馬は、一子の後を追って万俵家へ来、大介に向って、女の方から色と欲でもちかけてきた話であり、決して大介から送られた金で遊んだのではないと弁明した。

事実、高級官僚の中でも、大蔵官僚は、将来、金をふんだんに使える身分ということで、花街でも大いにもてる。中には、浮気した女との手切金を財産家の舅《しゆうと》に出してもらっている大蔵官僚がいることも、万俵大介は聞き知っていた。

しかし、美馬の話を黙って聞き終った大介は、「金の問題ではない、もし娘との間が不縁になったら、万俵家の娘は、女として一番大事なものを失うのだから、君も一番大事なもの、つまり大蔵官僚であることをやめて貰いたい」ときめつけたのだった。その一言に、美馬は、それまで感じたことのない怖《おそ》れを大介に抱き、大介から手渡された手切金で、その女ときれいに別れたのである。そして長男の宏が生れ、続いて次男の潤が生れ、表面は和やかに過している夫婦のように見えたが、少なくとも一子の内心にはしっくりしないしこりが残った。しかし一子は、母の寧子に似て、感情を露《あら》わにしないもの静かな性質だったから、いつもより深酔いしている夫を見、

「あなた、お冷《ひや》水をお持ちしましょうか？」

と聞くと、美馬は頷いた。田中松夫に極秘情報を齎《もたら》すように口説いた後、さすがにあと味の悪さを覚え、したたか飲みすぎて、悪酔いしているのだった。ネクタイをゆるめ、顔を仰向けにしてソファにもたれると、眼の上に舅から贈られたビュッフェの絵があった。葉を落したパリの街路樹の枝が天を突き刺すように鋭い研《と》ぎ澄ました線で描かれているのが、酩酊《めいてい》している美馬の神経に障《さわ》った。お冷水を運んで来た一子は、美馬が絵を鑑賞しているのだと思い、

「あなた、いい絵ですことね、ビュッフェの空に向った垂直の美しい線を見ていると、ゴシック建築の風土の中に育った絵という感じが、つくづく致しますわね」

もの柔らかに云った。美馬は一口、冷水を呑みこみ、

「号十五万円として、十五号で二百二、三十万円か——、しかしお舅さんのご用命の内容からみれば、決して高くはないさ」

一子は、夫の酒気に染まった顔を見詰めた。ずっと父の経済的援助を受けていながら、父からちょっとでも頼まれごとをすると、恩きせがましい云い方をし、しかもせっかくの絵まで金に換算してしまう。一子は、所詮《しょせん》、育ちの違いだと思った。

美馬は酔いざめの水をもう一杯、一気に吞み干すと、

「さて、お舅さんに、本日のご報告を申し上げることにしようか」

電話器を取り上げ、万俵大介の書斎直通の電話にダイヤルを廻した。

「もしもし、お舅さんですか、僕です、昨日はどうも――、ご依頼の件は今夜、早速、これという相手に当ってみましたが、何しろ、ことがことですので、慎重と適確を期し――、いや、その辺のところは、今暫く私におまかせ下さい、何とか致しますから――」

美馬は、壁に掲ったビュッフェを眺めながら、田中松夫と話はついているのに、故意にこと難かしく云った。

大介は、大島の和服姿に庭下駄を履き、銀平の新居の工事現場を見下ろせる高みに立っていた。

眼下の向って右側が、大介自身が住んでいるスペイン風の赤い屋根と白い塔のある洋館、真ん中が亡父敬介が住まっていた数寄屋《すきや》風の日本館、大きな池を隔てて東側に、長男の鉄平が住んでいるル・コルビジェ式の白亜の洋館と、それぞれが独特の趣をもって点在しているが、今、日本館の半分が取り壊されていた。七間《しちけん》の梁《はり》が通った客殿と仏間、茶室、それに衣裳《いしょう》部屋と総檜造《ひのきづく》りの湯殿は残し、平素、父と母が使っていた部分を、銀平の結婚後の新居のために、南欧風の洋館に改築しているのだった。

鉄筋コンクリート二階建て、五十坪の建物は、まだ足場が組まれていたが、家の主体工事はほぼ終り、外側の壁塗りや内側のタイル貼《は》り、水道、電気などの作業員が出入りして、最後の追込みで慌《あわた》だしかった。

この新居の普請にも、当人の銀平は、最初の設計図に一度眼を通したきり、殆ど工事現場に顔を出さなかったから、大介は、休日でゴルフにも出かけない日は、朝から普請を見に来ているのだった。

現場監督は、庭の高みに立っている大介の姿に気付くと、急いで駈《か》け寄り、

「これはこれは、頭取、お早うございます、ちっとも存ぜず、失礼致しました」

「いや、突貫工事で急がせてすまないね」

「いえ、いえ、お休みのところ、早朝からお喧《やかま》しゅう致しております、それに致しま

しても、日本館のお取壊しは、りっぱな梁や一枚板などが、ふんだんに出て参り、ほんとにもったいないほどで――」

惜しむように云ったが、大介は、亡父の財力で建てた日本館の半分を取り壊し、自分の財力で、息子のための住まいを新たに建てることを楽しむかのように眺めていた。

「新婚夫婦の住まいだから、くれぐれも工期の方は、遅れぬように頼むよ」

と云うと、大介は踵《きびす》をかえし、池の方へ廻った。昨夜、美馬からかかって来た電話が、今朝がたの心境を明るくしていた。美馬らしく、早速、ことの緒《いとぐち》をつけ、あとは私に任せて下さいと、自信ありげに云ったのだった。大介は、最近ほど、一子を美馬に嫁がせた利点を強く感じる時はない。

池の前まで来ると、足を止めた。ここにたつと、いつも亡父の敬介が、朝、起きるなり、庭下駄をつっかけ、ぽんぽんと手を叩《たた》いて、三十数尾の鯉《こい》に餌《えさ》を投げ与えていたのを思い出す。

その時、池を挟《はさ》んだ東側の洋館の方から、鉄平が歩いて来るのが見えた。

「お父さん、お早うございます」

「うむ、お早う、休日なのに早いじゃないか、今日も工場へ出勤するのかい？」

背広姿の鉄平を見て云った。

「工場は年中無休で動いていますから、ちょっと見に行ってこようかと思って――」

鉄平は、工場へ行くのが何よりもの楽しみであった。

「こんなところのたち話で、なんですが、例のわが社への融資の件、お父さんの方で引き受けて下さいますでしょうね」

念を押すように云ったが、大介は即答しなかった。

「大同銀行の三雲頭取は非常に積極的な態度を示して下さっていますし、通産省のほうも、大川の舅《ちち》が努力してくれていますから、あとはお父さんの〝頭取決裁〟という強力なバック・アップをお願いしたいのです」

大介はそれにも応《こた》えず、何かを見入るように、じっと池の面を見ていた。朝陽の中で銀髪が輝き、その端正な横顔は、父というより冷厳な銀行家という方が似つかわしい表情だった。大介は徐《おもむ》ろに、鉄平へ視線を向け、

「今の阪神特殊鋼の規模で、高炉建設などをすれば、業界から袋叩きにあいかねないのではないかね？」

慎重に、口を切った。

「その点は、僕も充分承知の上で、なお……」

「もういい、お前のいうことはだいたい解《わか》っている、だが、世間はそんなに甘くはな

い、お前は自分の力を過信しているんじゃないか、大同銀行の三雲頭取は、たまたまお前のニューヨーク時代の知己だった、大川一郎は、お前の妻の父だ、私はともかく、この二人の協力を得られなかったら、お前に一体何が出来たか、猪突《ちょとつ》猛進も結構だが、少しは冷静に考えてみることだな」

鉄平は黙った。

「高炉は通産省の認可が下り、資金調達が出来れば、何とか出来るだろう、だが、それから先はどうするのだ、その先もお前一人の力で、何とかなるというわけなのか？」

「もちろん、採算のとれない計画など、はじめからしやしません」

「そうか、その気ならやるがよい、やる限りは必ず成功させることだ、企業である限り、絶対、利潤をあげなければならない、その点は大丈夫だろうな？」

「高炉、転炉の設備によって、トン当り、平均一万五千円ぐらいのコスト・ダウンが可能になり、新設備の償却、借入金の金利、人件費の増加などを差し引いても、売価の引下げは、トン当り五千円前後になりますよ」

と云いきった。

「じゃあ、行内の筋を通す意味で、調査部の調査を経て融資額をきめることにしよう、しかし断わっておくが、銀行の融資には、親子も兄弟もない、冷厳なものだ」

そんなことは、云われるまでもないことで、こと新しく口にする父の方がおかしかった。

「もちろんです、私もそのつもりでやりますよ」

鉄平は、きっぱりと応えたが、いつになく、妙にからんだものの云い方をする父の言葉が気になった。

阪神銀行としては、阪神特殊鋼の高炉建設をどのように評価しているのだろうか。融資する以上は、充分に資金回収ができると見た上であるはずだが、父の言葉は厳し過ぎた。公私にこだわっているのは、むしろ父の方ではないかと、思った。

「ところで、〝将軍〟の姿が、最近、見えませんね」

鉄平は、話題をかえた。将軍というのは、祖父の敬介が愛玩《あいがん》していた体長八十センチもある吉野川産の巨鯉《おおごい》であった。

「うむ」

大介は、生返事をした。

「死んだのでしょうか？」

「いや、どこかにいるはずだ、お前が手を叩けば、きっと、現われるよ」

「私が叩くと……どうしてです？」

「お前は、お祖父《じい》さんと手の叩き工合までそっくりだからな」

「まさか――」

鉄平は、笑った。

「じゃあ、試しに手を叩いてごらん――」

「いやですよ、馬鹿馬鹿《ばかばか》しい、前にそんなことがありましたが、あれは偶然ですよ」

「偶然かどうか、まあ、やってみることだ」

まるで対決を迫るように云《い》った。鉄平は、馬鹿馬鹿しく思いながら、池のはたにしゃがみ、水面に向って手を打った。間もなく静かに藻《も》をゆるがせて、どこからともなく、三十数尾の鯉が群れをなして泳いで来た。

「そら、来たじゃないか」

大介はやや昂《たかぶ》るような声で云ったが、将軍はまだ現われない。群れをなし、うねるように泳いで来た鯉は、餌をやると争うように食いつき、池の周囲に沿って遊泳した。鉄平はもう一度大きく三つ、手を叩いた。たしかに祖父も三つ叩いていた記憶があった。池の面が小波《さざなみ》だち、波紋が拡がったかと思うと、〝将軍〟の黒い影が、悠然として現われた。錦鯉《にしきごい》の中で、『墨流し』の一種と云われる変り鯉で、黒の濃淡の鱗《うろこ》を持ち、背のあたりは黒漆のように光り、赤、黄、紅白など、種々の色に彩《いろど》られた錦鯉の中で、寿齢五十年、体長八十センチの威容はいかにも将軍の呼名にふさわしい。水面に頭を出すと、鉄平の足もとまで悠然と泳いで来、竹筒のような大きな口を開けて、鉄平の掌《てのひら》から蚕のさなぎの餌を食べると、姿を消した。

「それみろ、やはり来たじゃないか」

「なるほどね、どうしてでしょう？」

鉄平は首をかしげた。

「それはお前が、おじいさん子だからだろう」

「そりゃあ、私はおじいさん子でしょう、お祖父さんの膝《ひざ》の上に抱かれたのは、私だけらしいから――」

おじいさん子という言葉を、大介は、もしや亡父と妻とのという鉄平の出生への疑惑の意味で云い、鉄平はいわゆる祖父に可愛《かわい》がられたという風にとって、二人の意味は微妙にくい違っていた。

「それだけじゃない……」

大介は、池に向って低く独りごつように云った。

「え？　それだけ何ですか？」

「いや、要は、お前が大へんなおじいさん子だということだよ、鯉を呼ぶ手の音まで似ている」

なおも云ったが、鉄平は鯉にかかずらわっている時間はなく、

「では、行って参ります」

車庫《ガレージ》の方へ足を急がせた。

鉄平は、自ら運転する車で工場内に入ると、すぐ事務本部の建物の中にある専務室へ入った。出勤していた事務員は一瞬、驚いたような顔をしたが、休日には時々、事前に連絡もせず、運転手を休ませて、自分の車で工場を見に来ることがあったから、すぐ作業衣の用意をした。

「君たちも精が出るな、僕はちょっと、工場を廻ってくるよ」

ワイシャツの上に作業衣をつけ、安全用の黄色いヘルメットを冠《かぶ》ると、家にいる時の鉄平には見られない精悍《せいかん》な力が漲《みなぎ》り、大股《おおまた》な足どりで工場へ向った。

休日の工場は、現場要員だけの出勤だったから、通路には人影が少なく、騒音も低かったが、工場へ近付くにつれて、電気炉から聞えてくる低い振動音や、鋼《はがね》が圧延さ

れ製管される高い金属音が聞え、鉄平の体に快い躍動を与える。鉄平のような技術屋の経営者にとっては、工場は体の一部のようなもので、工場全体から響いて来る音で、その日の操業状態が聞き分けられた。

鉄平は圧延工場へ足を踏み入れた。電車の車庫のように細長く大きな建物の中は、圧延機の耳を劈《つんざ》くような音が響いている。電気炉で製鋼された鋼塊は、ここの加熱炉でもう一度灼《や》かれた上、圧延される。加熱炉の中に入れられた鋼塊が千六百度にまで熱せられると、真っ赤に灼けた鋼塊がローラー・コンベアに載って分塊圧延機の前に運ばれ、遠隔操作による圧延作業がはじまる。大音響を轟《とどろ》かせて、真っ赤に灼けている鋼塊の上に圧力をかけ、さらに横からも圧力を加え、縦から横から容赦なく叩いて、みるみる長方形の二トンの鋼塊は赤い新幹線が走るように秒速五メートルの速さで圧延されて行く。黒く煤《すす》けた工場内を真っ赤に灼けた鋼がオレンジ色に輝きながら延びていく光景は、美しい。

鉄平が、圧延荷重《かじゅう》の適否を注意深く見ていると、耳もとで人声がした。振り向くと、工場長の一之瀬だった。

「今日も、ご出勤ですか」

鉄平より一まわり以上年長だが、老練な技術と温和な人柄で、鉄平を陰になりひなたになって支えている人物であった。

「そういう君だって、同類じゃないか」

「お互い、一日に一度は、工場の顔を見たい性質《たち》ですね、製鋼部長の金田君も出ていますよ」

一之瀬は、苦笑して云い、

「ところで、通産省のヒアリングの方も、何とかうまくすみ、ほっとしました、これも大川一郎先生のおかげでしょうね」

鉄平は頷《うなず》いた。通産省へ高炉の設備計画書を出して暫《しばら》くして、通産省でヒアリングが行われた。業者の方から提出した設備計画書の各項目について、通産省重工業局鉄鋼業務課長、製鉄課長以下七、八人の担当技官が、説明を求める会で、指示された日時に、各業者は三時間ぐらい、技官の質問に応じることになっていた。この時、たまたま、心証的なことがからんだりすると、技官から意地悪く突っ込まれたり、いや味たっぷりの質問や詳細なデータの提出を求められ、いびられることもあるが、それも大川一郎の線で、先週ことなく終り、あとは学識経験者と大手業者代表によって組織されている産業構造審議会の答申を待つばかりであった。

遠隔操作室の方から、作業員が、デッキへ向って走り寄って来た。

「専務、事務本部からお電話です、東京からのお電話だそうで、遠隔操作室の方へつなぐそうですから――」

鉄平は駈足で遠隔操作室へ行き、受話器を取ると、案の定、大川一郎の濁声《だみごえ》が聞えて来た。

「わしだ、今、岡本へかけたら、娘の奴《やつ》、休日にまで工場へ出かけたと云って怒ったぞ、いや、それでいい、男はそうでないといかん、ところで、例の通産省の件、転炉だけにしておけなどと生意気なことを云いよった張本人に、高炉を承知させた――、いや、大丈夫だ、さっきわしの息のかかった通産省内の手兵から電話があった、正式通達は一カ月後になるそうだが、あとは君の力量次第だ、特に資金調達はおやじさんに、がっちり頼み込んでおくことだな、わしの方も、朝から五組の陳情客が待っておるんでな」

早口でまくしたてるように用件を云い終ると、ガチャンと電話をきってしまった。鉄平の胸に沸々《ふつふつ》と喜びがこみあげて来た。二年前から計画をたてて実現し得なかった高炉建設が、やっと陽の目を見ることが出来るのだった。鉄平は受話器を置くなり、すぐ操作室を出、デッキにたっている一之瀬を呼んだ。

「高炉建設はＯＫだ、今、大川の舅《おやじ》から知らせてきた」

「そうですか、やっと高炉が産声《うぶごえ》をあげますか——」

一之瀬が感慨無量のように眼を瞬《しばたた》かせると、鉄平は、

「じゃあ、早速、技術サイドの問題を検討しようじゃないか、製鋼部長の金田君を呼んで、僕の部屋へ来てくれ、今日なら外部の来客や電話に煩《わずら》わされなくていい」

と云うなり、もう事務本部に向っていた。

専務室へ一之瀬と金田が来ると、鉄平は高炉設備計画書を机一杯に拡げていた。高炉八百立方米《リューべ》一基、転炉六十トン二基、アッセルミル圧延機一台、その他付帯設備を入れて、総額二百五十億の設備計画書で、三人の間ではもう何度も検討され、手直しした計画書であった。

「まず高炉をどこのメーカーに作らせるかということだが、高炉建設に慣れている五菱重工がいいと思うから、早速、五菱重工に詳細な積算をさせることだ」

鉄平が云うと、金田製鋼部長は、覇気《はき》に満ちた若々しい表情で、

「炉底七メートル、炉高六十メートル、八百立方米《リューべ》の高炉は規模からいえば小さいですが、最新の設計を取り入れたいですね、炉頂部に高圧装置をつけ、高圧を何ポンドかかけることによって、出銑量《しゅつせんりょう》があがりますから、これを取り入れること、それから炉内の通気性を良くし、還元効率を高めて、燃料費をきりさげるために、酸素と重油

を大量にふき込める設計も取り入れ、鉱石の挿入《そうにゅう》もいうまでもなく、大量安全に運べるベルト・コンベア方式にすることとです」

「もちろんだ、高炉ができれば、鋼の段階でトン当り五千円も安くなるのだから、阪神特殊鋼の体質改善のためにも、最新の設計を取り入れるよ、次に問題なのは原材料だ、年間、鉄鉱石は七十二万トン、コークスは二十五万トン、コークスに要する石炭は三十一万トンを必要とするが、これらの原材料は殆《ほとん》どオーストラリアとブラジルからの輸入で、わが社一社だけで購入することは困難だから、どこかの高炉メーカーに頼んで、原材料を共同輸入させてもらう交渉をやってみる」

鉄平が云うと、一之瀬は事務員が運んできた番茶で咽喉《のど》を潤《うるお》し、

「問題は、高炉を動かす技術ですが、これはどうします？」

「高炉操業の技術は絶対、経験者でなければならないから、帝国製鉄に技術指導を依頼するか、それとも他社からスカウトするかだが、この方は心づもりしているから、任せてくれ」

鉄平は自信ありげに云った。

「するとあと残された点は資金調達ですが、阪神銀行は随《つ》いて来てくれるのでしょうね？」

一之瀬はともすれば、経理面を度外視しがちな鉄平の欠点を補うように云った。

「そのことは、今朝、会社へ来る前に、父に念押しして来た、父は阪神特殊鋼が高炉メーカーになることにまだ不安を抱いている様子だが、通産省の認可がおりた以上、必ず支援してくれるよ」

父を信頼するように云った。


阪神銀行の頭取室に、珍しく灯《あか》りがついていた。

万俵はさっきから、葉巻をくゆらせているだけで、一言も話さない。大亀専務を呼んでおきながら、まるでそこに彼がいるのを忘れ果てているかのようであり、部屋の中はしんと静まりかえっている。しかしそんな時は、必ず万俵頭取が何かを思い迷っている時であることを、大亀は知っていた。秘書課長時代から万俵に仕えて二十数年になる。その間、営業部長時代に直属の部下が多額の不良貸付をしたため、大亀も進退伺いを出したこともあったが、頭取は長い目で見てくれ、その後の寝食を忘れた働きを認めて、今日の地位に取りたててくれたのであった。それだけに大亀は、万俵頭取に忠節を尽し、万俵の一挙手一投足、咳払《せきばら》いの仕方一つにも気を配ってきたから、今では、ちょっとした仕種《しぐさ》を見るだけで、万俵の心の動きが読み取れるのだった。

万俵は、六尺近い長身をゆったりとソファにもたせかけているが、葉巻をもつ指先が時々、神経質に動く。

「お茶でも、申しつけましょうか？」

気持をほぐすように大亀が云うと、

「いや――」

頭を振り、視線を天井のレリーフに向けた。万俵が何か判断に迷った時に、よくする癖であった。戦災に焼け残った古い建物にしか見られない古典的で華麗なレリーフであり、それを見ると、心が憩《やす》まり、静まるのだった。まだ先代頭取の万俵敬介が健在で、大介が若い取締役だった時代から、始終、大介の身近に仕えて来た大亀には、大介が天井を仰ぎ、レリーフを眺めるのは、仕事か、さもなければ、女のことで思案にあまっている時であるのを知っていた。公卿《くげ》華族の嵯峨寧子と結婚する前から、秘《ひそ》かに囲っていた女の始末をした時も、その女のことで三流業界紙にゆすられた時も、莫大《ばくだい》な金を敬介に隠して工面し、もみ消しに走ったのは大亀であった。いわば万俵大介の人に知られたくない影の部分の尻拭《しりぬぐ》いをすべて任されて来た男だった。それでいて、一言も人に洩《も》らさず、恩きせがましい顔もせず、その上、仕事の面でも、秘書畑と営業畑という銀行の本筋を歩いて来ており、その点が、単に万俵家の金庫番的功績で専務に成りあがった〝家令専務〟の小松とは違っていた。

「頭取、何かよほどのお考えごとでも――」

万俵は、はじめて視線を動かし、

「大亀君、私は当行の合併を考えているのだ」

はじめて、行内の者に合併の意図を洩らした。

「合併……、どことです――、具体的な話でもあるのでしょうか？」

大亀は、息を吞《の》むように云った。

「いや、そうではない、これから私がやろうと思っているのだ」

万俵は、葉巻を口から離した。

「頭取、お言葉を返すようですが、たしかに当行の業績は抜群とはいえません、しかし何も今、合併を考えねばならぬほど追い詰められた経営内容でもございません、万一、不幸な合併をした時の惨《みじ》めさを思うと――たとえば曾《かつ》て大友銀行と合併した南大阪銀行などは、役員が、二年目には当初の三分の一、四年目に十分の一、七年目の今日では、もはや誰一人残っておらず、徹底的に淘汰《とうた》されてしまったではございませんか、吸収行と被吸収行は紙一重ではなく、天国と地獄の違いです」

これまで被吸収行の惨めさをつぶさに見て来た大亀は、声を震わせるように云った。

「だからこそ、当行のように上位行から欲しがられる規模のところは、坐《ざ》して食われるのを待つより、先手を打って対等もしくはこちらがリーダー・シップをとれる合併、つまり〃小が大を食う〃合併をやってのけたいのだ」

「それは、あまりに無謀なお考えではないでしょうか、今までの例をみましても、表面は対等合併といいながら、やはり実質的には、大が小を支配してしまうのが現実です、それに第一、まだ都市銀行間の合併は、機運としても時機尚早《しょうそう》だと思います」

「時機尚早――、決して尚早ではないじゃないか、現に先日来、富国銀行から、クレジット・カードの業務提携に次いで、当行にとってはメリットがあり過ぎるような預金の相互受払いの業務提携まで云って来ているじゃないか、それでいて一方では、当行が長年、水やり、肥料《こえ》やりして育てて来た平和ハウスに、先月の末、まるで公定歩合のような安いレートで貸しつけている、これらを綜合《そうごう》すると、富国銀行が、秘かに当行へ攻略の手を伸ばして来ていることは歴然としている」

大亀は、ようやく万俵の長い思案の内容をつかみ、それが万俵の心を不安と焦燥に駈《か》りたてていることが解《わか》ったが、

「といって、性急に合併の方向にものをお考えになるのは、早計ではないでしょうか、

この際、大きな危険をおかさず、阪神間の経済圏と密着した銀行、という立場を手堅く守りぬく道もございます」

あくまで手堅く城を守る意見を出すと、万俵は頭《かぶり》を振った。

「性急でも、早計でもない、私が合併の気持を固めたのは今年の初めからだ、娘婿《むすめむこ》の美馬を連絡役にして、私が二月に永田大蔵大臣に会ったのも、実のところは、当行に合併の意思があることを暗に伝え、それに対する大臣の反応を探るためだったのだよ、また最近、美馬を呼んで、六位から九位までの都市銀行について、大蔵省しか把握《はあく》し得ない極秘の計数情報を入手してくれるように頼んでいる」

着々と布石しつつあることを話すと、大亀は愕《おど》くように万俵を見詰めた。しかし、やはりすぐには肯《がえん》じきれぬように、

「正直なところ、私にはどうしても危険極まりないことのように思えます、しかし、頭取が、何が何でも、合併を断行しようとなさるのでしたら、せめて当行より下位の、そこそこのところと安全な合併を――」

と云《い》いかけると、万俵は言下に遮《さえぎ》った。

「当行より下位の銀行と一緒になるような中途半端《はんぱ》な合併をすれば、また再編成の中に組み込まれてしまう、やるからには、少なくとも当行と同クラスを狙《ねら》って、それで

終着駅になるような合併を断行すべきだ」

「では、最後にお聞かせ戴《いただ》きたいことがあります、万一、失敗した場合、九千二百人の従業員の将来と、先代から今日まで営々として築いてこられた阪神銀行のオーナー頭取という地位はどうなさるのです、そうした危険が伴うことを充分にご承知になった上で、なお合併をと仰《おお》せられるのですか？」

大亀は青ざめた顔で、開き直るように云った。さすがの万俵も、暫《しば》し口ごもったが、

「そりゃあ、日夜、営々として働いている九千二百人の行員の将来や、私自身のオーナーとしての立場を思えば、万一、失敗した場合、空怖《そらおそ》ろしいことになる、しかし逆に、何も為《な》さずして、坐して食われることは、それ以上に……」

万俵は、絶句した。それは美馬の前では絶対に見せない、不安と弱さを剝出《むきだ》しにした姿であった。万俵が人間的な弱さを安心して露呈できるのは、大亀だけだった。芥川や渋野、荒武などの切れ者の常務には見せない弱味も、大亀にだけはあからさまに曝《さら》け出していた。企業のトップとして決断に迷う時、不安に襲われる時、また銀行の頭取という品位が問題にされそうな時、万俵は必ず大亀を呼んで心中を吐露した。そして吐きだしてしまうと、ほっと安堵《あんど》する。それはたとえてみれば、下痢《げり》をしそうになってすぐ便器に走るそれに似ていた。いってみれば、大介にとって、大亀は便器で

あった。むろん、大亀もそれを承知していた。承知しながら、大亀の人柄はそれを快しとしていた。

万俵はたち上って、向いのビルの間から見える神戸港の暗い海を眺めた。夜の海と同じように、金融界の再編成も、表面はさほど波だっていないが、底には大きなうねりがあるはずであった。それを他行より先んじて察知し、自行の方向を考え、決定するのが、頭取の役目であった。万俵は、大亀を振り返り、

「私は頭取の地位を捨てねばならぬような馬鹿《ばか》な合併はしないよ、銀行合併は最終的にはトップ同士の力関係によってリーダー・シップがきまる、その点、私はそこいらの傭《やと》われ頭取とは違う、オーナー頭取だ、相手の首をねじきるだけの能力と自信をもっている、その上、美馬を通して永田大蔵大臣とは絶えず気脈を通じ合い、用意周到にやるから、大亀君、ここは一つ協力を頼みたい」

そこまで云われると、大亀は、もはや万俵の意志が動かし難いものであることを悟った。そうと解った上は、股肱《ここう》の臣として、身を挺《てい》して万俵頭取に協力するほかはなかった。

「頭取のそれほどまでのご決意が解りましたからには、微力ながら、ご協力させて戴きます」

「じゃあ、早速、今度の五月の全国支店長会議の議題の中心は、現在の十位から九位になるための預金獲得大作戦にして貰《もら》いたい、しかし、それが合併への体力づくりであることは、私と君だけで含んでおいて貰いたい、芥川君や渋野君などの役員には、折を見て私から話す」

そう念を押し、

「それからもう一つ、政官界工作のために、表から出せない裏勘定の献金、その他の金がいる、それを大亀君、何とか工面して貰いたいのだ」

いわゆるB勘定と称する裏金の操作であった。大亀は、俄《にわ》かに低い声で、

「――その点は、お任せ下さいますよう」

と云い、憚《はばか》るように、

「ところで高須さんのことはどうなさるのです？」

万俵家における高須相子のほんとうの立場も、外部の者では大亀だけが知っているのだった。銀行合併ともなれば、マスコミ関係の動きが活発になり、銀行家にとっては、一番の禁物である女の問題が表面化しないともかぎらない。万一、高須相子のことが世間に知られようものなら、万俵の致命傷になることは避けられない。万俵は困惑の気配を見せたが、

「そこまでさしでがましいことは云うな」

平素のワンマン頭取の表情にかえり、不機嫌に云った。

居間のテレビのスイッチを消すと、二子は九時半を過ぎた時計に眼を遣《や》り、

「銀平兄さまは、今日も午前さまなのかしら？」

父にとも、母にともなく云った。

「婚約がおきまりになってからも、全然、変らないわね、毎晩、バーめぐりをしているっていうけど、ほんとうは隠れたる彼女でもいるのやないかしら？——」

三子がいたずらっぽく笑うと、相子は、

「そんなこと、おっしゃるものではございませんよ、銀平さんは、一々、口に出しておっしゃらないけど、万樹子さまとは時々、デートしていらっしゃるのですよ、今夜だって、そうかもしれませんわ」

と窘《たしな》めた。寧子はほっとしたような表情で、

「それならいいのですけど、結婚式まであと一カ月半ですから、何ごとも無《の》う、ちゃんとおさまってほしいと思うて——」

自分は産んだだけで、育児も教育もすべて人任せであったが、男の子を手放す母の感傷のようなものが、籠《こ》められていた。

「何を云っているんだい、これまでと同じように邸内に住むのに、まるで遠くへ別れるような云い方をするじゃないか」

大介が云うと、相子も、

「そうですよ、日本館のすぐそばですもの、それにあの南欧風の設計、ほんとうによう
ございましたわ、繊細で明るくて、室内の調度は、設計家の方と相談して、全部発注しましした、あと照明器具だけが問題ですけれど、照明器具のデザインだけはほんとにいいのがなくて困ってますの」

相子は、銀平の新居が着々と完成に向って進められていることを報告した。

そんな相子を見詰めながら、大介は、最前、「高須さんのことはどうなさるのですか？」と聞いた大亀の言葉を思い返していた。天王山を背後に、一万坪の邸《やしき》の奥に住まい、外界とは完全に遮断《しゃだん》されているから、鉄平と一子の結婚の時にも相子とのことは解らずにすんだが、世の中には万一ということがある。銀行合併という大事を前にして、さすがの大介も用心深く考えざるを得なかった。しかし、だからと云って、相子を手放すという気持はいささかもない。大介のように、冷厳なる頭取で世間を通し

ている者ほど、一歩、家の中へ入れば、異様なほどの解放と悦楽を求める。そうなると、白い小柄な体で、大介の体をおとなしく受け止めるだけの寧子より、能動的に挑んで来る相子の方が、大介の悦楽を充分に満足させた。特に今日のように、銀行合併のことで、遅くまで大亀と話し合って神経が昂《たかぶ》っている日には、相子と同衾《どうきん》する方が好ましかった。ちょうど外科医が、大手術のあった日に限って、なまなましい性欲を催すというが、大介も仕事に疲れた日に限って、性欲の昂りを覚えるのだった。しかし、今夜に限って、寧子に代れとはさすがに云い出せないし、せっかく十数年来、続けて来た妻妾《さいしょう》同居の平穏な秩序も乱すことになる。

「どうなさいました？　食後のブランディでもお出ししましょうか」

相子は、大介の様子に気を配るように云った。その途端、大介は、ある戯《たわむ》れを思いつき、頷《うなず》いた。

「じゃあ、私たちはもう退散致しますわ」

二子と三子はそう云い、自分たちの部屋へ上って行った。

相子が、大介のグラスにブランディを注《つ》ぎかけると、

「先に寧子の方へ注いでおやり」

いつになく優しい心配りを見せた。相子は険しい表情になりかけたが、大介の微妙

な眼配せに気付くと、すぐ寧子のグラスにブランディを注いだ。

「どうぞ、お召しあがりになって――」

　寧子はあまりアルコールをたしなめる方ではなかったが、相子にそう云われると、素直に受けて、グラスを口に運んだ。

「そちらにも、お入れ致しておきましょう」

　と云いながら、相子が、大介のそばに寄って注ぐと、

「今夜は、お前も一緒だよ」

　大介は早口に囁《ささや》いた。相子は、おっとりとした表情でブランディを口にしている寧子の姿を見、眼を妖《あや》しく輝かせた。


　三人の同衾は、ここ久しくなかったことであった。広い寝室にベッドを三台並べ、大介を真ん中に、寧子と相子がはべるという異常な性行為は、曾《かつ》て寧子に睡眠薬自殺を企てさせるほどの衝撃を与えたことがある。自殺未遂後の寧子は、死ぬことさえ自力でかなわぬ自らの弱さを知り、三人同衾の屈辱に抗《あらが》うことは諦《あきら》めてしまったとはいえ、まともでは容易に応じなかった。それだけに大介と相子は、寧子に感づかれないように、ことを運ばなければならなかった。

「十時半頃においで――」

大介は新聞を拡《ひろ》げながら、もう一度、相子に低い声で囁いた。

寧子は、白絹《しらぎぬ》の夜着《よぎ》で、寝室へ入って来た。大介は三台並んでいる真ん中のダブル・ベッドに仰向けに寝ていると、

「およろしゅうございますか？」

と云い、そっと大介のベッドに入り、寄り添うように体を横たえた。

「あなた、銀平は、あれでとても母親思いですのよ、銀平が結婚して独りだちし、傍《そば》から去って行くと思うと、自分の体の一部分を削《そ》ぎ取られるような気がして――」

涙ぐむように云うと、

「父親だって同じ気持だよ、男は口にしないだけさ、さあ、おいで――」

大介は小柄な寧子の体を抱いた。何年経《た》っても、大介の体を受けとめるだけだったが、銀平の結婚に感傷的になっている今夜は、大介の逞《たくま》しい体に引き寄せられると、素直に大介の愛撫《あいぶ》に身を任せた。大介は、静脈が透けて見えるほどに白い寧子の足をまさぐり、その滑らかで小さな足を、自分の体のあらゆる部分に触れさせて愉《たの》しみ、寧子もブランディの酔いでいつになく体を熱くした。

不意に濃艶《のうえん》なジョイの香水の香りが漂った。寧子は、はっとして上半身を起すと、

薄明りの中に、ネグリジェをまとった相子がたっており、

「十時半頃、来るようにとおっしゃったから、参りましたのよ」

「じゃあ、あなたは最初から、今夜、そのつもりで、私にブランディを飲ませて……」

寧子は、みるみる顔を蒼《あお》ざめさせた。

「そう、そうだったのよ」

相子は、ベッドに近付いた。

「あなた、あなたまで……、こんな騙《だま》し方を――、私は厭《いや》です」

夫を詰《なじ》るように振り向くと、つい今まで夫らしい慈《いつく》しみを持っていた大介の顔に、好色な笑いが滲《にじ》んだ。

「久しぶりじゃないか、三人一緒は――」

大介はそう云うなり、酔いで抗う力をなくした寧子の体を右腕で押え、反対側に相子の豊満な肢体を引き入れた。

寧子は、汗に濡《ぬ》れた大介と豊満な乳房を押しつけてくる相子の体にはさまれて、抗えば抗うほど、自由を失って行った。そして大介は、寧子の抗いと相子の挑みを、交

互に愉しむように時間をかけて愛撫し続けた。

「もうお止《よ》しになって――」

あまりの執拗《しつよう》さに寧子は叫ぶように云《い》うと、大介の手がかすかにゆるんだ。その隙《すき》に、寧子は身をよじらせるようにしてベッドの外へ降り、露《あら》わな体に夜着を羽織って、扉《ドア》へ向った。

「おい、馬鹿な真似《まね》はするな、女中にでも見られたらどうするんだ」

背後で大介の押し殺すような声がし、相子も、

「いつまでもお上品ぶって、手をやかさないで」

冷笑を含んだ声で云いながら、止《と》めにたちかけたが寧子は振り切り、スリッパも履かず跣《はだし》のまま、寝室を走り出た。

白絹の夜着の胸もとをかき合せ、急いで自分の部屋へ向いかけた時、寧子は薄暗い廊下の向うに人影がたっているのに気付いた。いつからそこにいたのか、玄関のホールから上ってくる階段のところから、じっとこちらを見詰めている。思わず足を止めると、人影は足音をしのばせるように近付いて来た。

「お母さま……」

帰宅したばかりらしい銀平が、寧子の前にたち、真夏でも白足袋を脱がない母の、

スリッパも履かない乱れた姿を凝然と見た。

「まあ、あなただったの、お帰りなさい――」

やっとそれだけを云い、顔を合わせるのを避けるようにして自分の部屋へ行きかけた。

「お母さま、どうなさったのです？」

「何でもないのよ、お父さまとご一緒していたら、少し気分が悪くなったものだから、お部屋へ帰ろうと思うて――」

「じゃあ、お部屋までお送りしましょう」

銀平はそう云うと、母の部屋の扉を押した。表見《おもてみ》は洋風になっていたが、寧子の部屋だけは上り框《がまち》をつけて日本風の座敷にしつらえられ、十畳の居間と八畳の寝室の二間続きになっている。

「もうようなりました、あなた、早うお寝《やす》みなさい」

寧子は、よそよそしく、銀平のいたわりを拒んだ。つい今しがたまで交わっていた大介と相子の汗が、まだ滲《し》みついているような気がし、それを灯りの下で息子に見られたくなかったからだった。

「しかし、お母さま、お顔が真《ま》っ蒼《さお》じゃないですか、早くお寝みになった方が――」

銀平は、無理に母の華奢《きゃしゃ》な体を抱きかかえるようにして、寝室へ歩を運びかけたが、その瞬間、母の体から濃艶なジョイの香水の匂《にお》いを嗅《か》ぎ取った。それはまぎれもなく相子のつけている香水の匂いであった。はっとして母の顔を見下ろすと、寧子は反射的に顔をそむけたが、その時、銀平は、母の身に何が起ったのか、すべてを悟った。幾つになっても雛《ひな》人形のように﨟《ろう》たけて美しい母が、妻妾同衾という獣のような交わりの中で弄《もてあそ》ばれ、生贄《いけにえ》にされているのかと思うと、銀平は、自らの体まで汚辱にまみれるようなおぞましさを覚えた。しかし、気付かぬ振りをすることが、この際、母に対するせめてものいたわりであった。銀平は、索漠とした思いの中で、

「お母さま、ほんとうにいいの？　何か気分が落ちつかれるお薬を持って来ましょうか」

と云うと、寧子は眼を伏せたまま、

「有難う、でも、もう何でもないの、それにお薬なら、そこの小引出しに入っていますから」

かぼそい声で云い、

「それより、こんな深夜まで、どうして遅かったのです」

ようやく、母親らしい気持の落ちつきを取り戻して云った。

「ちょっと、飲みに行っていたんですよ、男って、いろんなつき合いがありますからね」

「でも、万樹子さまとの結婚式が近付いているのですから、何かと自重して下さいね、私は心に思うばかりで、実際には、何もしてあげられのうて――」

「それは、お母さまのせいじゃない――」

相子のせいだと云おうとして、銀平は口を噤《つぐ》んだ。今の銀平と母との間では、彼女の名前すら口にしたくなかった。

「ではお母さま、お寝みなさい」

そう云って、銀平は、三枚重ねの緞《どん》子《す》の敷《しき》蒲《ぶ》団《とん》が敷かれている夜具の上に、母の体を寝かせかけ、右手の甲に血が滲《にじ》んでいるのに気付いた。

「お母さま、そのお手は――」

銀平は、そう問いかけて、あとの言葉を呑《の》んだ。それは三人が縺《もつ》れ合い、相子の長く伸ばしている爪《つめ》にひっかけられた傷であるらしかった。寧子は、夜具の中へ手を隠そうとしたが、銀平はそうはさせず、血の滲んだ母の手を、自分の両手に包むようにして、じっと見詰めた。母は十数年前、睡眠薬自殺を図ったことを、今もって子供たちに気付かれていないと思っているのだろう。銀平は、いま、その母に、自分だけが知っていたことを告げて、互いに、いたわり合いたいという衝動に駈《か》られた。

しかし、それを母に云ってみたところで、どうなるというのだろう。高須相子という女を父が愛し、その女が万俵家にいる限り、この大きな邸の一角で、母は蔑《ないがし》ろにされて、辱《はずか》しめられる生活が続くのだった。銀平は、小引出しの中からオキシドールと脱脂綿を取り出した。そして、かすかに血が滲んだ母の手の甲を、まるで高須相子の爪あとを浄《きよ》めるかのように何度も拭《ぬぐ》った。真っ白なオキシドールの泡《あわ》を見る銀平のいつもは無表情な眼に、激しい怒りの色が奔《はし》っていた。


翌日、相子は、大阪まで買物にと云って、その実、心斎橋のミニヨン美容院へ全身美容に出かけた。今までも三人同衾した翌日は、容色の衰えを防ぐために、秘《ひそ》かに全身美容を行なっていたのだった。

わざわざ大阪まで出かけて行くのも、阪神間ではミニヨン美容院の全身美容術がどこよりも優れているからだった。ガラス扉《ど》を押すと、サロン風の応接セットがあり、いかにも関西の上流夫人たちが集まるのにふさわしい落着きと華やかさがあった。整髪も美容も、すべて予約制であったから、混《こ》み合うことがなく、かかりつけの美容師

は、相子の姿を見ると、

「高須さま、お待ち申し上げておりました」

愛想よく迎えて、個室になった特別美容室へ案内した。広いタイル貼《ば》りの部屋にはスチーム・バスとマッサージ用のベッドが設備され、相子はすぐスーツを脱ぎ、ブラジャーからパンティまで取って、一糸もまとわぬ姿で鏡の前にたった。身長百六十三センチ、ウエスト六十五センチ、ヒップ八十七センチのスタイルに、バストだけが九十センチという豊かさだった。しかしその日は、昨夜の交わりが過ぎたのか、大きな眼の廻りに隈《くま》が出来ている。

「どうぞ、スチーム・バスのご用意が出来ました」

専任の美容師は、若い助手を使って相子の化粧を落し、バス・キャップをかぶせて、箱型のスチーム・バスに入れた。首だけ出して、全身をスチームで蒸すと、汗が滝のように流れ、皮膚の毛穴が完全に開ききってしまう。そうしておいてから美容師は、香水入りのシャンプーで体を洗い、ややぬる目のバスで流したあと、全身マッサージにかかるのだった。

相子が全裸でベッドに仰向けになると、美容師と助手が二人がかりで、全身にコールド・クリームを塗ったあと、顔、首筋、胸、腹部、両手、両足という順序で一時間余りマッサージを続ける。いくら目鼻だちが派手で、顔は化粧《メーキャップ》で若く見せることが出来ても、首筋と手の甲と足の踵《かかと》には、隠せぬ齢《とし》が出るものだから、相子のような中年の場合は、特にそのあたりを丹念にマッサージして貰《もら》う。若い助手が足の踵をマッサージし、美容師は相子の首廻りにボディ用のオイルをつけながらこすり上げるように何度もマッサージを繰り返す。下手な美容師に会うと、まるで擂粉木《すりこぎ》でこすられるような痛さを感じるが、熟練者にかかると芯《しん》から揉《も》みほぐされるようにソフトな感触を覚える。相子がその巧みなマッサージに眼を閉じていると、

「高須さまは、ほんとうにお若うていらっしゃいますこと、少なくとも十歳はお若いお肌で、手入れをさせて戴《いただ》く方も、甲斐《かい》がございますわ」

美容師が云った。

「あら、お上手をおっしゃるのね、私はもう四十ですのよ」

「お世辞じゃございませんわ、その証拠にお肌がこんなにきめ細かく、張りがあります、三十歳ぐらいの方でも、もっと固いお肌の方がいらっしゃいますのよ、ほら、こんなに弾力性が――」

首筋の筋肉をぴちぴちとつまみ上げるようにし、全身のマッサージをすませると、ベッドに取りつけられているバイブレーターのスイッチを入れた。快い震動が体に伝

わり、相子はそれに身をゆだねながら、昨夜の寝室でのことを思い出していた。

大介の計画通り、寧子をブランディで酔わせて、久しぶりに三人同衾の交わりを愉しんでいたが、その最中、寧子に脱け出されてしまった。しかしそのあとも相子は、大介と奔放な愛撫を繰り返した。ゴルフで鍛えているせいか、筋肉質の体は自他ともに四十代と云われている大介も、さすがに昨夜は、相子の意のままになって、寧子に対する云い知れぬ優越感を相子にもたらしたのだった。

バイブレーターが止まって、マッサージが終った。相子はベッドから降りてシャワーを浴び、全身を拭って貰った。一晩で艶《つや》を失った肌が、みずみずしい潤《うるお》いを取り戻し、桜色に輝くような感じだった。

「ご苦労さま、これで体が軽くなったような、すがすがしさだわ」

相子は爽《さわ》やかな口調で云い、ローズ色のスーツを着ると、もう一度、自分の顔を鏡に映して、白いだけが取得《とりえ》のような寧子の肌をちらっと思いうかべ、満足げに美容院を出た。

心斎橋の雑踏に足を踏み入れると、相子は、さらに爽快《そうかい》な気分になった。神戸の街のように、ことさら人目を気にする必要もなかったし、曾《かつ》て自分の生れ育った土地柄という気やすさもあった。

相子は美味《おい》しいコーヒーを飲みたいと思った。すぐ眼の先にコーヒー専門店のB・Cがあった。扉《ドア》を押すと、ウインザー風の椅子《いす》とテーブルで統一された店内は、コーヒー通らしい男性客で殆《ほとん》ど占められ、隅のテーブルだけが一つ空《あ》いていた。そこに坐って、キリマンジャロを注文していると、

「失礼ですが、高須さんではありませんか？」

隣の席にいた中年の男が突然、声をかけて来た。どこかで会ったような気もするが、誰だか思い出せない。平凡な紺《こん》の背広に、眼鏡だけ気障《きざ》なフレームの眼鏡をかけた中肉中背の男だった。

「どなたでしたかしら」

「加納《かのう》ですよ、お忘れになりましたか？　昔、よくお宅へお邪魔に上っていた――」

「昔といいますと？」

「天王寺のお宅が戦災で焼ける前の頃です、あなたは、たしかまだ女学生でしたね」

その頃、父の高等師範学校の後輩である若い学生たちがよく父に会いに来ていたことは覚えている。そして彼らの目的が父ではなく、自分にあったことも、当時、相子は感付いていた。そういえば、加納はその中の一人だったような気もする。

「先生が亡《な》くなられて、何年になりますかな？」

加納はそう云うと、相子の都合もきかずに、なれなれしくテーブルを移ってきた。

「もう十五年以上になります」

「アメリカへ留学されて、向うの方と結婚されたと伺いましたが？」

相子は運ばれて来たコーヒーを飲みながら、離婚したリチャード・キーンの知的な容貌《ようぼう》を久しぶりに思い出した。

「先生からアメリカで結婚されたことを伺った時は、正直いってがっかりしましたよ」

相子が、加納の無遠慮な言葉を咎《とが》めるような表情をすると、

「いや、そんな話はよしましょう、ところで、今はどちらに？」

探るような視線で、相子の右手にはめられているエメラルドの指輪と、全身美容で見事に若がえった美しい顔を見比べるようにして聞いた。

「阪急沿線に住んでおりますわ」

「向うでは、うまくいかなかったようですね……、それで再婚されたのですか？」

相子は、首を振った。

「どうして、あなたのような方が、その後、結婚なさらないのです？」

「皆さま、同じことをお聞きになりますのね」

相子は話の腰を折るように云ったが、加納は曖昧《あいまい》に笑って、

「じゃあ、現在は、マンションで、気楽な独り暮しというところらしいですね？」

相子は応《こた》えなかったが、

「実は私も独り暮しなんです、今、大学の教師をしていますが、女性と違って、男《おとこ》鰥《やもめ》は何かと不自由でしてねぇ」

問わず語りに喋《しゃべ》り、大阪の私立大学の文学部助教授という肩書が刷り込んである名刺をさし出した。

「奥さまは、亡くなられたのでございますか？」

単なる社交辞令のつもりだったが、加納はその質問を待ちかまえていたように、

「いいえ、これがひどい悪妻でして、子供がなかったのを幸いに別れました」

そう云って、体を乗り出して来、

「弟さんは、お元気ですか？　ここ暫《しばら》くお目にかかっていませんが」

高校の教師をしている弟のことを聞いた。

「おかげで元気にしておりますわ」

「そうですか、先生が生きておられたらと、つくづく思いますよ」

「父が生きていたら？」

「ええ、あなたのことを何とかお願いできたかも知れないと思うからですよ、でも、こんなところでお目にかかれるなんて、やはり何か、ご縁があるのですね」

加納が何を考えているのか、相子には見当がついた。とんでもないと思う一方で、父が生きていたら、事実、こういった類《たぐ》いの男との再婚をすすめられていたかもしれないという気がした。大学の文学部助教授の妻として、平々凡々たる生活を営み、もしかしたら、自分もどこかの学校の教壇にたっていたかもしれない。

万俵家へ家庭教師として入る前の相子には、正直云って、将来への夢など、まるでなかった。リチャードとの結婚に僅《わず》か一年で破れて帰国した相子を待ち受けていたのは、教育汚職に連座した父の懲戒免職であった。帰国後は母校の奈良女子大の研究室に戻って、学問を続けようと心に決めていた。それがリチャードとの離婚で傷手《いたで》を受けた若い相子の唯一《ゆいいつ》の希望だったが、それも、父の懲戒免職でご破算になった。その頃の日本は、食べることだけに狂奔しなければならなかったが、相子には、自活か再婚かという、二者択一の道しか残されていなかった。そして希望する就職先には、父の事件が禍《わざわ》いし、再婚するには、外人との前歴が大きなハンディとなって道を塞《ふさ》いだ。

万俵家から家庭教師の仕事を持ち込まれたのは、そうして相子の自尊心がずたずたに切り苛《さいな》まれている時だった。家庭教師は、相子の性分に全く合わなかったが、それを引き受けたのも、ただその高額な報酬が目当てであった。当時、二万五千円という月給は、一流企業の課長クラスに相当し、諦《あきら》めていた弟の大学進学も、それで賄《まかな》うことが出来たのだった。弟が大学を卒業するまで我慢しよう、それが相子の偽らぬ本心であった。

しかし、万俵家に入った相子の人生は、その意思とかかわりなく、大きく転換した。かつて想像も出来なかった巨大な富と暮し、しかもそれが閨閥《けいばつ》によってさらに膨《ふく》らんで行く事実に眼の眩《くら》む思いがした。そして万俵大介と体の交渉をもった時を境に、相子はそれと引換えに、万俵一族を差配する権勢を購《あがな》おうという野心を燃えたたせたのだった。

相子は、目の前に坐《すわ》っている男の不躾《ぶしつけ》な眼つきを見た。あなたなどと結ばれる女ではありませんよ、と云ってやりたかった。

「私、お先に失礼致しますわ――」

相子が席をたち上ると、加納も同時に腰を上げた。

「では僕も――」

気やすく寄り添って来たが、

「私、今から用向きがございますから、ご免遊ばせ」

見下《みくだ》すような視線で止《とど》めをさし、階段を下りた。そして表へ出ると、加納が話題にした弟の家を久しぶりに訪ねてみようと思った。現在の相子にとって、弟はたった一人の肉親だった。

高層アパートが林立する千里ニュータウンのほぼ中央部に、弟の住んでいるC17棟があった。各棟に記されている記号を頼りに、タクシーを降り、エレベーターに乗った。

四時すぎのエレベーターの中で、ローズ色のツーピースに同系色のターバン・ハットをかぶった相子の姿は人目にたちすぎ、買物籠《かご》をぶらさげた主婦たちの視線は、全身美容をして来たばかりの顔と洗練されたその服装に一斉に集まった。相子が身につけている一着八万円のジバンシーのスーツも、一回七千円の全身美容代も、夫の給料で親子何人かの生活を賄《まかな》っている公団アパートの主婦たちの生活とは、かけはなれたものだった。

相子は五階でエレベーターを降り、廊下の中程にある高須徹《たかすとおる》という表札がかかっている部屋のベルを押した。

「どなたですか？」

弟の妻の声が聞え、覗《のぞ》き窓が開かれた。

「まあ、お義姉《ねえ》さん、お珍しいこと――何か、急なご用でも？――」

エプロン姿の幸江は、二年ぶりの義姉の来訪を驚くように云《い》った。

「いいえ、別にとりたてての用などないの」

居間の座卓につきながらそう云った途端、幸江の眼に、何か警戒するような色がうかんだ。それは何事につけても、少しでも身に振りかかる肩の荷を避けようとする庶民の主婦独特の表情であった。そんな気配を相子は敏感に感じ取って、

「ちょっと、この近くまで来たついでに寄ってみたの、富子ちゃんと悦子ちゃんは？」

と云うと、鉛筆を持ったまま、隣室から様子を窺《うかが》っていた小学校六年と四年の姉妹が、母のうしろから、はにかむように顔を覗かせた。

「伯母さまにご挨拶《あいさつ》しなさい」

幸江が、子供たちの肩を押すように云うと、

「伯母ちゃん、今日は――」

二人はぴょこんと頭を下げた。

「暫く会わないうちに、二人ともまた背が伸びたみたいね、はい、おみやげ」

赤いリボンで結ばれた洋菓子の箱を手渡すと、六年生の富子は、父親の徹に似た大きな瞳《ひとみ》を輝かせ、

「これ、マロン・グラッセでしょう、大好きやけど、あんまり食べたことないのんよ――」

嬉《うれ》しそうに云って、しげしげと美しい装いの相子を見て、

「伯母ちゃんは、何してはるの？」

と聞いた。相子は一瞬、言葉に詰ったが、

「家庭教師よ、お家でお勉強を教えてあげているの」

「何年生やの？　その子」

富子は好奇心に満ちた眼で云った。

「大学生の女の子なの」

三子のことを云った。

「ふうん、大学生にもなって、伯母ちゃんに教えて貰うてはるのん、その子、あんまり勉強、でけへんのやね？」

「そう、そうなの」

「ほんなら、伯母ちゃんはえらいのやね、大学生に教えてあげてるのやもの、うちの

パパだって、高校生を教えてるのやものね」

　四年生の悦子は無邪気に云い、二人で何かえらい人を見るような眼つきで、相子を見上げた。相子にとって肉親は弟とこの二人の姪《めい》しかいないだけに、訝《いぶか》しげに見られるのは、心淋《さび》しいことだった。

　義妹の幸江は、相子が万俵家の邸内に住んでいることを聞き知っていたが、どういう立場で何をしているかまでは知らないはずだった。そして、気位も高く、あまりにもかけ離れた世界に住んでいる義姉とは、話の継穂《つぎほ》がなく、気づまりな表情がありありと見えた。

「あのう、主人は、今日はいつもより早く帰って来ると云ってたんですが……」

「私、別に急がないことよ」

「でも、お義姉《ねえ》さまは、やっぱり何かとお忙しいんでございましょう？」

「どうぞ、あなたこそ、私にかまわないで、夕食のお支度もあるでしょうから――」

　相子が云うと、お茶をいれていた幸江はほっとした表情で、キッチンに入り、夕食の支度に取りかかった。子供たちも、何となくぎごちないらしく、マロン・グラッセの箱を持って次の間へ行ってしまった。相子はお茶を飲みながら、向い側のアパートへ眼を遣《や》った。洗濯物を取り入れたり、掃除をしたりする忙しそうな主婦の姿が見え

た。幸江はガス台に鍋《なべ》をかけ、煮ものをしながら、

「筍《たけのこ》も、この頃は高いんですね、でもうちの人の好物なものですから」

と声をかけた。筍といえば、相子の父の好物で、父は母が生きていた頃には、その季節になるといつも筍で晩酌を楽しんでいた。父は律儀《りちぎ》で、小心過ぎるほど真面目《まじめ》だったが、母はどちらかといえば、モダンで、教育熱心で、今でいう教育ママ的なところがあり、大阪府庁の学務課に勤める夫のささやかな給料の中から、相子にピアノを習わせた。その母は、相子が十六歳、弟が十一歳の時に、結核で死亡したが、もし母が生きておれば、課長の父も、上司の罪をおっかぶせられた教科書汚職に連座することなく、うまくたち廻れたかもしれない。その父も、懲戒免職になってからは、焼酎《しょうちゅう》のような安酒を飲み、卒中で急死してしまったのだった。

扉《ドア》のブザーが鳴り、弟の徹が帰ってきた。

「お帰んなさい、待っていたのよ」

相子が声をかけると、

「やあ、姉さん、久しぶり――、どうかしたの？　突然」

驚くように云った。

「突然だと、いけなかったかしら？」

「そんな云い方をしていないよ、でも、めったに現われない姉さんが、何の前ぶれもなく突然、現われると、何か重要なことでも、と思うじゃないか」

「そうじゃないの、久しぶりで大阪まで買物に出かけて来たら、心斎橋の喫茶店で、加納さんとかいう、お父さんの後輩で、今、大阪の私大の助教授をしている人に出会って、お父さんの昔話や、あなたのことを聞かれて、急に寄ってみたくなったの」

相子は、この弟にだけしか見せない母親のような優しい顔付をして云った。

「ああ、加納さん、あの人は、僕たち国語教師でやっている母親読書サークルの講師になってくれたりして、あれでなかなか、その方のタレントなんですよ」

と応えた。そう云えば、野暮ったい背広に、眼鏡だけが妙に目だって気障なのが解《わか》るような気がする。

「別に用がなければ、今夜は久しぶりにゆっくりして行けばいいじゃないか、たまには姉弟一緒の夕食もいいだろう」

無骨な口調であったが、肉親の愛情が籠《こも》っていた。相子はそうしようかと思ったが、キッチンでコトコトと、何かを刻んでいる幸江の手が止まったのを聞き逃《のが》さなかった。

「いいえ、そんな心配しないで、あなたと少しお話ししたら、失礼するわ」

「なんだ、そんなに忙しいのかい？」

「ええ、次男の銀平さんの結婚式を控えて、財界はもちろん、政界、官界のお歴々のご招待名簿から引出物の検討まで、このところ忙殺されているのよ」

そんな忙しい中を、格別の用もないのに、なぜ訪ねて来たのか、弟は怪訝《けげん》な顔をした。

「姉さん、ちょっとベランダへ出てみないか」

ベランダといっても、猫の額ほどの狭さで、片隅には洗濯機があり、植木鉢が五、六個並んでいるだけだった。しかし、3DKの公団アパートで、姉弟が二人きりで話すとすれば、そこしかなかった。二人列《なら》んで鉄柵《てっさく》に寄りかかると、弟は声を落して聞いた。

「姉さんはどうして結婚しないんだ、人の世話ばっかりして」

相子は応えなかった。

「将来、どうするつもりか、一度、聞いておこうと思っていたんだよ、いつまでも万俵さんのところに厄介になっているわけにもいかんだろう」

弟は、万俵家における姉の立場に或《あ》る種の疑問を抱いているような云い方をした。

「どうして、そんなことをいうの？」

「姉さんは再婚話の相談にでも来たんじゃないかと、幸江が云うんだ」

自分の眼をかすめて、そんなことを弟に耳打ちしたのかと、相子は不快になった。

「だったら、どうだって云うの、妙なところへ再婚して、迷惑を背負い込みでもしたらと、心配してるんじゃないの、失礼ね、充分な待遇をして貰《もら》って、結構、楽しくやっていますから、ご心配なく」

と云ったが、いくら実の弟でも、寧子と妻の座を分け合っている事実まで知られたくはなかった。

「そりゃあ、僕たちの生活とは違うんだし、何ともいえないが、僕には、姉さんが特に幸せそうには見えない、人の家の世話ばかりでなく、もっと自分自身の将来も考えて、そろそろ幸せな結婚をしてほしいと思うよ」

そう云われると、相子は大介と睦《むつ》み合いながらも一向に子供ができず、寧子の子供たちの世話ばかりしていることに、空《むな》しさを感じたが、

「私は自分の生きたいように生きて来たし、これからもそうするわ」

弟の親身な心配を、強気に突っ撥《ぱ》ねた。

「そりゃあ、姉さんは自分のしたいように生きているつもりだろう、しかし姉さんは、ほんとうの女の幸福というものを、アメリカでの離婚後、見失っているんじゃないかな、少なくとも、僕の眼にはそう見えるよ」

「そうかしら、それはあなたの思い過しよ」

相子はこともなげに云ったが、昨夜の痴態がありありと思いうかんだ。相子が、名実ともに単なる家庭教師の立場でいたら、とっくの昔に万俵家をお払い箱になり、或《あ》るいは弟にも身の振り方を相談に来たかもしれない。だが、万俵大介と体の関係を持ち、寧子と妻の座を二分している今の相子は、万俵家の閨閥《けいばつ》作りのプロデューサーであり、正妻の寧子と同等、あるいはそれを上回る権限さえ与えられている。そしてその権限によって、万俵一族の繁栄のために大介の陰の力にさえなっている。しかし、今、弟から云われてみると、自らは大いに権限を振るっているつもりでも、逆に大介から振り廻されているのかもしれないという気もして来た。躍起になって万俵一族のために尽しているのも、いわば正妻らしい能力を何ら備えていない寧子への当てつけで、いずれは大介の愛をかち得て、正妻の座を得ようとする浅はかな女心に過ぎないのかもしれない。もしそうだとしたら、やはり大介の大きな手の中で、自分は自在に操られているのかもしれないと思った。

「どう、姉さん、飯を食って、ゆっくりして帰ったら――」

日が暮れ、向いのアパートの窓に灯りがついていた。

「いいえ、やはり、いろいろと忙しい時だから、またのことにするわ」

万俵家のダイニング・ルームが眼にうかび、今夜は自分が大介の妻の座に坐《すわ》る日であると思うと、すぐにもタクシーを飛ばして、晩餐《ばんさん》に間に合うように帰りたいという衝動に駈《か》られた。

四 章

阪神銀行の大会議室では、全国支店長会議が開かれていた。

正面の壁面には、紺碧《こんぺき》の海に白い波濤《はとう》の神戸港を象徴する大行旗と、全国の支店網を記した日本地図が掲げられている。それを背にして、万俵頭取を中心に、大亀、小松の両専務、芥川、荒武、渋野、舟山、新井の五常務が居列《いなら》び、その役員席に向い合って、本店営業部長、東京支店長、名古屋支店長など、戦艦クラスの大支店長を筆頭に、全国百三十カ店から招集された支店長が威儀をただしている。

さらに支店長席の左側には本店の部長級、右側には監査役が列んでいたが、平均年齢四十五歳、ダークスーツの支店長たちで埋めつくされた大会議室は、それだけでも重々しい空気に覆《おお》われていた。全国支店長会議は、銀行にとって年に一度の、あらゆるスケジュールに優先する重要行事で、病気以外の欠席は認められなかったが、今年は、いっそう白熱した雰囲気《ふんいき》があった。

一カ月前、頭取から各支店長宛《あて》に『必直披《ちょくひ》』で出された招集状に、今年度の全国支店長会議は〝一兆円突破特別会議〟と銘打たれ、議題の大半が預金増強に関するものだったから、各支店長は、自《おの》ずと異例の事態を察知して、今日の会議に臨んでいた。事実、冒頭における万俵頭取の開会の辞でも、一兆円達成が強く訴えられ、経理担当の大亀専務、総務担当の小松専務の挨拶《あいさつ》も、例年の型を破っていた。

さらに東京事務所長として、専《もっぱ》ら中央の情報収集、政治活動に従事し、本店には月二度しか姿を見せない忍者部隊長の芥川常務も、今日ばかりは、頭取、専務に続いて預金増強を力説し、そのあと、〝荒武者隊長〟の異名を持つ業務担当の荒武常務が、頑丈な肩をマイクへせり出し、機関銃のような勢いで、喋《しゃべ》っていた。

「頭取をはじめ、各役員方から繰り返し、本会議の趣旨が説明されましたように、今年は預金増強の年であります、振り返ってみれば、昨年は念願の八千億預金を達成、都市銀行の年間平均伸び率一五パーセントを大幅に上回る良好な成績をあげました、しかし、八千億から若干、足踏み状態が続いて、業績が今一つ冴《さ》えない、折しも、頭取の開会の辞にもありました如《ごと》く、今年は金融再編成が推し進められる激動の時期であり、当行にとっても存亡の岐路にあたって、是が非でも今年度中に二千億の預金を増強して、一兆円の大台を達成したい、そのために全国支店長の皆さんに一大奮起をお願いする次第であります」

大会議室に響き渡るような大声でまくしたてると、机上のコップの水を飲み干し、またも息もつかせぬ勢いで喋りつづけた。

「まず、二千億の月別目標額でありますが、上期《かみき》九月までに八百億、下期《しもき》来年三月までに一千二百億、それをめどに各店の月別目標を割り出して戴《いただ》きたい、むろん二千億という目標額は、前年度の二倍に相当する額である、したがって、今、各支店から申告を受けている今年度の目標額を集計すると、二千億にはほど遠いので、早急《さっきゅう》に思いきった積極目標に切り替えて、再申告をしてほしい、その際、自分の店一つぐらいはというような気持は、ゆめゆめ持たぬよう、百三十カ店で二千億の神輿《みこし》をかつぐという気概でやって貰《もら》いたい。

次に、預金獲得作戦の大綱について述べる、これは、徹底的な大衆化作戦につきる、そのための具体的な方法、それは店周《みせまわ》りの塗りつぶし作戦であります、少なくとも各支店の半径五百メートルの中にある得意先は、阪神銀行で塗りつぶして貰いたい、それを可能にするためには、得意先係の訪問軒数を今までの二倍のペースに引き上げ、支店長自らも半径五百メートルの地域は隈《くま》なく歩いて貰わねばならない、結果として来客数が必ず増える、要するに、支店長と得意先係は、たとえれば、勢子《せこ》の如く客の追込みに徹し、店内にあっては、次長以下、できる限り優秀な者を窓口に出して、接客に努め、がっちりと客をつかむことである」

荒武は、預金者と行員の関係を荒武調の表現でずばりと云《い》い、

「最後に、支店長の心構えについて、この際、改めて皆さんに要望します、それはまず、支店長とはこういうものだという既成概念から脱却することである、朝九時十五分前に出勤して、朝礼をし、来客の応対、伝票の査閲のあと、店内を一巡して、ことがなければ帰る、それが支店長だというイメージをかりに皆さんの中の誰かが持っているとしたら、それは大きな間違いであって、支店長に勤務時間制限はない、各々《おのおの》が己れの才覚に応じて考え、働いて貰うことで、才覚のある者は七時間でもよし、八時間でもよし、能力のない者は二十四時間、その一言に尽きる、もちろん、皆さんにそれだけ要求する限り、この荒武個人の生活はない、私の体力と時間が許す限り、一兆円達成まで、諸君と共に馬車馬の如く働く覚悟である」

吠《ほ》えるようにぶちまくったあと、荒武は、そう云い添えて、支店長たちの情感に訴えることも心得ていた。それまで、小心な支店長たちは、従来の二倍の凄《すさま》じいノルマを思って青くなったり、エリート・コースを歩むインテリ支店長は、荒武の進軍ラッパ調にうんざりしてメモをとっていたが、最後の泣かせ文句には、誰しも引き入れられるような表情をし、役員席中央の万俵頭取も満足げに頷《うなず》いていた。

荒武は、さらにコップに水をつぎたし、一気に飲み干し、

「以上の営業方針に対して、もし異論があれば、今から遠慮なく発言して貰いたい、今日は月並の支店長会議ではないのだから、不審な点は、みんなで解明しようではないですか」

語りかけるように云ったが、さすがに第一番に挙手する者はない。荒武は、手もとの全国支店長の名簿を拡《ひろ》げながら、

「下関支店長、何かご意見はありませんか？」

と指名した。見るからに、預金集めで叩《たた》き上げて来た感じの下関支店長は、中程の席から弾《はじ》かれたようにたち上り、マイクに向ったが、がたがたと足が震えて、言葉が出ない。百三十人の支店長の中で、第一番に指名された感激と、頭取以下全役員に能力をテストされるような重圧感を感じたのだろう。下関支店長に限らず、例年、会議の第一番に指名を受ける支店長は、光栄ある立場でもある。今年こそ指名されはしないかとびくつきながらも、指名されなければされないで、無視されたような思いを味わうのも、全国支店長会議に臨む支店長たちの偽らざる心境であった。

「し、失礼します」

まだ四十半ばというのに若禿《わかはげ》の下関支店長は、足の震えを止めるために、いきなり

靴を脱ぎ、靴下のまま床に突ったつと、ようやく喋りはじめた。

「只今《ただいま》の荒武常務のお話は、まさに戦機至れりの感が深いと思います、かねがね自分の店では、本行より一ランク上位の平和銀行下関支店がすぐ向いにあるところから、これを仮想敵国に擬して殲滅《せんめつ》作戦を実行して来ました、方法としてはライバルのお得意先へ重点的にアタックをかけることで、敵が三回行けばこちらは五回、向うが八時出勤なら、こちらは七時半と、朝礼に軍艦マーチのレコードをかけて士気を昂揚《こうよう》させ、雨の日も風の日も、女子行員も加わって攻めに攻めまくりました、その結果、戦果は日増しに上って、地元では阪神銀行ほど熱心な銀行は他《ほか》にないという声が高まり、今や下関の阪神か、阪神の下関かと云われるまでに至っておるのであります」

足の震えはやっと止まったが、昂奮で上気し、マイクに唾《つば》を飛ばさんばかりの口調で云った。その猛烈ぶりと軍艦マーチまで鳴らすという悲壮さに、居列ぶ支店長たちは、思わず笑いを噛《か》み殺し、万俵頭取まで失笑しかけると、下関支店長は、頭取の表情には気付かず、周囲の支店長を睨《にら》みつけた。

「皆さん、何が可笑《おか》しいんです！　私は、かねてより頭取がおっしゃっておられる通りのことを忠実に実行しとるのであって、なんら笑われる筋合はない、今も昔も銀行は、頭でなく、足で稼《かせ》ぐもんだと、私は信じて疑っておらんのです！」

大声でそう云うと、万俵頭取は顔から笑いを消し、傍《かたわ》らの大亀専務を振り向いて、下関支店長の経歴でも聞いているのか、大亀専務のさし出す支店長名簿を見ながら頷いた。笑っていた支店長たちは俄《にわ》かに緊張の色をうかべた。

前方の席から、手が上った。一橋大学出身の三十九歳のエリートで、東京の新宿支店長であった。

「只今の下関支店長のお話は、まことに勇ましく、第一線の気概は、そういうものでありたいと思います、しかし、冷静に考えますと、預金が伸びるかどうかという決め手は、行員の質と量の綜合《そうごう》であり、貸出しの枠《わく》であり、経費でありまして、そのすべての面で、当行は経営の効率を重んずるあまり、預金増強の手段において少し不足しているところがあるように思います、その点、本店の方で、ご検討いただきたいと存じます、特に当店の場合、全店の中でも特に優良な地盤と思われるにもかかわらず、人の面でも、金の面でも、極めて予算の配分が薄く、もっと重点的な配分を本店の方で約束して戴かなければ、従来の倍増の預金目標到達には、正直なところ、責任をもちかねる次第であります」

激戦地で日夜、神経を磨《す》り減らしている支店長の立場から、はっきりとした意見を述べると、荒武はすかさずマイクを引っ摑《つか》んだ。

「なるほど、君のところは周辺に七つの都銀、地銀、信託銀行が入り乱れて、大へんだろう、曾《かつ》て私も大阪難波《なんば》支店長を経験し、都心部の支店長の辛《つら》さは手に取るように解《わか》る、しかし、資金、兵力に限りがある以上、私は将棋でいう歩《ふ》を金《きん》にする方法をあれこれと考え、前支店長がCクラスと査定した人間をAクラスの行員として使いきった、金にしても物にしても、要は使いようで、その面で工夫する方法がないか、君自身で今一度、充分に考えて貫いたい、それでもなおかつ不満があるなら、今週中にも、私が君の支店へ行って、洗いざらい問題点を究明し、一緒に爾後《じご》の対策を考えようではないですか」

百戦錬磨の預金競争を経て来た常務らしく、荒武は抽象的な不満は許さないかわり、行動は頗《すこぶ》る早い。新宿支店長がたじたじとなってひき下ると、すぐ、二、三の発言者の手が上り、預金増強の論議は、白熱していった。

最後に最前列の本店営業部長がたち上り、支店長を代表した形で、本店と支店とが一体となって預金増強の目標を目指す決意を述べはじめた時、総務部長が芥川常務に何事か耳元で報告し、次いで芥川が万俵頭取に伝えると、そそくさと席をたって行った。

本店営業部長が着席すると、会議の午前の部は終り、午後からは分科会に移る予定

であったが、総務部長が、

「頭取から緊急に、皆さんにお話しされることがありますから、ご静聴下さい」

と告げた。万俵は徐《おもむ》ろにマイクを引き寄せ、

「実は只今、さる筋から入った緊急情報によりますと、平和銀行京都支店で、先月中頃、六億円に及ぶ支店長の不正融資事件が発生し、このほどそれが警察当局の察知するところとなって、事件は今日明日中にも報道されるということです」

静まり返っていた大会議室に、騒《ざわ》めきが起った。六億円という金額の大きさもさることながら、それが阪神銀行より一位上のライバルの平和銀行で発生し、しかももみ消しがきかずに警察当局によって摘発され、世間に公《おおやけ》にされるということへの陰湿な快哉《かいさい》であった。しかし、万俵頭取は、ことさらに厳しい表情で言葉を継いだ。

「昨今、銀行にからむ不正事件が頻発《ひんぱつ》し、預金者、警察当局のみならず、われわれ銀行マンの心胆を寒からしめているが、諸君らの監督下で事件発生の温床になっていることはないか、この際、徹底的に点検し、あらゆる部署における二重チェック・システムを、一層、引き締めて貰いたい、と同時に、先程来、荒武常務から、随分、激しい作戦指令が出され、諸君らは相当なショックを受けられたと思うが、今こそ第九位の平和銀行に追いつき、さらに追い越す絶好のチャンスであり、必ずや一兆円預金は

やり遂げて戴きたい、なお今、発表するわけにはいかないが、私がこのように強く諸君にお願いする限りは、それだけの抱負があり、その結果は、必ずや諸君らの将来を今以上に明るくする自信と成算があるからである」

と言葉を結んだ。銀行合併をもくろんでいる万俵の意中を聞き知っている大亀専務以外の者には、万俵の言葉の真意は推し量れなかったが、支店長の不正融資で躓《つまず》いたライバル行の平和銀行の弱り目に乗じて順位逆転を計ろうとする意欲と熱気が、〝一兆円必達成〟をかかげた全国支店長会議の大会議室に渦巻いた。

午後からの分科会が終了すると、阪神銀行会館で慰労パーティが催された。万俵頭取以下、全役員も出席していたが、万俵はパーティの開かれているホールの隣室で、芥川とひそひそと話し合っていた。平和銀行京都支店の不正融資事件についての詳細を聞いているのだった。

「そうすると、事件は案外、根深いというわけだね」

「そうです、今度の事件は、昨年の春から端を発していたようで、資本金二千万円の京都土地開発株式会社に、京都支店長が、僅《わず》か一年余りの間に六億も不正貸付をし、事件が発覚しそうになった先月はじめ、京都土地開発の社長と支店長が、突然、姿をくらまし、警察が支店長宅を家宅捜査すると、京都土地開発から受け取ったとみられる現金約二百万円と外車が出て来たそうです、しかし、そんな巨額の金を、一支店長の独断で融資できるはずはなく、私が得ました情報では、平和銀行頭取の〝顔貸付〟が、事件の根本原因だそうです、何しろ、平和銀行の頭取は、日頃から政治家とのつき合いが派手な上に、土地開発というような地方代議士が入り込みやすい性格の融資を扱ったために、こんな大事件に発展してしまったのだと思われます」

「ふむ、それにしても、どうして表沙汰《おもてざた》になってしまったのだ、そこのところを知りたいねぇ」

万俵は、表情を変えずに聞いた。というのも、こげつき融資については、多かれ少なかれ、殆《ほとん》ど軒並といっていいほど、どの銀行も隠し持っている傷だったからだ。銀行は信用保持のためにあらゆる手段を尽して外部に洩《も》れるのを防ぎ、やむなく大蔵省に届けねばならぬ羽目になっても、その大蔵省にして、監督不行届の世論を恐れて警察へ届けろとは決して云わない。それがこの世界の常識であった。それだけに、平和銀行の場合、どうしてもみ消せなかったのか、万俵は腑《ふ》に落ちなかった。

「そこなんです、私も、そこのところを突っ込んで調べさせたところ、平和銀行としては、既に二カ月前からわかっていて、あらゆる手段を尽して、債権の確保に努力して来たらしいのですが、ことが土地問題だけに、地元暴力団に介入され、それ以上、隠していると、手の打てる債権保全、抵当物件の差し押えも出来なくなるばかりか、根こそぎゆすられる危険も出て来たため、致し方なく、警察に届け出たのが真相だそうです」

「土地か――、土地開発の融資は政治がからみやすく、一番難かしいし、危ない、ともかく最近は、以前にはそうなかった金融事犯が頻発しているのだから、役員たちは特に留意することだな、そんな事件が起れば、せっかく血みどろの預金合戦を展開して勝ち得ても、血と汗の結晶を溝《どぶ》に捨てることになるのだからねぇ」

「預金といえば頭取、ここ一カ月来、富国銀行がやかましく云って来ている預金の相互受払いに関する業務提携ですが、そろそろ本店の正式回答を出して戴きたいと思います、あまり回答をひき延ばすのも、得策《とくさく》ではございませんので――」

「うむ、その件は荒武常務と渋野常務にもよく検討させたが、提携しようという結論に達したよ」

万俵が応《こた》えると、芥川は呑《の》み込めぬ表情で、

「――しかし、富国銀行の動きを一番、警戒されていたのは、頭取ご自身ではございい

ませんか、いかに預金面でメリットがあるとはいえ、都市銀行間で未《ま》だ例のない預金の相互受払いなどをすれば、富国銀行の思うつぼではありませんか」

「さすがの君にも、私の真意が見抜けないらしいが、この際、君にも云っておこう、私は上位行に食われる合併を余儀なくされる前に、食う合併をもくろんでいるのだ」

「えっ、当行が合併を――」

芥川は驚愕《きょうがく》した。

「その通りだ、全国支店長会議で一兆円必達成のスローガンを掲げ、預金獲得競争にはっぱをかけているのも、富国銀行との業務提携に応じるのも、食う合併をするための体力づくりのためなのだ、この話はパーティが終ったあと、席を替えてゆっくり話し合おう」

万俵はそう云うと、何事もなかったような表情で、支店長慰労パーティの席へ戻って行った。

ホール一杯に、オードブルや寿司《すし》の載ったテーブルが幾つも並び、百三十人の支店長たちは、昼間の緊張から解きほぐされた表情で、ビールやハイボールを飲みながら、久かたぶりに顔を合わせる遠隔地の同僚と歓談している。役員たちは、預金増強の発破《はっぱ》をかけた後だけに、日頃の取りすましようとは打って変り、今日ばかりは支店長たちの間を縫うように歩いて、頻《しき》りに犒《ねぎら》いの言葉をかけたり、肩を叩いたりしている。万俵は、そんな中で、大阪の池田支店の角田支店長を眼に止めると、その方へ近付いて行った。

「角田君、万博会場への道路買収の預金は、しっかり頼むよ、あと一カ月程の勝負だからねぇ」

その預金争奪戦で、連日連夜、不眠の努力を続けている角田支店長は、窶《やつ》れの見える顔に感激の色をうかべた。

「頭取、ご期待に添うべく、行員一同、日夜、努力致しております」

「うむ、万博関係の預金の獲得は各行の面子《メンツ》をかけた戦いだから、大いに期待しているよ」

励ますように角田の肩をぽんと叩き、さらに周辺の支店長たちにも、端正な顔に笑いをうかべて、一人一人を犒って行った。

午前八時三十分、まだシャッターを下ろした阪神銀行池田支店では、ロビーに六十七人の全行員が集まり、朝礼が開始された。

二日間の全国支店長会議に出席した角田支店長は、厳しい表情で行員一同に向って訓辞していた。

「ともかく万博会場への道は制覇《せいは》しなければならない、諸君は今までもよくやってくれたが、一兆円必達成のスローガンの下で、全国支店の士気を昂揚する第一の戦いが、このわれわれ池田支店の万博作戦であるわけです、それだけに本店の期待は従来にも増して大きく、頭取じきじきに、是非とも頑張って貰《もら》いたいと、私に言葉をかけられ、肩を叩いて励まして下さったのです、万博土地代金の獲得を目ざして二年、十数行入り乱れての激戦に、無理がたたって、病気で倒れた人もあり、支店長としてどんなに辛い思いをしているかしれません、しかし、この長い戦いも、いよいよあと一カ月先の六月二十日には、土地買収の交付金がおりる、そしてその瞬間に、勝敗が決するのです、〝他行に負けるな！　頭取の期待に応えよう〟を合言葉に、五億円の目標額を目指して、頑張り抜いて下さい」

万国博の会場そのものの土地買収は、既に終っていたが、万博関連事業として、大阪府が会場周辺の道路買収に乗り出したのは二年前であった。そして、万博中央口から宝塚に至る大阪中央環状線が、池田市南部の農村地帯を横断することになり、その用地買収金五十億円をめぐって、ここ二年、十数行が入り乱れて、苛烈《かれつ》な預金獲得合戦を繰り拡げているのだった。

角田支店長の悲壮感の籠《こも》った訓辞に、預金獲得の第一線である得意先係はむろんのこと、内勤の行員たちも表情を引き締めて、九時きっかり、正面玄関のシャッターが開かれる直前に、各自、敏速に部署へついた。角田支店長は、支店長席へ戻ると、万博班のチーフである岡村を呼んだ。

「お呼びですか、支店長――」

岡村は陽灼《ひや》けした顔で、支店長席へ足早に近寄った。高卒で入行して十八年、預金業務一筋に打ち込んで来たベテランで、万博道路の用地買収が始まる前までは、姫路支店に長らく配属されていたが、出身が用地買収の行われる近在の農村出身であるところから、二年前に池田支店へ引き抜かれ、土地買収該当地の農家に貼《は》りついていたのであった。

「君はこのところ、朝は六時、夜は十二時過ぎまで農家を廻って、疲労困憊《こんぱい》しているだろうと思うが、あと一カ月の辛抱だ、頑張ってくれ給《たま》え」

と励ますと、岡村は三十六歳とは思えぬ童顔で、

「お百姓相手では、朝早くか、夕方過ぎでないと話し込めませんから、仕方ありませんよ、幸い、今日はこんな雨降りで、大方の農家は、家にいるはずでしょうから、四、

五十軒廻るつもりです」

睡眠不足をふっきるように明るい笑顔で云《い》った。

「じゃあ、今日は私も君の車で、一緒に廻るから手土産を載せておいてくれ給え」

「そう願えると、有難いです、ではすぐ準備して、通用門のところでお待ちしています」

岡村はそう云うなり、踵《きびす》を返した。角田も支店長室へ入り、手早く着ている背広を脱いで、ロッカーの中から筋目のとれたズボンとジャンパーを出して着替え、靴もゴム長靴に履き替えた。農家の人たちに、支店長然とした違和感を与えないための配慮でもあった。角田は、鏡に映った自分の姿を見て、さすがにやりきれない思いがした。何が何でも頑張れと行員たちに云いながら、最後の追込みの時期に突入して、自身が心身ともに疲れ、健康を損っているからでもあった。行員たちにはひた隠しにしていたが、持病の狭心症がひどくなり、一昨日《おととい》の全国支店長会議のあとのパーティで、万俵頭取に肩を叩かれた直後も、発作が起って、トイレットに駈《か》け込み、長い間、踞《うずくま》っていたのだった。

しかし角田は頭を振り、強いて勢いよく支店長室を出て行った。ジャンパーにゴム長靴の姿は、誰の眼にも陣頭指揮にたつ勇ましい支店長として映った。

どしゃぶりの雨の中を、岡村の運転する軽四輪車は、駅前の大友銀行、五和銀行、池正銀行、浪花《なにわ》相互銀行などの建物がずらりと並ぶ国道を通り抜け、目的地の北轟木《とどろき》、宮前《みやまえ》方面へ向けて右折すると、間もなく舗装道路がきれて、でこぼこの田圃《たんぼ》道になった。道の両側には、田植を目前にひかえて、どの田も水が一杯に張られ、苗代の早苗が、ところどころに緑の小島を形作っている。

北轟木へ入ると、道はさらに細くなり、昔ながらの藁葺《わらぶき》の農家が目だって来る。岡村は、その中の門が半ば崩れかかった一軒の家の前で車をとめた。この家は、池田インターチェンジが造られる予定地に、三反の土地を持っており、坪当り価格八万三千円見当として、約七千五百万円の交付金がおりることになっている。

雨の中を走って門の中へ駈け込むと、放し飼いの犬が牙《きば》をむき出して吠《ほ》えたてたが、大事な得意先だけに、石を投げることも出来ない。岡村は、その犬にまで、よしよしと愛想笑いを振り撒《ま》き、たてつけの悪い土間の戸を開いて、角田支店長ともども中に入った。

「お早うございます、阪神銀行の岡村です」

家中に響き渡るような大声をかけると、奥から主《あるじ》が、顔を覗《のぞ》かせた。角田支店長はすかさず、

「いつもお引きたてを戴《いただ》いております、今日は田植前にもって来いの雨で、幸先がよろしいようで――」

池田支店へ来るまでは、農業の〝の〟の字も知らぬ角田であったが、まず如才なく農家向きの時候の挨拶《あいさつ》で口を切った。

「いやあ、支店長さんこそ、この雨の中を大へんですな、まあ上んなはれ」

中川留市《とめいち》は、支店長自ら足を運んで来たことに満足そうな笑いを浮かべ、岡村にも上へあがるようにすすめながら、欲深な細い眼を岡村の持っている包みにちらちらと走らせた。角田は、それを感じとると、すぐ岡村の手から罐詰《かんづめ》セットの包みを受け取り、上り框《がまち》にさし出しかけて、眼を瞬《しばたた》いた。入って来た時は、土間の暗さに眼が馴《な》れず、気が付かなかったが、土間を入ったすぐ右側の上り框には、浪花相互銀行と熨斗《のし》紙をつけた清酒五本、轟木農協としたためたガス・レンジをはじめ、各銀行、信用金庫から持ち込まれた調味料セット、バスタオル・セット、罐入りの洗剤、石鹸《せっけん》粉から手拭《てぬぐ》い一本に至るまで、これ見よがしにずらりと並べたてられている。

「これは、これは、ご壮観なことで、さすがは中川さんのお宅でございますね」

角田支店長は、罐詰セットをさし出した。

「どうも、こんなお気遣いを戴かんでもよろしいのに、へっへっへっ」

口ではそう云いながらも、受け取ると、臆面《おくめん》もなく、それを、各行から貰った品物の列に加え、女房に茶の用意を云いつけた。

「いや、どうぞおかまいなく――、それより、いよいよ、交付金がおりるのも一カ月先となり、おたくには七千五百万がおりるわけですが、それでも田圃を取られますと、これから何かと大へんですね、もう今後の生活方針のめどはおたちですか？」

頭から預金を預けてくれとは云わず、まず相手が、一番気懸《きがか》りにしていることを持ち出した。

「さあ、そこですわい、わしら生れてこの方、百姓一筋で、それ以外のことは、なんにも出来《でけ》んし、知らんので、仰山な交付金を貰うても、どないに使うたらええものやら解らん、五和銀行や大友銀行の人は、アパート建てたらとか、替地《かえち》を探そうとか云うて、親身に心配してくれてるのやけどな」

上眼遣いに、角田支店長を見て云った。阪神銀行にとって、大友銀行や五和銀行の名前をちらつかせるのが何より手痛いことを知った上での小ずるいもの云いであった。

岡村は慌《あわ》てて、支店長の横から口を挟《はさ》んだ。

「しかし、一口にアパートと云っても、昨日もお話ししたように、どなたもが建てられるようですよ、それに替地にしても、等額替地にしはったら、そら、税金はかかりませんが、買収が決まった翌日から、この辺りの地価は一挙に買収価格の二倍から三倍に跳ね上ってますから、実際問題として、うま味がないのとちがいますか？」

遠廻しに、大友、五和銀行の案にけちをつけた。この二年間、たとえ千円の預金の出し入れにもスクーターを飛ばし、主《あるじ》の母親がリューマチで池田駅前の病院に通院すると聞くと、車で送り迎えしてサービスにこれ努めて来た岡村にとって、ここで他行に油揚を攫《さら》われては、泣くにも泣けない。角田支店長も、

「そうですとも、目先のことにつられて、慌てていろんな投資をするより、お宅には高校を頭《かしら》に五人のお子さんがおられるのですから、じっくりお子さんの将来を見極めて、生活設計をお考えになるべきです、ひとまず、銀行預金になさって、折を見て、山林や農地をお買いになるのが一番手堅い方法だと思いますよ、当行は、幸いなことに系列に万俵不動産をもっており、阪神間の土地に関しましては、どこよりも有利な物件を探させて戴く自信があります、税金面については、当行本店に元税務署員を入れておりますので、不動産の方と一体になって、有利なお計らいが出来ると存じます、もしおよろしければ、一度不動産の方からお宅へお伺いさせましょうか？」

と云うと、中川留市は、露骨に貪欲《どんよく》な表情で、体を乗り出した。

「そら、ええな、税金やなど、たとえ百円でも余分に持っていかれるのは胸糞《むなくそ》わるい

よって、是非聞かしておくんなはれ」

「承知しました、早速、明日にでも、こちらへお伺いさせます、では、交付金の方、何分ともによろしくお願いします」

畳み込むように云い、頭を下げた。預金を頼み込む時は、十分間の話のうち、最後の一分だけで頼むのがこつであった。岡村も、

「どうもお邪魔しました、田植の日には、女子行員も引き連れて手伝いに参りますから、ご一報下さい」

と云い、上り框の塵《ちり》を払うようにして家の外へ出た。雨はやや小やみになっていたが、角田支店長と岡村は、次に一億二千万円の交付金がおりる地主の家へ向った。

門前まで来ると、既に泥だらけの車が一台止まっている。

「大友銀行ですよ、この車は」

岡村がそう云った時、門の中から大友銀行池田支店長と得意先係が、雨の中を傘なしで出て来た。向うも角田たちと同じようなゴム長靴姿で、

「どうです、大分、獲《と》れましたか？」

「いやあ、どうして、さっぱりですよ」

曖昧《あいまい》に言葉を濁すと、

「まあ、お互い、あと一カ月、体を持たせて、せいぜい頑張ることですな」

にやりと不敵な笑いを見せてすれ違って行った。角田はそのうしろ姿を見遣《みや》りながら、鎬《しのぎ》を削る激甚《げきじん》な競争を続けて相手行を蹴散《けち》らし、五億円のノルマを達成しなければならぬかと思うと、息苦しい思いに駈られた。

*

金融検査官の田中松夫は、主計局次長の美馬と出会うために、いつもより少し早目に大蔵省を退庁した。二丁程、溜池《ためいけ》の方へ歩いてから、タクシーを拾い、弁慶橋の小料理屋『染八』に向った。

約束の時間は六時であったが、一カ月前に、美馬から、都市銀行十二行中の六位から九位までの経営実態の㊙検査資料のコピーを都合してくれと頼まれ、やっと入手した昂奮《こうふん》から、約束の時間までじっとしていられなかったのだった。美馬が都合してくれというコピーは、検査した銀行に『講評』という名で通達されるそれとは別に、大蔵省に保管されているもう一通の資料であり、そこには銀行経営の内容講評だけではなく、頭取の融資態度、能力、時には私生活をも記入し、場合によっては頭取のポスト、一行の動静をも左右し得る、文字通りの㊙検査報告書であった。それにもかかわらず、極秘裡《ごくひり》に持ち出して来たのは、美馬の「舅《おやじ》の阪神銀行の系列下にある白鷺《しらさぎ》信用金庫に、常務クラスのしっかりした人物がいなくてねぇ」という、暗に退官後の行き先の面倒を見ようという言葉に惹《ひ》かれたからであった。

『染八』の前で、タクシーを停めると、田中松夫は、落ちつきなく左右を見廻してから、暖簾《のれん》をくぐり、二階の小座敷へ上った。

「いらっしゃい、お待ちしてましたわ」

この前と同じ仲居が顔を出し、うしろへ廻って上衣をとりかけた。

「いいんだよ、お客さんが来られるから」

「あら、おたくがお客さまじゃありませんか、さあ、どうぞお寛《くつろ》ぎになって、先におビールでも召し上って――」

美馬から云われているらしく、床の間の席をすすめ、ビールを運んですぐコップに注いだ。間近に見ると、もう三十五、六だが、胸から腰にかけての肉付きがむっちりとしている。六年前、大阪のさる銀行の饗応《きょうおう》を受けて、それがきっかけで危うく汚職事件にまでなりかけたのを美馬の手でもみ消して貰ったことがあるが、その時のキャバレーのホステスと体つきが似ている。

「君は、どこの生れだい？」

田中は五十に手の届く齢《とし》をしながら、女に近付くと、すぐ好色になる眼つきで聞いた。

「私？　私は滋賀県、ほら、琵琶湖《びわこ》のあるあの近くですよ」

「道理で、僕も同じ関西の、兵庫県の生れだよ、ここには長いのかい？」

「ええ、三年になりますのよ」

「居着《いつ》きのいい方だね、これから、ちょいちょい来るよ、もっとも一人の時は、下のカウンターだが、いいかい？」

眼を細め、やに下るように云うと、女も、

「嬉《うれ》しがらせるだけでなく、きっといらしてね、お待ちしているわ」

媚《こ》びるように応《こた》えた。田中が体を寄せて、女の手を握ると、女もやんわりと握り返してきた。その時、がらりと襖《ふすま》が開いた。田中は慌てて女から離れ、居ずまいを正したが、美馬は敏感に雰囲気《ふんいき》を感じ取り、僅《わず》かな間に、ただ酒で女にやに下る下級官僚のいじましさを鼻先で笑いながらも、

「いや、待たせてしまったね、次官のお伴で、国会の大蔵委員会へ出ていたもので、遅くなって、失敬――」

と云うと、田中はもっともらしい表情で、丸い縁の眼鏡をずり上げ、仲居は部屋を

出た。

「例のもの、間に合わせてくれたのかね？」

美馬が話をきり出すと、田中は、机の横の鞄《かばん》を大事そうに膝《ひざ》の上に載せた。

「ええ、お持ちしました、都市銀行十二行のうち、六位から九位の資料といいましても、ご存知のようにそれぞれ担当者がおりますので、中位行と下位行の検査概況を比較検討してみたいという口実を設け、疑われないように借り出して、コピーを取りました」

「なるほど、中位行と下位行の比較検討のためか、うまい口実だねぇ」

感心するように云い、田中が机の上に置いた六位行から九位行までの銀行別の検査報告のコピーを手に取った。大学ノートをひろげた大きさで、厚さは一部について一センチ程の書類であるが、どれも表紙の左肩のところが不自然に白くぼけているのは、そこに銀行局で保管している限られた部数の通しナンバーが打ってあるためで、万一の場合を考えて抹消《まつしょう》してきたものらしい。美馬は、書類を手に取ると、銀行課長時代のもの馴《な》れた眼で、ぱらぱらと頁《ページ》を繰り、経営概況、預金状況、資金ポジションなどの項目を一読し、改めて貸金関係の項目の頁を繰り、不良貸出しについての四行の数字を突き合せた。

	預金高	貸出高	不良貸出高
中京銀行	1兆3539億	1兆2049億	301億(2.5%)
第三銀行	1兆2895億	1兆1863億	415億(3.5%)
大同銀行	9610億	8196億	173億(1.8%)
平和銀行	8502億	7226億	361億　(5%)

こうした不良貸出高は、たとえ大蔵省内でも、銀行局のごく一部のポストの者以外には知らされず、絶対、表には出ない数字であった。それは、銀行にとって、最大の恥部であったからだった。こんな数字を公表すれば、銀行の信用が問われ、ひいては大蔵省の監督不行届という厳しい世論にもなる。

美馬は、各行のコピーから眼を上げると、女のような白い手で田中の盃《さかずき》に酌をし、

「この資料は一両日、貸しておいて貰《もら》うよ、おかげで四行の業容の実態が解《わか》って、大助かりだ」

と犒《ねぎら》い、運ばれて来た料理をすすめた。

「ところで、この不良貸出しの内訳、つまり回収不能、回収に疑義、元利延滞の三段階に分類した特別調査表があるだろう、それを是非、みたいのだがねぇ」

やや声を落して云った。田中は眼鏡の下の眼をはっと瞬《しばた》かせて、

「あれは局長の手もとにあるのですから、私どもではちょっと――」

「そこのところを何とか検査部の主《ぬし》と云《い》われる君に頼みたいのだよ、ここまで打ちあけたところを頼めるのも君と僕との間なればこそで、誰にでも頼めるというものじゃないからねぇ」

そう持ち上げながら、美馬は、既に不良貸出しの内訳資料は、田中松夫の机の引出し、ことによっては、すぐ眼の前にある黒い古びた鞄の中に入っているかもしれないと、思った。それをもったいつけて出さぬのが、何かをせびり出すための下級官僚のしみったれたきたなさだと侮蔑《ぶべつ》しながらも、

「田中君、君にそれだけのことを頼むからには手ぶらじゃないよ、この間、話したあの白鷺信用金庫の常務の件ね、あれ、君さえよければ、受け入れる構えになっているのだ、あそこなら君の故郷の加古川《かこがわ》にも近いし、余生を故郷で送るというのも、いいものじゃないかな」

相手の気持を釣るように話を運ぶと、田中は細い眼を光らせ、

「では、二、三日、日をかして下さい」

「いや、急いでいるので、明日の退庁時間までに間に合わせて貰うと、助かるのだよ」

美馬は、わざと陳情するような語調で云うと、

「そうおっしゃられますとねぇ……、では、何とか間に合うよう、やってみましょう」

と田中は云った。美馬はすかさず、上衣の内ポケットから金包みを出し、机の下から田中の膝もとへ置いた。

「とんでもありません、こんなお心遣いなど――」

田中が押し返すと、美馬は、

「いいじゃないか、調査費として取っといてくれよ」

わざとくだけた口調で云った。田中は、

「では、お言葉に甘えまして――」

と云い、机の下の金包みを受け取ると、気詰りなのか、時間を気にするように帰りを急いだ。美馬はことさらに止めだてもせず、

「じゃあ、一緒に出ると目だつから、君から先に、ハイヤーを呼ばせるから、それで家まで帰ってくれ給《たま》え」

「ハイヤーなどとんでもない、自分でタクシーを拾いますよ」

と辞退したが、美馬はすぐハイヤーを呼ばせた。車が来ると、田中は、美馬に挨拶《あいさつ》

し、黒い鞄を小脇《こわき》に抱えてそそくさと席をたった。美馬はそのうしろ姿を見遣りながら、千両箱を抱くようなほくほく顔で、車の中で金包みを開ける田中松夫の顔を思いうかべた。中身の五万円を、田中は少ないと思うかもしれないが、高級官僚の自分がこれぐらいのことをした時の謝礼はおおよそ五十万だから、下級官僚の彼なら、五万か十万円で充分だろう、それ以上やれば、相手を敬ったことになり、高級官僚たる自分の沽券《こけん》にかかわると思った。

次の晩、美馬は田中松夫から受け取った資料を携えて、麹町《こうじまち》にある阪神銀行の行邸《こうてい》を訪れた。万俵は㊙資料のコピーをひろげるなり、パイプの火が消えたのも気付かず、吸いつくような視線を当てていた。

美馬は手持ち無沙汰《ぶさた》にウイスキー・グラスを口に運びながら、応接室を見廻した。広々とした室内には、ブラックの絵が掛り、ギリシャの黒絵の壺《つぼ》が置かれ、塵一つなく拭《ふ》き磨かれていたが、月に十日と使われないせいか、いつ来ても妙に冷え冷えとしている。邸内には、管理人夫婦と二人の書生がいたが、玄関の送り迎えと、云いつけられたものを運んで来る以外にはそれぞれの部屋に控え、森閑と静まりかえっている。

飾棚の上の置時計が、ウェストミンスターの鐘の音を打ちならした。既に十時であった。その鐘の音が余韻を引いて、邸《やしき》全体の静けさの中に吸い込まれるように消え入ると、万俵はようやく顔を上げた。

「ご苦労だったね、この資料を持ち出させた検査官は、できるだけ早い目に、白鷺信用金庫に引き揚げさせることだな」

「ええ、それは当人にもちゃんといってあり、妙な噂《うわさ》や勘繰りが出ないうちにうまくやりますから、ご安心下さい」

将棋の駒《こま》を動かすような簡単さで云い、

「如何《いかが》ですか、阪神銀行の花婿《はなむこ》選びに、この資料は、充分なお役にたちますか？」

充分であることを承知しながら、恩きせがましく聞いた。

「うむ、全くはじめてみる資料ばかりではないが、合併というはっきりとした目的意識をもってみると、やはり見方が違うものだね、この不良貸出高の内訳などは、各行の裸の姿が解って大いに参考になる」

大介は美馬の注いだウイスキーを美味《うま》そうに口に運び、テーブルの上の別綴《べっとじ》になった資料を眼で指した。それは田中松夫に、今日の夕方までに是非、間に合わせてくれと追加依頼した資料で、不良貸出高を、『元利延滞』、『回収に疑義』、『回収不能』の三つに分類するとともに、さらに細かく一つ一つの分類の中に占める大口貸出先の顔ぶれとその金額をも付記した極秘中の極秘資料であった。

「その資料は、銀行局長と検査部長の二人しか持っていないものだけに、あの男が恐《こわ》がってなかなか持ち出さないものですから、私も多少、手をやきましたが、こうして分類したものを仔細《しさい》に検討しますと、私が銀行課長だった時から、僅か六年しか経《た》っていないのに、急激に悪化の度合いが目立っている銀行があって、実のところ驚いているのですよ」

「そうだね、殊《こと》に第三銀行など、全く思いがけない、あそこは旧財閥系の銀行で、強力な企業グループに支えられ、貸出しのやり方は、非常に手堅いと云われて来たのに、不良貸出額四百十五億の三分の一以上が、回収に疑義ありと回収不能で、あとの延滞の内容も、当面は単純な滞りということになっているが、貸出対象別のリストを見ると、もはや斜陽化している企業や利益率の低い事業が多く、回収不能に転落する危険性を孕《はら》んでいるのが、かなりあるようだな」

大介は真底、愕《おどろ》いたように云った。

「確かに主力融資先全般を見ても、ここ数年の急激な技術革新、商品革命に乗り遅れた企業に依然として執着している一方、経営効率も悪いですねぇ、こうなると、曾《かつ》ての名門、衰えたりの感が深いですね」

美馬が云うと、大介は眼鏡の奥の眼を鋭く光らせたが、すぐ何気《なにげ》ない表情になって、

「中京銀行は、一頃《ひところ》より不良貸出しが少なくなったというが、こうして見ると、まだかなりあるようだな、ということは、日銀天下り派と生《は》え抜き派のお家騒動がまだ完全に決着がつかず、燻《くすぶ》り続けている証拠だね」

と云うと、美馬も頷《うなず》いた。派閥争いが起っている銀行は、各々《おのおの》の勢力を拡大するために、大株主である大口融資先と結託し、その支援を受けて、少しでも自派に有利な立場を築こうとするから、得意先に対して特恵的な情実貸出しを行ないがちになり、貸出規律を紊乱《びんらん》させる因《もと》になる。

「その点、大同銀行と平和銀行には、中京銀行にみられるようなお家騒動はありませんが、大同銀行は、昔ながらの小ぢんまりした優等生タイプ、平和銀行はこの間、京都支店で六億にのぼる不良貸出しが発覚した如《ごと》く、頭取の〝顔貸付〟が依然として多く、審査部があってなきが如き銀行というわけですかね」

「しかし、平和銀行の場合は、頭取の顔貸付と一言のもとに片付けるのは、ちょっと酷じゃないかね、この資料の頭取の融資態度の項にも、神田《かんだ》頭取の融資態度に問題ありと書かれているが、平和銀行はもともと在阪三行としてスタートしながら、資金力

にものを云わせた大友銀行と五和銀行の凄《すさま》じい競争の煽《あお》りを食って、急激に業容が低下して行っている時だけに、神田頭取の経営拡大意欲は人一倍、強いと思う、何といっても、あそこは神田頭取で持っている銀行だが、その積極政策が、不運にもことごとに裏目、裏目に出て、こうした結果になったと見る方が真実じゃないかな」

同じ都市銀行の下位行として、大介には平和銀行の焦《あせ》りと苦悩が、手に取るように解った。しかし美馬は、口もとに冷笑を含み、

「お舅《とう》さんは、いやに同情的なんですね、しかし、大蔵省にとって、この平和銀行は、一番要《い》らない銀行なんですよ」

斬《き》って捨てるように云った。大介の背筋に、戦慄《せんりつ》が奔《はし》った。平和銀行がそのように評価されているということは、もしかして、それより一ランク下の自行、阪神銀行も――、という思いに駈《か》られたのだった。

「その要らない銀行というのは、一体、どういう意味合いなのかね？」

「銀行局の中には、金融再編成を行なう上の一つの考え方として、まず地域再編成を行なうという考え方があるのです、つまり大阪なら大友銀行と五和銀行の二行に任せ、平和銀行はもはや独りだちさせておく銀行ではないから整理しようというのですよ」

「ほう、では二行のうちのどちらへくっ付けようというのかね？」

「それが、お舅さんのところの阪神銀行と合併させたいという案があるのですよ、もちろん、春田銀行局長といえども、お舅さんの合併の意図は、まだ知らないわけですが、この間、たまたま春田局長と飲む機会があって、彼の金融再編成に対する考え方を探ってみたのですが、彼は、あくまで私見だがという前おきをして、大阪は大友銀行と五和銀行に任せ、阪神間は大阪の平和銀行と神戸の阪神銀行が合併するのも一案だと云ったんですよ、したがって、もしお舅さんの方にその気がおありなら、まとまらない話ではありませんよ」

美馬がすすめるように云うと、

「せっかくだが、私の方は断わるね」

即座に撥《は》ねつけた。その尊大さに、美馬は思わず、舅《しゅうと》の顔を見詰めた。

「当行と平和銀行の合併などというのは、私に云わせれば、銀行合併の何たるかを肌で感じていない役人の考え方だね、合併メリットはおろか、まかり間違えば共倒れの危険性さえある相手など、話にならないじゃないか」

「それなら、この四行のうち、どこと合併をもくろんでおられるわけですか？」

「それはこの資料をもとに、これからじっくり検討するつもりだが、合併後の経営を考えると、第一に店舗の地域補完性の高いところ、第二は経営効率、第三は資金収支の面でも補完性が相互にあるところ、ということになる、しかし、合併を決める時の最大の要因は、何といっても頭取をはじめとする経営陣の優劣にあるのだから、その点の検討となると、理屈通りには判断を下せない」

慎重を期すように云ってから、話題を転じた。

「ところで中君、金融制度調査会に特別委が発足して四カ月になるが、具体的な審議の方向としては、どういう風に進んでいるのかね？」

「やはり、店舗、金利、配当の自由化という三つを柱にした自由化について、論議が集中しているようですね」

「その店舗の自由化だが、それは新設店を含めた自由化なのかね？」

「いや、新設店の自由化は、三つのうち恐らく一番、後になるでしょう、しかし、合併によって出来た重複店舗の場合は、配置転換が認められる方向になりつつあるようですね」

美馬が云った途端、大介の表情が動いた。これまでは合併による店舗の重複は、大蔵省の行政指導でどちらか一店に吸収廃止することに定《き》められていたが、重複店はすべて、配置転換の権利を認められるとなると、一店でも多く効率のいい場所へ店舗を出したくて仕方がない銀行にとって、またとない魅力になり、行政面でそうした便益供与を鼻先にぶら下げることによって、金融界を合併の方向へ何が何でも駈りたてて行こうとする大蔵省の意向が、ありありと見て取れた。

「中君、役人というのは、自分たちの意向を実現するためには、どんな便法を弄《ろう》してでも実現させる習性を持っているようだね、しかし、それと同様に企業もまた、自己の利益追求のためには死にもの狂いで奮《ふる》いたつ時がある、そのためにはたとえ狙《ねら》った相手が、本来的には合併する側の、いってみれば雄《おす》的な銀行であっても、何とかねじ伏せてしまいたいと思うだろう、実際問題として、それが可能かどうかは解らないが、そういう心づもりで、私は阪神銀行の合併を推し進めて行くことを知っておいて貰いたい」

万俵は、四行のなかですでに合併相手を心に決めたような強い意志を漲《みなぎ》らせて云った。

美馬を送る車の用意が整うと、大介は玄関のホールまで出、管理人夫婦と書生も玄関に出ていた。その時、廊下の奥からつつましやかな足音が聞えた。美馬が振り返ると、地味だが、美しい濃紺《のうこん》のスーツを着た相子だった。

「やあ、あなたでしたか、この間は――」

驚いて云いかけると、

「お久しゅうございます、銀平さまの東京での結婚披露宴の下打合せで、今朝上京し、先程、外から帰って参ったのですが、お邪魔ではないかと存じて、失礼致しておりました」

一カ月前、六甲山上の山荘で大介と密談した美馬を車で伊丹空港まで見送った相子とは全く別人のようなつつましさと、他人行儀なよそよそしさで挨拶した。そばにいる管理人や書生たちの眼を意識し、憚《はばか》る作為が読み取れた。

「銀平君の結婚式も、あと一カ月ですね、何かと大へんでしょうが、あなたがうちわの切り盛りをしていて下さるので、安心していますよ」

美馬も、万俵家の娘婿らしい挨拶を返しながら、相子にこうした応対をさせる万俵大介の巧みさに驚き入ると同時に、こうまで徹底した用心深さが、十数年間、妻妾《さいしょう》同居の生活を営みながら、いささかも世間に知られず、金融担当官の『講評』の頭取評にも、触れられることなく来れたのだと思った。靴紐《くつひも》を結んで、

「ではお舅《とう》さん、失礼致します、お疲れが出ませんように――」

と挨拶した。万俵はパイプを手にし、

「いや、中君こそ、疲れただろう、何かと世話をかけた、有難う」

と礼を云ったが、相子は、万俵の横をすりぬけるように玄関へ降り、使用人たちの前へ出て、美馬が車に乗るのを見送った。

「失礼致します、奥さまにどうぞ、およろしく――」

相子はそう云って、深々と頭を下げた。美馬がかすかな薄笑いをうかべて会釈《えしやく》すると、車は暗い植込みを縫って走りだした。

車の尾燈《テール・ランプ》が門の外に消え、相子が応接間へ戻ると、万俵は待っていたように、

「今日の下打合せの件は、うまく行ったかね？」

書生たちがいるのを意識して、事務的な語調で聞いた。

「はい、午前中は披露宴の会場の帝国ホテルへ出向いて、孔雀《くじやく》の間《ま》のテーブルの並べ方とご招待客のお席表を引き比べ、午後は大川一郎先生のお宅をはじめ、東京のご親《しん》戚《せき》さま方へ伺って、だいたいのお召物のご様子を承り、色柄が重なり合わぬように致しました」

「大川の方の様子はどうだったね？　鉄平がこのところ高炉建設のことで世話になっているのに、こちらの多忙にかまけてご無沙汰《ぶさた》しっ放しだが――」

「大川先生はご不在で、奥さまにだけお目にかかりましたが、お召物については直接、娘と話し合ってきめさせて戴《いただ》くというお返事でございました」

相子は、大川家のそうした素っ気ない返事が、鉄平の妻の早苗の差金《さしがね》であるような響きを言外に含ませて云《い》った。

「東京の披露宴には、大臣、次官クラスも夫人同伴で出席という風に、石川正治から聞いているが、あのクラスは公務多忙だから、何かと変更があるんじゃないかねぇ」

「ええ、その点を考えまして、さしでがましゅうございますが、明日にでも、大臣、次官、局長方のご自宅をお訪ねして、奥さま方に、よろしくお願い申し上げてはいかがでございましょう」

「うむ、それがいい、夫人同伴のご招待だから、夫人に頼んでおけば、まず間違いないだろう、大蔵、通産両大臣と、次官、局長クラスに出席して貰えれば、云うことなしだ」

万俵は満足気に頷き、テーブルの飲物やコップを片付けている書生に、

「明日、高須君が大臣、次官、局長方の自宅へ万俵家として挨拶《あいさつ》に廻るから、秘書課へその方面に詳しい運転手の車を廻すよう連絡しておいてくれ」

「承知致しました、他《ほか》にご用は？」

「いつもの精神安定剤を持って来てくれ給《たま》え、用はそれだけだ、君たちも学校があるのだから、早く寝《やす》むといい」

万俵の郷里である姫路から、東京の大学で学ぶために出てきて書生をしている二人に、犒《ねぎら》うように云った。それを機会《しお》に相子も、

「では私も失礼させて戴きます、お寝み遊ばせ」

「ご苦労、じゃあ、明日はよろしく頼む」

万俵は、二階の寝室へ上って行った。

ベッドへ入った万俵は、なかなか寝つけなかった。さきほど見た四行の業容の実態が、大介の脳裡《のうり》に灼《や》きつき、いよいよ、銀行合併への一歩を踏み出す昂奮《こうふん》が、神経を昂《たかぶ》らせていた。

寝室の扉《とびら》が音もなく開き、香水の匂《にお》いが漂った。

「相子かい？——」

「ええ、なかなかお寝みになれないのではないかと思って——」

万一の場合を考え、きちんと服を着たままの姿であったが、明らかに男の部屋へしのんで来た女の表情であった。

「おいで——」

万俵が誘い込むように云うと、相子はスーツを脱いで、スリップのまま、ベッドに滑り込んだが、岡本の邸《やしき》にいる時のように挑むような生々しさはなかった。そっと大

介のそばに、体を寄り添わせ、安らぐように静かな息をついた。それは、寧子や鉄平、銀平、二子、三子たちの眼を常に意識し、神経を研ぎ澄まし、絶えず何かと闘っているような相子ではなく、一人の男の羽交《はがい》の下に、羽をやすめているようだった。

「こちらを、お向き――」

大介はいつものように生々しい交わりを行なおうとしたが、相子はそれを拒むように顔を大介の胸に押しあて、

「二人きりね、ここでは私とあなた、二人きりなのよ、こうしていると、まるで普通の夫婦のようね」

と云いながら、ふと、離婚したリチャードとの結婚生活を思い出した。カリフォルニア市の郊外のさして広くない家で、夫の両親と同居していたが、夕方になると、大学の研究室から帰って来るリチャードを玄関まで出迎え、夕食後は寝室で、夫と二人きりになれた。そこでは一人の男の体を二人で分ち合うような異常さも、淫《みだ》らさもなく、夫の愛撫《あいぶ》にやすらかに身をゆだねられる夫婦の生活があった。それと同じやすらぎが、人気《ひとけ》ない東京の行邸の寝室では得られるのだった。

「いいだろう――」

大介は、再びいつものような交わりを求めたが、

「今日は少し疲れていますの、だからこうしていて――」

相子は甘えるような仕種《しぐさ》で云いながら、これからもずっとこうした静かなやすらぎの中で過せたらと、軽く眼を閉じた。

＊

京都御所の建礼門から堺町御門にかけてしつらえられた葵祭《あおいまつり》の特別観覧席は、東京をはじめ各地方の見物客や、カメラをぶら下げた外人たちで埋まっていた。

万俵寧子と二子、三子は、寧子の実家《さと》の長兄である嵯峨静麿《さがしずまろ》に招かれて、観覧席の最前列に坐《すわ》り、下鴨《しもがも》、上賀茂両神社へ向う葵祭の行列が、御所を出発するのを待ち受けていた。

「伯父さま、遅いわね、もう十時だというのに――、私たち、今朝は八時にお家を出て来たから、眠くなって来そうやわ」

末娘の三子が云うと、二子も、

「その上、今日はお母さまのお云いつけで、私たちお着物でしょ、なおさらやわ」

二子は御所解きの若草色紋綸子《りんず》の着物に、黒地金箔《きんぱく》おしの袋帯を締め、三子も色違いの御所解きの着物に、臙脂《えんじ》の袋帯を胸高に締め、佐賀錦《さがにしき》のハンドバッグを膝《ひざ》の上に

置いていた。伯父の嵯峨静麿は、そうした二人の美しい姉妹を、元公卿《くげ》華族らしいおっとりとした笑顔で見詰め、

「二人とも、暫《しばら》く会わないうちにほんとうにきれいにおなりになった、そうして揃《そろ》って着物を着ていると、若い時の寧子そっくりだね、早くお見合い写真をとって、私のところへも預からせて戴きたいものだね」

「その節は、どうぞおよろしく、でも銀平兄さまの次は、二子姉さまの順でしょ」

「あら、順番などこだわらないわ、お急ぎでしたら、どうぞお先に——」

二子と三子が笑い合っていると、かつ、かつ、かつと、馬の蹄《ひづめ》の音がし、宜秋《ぎしゅう》門の方から、行列の先払いをする騎馬の衛士《えじ》が走り出て来た。

先払いの衛士に続いて、検非違使《けびいし》、山城使《やましろつかい》、内蔵使《くらつかい》などが、直垂《ひたたれ》、束帯《そくたい》の姿も凜々《りり》しく馬に乗り、衛士や舎人《とねり》を従えて現われ、続いて葵の若葉と藤の花をかざした稚児《ちご》や女官たちが、緋《ひ》色や紫、鬱《う》金《こん》、萌黄《もえぎ》などの色とりどりの平安朝時代の衣裳《いしょう》で、ゆるゆると歩き出して来た。御所の檜《ひ》皮葺《わだぶき》の門と築地塀《ついじべい》を背景に、玉砂利の上を雅《みやび》やかな列をつらねて歩く光景は、さながら王朝絵巻を見るような趣があった。

「まあ、いつみても葵祭は、京のお祭りで一番きれいどすなあ」

二子たちの近くで、京言葉の嘆声が上り、観覧席のそこここから、カメラのシャッ

ターをきる音がした。

やがて白馬にまたがった勅使の姿が見え、次いで斎王《さいおう》を乗せた腰輿《ようよ》が現われた。その生涯を捧《ささ》げて神に仕える斎王は、十二単《ひとえ》の小忌衣《おみごろも》を羽織り、黒漆に金箔の御輿《みこし》に坐《ざ》して、衛士たちにかつがれながら、しずしずと近付いて来る。輿の屋根にも葵の若葉と藤の花が飾られ、その前後を進む四人の舎人の手にも、色さまざまな花を盛った風《ふ》流傘《りゅうがさ》が捧げ持たれ、真っ青に冴《さ》え渡った五月の空の下を、花吹雪を散らすような行列が華やかにねり歩いた。そしてその後ろからは黒牛に牽《ひ》かれた牛車《ぎっしゃ》が、大きな轍《わだち》の音をたてて、のろのろと随《つ》いて来る。

観客たちの多くは、華やかな風流傘や、行列の中心である斎王の腰輿に眼を奪われていたが、寧子だけは、先程から牛車に見とれていた。大きな黒牛に牽かれ、軋《きし》みをたてながら動く御所車には、なぜか人が乗っておらず、時代を経た御簾《みす》だけが垂らされていた。他《ほか》の車や輿には着飾った人が乗っているにもかかわらず、牛車の中だけは、誰も坐さずに、御簾だけがゆらゆらと揺れている。それをじっと見詰めていると、寧子は、ふと自分自身がそこに坐しているような幻想にとらわれ、源氏物語の中の葵の上と六条御息所《みやすんどころ》との車争いが想《おも》い出された。

光源氏の正妻の葵の上と愛人の六条御息所の牛車が、今日のような祭礼の物見《ものみ》で出会い、道を譲る譲らぬという車争いから、車の榻《しじ》を損《そこな》われた六条御息所は、心を深く傷つけられ、その口惜《くや》しさから、葵の上に怨念《おんねん》を抱く。能の『葵の上』では、生霊《いきりょう》になった六条御息所が、鬼面《きめん》をかぶり、白地に銀の蛇の鱗《うろこ》を象徴する上重《うわがさね》を着てもの狂いし、何度も何度も葵の上を打ち据えて息絶えさせてしまう。その凄《すさま》じい化身が、寧子の眼にうかんだ。女の嫉妬《しっと》心の凄じさが胸に迫り、自分は一体、そのどちらの立場にあるのかと思った。現実の自分は、正妻の立場にありながら、相子に妻の座を犯され、妻妾同衾《さいしょうどうきん》の営みまで強いられ、抗《あらが》うことも出来ずにいる。嫉妬に狂い、生霊となるのは正妻である自分の方かもしれない。そう思うと、自分の心の奥底にあるものを覗《のぞ》き見るような気がして、いつもは能面のように動きのない寧子の顔に、いいようのない狂おしさが漂った。

「お母さま、どうなさったの？　お顔色が真っ青やわ」

三子の声が耳もとでし、寧子は、はっと醒《さ》めるように我に返った。体中がじっとりと汗ばんでいた。兄の静磨も驚くように、

「どうしたの？　気分が悪いのかね、少し席を離れた方がいいだろう」

「ええ、普段、出馴《でな》れないものですから、多勢の人いきれで、少し――」

「じゃあ、お母さま、待たせている車の中で、暫くおやすみになってはいかが？」

二子がすすめると、寧子は頷《うなず》き、兄に手を取られて、観覧席をたった。

人混《ひとご》みの間を抜けて、行列が通る道筋と反対側の蛤《はまぐり》御門の方へ足を向けると、長い御所塀が続く玉砂利の広場には殆《ほとん》ど人影がなかった。

「大丈夫かい、寧子――」

「ええ、人混みを離れると、ほっとします」

そう云い、寧子は御所の方を眺めながら、

「お兄さま、昔、新春の御所へ、お父さまとご一緒に舞楽を拝見に参上したことがございましたわね、あの時はたしか、天皇さまと皇后さまと、行幸あらしゃったですわね」

昔の公卿言葉で云うと、兄も、

「そう、両陛下が行幸啓あらしゃったので、お父さまは大礼服《たいれいふく》、私と寧子は紋付の装いで参内《さんだい》したことがあるね」

戦前の公卿華族の格式を懐《なつ》かしむように云ってから、話題を転じた。

「ところで、大介さんは、どうしておられる？」

「このところ、ずっと出張で、今日は、東京やと思います」

「で、あの人は？」

それは、もちろん相子のことだった。

「やはり東京です、銀平の東京での結婚披露宴の下打合せがあって――」

あとの言葉を慌《あわ》てて付け加えると、

「そうかい、相変らず――、寧子には苦労させるね」

静磨は妹をいたわるように見ながら、万俵家の妻妾同居に耐えきれず、実家へ戻って来たことがある妹を戦後の落魄《らくはく》した実家の事情から、無理に万俵家へ追い返した自分の腑甲斐《ふがい》なさを恥じるように云ったが、

「お兄さま、お家の方はいかがでございますの？」

寧子は話をそらせた。そして夫の大介と同年輩であるにもかかわらず、ずっと老《ふ》けて見える兄の面《おも》ざしを案じるように見上げた。

「心配しなくてもいいよ、関西洋蘭《ようらん》会の会長や京都文化財保護委員会などの委員をしながら、何とかやっているよ」

公卿育ちらしい鷹揚《おうよう》さで応《こた》えたが、寧子は、仙台平《ひら》の袴《はかま》の紐《ひも》の縁《へり》が摩《す》りきれそうになっているのが、さっきから気になっていた。

「でも、当節のこととて、何かと大へんでございましょう、今度の銀平のご祝儀《しゅうぎ》も、どうかご無理をなさいませんように」

「私のことより、寧子の倖《しあわ》せを考えることだよ、こんな時、先代がもっと長生きしていて下されば、あの方は、お前をいたわって下さっていたから、少しは違ったろうに――」

静磨は、遠い昔の敬介の死を惜しんだが、寧子はそれに応えず、眼を伏せるように、車が待っている方へ歩き出した。

八千トンの大型貨物船が碇泊《ていはく》している阪神特殊鋼の岸壁は、アメリカへ輸出する製品の荷積みで、活気に溢《あふ》れていた。

岸壁に近い倉庫から、大型トレーラーで運び出されたベアリング素材や構造用鋼は、品種ごとに十本、二十本とまとめてワイヤーにひっかけ、それを五トン吊《づ》りのクレーンで吊り上げて、船艙《せんそう》へ積みおろすのだった。しかし重量がある上に、六、七メートルに及ぶ長い鋼材だったから、作業は並大抵でなく、西陽の照りつける岸壁に、二十数人の作業員が汗みどろで働いている。

倉庫内で働いている作業員は、阪神特殊鋼の従業員だが、岸壁から船艙に荷積みする作業員たちは、下請けの荷役専門人夫だったから、仕事は早いが、荒っぽい。水平に吊らなければならない鋼材も、傾いたまま吊り上げて落しそうになったり、ひやりと胆を冷やされる時がある。

「おい、危ないじゃないか！　もう一度、鉤《フック》を掛け直せ」

三十度程、傾いたまま、クレーンで吊り上げかけているベアリング素材を見つけて、阪神特殊鋼の運輸課長は大声で怒鳴った。斜め吊りは、落下の危険はむろんのこと、船のハッチの端にぶつけて、鋼材に傷をつくる因《もと》になる。特にベアリング素材は、少しでも傷がつけば、クレームの対象になって取引先とのトラブルが起るから、慎重に取り扱わなければならない。しかし、クレーンの鉤《フック》に荷を掛ける玉掛工は聞えない振りをし、クレーンはそのまま動いていた。

「おい！　ストップせんか！」

運輸課長は声を荒らげて、笛を吹く合図マンにも怒鳴ると、ようやくクレーンは動きを停めた。

「うるさいなあ、こう暑いのに、耳もとで、わんわん、がなり散らさんといてんか」

五月半ばというのに、汗を滴《したた》らせた若い玉掛工が云《い》い返した。

「うるさいとは、何だ！　文句を云わずに、すぐ掛け直せ！」

吊り降ろされた二十本のベアリング素材を指さして、運輸課長も汗を流して命じる

と、相棒の陽灼《ひや》けした屈強な玉掛工は、すごみを含んだ眼付で、

「そない気に入らんかったら、掛け直さして貰《もら》いまっさと、云いたいのやけど、六時に船は出てしまいよるんやでぇ、まだあと大分、残っているのに、そんな悠長なことして、積み残しが出ても、文句はないのやろな！」

啖呵《たんか》を切るように云った。そう云われると、運輸課長は、言葉に詰った。今月のアメリカ向けの輸出は、ベアリング素材一千トン、構造用鋼二千トンの計三千トンで、これだけのトン数を荷積みするには、本来ならたっぷり二日はかかるのを、倉庫の荷のまとまりが遅れたため、まる半日、積出しが遅れ、その遅れが荷積み作業に皺寄《しわよ》せされていた。そのため、運輸課長自ら陣頭にたって、何が何でも、六時の出航時間までに全部、荷積み出来るように、追込み作業に当っているのだった。阪神特殊鋼が貨物船を丸ごとチャーターしているなら、荷積みが遅れた分だけ、滞船料を支払えばよかったが、三千トンぐらいの出量では、一隻《せき》まる抱えというわけにいかず、商社の調達した船に、他《ほか》の二、三のメーカーと相積みする二港積み、或《ある》いは三港積みの形で輸送するから、各工場の荷積み時間は厳密に定《き》められて、その時間内に荷積み出来ない場合は、積み残されてしまうわけである。そうなると、次のアメリカ行きの便を手当するには、少なくとも二週間かかるから、積み残された製品は納期に遅れ、輸出先に

対して著しく信用を落してしまう。したがって、積み残しは、メーカーにとって許されなかった。

「どうやねん！　積み残しを云うたら、急に青い顔して、啞みたいに黙りくさって！　何とか云いさらせ！」

屈強な玉掛工は、運輸課長の弱味に乗ずるように、口汚なく罵《ののし》った。その怒声に煽《あお》られて、まる一昼夜、ぶっ通しの作業で気が昂《たかぶ》っている他の作業員たちも、運輸課長を取り囲み、岸壁に不穏な空気が漂いかけた。

「おい、みんな、どうしたんだ！」

太い声がし、専務の万俵鉄平がヘルメットに作業衣姿で足早にかけ寄って来た。運輸課長は、ほっとした表情で、

「人夫たちが、あんまり手荒い仕事をするんで、ちょっと注意したら……」

「なにを！　自分らの不手際《ふてぎわ》を棚に上げて、文句だけ一人前にぬかす気か！　この阿呆《あほ》んだら！」

最前の玉掛工に替って、黄色い腹巻を作業衣の下からみせた荒くれ男が、いきなり運輸課長の胸ぐらを摑《つか》みかけた。

「馬鹿《ばか》なことをするな！」

鉄平が、大声で一喝した。

「お前はなんや——」

口から唾《つば》を飛ばして、今度は鉄平につっかかって来たが、人品卑《いや》しからぬ顔に怒気を漲《みなぎ》らせた鉄平とまともに対《む か》い合うと、位負《くらいま》けしたように手をおろした。鉄平は精悍《せいかん》な眼で一同を見廻し、

「出航時間まで、あと二時間だ、すぐ仕事にかかるんだ！」

と命じると、殺気だった男たちは、急におとなしくなり、そそくさと、それぞれの持場に散り、再び活発な作業が始まった。

「いやはや、驚きましたよ、専務」

鉄平の背後《うしろ》で、一之瀬工場長が温和な笑いをうかべていた。高炉建設用地で行なわれている地質調べのボーリング・テストに一緒にたち合い、遅れている荷積み作業を気にして、岸壁に寄ったのだった。

「なにが驚きだ、全く馬鹿馬鹿しい！」

不機嫌に鉄平が云うと、

「いやあ、あんまりそっくりなんで——」

一之瀬工場長は、なおも柔和な笑い顔で云った。

「誰にだ、土建屋の大将にでも似ていると云うのか」

「いやあ、わが社の前身である万俵鉄工を創設された先代にですよ」

「また、祖父《じい》さん似の話か、たまには、もう少し、気の利《き》いたことでも云ったらどうかね」

「またって、私はそう度々、申し上げた覚えはありませんよ、しかし、あんな荒くれ男どもを一睨《ひとにら》みで震え上らせる威力は、万俵家の中で、先代以外にはありませんよ、現頭取は、どちらかといえば、頭で考えて、人を動かすタイプの方ですし……」

と云いかけて、たち入りすぎたと思ったのか、荷積み作業の方へ顔を向けた。

「急ピッチで進み始めましたね、この分なら、予定通り完了しますよ、じゃあ、引き揚げますか」

「いや、もう少し見ていよう、君、先に行ってて給《たま》え」

鉄平は、クレーンで吊り上げられるベアリング素材を仰ぎながら云った。その眼には、自分の分身を見詰めるような愛着の色が滲《にじ》んでいる。

「じゃあ、私は製鋼工場の方へ行かねばなりませんから、失礼します」

と云って、ジープで走り去った。

鉄平は作業の邪魔にならぬように長い船体の横を通り抜け、船尾の脇《わき》にたつと、煙草《たばこ》に火を点《つ》け、目の前の神戸港に視線を向けた。

石油工場や重化学工場がたち並ぶ臨海工業地帯であるから、すがすがしい潮風を胸一杯に吸い込むことは出来なかったが、ダイナミックな活力が漲っていて、鉄平の心を大きく膨《ふく》らませる風景であった。そしてすぐ横では、八千トンの大型貨物船に、自社製品の輸出の荷積みが行なわれている。ベアリング素材一千トン、構造用鋼二千トンのうち、三分の二は阪神特殊鋼の長年の取引先であるシカゴのアメリカン・ベアリング社へ輸出し、他の三分の一は、サンフランシスコの機械メーカーへ輸出するものであった。阪神特殊鋼の主な輸出先は、アメリカと東南アジアだが、年間輸出量は十万トン、その量は日本の特殊鋼メーカーの総輸出量のトップを占めている。国内向け販売の場合は、商品を売った翌月に、売値の二割は現金で支払われるが、残額の八割は三カ月先の手形払いというのが慣例だから、その間の繋《つなぎ》資金の工面が要《い》った。その点、輸出の場合は、出荷の前に八割が輸出前渡金として貿易手形で支払われ、すぐ現金化できたし、残りの二割も出荷直後、すぐ現金で支払われるから、資金繰りが楽で、業界初の高炉建設にも取り組めるといえた。

いつの間にか、陽はすっかり西に傾き、積荷作業は終了した。船内での荷崩れを防ぐ作業が終ると、やがて出航である。

夕陽の中で八千トンの大型貨物船のシルエットがくっきりと浮かび上った。自社の製品がこの船に乗って海を渡り、自動車部品に組み込まれて世界中を走るのかと思うと、鉄平は、エンジニアとしての心の高なりを覚えた。それはとりもなおさず、現在とりかかっている高炉建設を一刻も早く進め、日本一、いや世界一の特殊鋼会社を築き上げて行きたいという衝動に繋《つな》がって行く。そのためには、二百五十億の資金調達が必要であった。非公式とはいえ、通産省の認可が既におりた今は、メイン・バンクの阪神銀行の融資決定が一日も早く待たれた。

阪神銀行の役員会議室で、融資会議が開かれていた。

阪神特殊鋼の高炉建設計画書に対する融資方針を決める会議であったから、万俵頭取を中心に、大亀、小松両専務、融資担当の渋野常務をはじめ、三常務が会議用の丸テーブルを囲み、融資部長が一番末席に坐《すわ》って、阪神特殊鋼の分厚な事業計画書を前に説明を続けていた。

「設備の大要は、先程来、ご説明致しましたように、八百立方米《リューべ》の高炉一基、六十トンの転炉二基、アッセルミルの圧延設備一基が主たる内容です、予算総額は二百五十億円で、四十三、四年の二年間で二百三十億、四十五年に二十億の支払い計画となっています、資金調達の方は、二年間に百八十億を銀行借入に依存し、三年目には増資、内部留保から五十億返済する計画になっています、百八十億の銀行借入の比率は、メイン・バンクである当行が四〇パーセントの七十二億、サブの大同銀行が三〇パーセントの五十四億、長期開発銀行が一五パーセントの二十七億、その他は五菱、大友、新日本信託等十数行へ依頼となっております」

さらに阪神銀行の七十二億に対する借入れ条件は、返済期間が一年据置、四年弁済、金利は八・五パーセント、担保物件は新設備を出来上り担保にすることなどを説明し終り、最後に融資部の所見をまとめた。

「融資部と致しましては、特殊鋼業界でも例のない高炉建設という大事業だけに、阪神特殊鋼から提出された設備計画書に基づき、今後の特殊鋼の需要の見通しと景気の動向、設備資金の調達能力、高炉建設後の便益計算など、あらゆる面から慎重に調査、検討を重ねました結果、今回の計画は、個々の部分において多少の修正を要しましょうが、ほぼ妥当と認められますので、この際、融資申入れ額の七十二億全額を諒承《りようしよう》し、この大事業を支援すべきだと判断致しております」

融資担当の渋野常務も、それに大きく頷《うなず》いた。

「私も、阪神特殊鋼が、激甚《げきじん》を極める業界の競争に勝ち抜いて行くためには、高炉を持って、銑鉄《せんてつ》の自社生産からはじめ、一貫メーカーになることが非常な強味だと思いますが、高炉操業には、特殊な技術が要りますから、その面をどうするか、また高炉で出来た銑鉄を転炉で大量に精錬すれば、トン当りのコストは大幅に下げられますが、今までの電気炉で精錬したのと同じように、品質の高い製品が作れるかどうか懸念《けねん》されました、それで技術面での審査については、慎重を期して、通産省の回答を待っていたのですが、それもこのほど内諾が得られたとのことですので、当融資部としても、懸念なしという見解に至ったわけです、したがいまして、この上は、たまたま金融緩和の時期だけに、長期の設備資金ではありますが、思いきって今まで通りの融資比率で面倒を見、協調融資銀行へも、協力方を得るよう、メイン・バンクである当行から働きかけたいという結論を出したわけです、いかがでしょうか？」

設備資金関係の融資に対しては、渋野常務が、積極的な融資方針を打ち出して一同の意向を聞くと、万俵頭取の隣に坐っている総務担当の小松専務は、

「高炉メーカーといえば、財閥系か、旧官営の大手メーカーに限られたようなものだから、ここで阪神特殊鋼が高炉を持って一貫メーカーになることは、大いに喜ばしいことですね、しかも阪神特殊鋼は、当行の根幹企業であるだけに、引き受ける限りは

積極的にバック・アップするのが当然だと思いますよ」

多分に万俵頭取を意識し、〃家令専務〃と陰口を叩《たた》かれている人物らしい賛成の仕方をした。

「大亀専務、君はどう思うかね？」

万俵は、大亀の意見を促した。大柄な肥満体で、腕組みしていた大亀は、戸惑うような気配を見せ、

「そうですね、私は、どうも特殊鋼の今後の需要見通しという点で、若干、疑問がございますね、たしかにここ一、二年は、まだまだ自動車、機械メーカーの伸びは続くでしょうが、それから先、市況がどう動くか、それは、かなり難かしい問題だと思います、融資部長の先程の説明では、高炉の建設は突貫工事で、一年後には完成ということですが、果して計画通りの工期で完成するかどうか、何しろ初めてのことだけに、どんな手違いが生じ、工事が渋滞するやも知れず、一年という工期は、少し甘いという感じを持ちますが、この点、どうなんですか？」

融資担当の渋野に向って、聞いた。

「たしかに高炉建設は、一年半というのが普通の基準ですので、融資部長に確かめさせましたところ、高炉建設用地が既に以前からの保有地であり、コークスや鉄鉱石を

運んで来る大型貨物船の岸壁も、基礎工事は出来ているから、その分の工期が短縮され、一年で完成する見通しが充分にあるとのことで、その点は、向うの万俵専務をはじめ、優秀な技術陣が揃《そろ》っておりますから、信用してよいと思っております」

渋野がそう説明すると、大亀は、なるほどと頷きながら、ちらっと万俵頭取の方を見た。万俵は相変らず、黙っている。わざわざ自分に意見を促した意図を大亀はどう解釈していいのか、判断に迷った。

「しかし新しい設備は、すぐに稼《かせ》いでくれるものではなく、完成してそれがフル操業し出すには、少なくとも半年の期間は見込まなければならない、そうなると、たしかに目先の需要は強く、好景気が続いているが、今が爛熟《らんじゅく》期に入っているだけに、程なくその裏が出て来る懸念がないでしょうかねぇ、もしその時期が高炉のフル操業に入る時期と重なった場合、一旦《いったん》、稼動《かどう》しはじめた高炉は、今までの電気炉のように生産を調整することが出来ないのだから、製品は余るわ、価格は下るわで、万一、深刻な打撃を蒙《こうむ》ることがあれば、メイン・バンクの当行にとっても、由々しい問題になりかねない――」

万俵頭取の気持を忖度《そんたく》するように、大亀が、重ねて慎重に渋野に聞いた。

「おっしゃる通り、鉄鋼市況の見通しについては、ほんの僅《わず》かな景気の変動が大きく影響するだけに、ご指摘になる危険性は全くないとは申せません、しかし、特殊鋼の需要は、今年出た通産省の需要予測によりましても、年率八パーセントの伸びが予想されていますし、世界的にも需要は非常に強いのですから、資金繰りさえつけば、多少の景気の波があったとしても、何とか乗りきれるものと思います」

と云《い》うと、他《ほか》の役員たちもさして異議を挟《はさ》まず、中入れ金額七十二億を全面的に諒承する線に固まりかけた時、

「君たちの意見はよく解《わか》ったが、私としては、融資中入れ金額の七十二億は、そのまま認めるわけにはいかない――」

万俵が、首を振った。

「高炉計画については、私はかなり以前から、度々、向うの専務から依頼を受けていたが、すべて融資部の審査に任せ、融資会議にはかった上でないと何とも云えないという態度を貫き通して来た、ところが君たちの論議を聞いていると、どうやら私が、当然、オーケーするのではないかという前提のもとに話を進めているような節《ふし》がうかがえるが、たとえ、息子が経営に当っている会社といえども、融資となれば他人同士であり、親子という情実をまじえて考えて貰《もら》っては困る――」

ぴしりと云ってのけ、

「私は、この際、阪神特殊鋼の融資方針については、再検討すべきだと考えている、その理由の一つは、統一経理基準がこの九月から準備段階に入り、銀行間の収益競争がますます激しくなって来ているので、今のうちに、銀行の貸金の内容も、出来るだけ利廻りのいい貸付を増やして行きたい、そのためには、たとえ系列企業といえども、利率が低く長期にわたる大口の貸金は、抑えるべきだと思う、理由の第二は、阪神特殊鋼の規模が大きくなるにつれ、資金を食う一方で、はっきり云って、重荷になって来ているということだ、特に今回のように高炉建設という巨額の設備投資をする時は、絶対額が大きいだけに、従来通りの四割の融資比率をそのまま、踏襲するなど、断じて出来ない」

強い口調であった。理由はどれも至極、もっともであったが、今まで阪神特殊鋼への融資となると、何かと理由付けて、一度も否決したことのない万俵頭取だけに、一同は、その真意をはかりかねて、暫《しばら》く押し黙った。

「では頭取は、今回の阪神特殊鋼の高炉建設に対する融資を、どのような比率でお考えなのでしょうか?」

ややあって、渋野が聞いた。

「せいぜい、三〇パーセントにカットすることだな、つまり、二十億近くを削ることだ」

「そうしますと、この資金調達は、大幅な変更を要求しなければなりませんが、実際問題として、メインの当行が四〇パーセントから三〇パーセントにカットするとなると、この高炉計画は実現不可能になりかねませんが——、といって、阪神特殊鋼では、高炉建設用地の土地造成をはじめ、高炉の発注など、既にこの設備計画を前提にして着工準備にかかっていますし、専務自身が、一本気な技術者《エンジニア》の方だけに、今さら計画を修正したり、いわんや中止されるようなことは、あり得ませんからねぇ……」

渋野は、万俵頭取と万俵鉄平の板挟みになり、困惑するように云うと、

「事前にメイン・バンクの諒承もなく、工事に着工し、融資だけ云ってくるなど、虫がよすぎるというものだ、阪神特殊鋼が何と云おうと、当行としては三〇パーセントが限度で、あとはサブの大同銀行以下、協調融資銀行の借入れ額を嵩上《かさあ》げさせる一方、新規の借入れ窓口を、もっと増やすことだ、だいたい、この資金計画自体、筒一杯で、甘過ぎる」

いかなる時でも、感情を見せない万俵であったが、今回は、何らかの感情的なこだわりがあるように感じ取られた。渋野は言葉の継穂を失い、口ごもっていると、万俵頭取の眼を覗《のぞ》き込むようにしていた大亀専務が、言葉を挟んだ。

「当行が今回の阪神特殊鋼の画期的な事業に対して、従来の融資比率を下げるとなると、サブ以下の銀行が警戒して尻込《しりご》みするという懸念はないでしょうか、そのあたりの詰めをしておかないことには、結局、高炉建設が行き詰り、最終的にはメインの当行に負担がかかって来るのですから——」

一カ月前、万俵から銀行合併の意中を打ち明けられた大亀は、万俵が阪神特殊鋼の高炉建設に貸し渋るのは、〝小が大を食う〟という銀行合併に備えて、少しでもリスクのある貸出しを抑えようとしている魂胆だと、読み取ったのだった。

「それは当然だ、だから他行への折衝には、メインの当行は従来通りの融資方針に変りないと云って一向にかまわない、またここ当分は、その方が、むしろ阪神特殊鋼にとっても、当行にとっても、望ましいことだ」

万俵は、そう云い、今後の阪神特殊鋼への融資は、阪神銀行が目だたぬように貸し控え、他行に貸し込ませて行くという基本方針が秘《ひそ》かに打ち出されて、三時間にわたる融資会議は終った。

融資会議を終えて頭取室へ戻って来ると、万俵大介は、阪神特殊鋼へ電話をつなぐように命じた。鉄平が、融資会議の結果を待ち受けていたからである。

電話が繋がる間、大介は回転椅子《いす》に坐り、頭上に掛っている亡父の肖像写真を見上げた。阪神銀行の初代頭取である敬介は、十三代続いた播州《ばんしゅう》の地主の出らしい大振りな目鼻だちと精悍《せいかん》な眼光で、頭取室を睥睨《へいげい》するように額の中におさまっている。大介は、亡父のその表情にじっと見入りながら、その額に刻まれた太い皺《しわ》、口元にたくわえた見事な髭《ひげ》を取り去り、白髪を黒い髪におきかえてみると、長男の鉄平そのものの顔がうかび上って来るように思えた。

電話のベルが鳴った。

「お待たせ申し上げました、阪神特殊鋼の万俵専務がお出になりました」

秘書課の女性の声がして、すぐ鉄平に変った。

「もしもし、鉄平ですが――」

大介は、なお亡父の写真へ視線を当てながら、

「ああ、私だ、今、融資会議が終ったところだ――」

「中入れ額の全額を、お認め下さったのでしょうね」

期待を持った鉄平の声が、聞えて来た。

「いや、当行にも、いろいろな都合があって、今までの融資比率通りには出せないので、中入額から一〇パーセントをカットしたよ、お前のところも高炉を建てて銑鉄一

貫メーカーを目指すような大企業に成長したのだから、この際、他《ほか》にもっと借入れ銀行を増やすことだ」

亡父のぎょろりとした眼のあたりを見詰めながら、云い渡した。

「えっ、一〇パーセントもカットですって！　お父さん、それはひどすぎますよ、そりゃあ、二百五十億という設備資金自体が大きいのですから、従来通り四〇パーセントの融資比率というのは、阪神銀行にとっても相当な負担だということは解ります、しかし特殊鋼業界ではじめての画期的な事業をする時ですから、メインがまず積極的な融資方針を打ち出して下さらない限り、他行が随《つ》いて来てくれません、通産省が高炉建設を内諾してくれたのも、大川の舅《ちち》の線の政治力もさることながら、結局、うしろに阪神銀行が随いて、しっかりバック・アップしてくれているという、いわば〝背景重視〟で内諾してくれたのですから」

「それなら、そんな甘い計画自体中止したらどうなんだね、製品需要の見通しはともかくとして、資金調達計画を見ると、メインの当行をはじめ、従来、取引のある銀行、新規取引先を含めて、あまりにも筒一杯の計画で、危険極まりない、お前はメインの阪神銀行が金の面倒を見るのは当然のような気持でいるらしいが、企業とは、まず自分で金の工面をすることから始まるのだ」

大介は、鼻翼の張った野心的で好色な亡父の大きな鼻を凝視しながら云った。

「それは承知しております、しかし、今回の融資につきましては、先日来、何度もことをわけてお願いしていることであり、融資部長、融資担当の渋野常務にも、私自身が会って計画を説明し、積極的な支援を約束してくれたのですから、どうして今日の融資会議で、突然、一〇パーセントも削減されたのか解りません、それはお父さんのご意見なんですか、もしもし、お父さんは、僕に高炉を建てさせたくないんですか！」

鉄平の声に怒気が籠《こも》った。大介も眼に憤《いきどお》りの色を漲《みなぎ》らせ、写真の亡父を、まるで鉄平であるかのようにぐいと睨《にら》みつけた。

「それがメイン・バンクの頭取に向って云う言葉かね、いくら父子《おやこ》とはいえ、今、私は阪神銀行の頭取室から電話しているのだ、少しは、わきまえるべきだ」

「申しわけありません、しかし、電話ではなんですから、今からすぐそちらへお伺い致します」

「いや、私は午後から重要な取引先へ行かねばならないから時間がない、それに最高の決定機関である融資会議で決定した方針だから、もはや再考の余地はない」

突き放すような冷たさで云って、電話を切った。そして秘書課に、

「久しぶりに外で食事をするが、一時間程で帰って来る」

と告げると、鏡の前にたった。外出する時は、必ず鏡の前にたって銀髪端正な顔だちと、到底、六十歳とは思えぬ瀟洒《しょうしゃ》な姿を映す癖があった。エレベーターで階下へ降りると、昼食時であったから、行員たちの姿がそこここに見かけられ、頭取の姿に気付くと、たち止まって鄭重《ていちょう》に一礼した。そうした行員たちに、万俵は適度の厳しさと適度の柔らかさを混じえた微笑を向け、東玄関の方へ出ていったが、昼食をすませて帰って来たらしい銀平の姿が眼についた。自分に似た長身に、チョーク・ストライプのスーツを着こなし、彫りの深い端麗な顔であったが、どこか冷たさが漂っている。銀平は、父の姿に気付くと、照れるようにそっぽを向いたが、万俵はつかつかと近付き、

「いいスーツを着ているじゃないか、仕立おろしかい？　お前も私に似て、なかなかおしゃれだね」

その眼《まな》ざしには、さっき鉄平との電話で示した態度とは全く違った父親らしい温かみが滲《にじ》んでいた。

万俵銀平は、六甲山表ドライブ・ウェイを山頂に向けて、マーキュリーを走らせていた。五月半ばの六甲山は夕陽を浴びて、群生する山躑躅《やまつつじ》が茜《あかね》色に燃えたっている。

「まあ、きれい、近くにいて、日暮前の六甲山が、こんなに美しいものとは知らなかったわ、夕暮のドライブもいいものね」

銀平の横で、安田万樹子は感嘆するように云ったが、銀平は応《こた》えず、左腕を窓枠《まどわく》にかけたまま、右手でマーキュリーのハンドルを捌《さば》いていた。結婚式を一ヵ月先に控えて、さすがの万樹子もその準備に追われ、ここ暫くは、電話をかけて来なかったが、今日は朝から二度、デートを誘う電話があり、銀平は五時過ぎに銀行を出て、神戸の街から三十分程の六甲山ホテルで食事することを承知したのだった。

車が丁字ガ辻《つじ》の杉木立を過ぎて六甲山ホテルに近付くと、

「あなたのおうちの山荘、このお近くでしたわね、私、ホテルでお食事する前に、山荘の方へ少しお寄りしてみたいわ」

「管理人がいるけど、シーズン・オフだし、急だから無理だろう」

銀平は気が進まぬように云ったが、万樹子は、我儘《わがまま》娘らしく、

「でも、やはりお寄りしてみたいの、別に何のご用意もいらなくてよ」

とせがんだ。

「じゃあ、そうしようか——」

面倒だったが、車を聖者の道《シュライン・ロード》の方へ向けた。正門の前で警笛《クラクション》を鳴らすと、裏門横の家から、管理人が驚いたように出て来た。

「これはこれは、坊ちゃま、急なお見えで——」

「いいんだよ、早く門を開けてくれ、それから山荘の扉《ドア》も」

「山荘の方は、ちょうど今、家内がお掃除に参っておりますよって、開いてございます」

管理人はそう応えながら、松の自然木で作られた正門の大きな扉を両側に開いた。

銀平はそのまま、門内の雑木林の道へ車を乗り入れ、山荘の前で停めると、管理人の主婦が出迎えていた。

「いらっしゃいまし、只今《ただいま》、門の方からインターフォンで連絡がございましたが、何のご用意も出来ておりませず、申しわけないことでおます」

「いや、すぐ帰るから、薪《まき》の用意だけあればいい」

銀平がそう云いながら車を降りると、万樹子もあとに続いて、

「私、安田万樹子ですの、以後およろしくね」

鷹揚《おうよう》にかまえた口調で云った。管理人の主婦は、はじめて彼女が銀平の婚約者であることに気付いて、

「この度は、おめでたいことでございます、今後ともに、よろしゅうにお願い申し上げます」

鄭重に頭を下げ、すぐ暖炉のある大きな部屋へ案内し、馴《な》れた手つきで暖炉の傍《そば》に積んだ枯枝をぽきぽきと折り、その上に薪を組んで火を点《つ》けた。その間、万樹子は、一抱えもありそうな天井の太い梁《はり》と檜《ひのき》の生節《いきぶし》を乱張りにした室内を興味深げに眺めていたが、銀平は長椅子に足を投げ出すように坐って、燃え上る暖炉の火を眺めながら、煙草《たばこ》をくわえていた。暖炉の薪が充分に燃え上ると、管理人の主婦は、

「早速、お茶のご用意を致します」

と云って、台所《キッチン》へたちかけたが、

「いいのよ、私が致しますから、お湯だけ沸かしておいて下さいな、ティー・セットは台所の食器棚にあるのでしょ、あとはもう退《さが》って戴《いただ》いて結構よ」

万樹子は、早くも奥さま気取りで、お茶の用意にたった。銀平は、今から新婚気取りで浮き浮きしている万樹子にうんざりし、投げ出していた足を伸ばして、長椅子にねそべった。窓外はいつの間にか暗くなっていたが、銀平は今日の融資会議で阪神特

殊鋼への融資額が削られたことを意外な感じで思い返し、兄の鉄平の胸中を思い遣《や》った。

「お茶のご用意が出来ましてよ、ブランディを少し落したわ」

万樹子は寝そべっている銀平に紅茶茶碗《ぢやわん》を渡すと、自分は絨毯《じゆうたん》の上に横坐《ずわ》りになった。

「倖《しあわ》せだわ、人気《ひとけ》のないシーズン・オフの山荘で、暖炉を焚《た》いて二人きりで静かにお茶を戴くなんて——、それにこのお部屋、素敵ね、渋くて野趣に富んでいて——、うちの軽井沢の別荘ときたら、あまり西洋風に作りすぎて、かえって味気ないわ、でも、この夏には一緒に参りましょうね、お隣は五菱商事会長の石山さま、お向いは元外務大臣の藤川さま、すぐ近くには日銀総裁の松平さまのお別荘もあるのよ、あなたがお付き合いになるには、ちょうどおよろしくてよ、それに父も——」

万樹子は肉感的な厚い唇で、はしゃぐように自分の家のことやその交際範囲のことなどを次々と話し出したが、銀平は適当に生返事し、同じ六甲山で出会った小森章子とはじめて結ばれた日のことを思い出していた。五年前の夏の終り、絵を描く小森章子と奥摩耶《まや》までサイクリングして驟雨《しゆうう》に襲われ、雨宿りした外人の空《あき》別荘の一室で、雨に濡《ぬ》れた体を温め合っているうちに、生温かい体温に誘われるように体を貪《むさぼ》り合ってしまったのだった。章子の体は猫のようにしなやかで、温かい感触に溢《あふ》れていた。

「いやだわ、黙ってらして、あなたはいつも私の話を上《うわ》の空でしか聞いていないのね」

万樹子は寝そべっている銀平の長椅子に上半身をもたせかけ、甘えるように銀平の手に指を絡《から》み合せた。暖炉の火がぱちぱちと音をたてては爆ぜ、大きな炎を上げた。銀平は、紅茶茶碗をおくと、万樹子の手をぐっと引き寄せ、唇を捺《お》しつけながら、手を背中に廻した。

「待って――、結婚式までもうすぐよ」

抗《あらが》うように云《い》ったが、銀平は乱暴に万樹子の体を押し倒し、背中のジッパーを引き下ろして下着をとった。長椅子の上に仰向いた万樹子の体は二十三歳にしては豊か過ぎるほど豊かだった。銀平は女遊びに馴れた手つきで暖炉の火にあかあかと照らし出された体をゆっくりと抱いた。

体が離れると、万樹子は恥じらうように眼を伏せていたが、

「大丈夫なんだろうね」

銀平は醒《さ》めた声で、妊娠の懸念《けねん》を聞いた。

「多分、大丈夫だと思うわ」

「それなら、よかった、僕は面倒なことが嫌いでねぇ」

出産日の合わぬ子供が生れた時のわずらわしさを払うように云った。

「それにしても、君ははじめてじゃないね」

服をつけていた万樹子は、はっと手を止め、

「――ご免なさい、私……」

告白しかけた。

「解《わか》ってたよ、そんなことは――、しかし、君と関係のあった男の話など、聞く興味はないよ」

煙草をくわえながら素っ気なく遮《さえぎ》った。万樹子は、みるみる涙を溜《た》めて、

「私、結婚したら、一生懸命、いい家庭をつくります」

「いいよ、お互いさまだ――」

銀平は、万俵家のような異常な家庭に育った自分は、健全な家庭を営む姿勢を最初から失い、背骨が折れ曲ったようないびつな家庭しか作れないだろうと思っていた。しかしそれも、もともと企業的な一つの意図を持った閨閥《けいばつ》結婚であってみれば、別にかまわないじゃないかという気がしていた。

「さあ、そろそろ帰ろうか、あまりゆっくりしていると、管理人から変に思われるか

らね」

促すように云うと、長椅子からたち上り、上衣をつけて、インターフォンを強く押した。

「帰るから、門を開けといてくれ」

と云うと、管理人の声が返って来た。

「もう、お夕食のお時間でございますよって、六甲山ホテルから特別にお取り寄せ致しましょうか、この間、美馬さまがお見えになりました時も、そのように致しましたから――」

「え、美馬の義兄《あに》が？　僕たちはホテルへ行って食事をするからいいよ」

そう云ってインターフォンを切ったが、この山荘へ美馬が訪れたことを、父の大介がなぜ伏せているのだろうかという疑問が、銀平の胸を掠《かす》めた。

万俵家の居間に、二子の弾くブラームスのピアノ・ソナタが静かに流れていた。晩《ばん》餐《さん》はすでに終っていたが、寧子と相子は、銀平の結婚披露宴に着る訪問着の染め上りのことで、応接間で出入りの呉服店の主《あるじ》と話しており、父の大介だけが二子のピアノの傍《そば》にいた。しかし大介の頭の中では、今日の融資会議で阪神特殊鋼の高炉建設資金を一〇パーセント、カットし、それを電話で鉄平に云い渡した時のことを思い返していた。

ピアノが止《や》んだ。

「お父さま、ちゃんと聴いていて下さるの？」

「うむ、聴いている、だが、お前のブラームスは少々、激し過ぎるね、ブラームスはもっと情感豊かで、ソフトじゃないかな」

「まあ、この間と同じことをおっしゃって——、碌《ろく》に聴いていらっしゃらない証拠やわ」

睨むように云うと、大介はパイプをくゆらせながら苦笑し、

「二子も、ピアノばかり弾いていないで、そろそろお嫁に行くことだな」

「銀平兄さまの結婚式も終らないうちから、もうお催促ですのん？　でも私は銀平兄さまみたいに、お父さまや相子さんがすすめる方ならどなたでも、というわけにはいかないわ、およろしくって？」

「お父さまが脅かされているようだね、二子はどんな男性を好もしいと思っているのだね」

珍しく父と娘の二人きりで話が弾みかけると、扉《ドア》が開き、鉄平が顔を出した。

「あら、お兄さま、お帰りなさい、今、お父さまに私の好きな男性像を聞かれていたところなの、私は鉄平兄さまのような方が好き」

二子がしゃきしゃきした口調で云った。鉄平は白い歯を見せて笑い、

「藪《やぶ》から棒に驚くじゃないか、ところでお父さん――」

と云いかけると、大介は鉄平の用件を察して、

「さあ、私はそろそろ寝《やす》もうか――」

椅子《いす》からたち上った。

「お父さん、ちょっとお話ししたいことがあります」

「仕事の話かね？　それなら明日にして貰《もら》いたい」

「ですが、僕はどうしても今晩中に、お話ししたいのです」

強く云うと、二子はピアノの蓋《ふた》を閉じて、そっと部屋を出て行った。

「話というのは何だね――」

「お父さん、端的に申し上げますが、今日の融資削減の件、もう一度、ご再考願いたいのです」

鉄平は、直截《ちょくせつ》にきり出した。

「駄目だね、再考の余地はないよ」

にべもなく、頭を振った。

「どうしてですか？　融資部長も融資担当常務も、承諾しているのに、なぜお父さんが反対なさるのです、その点が納得ゆきません」

「その返事なら、既にお昼、電話で伝えたはずだ」

「しかし、これまで阪神特殊鋼の融資とあれば、何かとバック・アップして面倒をみて下さったのに、今回に限って、どうして削減なさるのか、わかりません」

鉄平は重ねて云った。

「くどいねぇ、お前は——、だいたい、特殊鋼メーカーが高炉を建てるなど、分不相応だよ」

「決して分不相応な計画ではありません、先日来、機会あるごとにお話ししていますように、特殊鋼の将来の需要見通しをたてた上での計画ですから、最初の滑り出しさえ乗り切れば、あと二基、三基と増やして、阪神特殊鋼を日本一、いや世界一の特殊鋼メーカーに飛躍させることだって、不可能ではないのです」

「なに？　高炉を二基、三基——、思い上りもいい加減にするものだ」

「しかし、お父さんがお祖父《じい》さんから受け継がれた銀行を地方銀行から都市銀行に拡大されましたように、僕もまた、お祖父さんが創設された阪神特殊鋼を、高炉メーカーに発展させたいのです」

鉄平の声に熱が籠《こも》り、膝《ひざ》を乗り出すように云った。

「お前は、何かと云うと、お祖父さんのことを口にする、大学へ進学する時、経済を専攻して銀行を継ぐように云ったのに、銀行は弟に任せ、自分はお祖父さんが創《はじ》めた鉄をやりたいからと工学部へ進んだね、お前は、父である私より祖父の方を尊敬している、確かにお祖父さんは偉い、阪神銀行の前身である万俵銀行を創設したのも、阪神特殊鋼の前身の万俵鉄工を創設したのも、そしてこの広大な万俵家を建てたのも、万俵敬介だからねぇ」

冷やかに云いながら、大介の眼には異様な光が溜《た》まっていた。

「お父さんこそ、妙にお祖父さんにこだわり過ぎていらっしゃる、僕は何も、お父さんよりお祖父さんの方を尊敬するなどと申したことはありません、お父さんこそ、お祖父さんを嫉妬《しっと》して……」

「なに、私がお祖父さんを嫉妬？　馬鹿《ばか》な！」

大介は、めったに感情を現わさない顔に朱奔《しゅばし》るような怒気を漲《みなぎ》らせた。その激しさに、鉄平は一瞬、唖然《あぜん》とし、

「僕が云うのは、親子といえども、企業家同士の場合は、互いの優れた企業手腕に嫉妬する場合があったって、決して可笑《おか》しくないという意味ですよ」

「企業家としても、私は、亡《な》くなった父に嫉妬など感じたことはないよ、だいたい嫉妬などというのは、不快極まる言葉だ」

「そのようにこだわられることの方が、可笑しいじゃありませんか」

「この上、お前はまだ何を云いたいのだ！」

さらに大介が気色《けしき》ばむと、

「鉄平さん、お父さまに何ということをおっしゃるの」

いつの間にか、相子が居間に入って来ていた。

「お祖父さまのご存命中ならともかく、現在はお父さまあっての万俵家ですよ、お父さまは阪神銀行の頭取であると同時に、阪神特殊鋼をはじめ、万俵コンツェルンの総《そう》帥《すい》として、いつも大きな責任を負っておられるのです、そのお父さまのお云いつけは、それなりのお考えがあってのことなのですから、お従いになるべきではございませんか？」

窘《たしな》めるように云った。途端、鉄平の精悍《せいかん》な眼がぎょろりと相子に向いた。

「君は黙ってろ、親子が争っている時、口を出せるのは、母親だけだ」

ぴしゃりと平手打ちするように云ったが、

「あなたがどうお思いになろうと勝手ですが、私はあなた方を教育し、結婚の心配まで致して参りましたわ」

「それが家庭教師であり、女執事である当然の役目じゃないか、それを、こと改めて口にするなど、少しは分をわきまえろ」

相子は口詰った。〝分をわきまえろ〟などという言葉は、曾《かつ》て万俵敬介が健在の時に、相子に向って云った言葉と同じだった。思わず、身じろぐと、大介は口からパイプを離し、

「鉄平、これ以上、さし出がましいことを云うな、何一つ出来ない寧子に代って、万俵家を差配し、お前たちを育て、教育し、それぞれに立派な配偶者を選んだのは、相子の努力によるものだぞ」

「確かにそうした意味での相子さんの役目は認めます、しかしそれと同時に、お父さんの愛人であることも事実じゃあないですか、世間では品行方正で、冷厳な頭取として通り、一歩、家庭へ入れば妻妾《さいしょう》同居の生活を営んでいるお父さんは、世間を瞞《だま》しているいる偽善者ですよ！　そういうお父さんの生活が、銀平を妙にニヒルな性格にしたんでしょう！」

心の中にどろどろと堆積《たいせき》していた怒りをぶちまけるように云い、相子の方を見、

「君もそろそろ、自分自身の将来を考えるべきじゃないか」

ときめつけた。

「私にはまだ、私が育て、教育してきた二子さんと三子さんの結婚問題が残っておりますわ、それに私は、お父さまをお愛ししております、或《あ》る意味ではあなたのお母さま以上に――」

静かな声であったが、そこには何ものにも動じない強靭《きょうじん》さがあった。

人の気配がし、銀平が居間の入口に突ったっていた。鉄平が振り向くと、

「兄さん、なかなか派手におやりになってますね、婚約者《フィアンセ》とデートしていい調子で帰って来ると、この様子だから暫《しば》し呆然《ぼうぜん》の体《てい》でしたよ、じゃあ失礼――」

それだけ云って、くるりと踵《きびす》を返し、階段の方へ行きかけた。

「銀平、お前もこの際、何か云うことはないのか！」

腹だたしげに鉄平が問いかけると、銀平はズボンのポケットに両手を突っ込んだまま、

「兄さん、お父さんと争うなんて無駄なことですよ、企業家としての識見、財力、社会的地位、すべての点で何一つ、僕たちはお父さんにかなうものがない、だから勝ち

っこありませんよ」

とだけ応《こた》え、階段を上って行った。

「勝ちっこないか、あるか、僕はとにかくやってみる、これ以上、お父さんには頼みません」

鉄平は、父に挑むように云った。

＊

万俵鉄平は、東京大手町にある日本産業銀行の役員応接室で、融資担当の五十嵐《いがらし》常務と向い合っていた。

この十日間、殆《ほとん》ど阪神特殊鋼の工場には出ず、連日、各銀行を駈《か》けめぐって、メイン・バンクで削減された十八億円分の資金調達に奔走している。そのうち八億だけは、協調融資銀行と新規の生命保険会社で少しずつ都合出来たが、あとの十億はどうしても調達出来ず、長期設備銀行である日本産業銀行へ新規に申し入れることになったのである。既に神戸支店を通して事務方《かた》の話し合いは進められていたが、支店経由では書類の提出ばかりを要求されて、肝腎《かんじん》の具体的な融資折衝が進まなかったから、鉄平は直接、本店の融資担当常務を訪ね、さしで話し合いながら、一挙にことを決めようとしているのだった。

鉄平は、高炉建設計画の内容を、技術者らしく専門的な立場から詳細に説明した。五十嵐常務は、痩身《そうしん》をダブルの服に包み、剃刀《かみそり》のような鋭さを思わせる細面《ほそおもて》をまっすぐ鉄平に向けて聞いていたが、話を聞き終ると、

「ご説明のほどはよく解りました、ですが当方で問題とするのは、高炉操業の技術が、あなたのご説明通り、おたくの技術陣で動かせるのか、それが出来たとしても、ほんとうに良質の製品を作り、その販売ルートが確立されるかということです、ご承知のように、当行は同一の審査対象に対して、一般の銀行が一週間で十頁《ページ》ぐらいの調査書を作ることに対しても、半年がかりで二百頁ほどの調査書を作った上で審査する主義ですから、おたくのように早急《さっきゅう》に結論を求められても、返事のしようがありませんでしてねぇ」

まるで役所のような応え方をした。都市銀行や地方銀行など、普通銀行の資金が、行員たちの汗と脂《あぶら》で集めた預金であるのに対し、長期の設備資金銀行は、預金集めの苦労を殆ど知らず、普通銀行が集めた預金を金融債の発行で吸い上げ、産業資金の配分をする。したがって、資金コストを度外視して大局的な融資を考える半面、金融官僚的な尊大さがどこかにあった。

「それはよく承知しておりますが、当社の高炉建設は、単なる私企業でなく、国家の基幹産業の一端を荷負《にな》うものでありますから、日本の産業育成を使命としておられる御行としては、当社の意図するところをぜひご理解戴《いただ》き、格別のご配慮を戴きたいのです」

「あなたのお話を聞いていると、当行は公益的な銀行として、お貸しするのが当然のような口振りですが、国家的な見地から育成すべき企業は、何もおたく一社ではないのですからねぇ」

「当然だなどとは、毛頭、考えておりません、しかし当社の高炉建設は通産省も内諾してくれたことですし、計画自体、決して安易なものではなく、将来、さらに高炉を増やして大きく成長して行くためにも、この際、おたくのような銀行と、ぜひお取引させて戴きたいのです、といっても、これまではお付き合い程度の口座を設けているだけであり、新規も同然のおたくに、いきなり多額の融資をお願いするのは虫がよすぎる話と思いますので、何とか十億の融資を、取りあえずお願い致したいのです」

精悍な眼をたぎらせ、懇請した。五十嵐はそんな鉄平をちらりと見、

「十億ねぇ、しかし、おたくには阪神銀行さんが、ちゃんとついておいでなんですから、今さら、さして馴染《なじ》みのない当行へなど、ご依頼に来られず、阪神さんにお願い

して、それぐらい、ことのついでに出して戴かれたらいかがです」

十億を、それぐらいの金額と云《い》いながら、一方で、ほんとうに阪神銀行が出せないのか、それとも、何か別の理由で出し渋っているのかを読み取ろうとする鋭い観察が働いていた。

「阪神銀行の方では、たまたま金融緩和の時期ですから、出してもいいとは云っております、しかし、いかに父が頭取の銀行とはいえ、これ以上、メインの融資比率を高めますと、何をするにつけても、メインの云いなりになり、手も足も出なくなってしまいますので――」

そう取り繕うと、五十嵐は、その言葉の真偽のほどを確かめるように、まじまじと鉄平を見詰めた。

「父子《おやこ》の間柄でも、企業家というのはそんなものですかねぇ、しかし、それほどメインに縛られたくないのでしたら、おたくには、長年、お付き合いのある長期開発銀行さんも随《つ》いておられるのですから、そちらへお頼みになればようござんしょう」

「むろん、長期開発銀行さんには、従来の融資比率を上廻る融資をお願いしましたが、当社としてはさらに将来、大きく飛躍するために、この際、日本の代表的な設備銀行である御行に融資を仰ぎたいわけです」

設備資金銀行としては、長期開発銀行より、日本産業銀行の方が上位であった。

「おいくらでしたかね、長期開発銀行さんの今回の融資は——」

「三十億をお願いしております」

三たび足を運んで、一昨日《おととい》ようやく、当初の二十七億から三億を嵩上《かさあ》げして貰《もら》えたのだった。

「ほう、長期さんが三十億で、当行が十億ですか、その点も、よく検討させて戴きましょう」

五十嵐の言葉には皮肉な響きがあった。銀行の格の高低や、融資比率にこだわる点も、官僚的な序列主義が感じられた。

「それはそうと、この高炉建設について、現在、銑鉄《せんてつ》の供給を受けておられる帝国製鉄の意向はどうなんですか？」

五十嵐はこと改めて、聞いた。

「お話は一度、致しましたが、別に私の方は帝国製鉄さんの系列会社ではないのですから、ご承諾を得なければならぬというものではないと思いますが——」

「そりゃあ、理屈としてはそうでしょう、しかし、当行は帝国製鉄のメイン・バンクですから、先発の高炉一貫メーカーが、おたくの高炉建設をどう見ているかという意見を聞くのは当然のことでしょう、いずれにしましても、正式の回答は後日、改めて――」

その言葉の裏に、帝国製鉄側の意向が動き、融資は望み薄であることが解った。

「どうもお門違《かどちが》いだったようです」

鉄平は席をたった。

日本産業銀行を出ると、鉄平は待っていた運転手に、日本橋の大同銀行へ行くように命じ、シートの背に体を埋めた。何としても十億の資金を日本産業銀行で調達しようと意気込み、阪神銀行から予《あらかじ》め根廻しまでしておいて貰ったにもかかわらず、不調に終ったことは身にこたえた。協調融資銀行と新規の窓口で都合出来ない最終的な不足分は、サブの大同銀行に頼み込み、調整する心づもりはしていたが、何としても十億の金額は大き過ぎた。さすがの鉄平も、大きな不安と躊躇《ためら》いを覚えた。

四時過ぎの凄《すさま》じいラッシュを縫って、日本橋の本石町《ほんごく》まで来ると、日本銀行がその威厳を誇示するように聳《そび》え立ち、斜め後方に、大同銀行本店のビルがあった。

八階建ての正面玄関で車を降りると、鉄平は二階の役員受付へ足早に上った。予め面会を申し込んでおいたから、すぐ頭取室へ案内された。

「いらっしゃい、さあ、かけ給《たま》え」

三雲頭取は、応接用のソファをすすめた。鉄平はたったまま、

「先日来、ご無理を申し上げております、本日はまた、ご多忙なお時間をお割《さ》き戴いて恐縮です」

鄭重《ていちょう》に挨拶《あいさつ》してから坐《すわ》ったが、いつものような精悍さはなかった。

「どうかしたんですか、今日はいつもと様子が違いますね、牙《きば》を抜かれた獅子《しし》のようじゃありませんか」

三雲頭取は、微笑をうかべ、鉄平の気持をひきたたせるように云った。鉄平は温かいものを咽喉《のど》もとに感じ、今から自分が話すことに、心が動揺した。サブの大同銀行以下、各協調融資銀行へ貸増しを依頼する場合、メインの阪神銀行が従来の融資額を一〇パーセント削ったからとは云わず、高炉の積算で、二百五十億の予算がオーバーしたと説明するように銀行側から示唆《しさ》されているのだった。長期開発銀行や五菱、大友、新日本信託銀行などの銀行にはそのように説明し、大同銀行にも、今回の面会を求める時に、前もってそう云ったのだったが、三雲と相対し、温かい眼で見詰められると、今から話すことのうしろめたさに口ごもった。しかし、お茶を運んで来た女子

行員が出て行くと、鉄平は意を決するように、

「まことにお恥ずかしいことですが、高炉の積算に誤りがあり、予算を十八億もオーバーしてしまったのです」

と云った。

「技術者のあなたにしては、杜撰《ずさん》過ぎますね」

三雲は言葉短かに、鉄平の杜撰さを指摘した。

「全くお恥ずかしい限りですが、十八億のうち、何とか十億をご都合戴けませんでしょうか」

思い詰めるように云うと、三雲は即座に、

「十億とはおかしいですね、それではメインの阪神さんは、十八億のうち、いくら増やされるおつもりなんですか？」

「それが、阪神銀行は御行のように規模が大きくありませんので、従来の四〇パーセントの融資比率が精一杯で、これ以上はどうしても出せないから、他行でお願いするように云われまして――」

鉄平の額に、汗が滲《にじ》んだ。

「鉄平君、これはいくら、あなたと私の間柄でも、お出しするわけにはいきませんね、

額の問題より、まず筋の問題として、予算オーバー分を他行へ押しつけるなど、虫がよすぎます、あなたは、お父さんの銀行というこだわりがあって、逆に遠慮しておられるのかも知れないが、メイン・バンクとして、もっと筋を通して貰うよう、お願いすべきですよ」

いつにない厳しさで、三雲は云った。しかし、その厳しさは、父のもつ冷厳さでもなければ、五十嵐のような官僚的な冷たさでもなかった。ぴしりと筋の通った厳しさであった。室内の沈黙が、鉄平の胸に食い入るように重かった。鉄平はこれ以上、三雲を偽ることに苦痛を覚えた。つと顔を上げると、

「申しわけございません、実は、予算オーバーではなく、メインの阪神銀行が従来の四〇パーセントの融資比率を、三〇パーセントに切り下げたのです」

「メインが一〇パーセント、カット――、一体、どうした理由ですか？」

三雲は驚き、常識では考えられぬように聞き返した。

「阪神特殊鋼も、高炉建設をするほどの規模になったのだから、この際、いつまでも阪神銀行にたよらず、幅広く他行さんに取引をお願いするよう、また、そうしてくれないと、阪神銀行としても負担が重くなると云うのです、しかし、ここでメインが高炉建設という大事業に、一〇パーセント、カットするとなると、全体の資金調達にひ

びいて来るからと云われ、私自身もそう考え、三雲頭取にまで偽りを申し上げました、お許し下さい」

鉄平は、深々と頭を下げた。三雲はそれには応えず、ソファからたち上ると、窓際《まどぎわ》へ近寄り、この間まで自分のいた日本銀行の建物に、暫《しば》らく視線を向けていたが、やがて、

「理由はそれだけなんですか、ほかにまだ何か、隠していることがあるのではありませんか？」

「いいえ、それだけです、これ以外に、どのようなことを頭取に隠しているとおっしゃるのですか？」

「はっきりと断定は出来ませんが、メイン、しかもお父さんが頭取である阪神銀行が、さっきおっしゃったような理由だけで一〇パーセントもの資金をカットするなど、通常では考えられない——、となれば、当行として考えられることは、あなたの高炉計画そのものに、よほどの欠点があるか、もしくは、会社自体にメイン・バンク以外は知り得ない何か重大な欠陥があるか、そのどちらかでしょう」

静かであったが、一言、一言に鋭い響きがあった。

「それは誤解です、仮におっしゃるような欠陥があるとしたら、留学時代から親《ちか》しく

知己を得ている三雲頭取に、私はメインを上廻るほど巨額の融資をお願いには参りません」

きっぱりと云ったが、三雲は、まだ何かを考えるように、日本銀行の聳えたつような青銅のドームを見上げた。鉄平は、もはや坐っていることが出来ず、三雲の傍《そば》へたって行った。

「頭取、高炉建設は、もはや用地の造成、岸壁の補強、高炉の発注と、着々と進んで、今さらあとへは引けません、僕に高炉を建てさせて下さい」

父には通じない高炉建設への情熱を、体ごとぶっつけるように云った。三雲は、それでも何かを思い迷うように黙って鉄平に背を向けていたが、やがて、ゆっくりと向き直った。

「あと十億さえ融資すれば、本当に高炉は予定通り建てられる自信があるのですね？」

「むろんです」

「では、早急《さつきゆう》に役員会議にかけて、何とか諒承《りようしよう》を得るように、努力しましょう、当行は規模の割には、これといった優良企業、特に基幹産業のメイン・バンクになっていないから、この際、その点を考慮して融資を諒承させることが出来ると思う、そうなると、先の五十四億と今度の十億で、総額六十四億の融資となり、当行としては、メインの阪神銀行以上の賭《かけ》を高炉建設に試みるのですから、鉄平君、君も覚悟を新たにして下さい」

三雲はそう云うと、自らも大きな決意をするように、自分の言葉を嚙《か》みしめた。

鉄平は六本木の『つる乃家《や》』の座敷で、たて続けに盃《さかずき》をあけていた。

「どうしたって云うの？　いやに荒れているようね」

若女将《おかみ》は、目尻《めじり》のきれ上った涼しい眼もとで、鉄平の様子を見詰めた。つる乃家へ来れば必ず習《さら》える清元も習わず、さっきから料理にも手をつけないで、酒だけをあおっている。

「もうおよしなさいよ、いくら飲めるからといっても、無茶酒は駄目よ」

鉄平の手から盃を取ろうとすると、

「ほっといてくれ、今晩は独りで飲みたいんだ、飲めるだけ飲んで、酔いつぶれて寝てしまいたいんだ、退《さが》ってろよ」

勝手なことを云えるのも、祖父の愛妾《あいしょう》だった老女将の養女が経営している待合なればこそであった。

「おや、おや、今晩は大へんな若御前なのね、じゃあ、お守《もり》はうちのお養母《かあ》さんに替って戴くことにするわ」

「老女将が？　また大阪から来ているのかい」

鉄平ははじめて盃を置いた。

「あら、急にやさしい顔になるのね、この前、いらして下さった時から、ずっとこちらにいるのよ、お養母さんだって、あなたのお相手ともなれば大喜びよ、でも、私より六十近いお養母さんの方がもてるなんて、妬《や》けるわね」

軽く睨《にら》む振りをし、空《から》になった銚子《ちょうし》を持って、席をたった。

独りになると、鉄平はごろりと畳の上に寝転んだ。したたか飲んだせいで胸苦しく、さらに今日一日のことが輪をかけて思い出され、金の工面の辛《つら》さが身に沁《し》みた。企業は金集めから始まるものだ、金の工面が出来なければ、一人前の企業家とはいえないと云った父の言葉が、まざまざと思い返され、今さらのように資金調達の困難さを思い知った。如何《いか》に方便とはいえ、あれほどまでの温かさをもって自分に接してくれた三雲にまで、嘘《うそ》をついて借りようとした自分のみじめな卑劣さが胸を衝《つ》いた。それにつけても、父は一体、どのような意図によって、従来からの四〇パーセントの融資を、一〇パーセントも削減したのだろうか。自分を企業家として鍛錬するためなのか、それとも何らかの含みがあって高炉を建てさせたくないのか、或《ある》いは、銀行内部で、どうしても削減せざるを得ない格別の事態が起っているというのだろうか――。鉄平はあれこれと考えながら、高炉建設の話を持ち出した頃から、妙によそよそしく冷たいものを父から感じ取っていたことを思い返した。

廊下に小さな足音がし、襖《ふすま》が開いた。

「ぼんぼん、ようお越しやす」

老女将が、小柄な体をちょっと屈《かが》め、足をひきずるようにして入って来た。鉄平は体を起し、

「どうしたんだい、その足?」

「へえ、やっぱり齢《とし》には勝てまへん、庭石に躓《つまず》き、一時は腰骨にまでひびいて、大阪の店は二十年来の仲居頭《がしら》に任せ、ずっと、こっちで養生してたんでおます」

そう云って、六十近いとは思えぬ皺《しわ》の少ない白い顔を綻《ほころ》ばせ、

「今晩のぼんぼんは、えろうご機嫌が悪そうでおますけど、なんぞ癇《かん》のたつことがおました時は、きれいどころをあげて、ぱあっと散財しはることだす、亡《な》くなりはった旦那《だん》はんは、いつもそうでおました」

老女将は、その派手な散財ぶりを懐《なつ》かしむように云った。鉄平は、大きな体軀《たいく》で自分を膝《ひざ》の上に抱いていた祖父の姿を眼に描いた。考えてみると、祖父は、弟の銀平や妹の一子を、膝の上に抱いたことがなく、鉄平だけを可愛《かわい》がり、お土産の玩具《がんぐ》なども鉄平にだけ買って来る場合が多かった。

「女将、お祖父《じい》さんは、どうして僕だけをあんな風に猫可愛がりに可愛がったんだろう、小学生になっても、膝の上に抱くんだから、僕は恥ずかしかったよ」

「それは、ぼんぼんが初孫《ういまご》で、その上、お顔から、体つきものの云い方から、それ、その趺坐《あぐら》のかき方まで、大旦那はんにそっくりですさかい、可愛ゆうてたまらんかったのでっしゃろ」

「ところが、僕がお祖父さんっ子であり過ぎることが、この頃、妙にお父さんのお気に障《さわ》るらしいんだよ」

銚子を持っていた老女将の手がはっと揺れ、酒が落ちこぼれた。

「どうしたんだい、まさか僕が、お祖父さんとあんたの間に出来た隠し子だったというわけじゃあないだろうな」

と冗談を云うと、老女将は俄《にわ》かに拍子抜けしたように鉄平の顔を見、

「阿呆《あほ》らし！　冗談も度が過ぎまっせ、そんな阿呆なこと云いはるのは、お仕事でき

つう疲れてはるのでっしゃろ」

きっぱりと云《い》った。

「そうかもしれん、今日は金の工面に走り廻ったからな」

「ほんならお祖父さんの真似《まね》して、今夜は、ぱあっと散財おしやす」

と云い、ぽんぽんと手を叩《たた》いて仲居を呼び、

「まり子はんに小りん、千春はんら、若いきれいどころをずらりと、呼びなはれ」

賑《にぎ》やかに云いつけた。

＊

池田市南郊の農村地帯、宮前《みやまえ》、北轟木《とどろき》村は、田植の真っ最中であった。どの田にも水が一杯に張られ、じりじりと照りつける六月の陽ざかりの中で、せっせと苗が植えられている。

人手不足のせいか、腰の折れ曲った老婆《ろうば》まで田圃《たんぼ》に入っていたが、中川留市《とめいち》の田圃には、女房の他《ほか》に、阪神銀行池田支店の外廻りである岡村と、二人の女子行員が泥まみれになって働いている。女子行員たちは昼からでよかったが、岡村は朝の七時からぶっ通しに手伝い、昼食もそこそこに、また膝まで水に浸《つ》かり、泥と汗にまみれた顔

で、苗を植え付けている。というのも、中川留市の家は万博会場から宝塚に至る中央環状線の用地買収予定地に、三反の田圃を持っており、七千五百万の交付金がおりることになっていたが、その預金を阪神銀行に獲得するためであった。

「こら、あかんやないか、そんな手つきでやったら、苗が寝てしまうやないか!」

畦道《あぜみち》から中川留市の声が飛んだ。振り向くと、女子行員の一人が白いブラウスの前を泥だらけにして、泣きそうになっていた。岡村はすぐ、その方へ近寄り、

「どうもすみません、女子行員たちは、私と違って農家出身ではないものですから――」

と謝った。留市は、自らは水田に入らず、畦道に趺坐をかいて、キセル煙草《たばこ》をふかしていたが、

「頭数だけ揃《そろ》えた手伝いでは困るでぇ、もっとしっかり働いて貰《もら》わんことには、手伝うて貰うたことにはならへんわ」

陽灼《ひや》けした顔で、いや味な云い方をすると、野良着《のらぎ》姿の留市の女房が、慌《あわ》てて口を挟んだ。

「あんた、なんちゅうことを云いなはるのや、こない手伝うて貰うてて、調子にのるのもええ加減にしなはれ、さあ、岡村はんらは畦へ上って、一休みして、お茶でも

あ」

「お前は黙っとれ、他にも田植の手伝いしたいと云うてる銀行は、たんとあるんでな
――」

ぽんぽんとキセルの首を叩いて、居丈高になった。岡村は、

「まあ、そうおっしゃらず、植付けの悪いところは、私があとでやり直しますから
――、でも、思ったより早くすみそうですね」

機嫌を取り結ぶように云ったが、

「そら当り前や、東に三反あった水田は、万博道路にとられるのやからな、ほれ、見てみい、あそこが坪八万三千円、〆《しめ》て七千五百万になるとこや」

細い眼を欲深そうに光らせ、顎《あご》で指した。見渡す限り田植を終りかけている中で、帯状に村落を横断している雑草の部分が残り、一眼でそこが用地買収地であることが解《わか》る。その中でも中川留市の田圃のあたりは、池田インターチェンジになるところであるから、幅広く買収されることになっている。留市は満足そうにそこを眺め、

「まあ、あの三反が無《の》うなっても、この田圃は残ってる、けど田植するのは今年限りや、七千五百万も入って来たら、阿呆らしゅうて、汗水滴《た》らして、田植なんぞでけんわな、そいでこの間の、あの話は、確かなんかいなあ」

せっせと田植している岡村の方へ体を向けた。あの話というのは、七千五百万円の交付金を巧《うま》く運用する方法である。

「確かな話ですとも、この間、当行の系列会社の万俵不動産の者が伺ってご説明しましたように、この同じ阪急沿線の蛍《ほたる》が池《いけ》に富士ストアという大スーパー・マーケットを誘致する計画がありますから、その土地買収の時に、おたくの分も買い増しして、スーパーが建った時の値上りを考えているのですから、交付金は、まず当行へお預け戴《いただ》き、それから蛍が池の土地をお買いになって土地の値上りを待つのが、一番、利殖の多いやり方です」

利殖という言葉を強調すると、留市はひと膝のり出し、

「けど、五和銀行はアパート建てた方がええと云うし、大友銀行も親切に、ええ替地を探すと云うてくれてるから、まあ、よう思案することにするわ、交付金がおりるまで、まだ一週間あるさかいな」

田植まで手伝わせておきながら、まだ確たる返事をせず、小ずるい駈引《かけひ》きをするように云った。岡村は、むっと怒りがこみあげて来たが、総額五十億円、六十万坪の用地買収金の獲得をめぐる、各行の争奪戦の苦闘を思いだして、陽灼けした顔を強いて綻《ほころ》ばせた。

「いろんなお考えはおありでしょうが、この二年来のおつき合いに免じて、交付金はどうかうちにお願いしますよ、今日は支店長も、もうすぐ、お願いに来ることになっています」

膝まで水田に浸かりながら頭を下げると、さすがの留市も、リューマチを患《わずら》っている母親の病院通いを岡村が送り迎えしてくれたことや、たとえ千円の預金の出し入れにも快くスクーターを飛ばして来てくれたことなどを思い起したらしく、黙り込んだが、

「今朝は佐橋総理大臣が、この辺まで視察に来て、わしらに頭を下げて笑うてみせたでぇ、愛想がようて、ええ男前やな、あんたところの頭取さんは、一向に来《こ》えへんな」

ますますつけ上るように云った。そう云われると、一言もなかったが、その時、背後で車の停まる音がした。

「中川さん、いいお日和《ひより》でございます、うちの者は間に合っておりましょうか？」

角田支店長が車から降りて来ながらそう云い、畦道で趺坐をかいている留市の傍へ歩み寄って手土産の包みをさし出した。

「いよいよ、一週間先に迫りましたので、よろしくお願い致します」

「これはいつもおおきに、交付金のことは今、じっくり考えとるところでしてな」

角田支店長は畦道にしゃがみ込んで、

「お考え戴いた上で、是非とも当行にお願い致します、ご相談ごとには何なりとお役にたたせて戴きますから――」

と挨拶《あいさつ》すると、車のところまで戻って、岡村を呼んだ。岡村は泥に汚れた顔から汗を滴《したた》らせ、畦道へ上って来た。

「岡村君、苦労かけるな、今、本店からの帰りだが、本店の要請はさらに厳しい、池田は猪名川《いながわ》を挟《はさ》んで阪神銀行の地元になるのだから、目標額の五億円は必達成だ、阪神銀行の一兆円必達成運動の一環を荷なっているのだから、何が何でも貫徹せよという厳命だ、君たちにこれ以上というのは辛いが、頑張って貰いたい、もちろん、私自身も君たちと同じように走り廻るよ」

泥まみれの岡村と二人の女子行員の姿を見やりながら、角田支店長は感に耐えぬような重い語調で云った。本店から苛酷《かこく》なノルマを課せられ、そのために、部下を酷使しなければならぬという板挟みに困憊《こんぱい》しきっている支店長の立場が、岡村には痛いほど解った。岡村は綿屑《わたくず》のように疲れきっている体で、深く頷《うなず》いた。

総額五十億円にのぼる用地買収金の交付がいよいよ翌日に迫った。

阪神銀行池田支店の角田支店長は、外廻りの行員はもちろん、内勤の行員をも督励して、最後の預金依頼に各農家を廻らせるとともに、自らも岡村と軽四輪車に乗り、千万単位の交付金が入る農家を走り廻っていた。午後九時を過ぎた田圃道に人影は殆《ほとん》どなかったが、一目で銀行の車と解る軽四輪車やスクーターが慌《あわただ》しくすれ違って行く。総額五十億のうちの二十五億は、地元の農協に獲《と》られるとして、残り二十五億を、阪神銀行、大友銀行、五和銀行、池正銀行、浪花相互銀行、その他信託銀行など十数行で分け取りしようとしているのだった。

角田支店長と岡村は、北轟木村の中川留市の家の前に車を停め、薄暗い玄関の土間に入った。留市の女房が愛想よく迎え、奥からパッチ姿の留市が出て来た。

「ああ、支店長さんと岡村はんかいな、いよいよ明日やな、今朝も岡村はんに話したように村のつき合いちゅうもんがあって、七千五百万のうち二千万は農協へ預けるが、あとの五千五百万は全部、あんたとこへ預けたるでぇ、その代り、この間の話、按配《あんばい》にしてや」

欲の皮が突っ張ったように頬骨だけが高い顔を恵比須《えびす》顔にしながら、それでも念押しするように云った。七千五百万の交付金が入る中川留市のところには、十数行が入り乱れて、下はマッチから上はテレビまで届けられ、交付金の運用をめぐっても、いい替地を見付けるとか、アパートを割安で建てる世話をするとかの話が持ち込まれたが、結局は、阪神銀行の系列会社である万俵不動産が、近く阪急沿線の蛍池《ほたるいけ》にスーパーを誘致する計画を持っていて、用地買収の際に、中川留市の替地を買い増し、スーパーが建って、周辺の土地が値上りするのを待とうという話が功を奏し、阪神銀行への預金を決めさせたのだった。留市は上機嫌で細い眼尻《めじり》を下げ、

「それに、替地を買う時の脱税、いや節税の仕方まで、あんたとこの本店の元税務署員とかいう人が相談にのってくれはるのやから、テレビまでくれた銀行には義理が悪いけど、阪神銀行は、袖《そで》にしとうてもできんわな、お互い、めでたし、めでたしや」

と云い、さらに上機嫌で交付金のおりるほかの家の話を喋《しゃべ》りはじめた。角田支店長と岡村は、相槌《あいづち》を打ちながら、内心、時間を気にしていた。まだこれから十二時まで、十数軒ほど、最後の預金依頼に廻らねばならなかった。

「なんちゅうても、七千五百万や、腹巻の中へ先祖の位牌《いはい》を入れて貰いに行きまっさ、岡村はん、ちゃんと車で迎えに来てや」

云いつけるように留市が云うのを機会《しお》に、岡村は、

「もちろんですとも、明朝は七時頃、こちらへお迎えに来、交付金のおりる近畿《きんき》建設

局事務所にお伴《とも》します」

　笑顔で頷くと、角田支店長も、

「その足で当行へご案内し、ご預金戴いて、お宅までお送りさせて戴きます、では明日は、かたがたお願いします」

　と挨拶した。ようやく外へ出ると、すぐ軽四輪車に乗り、そこからさらに一億二千万の交付金がおりる地主の家へ車を走らせた。三丁余り離れた河森富造の家の前まで来ると、既に他行の車が停まっている。岡村は懐中電燈を出して、車を照らした。

「また大友銀行の支店長らしいな、暫《しばら》く待とう」

　反対側の辻《つじ》に車を寄せ、窓から容赦なく入って来る藪蚊《やぶか》を叩きながら待った。しかし、十五分経《た》っても一向に出て来る気配がない。

「支店長、よそへ廻りましょう、時間がもったいないですから」

　岡村は、しびれをきらすように云ったが、各行が、預金獲得に鎬《しのぎ》を削っている地主の家だけに、僅差《きんさ》で約束がひっくり返されかねない。角田はもう五分待ってみようと云ったが、それにしては、中で粘っている人の気配がなさ過ぎた。もしやと疑いはじめた時、中から高校生の息子が出て来た。

「やあ、今晩は、お客さんはまだいてはるのん？」

顔馴染《なじ》みになっている岡村が聞くと、

「いや、銀行の人ならもうとっくに帰って、誰もいてへんわ」

息子はきょとんとした顔で云い、向い側の家へ行った。

「誰も来ていない？　じゃあ、やっぱり――」

角田は、いまいましげに唇を噛《か》んだ。他行の最後の詰めを妨げるために、空《から》の車を影武者に仕立てて駐《と》めておき、自分はその近辺を訪問して廻っているのだった。いよいよ明日が、預金合戦の勝負の日ともなると、やり方はますます巧妙を極め、陰湿になって来る。角田と岡村は急いで車を降り、門を入って案内を乞《こ》うたが、玄関の戸は固く閉ざされ、返事がない。岡村は庭へ廻って、雨戸をとんとんと叩いてみたが、やはり返事がない。しかし、耳をすますと、テレビの音が聞えているから、人が起きているのは確かであった。岡村は思いきって大きな声で呼んだ。

「河森さん！　今晩は！　河森さん！」

「なんじゃい」

やっと中から応《こた》えがあった。

「岡村です、おかむらですよ」

毎日のように足を運んでいた家であったから、区切るように自分の名前を云うと、

「なにぃ、岡村て、誰やねん」

怒鳴り返すように云いながら、たち上る気配がし、がらりと縁側の雨戸が開いた。

「夜分に恐縮です、阪神銀行の支店長と岡村がお伺いしました」

と挨拶すると、河森富造は、したたか酒に酔っているらしく、ぷんと酒臭い匂《にお》いをさせながら、

「阪神銀行――、銀行なんぞ、もうたくさんや、朝から十三人目やぞ、せっかく人が晩酌で、テレビをみてるのに、ええ加減にしてくれ」

あたり散らすように云《い》った。角田は慌てて、

「どうも、せっかくお寛《くつろ》ぎのところをお妨げして申しわけありません、実は先日、お約束戴きました二千三百万円のご預金、明日、何時頃にお伺いさせて戴きましたらよろしゅうございますか？」

庭にたったまま、鄭重《ていちょう》に聞くと、

「あれは止《や》めにさして貰いまっさ」

「え、止め？　それは一体……」

角田と岡村の顔色が変った。

「理由《わけ》は簡単や、地主いうたかて、土地を手放してしもうたら、陸《おか》に上った河童《かっぱ》も同

然、何もでけへんよって、大友銀行の行員さんに娘の婿《むこ》に来て貰うことに昨夜、きまったのや、そやから農協と地元銀行のつき合い預金以外は、全部、大友銀行に預けることに決めましたんや」

明らかに一億二千万円の預金と引換えの縁組であった。しかし阪神銀行にとっては、明日を控えて、二千三百万円の目算違いは大きかった。情けなさと煮えくり返るような思いを抑え、

「それはおめでとうございます、しかし、これまでのおつき合いをお考え戴いて、たとえ幾分でも、もう一度、ご再考を――」

と云い、すでに何度も置いている名刺であったが、岡村が、支店長の名刺と二枚、縁先に置くと、河森富造は、

「どいつも、こいつも同じことばかり云いよって！」

癇積玉《かんしやくだま》を破裂させるように云うなり、二枚の名刺を重ねて、びりっと破り、庭へ放り捨てた。庭石の上に、破り捨てられた名刺の紙片がばらばらと散らばった。角田と岡村は思わず息を呑《の》んだが、岡村はすぐ、庭にしゃがみ込んで、こなごなに破り捨てられた名刺を拾い集め、

「せっかく清掃されたお庭をお汚《よご》ししました、しかし、明朝もう一度、伺わせて戴き

ますから、よろしくお願いします」

やっとそう挨拶して、地主の家を出た。外へ出るなり、三十六歳の岡村の眼に涙が吹き出し、角田も瞬時、黙って足を停めた。

「支店長、銀行員というのは、辛《つら》い哀《かな》しいものですね、今の話、まるで人身御供《ひとみごくう》じゃないですか、一人の銀行員が、一億二千万の預金と引換えに、入婿するわけじゃないですか、僕は銀行に憧《あこが》れて入行したんですが、この二年間、万博の用地買収に備えて、風邪をひいて三十九度の熱があっても出勤し、休日には、少しでも近付きを増そうと、女房、子供連れの家族ぐるみで、手土産をもってご機嫌伺いし、来る日も、来る日も預金、預金に追い廻されて来ました、それも、自分たちの汗と脂《あぶら》で集めた預金が、銀行の大切な資金になる、僕たち第一線が銀行を支えていると思えばこそ、頑張って来れたのです、それが今日のような話を聞くと、がっくりと来てしまう……」

と云って、うな垂れた。角田支店長は、

「辛い気持はよく解る、しかし、明朝までの辛抱だ、頑張って残りの家を廻ろう」

岡村の肩を押すようにして車に乗り、次の農家へ走った。

銀行へ帰り着くと、十二時を少し廻っていたが、支店長室にはあかあかと灯《あか》りが点《つ》き、先に帰っていた行員たちが待ち構えていた。

「支店長、本店から電報が参っております」

次長が、昂奮《こうふん》した声で電報を角田支店長に渡した。

五オクタツセイ　ガ　ンバ　レ　ガ　ンバ　レ

角田はその電文を繰り返し、読み直しながら、業務担当の荒武常務、支店長会議の後、自分の肩を叩《たた》いて激励した万俵頭取の顔を思い出した。じきじき頭取が自分の肩に手をふれ、激励したことが、自分をして部下たちに過重な働きを求めることになり、既に今まで、十三人の外廻り行員のうち、四人が病いに倒れている。そして上と下との間で板挟みになりながら、自分もまた、部下たちには押し隠しているが、狭心症の発作に度々、襲われている。しかし、それもあと九時間、明朝午前九時に近畿建設局事務所で交付される時までの辛抱だった。

「本店からの五億獲得の激励電文だ、じゃあ、今から最後の詰めに入ろう」

角田は、心臓の動悸《どうき》がまた高く打ちはじめて来たのを隠して、強いて勢いよく声をかけた。

机の上に万博道路が横断する宮前、北轟木、豊島三部落の地図が拡《ひろ》げられた。番地ごとに一軒、一軒の名前を書き込んだ大きな地図で、各担当の外廻り行員が、自分の持場の預金獲得予想額を、一軒、一軒の家の上に書入れにかかった。

「中川留市さん五千五百万、松本吉太郎さん一千三百万、山田ハナさん三百二十万、野原和次さん四千九百万――」

一週間前に予想した額を斜線で消し、その上へ確実に煮詰った数字を書き入れて行った。

「続いて、豊島……」

票読みの声がそこまで来た時、角田支店長の体が不意に前へ揺れたかと思うと、ずるずると椅子《いす》から体がずり落ちた。

「支店長、どうしたんです！　しっかりして下さい！」

岡村が駈《か》け寄り、体を助け起そうとすると、角田の顔はみるみる蒼白《そうはく》になり、

「く、苦しい、胸が！」

胸をかきむしるように云い、体を海老《えび》のように曲げて床《ゆか》に転がった。

「救急車、一一九番だ！」

次長は、角田のネクタイとベルトをゆるめ、岡村が電話器に飛びついて、一一九番

を廻した。その間も角田の心臓発作はますます激しくなり、唇が紫色に変って来た。

「救急車を早く、早く！」

岡村が叫ぶように云い、若い行員がもう一度、一一九番へかけると、やっと遠くからサイレンの音が聞えて来た。

「支店長、来ましたよ、もう少しの辛抱です」

耳もとで、みんなが励ますように云ったが、角田の苦しげな身悶《みもだ》えが止んだかと思うと、救急車の到着を待たずして、息絶えた。五億円の預金獲得と引換えに、一人の支店長の命が失われたのだった。

＊

万俵二子は、兄の銀平が昨夜、神戸元町《もとまち》の駐車場に置きっ放しにしておいたマーキュリーを運転し、灘浜《なだはま》の阪神特殊鋼へ向っていた。とりたてて用事はなかったが、神戸のフランス人に習っているフランス語のレッスンのあと、銀平から頼まれていた車を取りに行って、岡本の自邸へ戻りかけ、ふと上の兄の鉄平がいる阪神特殊鋼へ寄ってみたいと思ったのだった。

夕暮時の工場地帯は、一日の仕事を終えた従業員たちが、駅に向って列をなすように歩き、自転車やスクーターに乗って行く者もあったが、眼のさめるようなトルコ・ブルーのスカーフを巻いて外車を運転して行く二子の姿を見ると、反感と羨望《せんぼう》の入り混じった視線で振り返った。

阪神特殊鋼の門をそのまま通り抜けようとすると、

「おい、君い、待たんか！」

守衛が大声で怒鳴りつけた。二子は急ブレーキをかけて止まり、

「私、万俵二子ですけど、兄を訪ねて参りましたの」

と応えると、守衛は、

「これはどうも、えらい失礼をば致しました」

恐縮しきって、最敬礼した。二子は返事の代りに、悪戯《いたずら》っぽい笑いを投げかけ、さっと車を構内へ乗り入れた。交替制の従業員たちによって稼動《かどう》し、黒い煙を吐いている工場の煙突を正面に見ながら、車を事務本部の玄関に乗りつけた。

二階の専務室へ上って行くと、五時過ぎのせいか役員室が並んでいる廊下は静かで、秘書課の受付にも人影がなかった。兄も不在かもしれないと思いながら扉《ドア》をノックすると、応答があった。

「お兄さま、お邪魔してよ」

顔を覗《のぞ》かせると、来客のうしろ姿が見えた。

「あら、失礼――」

慌《あわ》てて踵《きびす》を返しかけると、

「いいんだよ、一之瀬四々彦《いちのせよしひこ》君なんだ、昨日、アメリカから帰って来たんだよ」

「まあ、一之瀬さん、お久しぶり――」

二子は、部屋へ入って行った。一之瀬四々彦は一之瀬工場長の四男で、東京大学工学部冶金《やきん》科に在学中から、よく鉄平のもとに出入りし、その頃、女子大生であった二子とは、顔見知りであった。そして大学卒業後、阪神特殊鋼へ入社してすぐ、休職の形をとって、マサチューセッツ工科大学の冶金科へ留学したことは、兄の鉄平から聞いていた。一之瀬四々彦は、椅子からたち上り、

「お久しぶりです、二年程、お目にかからないうちに、すっかり変られましたね」

髪を柔らかくカールし、シャネル・スーツを着こなし、すっかり女らしくなった二子を驚くように見た。

「一之瀬さんも、随分、お変りになりましたわね、すっかりダーク・スーツがお似合いになって――」

二子は、いつも髪をぼさぼさに伸ばし、服装をかまわない秀才学生という印象しか

なかった四々彦が、ダーク・スーツで身を整えている変貌《へんぼう》ぶりに驚きながら、

「いかがでした、向うの大学のスパルタ式教育は？　兄からよく聞かされましたけど、今でもそうなんですの？」

「ええ、相変らずです、講義時間ごとに、講義でカバー出来ない参考書をがっちり読まされるし、一カ月に一度はテストがあり、その上にさらに期末試験があるものですから、毎日がびっしり勉強で塗りつぶされてしまうのですよ、期末試験が平均点以下だと、教授室へ呼びつけられて、君の成績では本校の講義には不適当だと、申し渡される始末ですからねぇ」

濃い眉《まゆ》の下の眼を凝らすように応えた。

「僕が在学していた時と、少しも違っていないわけだな」

鉄平は、自らも十三年前に留学した大学を思い出した。ケンブリッジ市の南端を流れるチャールズ河を隔てて、ボストン市に面した静かな一角にマサチューセッツ工科大学はあり、全米選《え》り抜きの優秀な学生と、世界各国からの留学生が集まって来ていた。

「では、遊ぶ時間はどうしてつくり出しますの？」

二子が悪戯っぽく聞くと、四々彦は生真面目《きまじめ》な顔で、

「そんなのありませんよ、アメリカ人の大学院学生は、殆《ほとん》ど結婚しているのですが、ワイフに論文のタイプをうたせたり、図書館へまで連れて行って資料集めを手伝わせたりして、ワイフ達から、いつも文句をつけられていますよ」

「それは当り前ですわ、私だったら、そんなハズバンドとは即刻、離婚して帰ってしまうわ」

「この調子で困ってるんだ、縁談があっても、一向に嫁《い》かないんだよ」

横から鉄平が手をやくように云うと、

「お兄さま、妙なことをおっしゃらないで――」

素早く兄の口を封じ、

「チャールズ河を隔ててすぐ向い側のボストンの街へはいらっしゃいまして？　あそこの美術館はすばらしいでしょう」

パリに半年、滞在した帰途、アメリカを廻って来た二子が云うと、四々彦は、

「一、二回、行きはしましたが、僕は芸術音痴だもので、その方はさっぱり」

「でも、ボストン美術館には、日本の広重《ひろしげ》の浮世絵の有名なコレクションがあるじゃありませんか」

「ところが、それも実のところ、パーカー教授のお宅のティー・パーティに招かれた

時、教わって、見直しに行ったような次第で——」

一向に隠す様子もなく話した。それは、二子の周囲に集まる男性たちが、寄れば音楽や美術の話をし、洗練された社交性を身につけているのと全く異質な肌合いであった。

「パーカー教授といえば、お元気だったかい？」

「ええ、六十五になられたのに、矍鑠《かくしゃく》たるもので、毎日、早くから実験室へ出て来られて、しごかれました」

「もう、そんなお齢《とし》になられたか、僕が行っていた時には、五十を出られたばかりだったが」

鉄平がその頃を懐《なつ》かしむように云い、

「それはそうと、二子、何か僕に用でもあるのかい？」

「ご用というほどのこともないの、銀平兄さまったら、また昨日、バーで飲み過ぎて元町の駐車場に車を預けっ放しにして、東京へ出張してしまわれたから、引取りかたがた、いろんな用を片付けて、石屋川まで来たついでに、お寄りしただけ——」

「そうかな、二子が会社まで来たところをみると、お父さんに云えないお小遣のおねだりか、さもなくば通りがかりの気まぐれな食事のおねだりだろう、四々彦君の前ではさすがに云い出しにくそうだな」

　図星をさすように云うと、二子は頬をかすかに染め、

「そんなに解《わか》っていらっしゃるなら、ちょうど四々彦さんの帰国祝いに、食事へ連れて行って下さいな」

　甘えるように云った。

「ところが六時から、三日後に迫った高炉の鍬入式《くわいれしき》の打合せがあって、忙しいのだ、今日はおとなしく帰るんだね」

「じゃあ、いよいよ鍬入式なのね、お兄さま、お気持はいかが？　嬉《うれ》しい？」

　この間、父と兄とが声高に話していたことを思い出して、聞くと、

「当然だ、遂《つい》に本格的な高炉建設工事が始まるのだから――、四々彦君もいいタイミングで帰国してくれた」

　鉄平は、机の上の高炉設計図を食い入るように見ている四々彦を顧みて云った。二子は四々彦のその一途《いちず》な横顔に、兄と同じ鉄に情熱を燃やし、鉄に生きる人間の顔を見る思いがし、

「じゃあ、今日はこれで失礼します、でも鍬入式には出席したいわ、いいでしょう？」

と頼み込むと、

「若い女性がテープを切ったりする開場式や船の進水式などとは違う、鉄鋼のセレモニーには、女は不浄という観念が今も強く、シャット・アウトしているから駄目だ」

厳しく首を振り、一之瀬四々彦も同じように頷《うなず》いた。


昨夜から降り続いていた雨が止《や》み、抜けるようにくっきりと冴《さ》え渡った空には雲一つない。

灘浜に面した阪神特殊鋼の十万坪に及ぶ高炉建設用地は、ダンプ・カーやトラックのタイヤ跡が畑の畝《うね》のように深く残り、ところどころが沼のような水溜《みずたま》りになっているが、海に面した一角には、高炉建設の鍬入式を行なう大きなテントが張られている。入口に日章旗と社旗が掲げられ、折からの海風にはたはたと鳴り、その下に、阪神特殊鋼の役員一同がモーニング姿で整列していた。その中でも、通産省との折衝から、金融機関へ資金調達に駈けめぐり、やっと高炉の鍬入式に漕《こ》ぎつけた万俵鉄平は、ひときわ喜びを隠しきれない紅潮した顔で、来賓たちを迎えている。

関係官庁をはじめ、地元代議士、県会議員、金融機関、鉄鋼メーカーなどの賓客が、次々と車で到着すると、鉄平は、叔父の石川社長と列《なら》んで、その一人一人に鄭重《ていちょう》な礼をしていたが、通産省重工業局長の車が着くと、顔を引き締めた。阪神特殊鋼の高炉建設に対して、はじめは転炉だけにしておいた方がいいと撥《は》ねつけ、岳父の元通産大臣の大川一郎の政治的な根廻しで、やっと認可を出した石橋重工業局長であった。鉄鋼業務課長を従えて車から降りると、受付は最敬礼で迎えて、来賓の徽章《きしょう》を胸もとにつけた。鉄平は数歩、歩み出て、

「この度は、何かとご無理を申し上げました、おかげで本日、鍬入式を迎えさせて戴《いただ》きます」

深々と一礼すると、石橋は、

「いや、おめでとう」

一言、顎《あご》でしゃくるように云《い》い、さっと風を切るように通り過ぎかけたが、その時、背後《うしろ》から太い濁声《だみごえ》がした。

「石橋君、久しぶりだな――」

鉄平の岳父の大川一郎が、脂《あぶら》ぎった笑いをうかべながら呼び止めた。石橋は驚いたように振り返り、

「これはこれは、大川先生、ご多忙の先生がお見えになっているとは知らず、失礼致

しました」

掌《てのひら》を返すような慇懃《いんぎん》さで挨拶《あいさつ》すると、

「うむ、殺人的な多忙さだが、娘婿《むすめむこ》の高炉の鍬入式とあらば、岳父たる者、駈けつけんわけにはいかんのでな、それより石橋君こそ、多忙な中をよく来てくれたね、これからも何かと頼むよ」

犒《ねぎら》いと今後の依頼を籠《こ》め、ぽんと肩を叩《たた》いて、連れだつように式場へ入って行った。

定刻の午前十時になると、司会者が鍬入式の開始を告げた。注連縄《しめなわ》を張りめぐらした高炉設置場所の前に、大きな祭壇が設けられ、それに向って阪神特殊鋼の社長、専務以下役員と、各界の来賓一同が威儀を正してパイプ椅子に坐《すわ》り、テントの外には、阪神特殊鋼の高炉建設本部員一同が、ヘルメットに作業衣姿で、ずらりと列んでいた。

三人の神官によって厳《おごそ》かに修祓《しゅうばつ》、降神の儀がはじめられ、紙垂《しで》を振って清祓《きよめばら》いの儀が終ると、いよいよ鍬入の儀式であった。

まず祭主である石川正治社長が、モーニングに白手袋をはめた礼装で、祭壇の前に進み寄り、柏手《かしわで》をうってから、祭壇の左側の地面に、二度、鍬を入れたが、鉄平に対する思いやりから、高炉を築く場所に礎石を鎮《しず》める儀は、鉄平に譲った。

「礎石の儀――」

司会者が厳粛な声で告げると、鉄平は緊張した表情で椅子《いす》からたち上った。予《あらかじ》め礎石を鎮めるだけの深さは掘られていたが、儀式として、鍬で二度、地面を掘り、三十センチ四方ぐらいの礎石を手に取った。御影石に自らの手で、『雄翔《ゆうしょう》』と鉄平らしい雄渾《ゆうこん》な字で書いた石であった。その礎石の重みが、ずっしりと鉄平の手に伝わった。今ここに自分の手で高炉の礎石を鎮め、自らの手で高炉を建て、銑鉄《せんてつ》を製《つく》り出すのだと思うと、鉄平の胸に、火のような熱いものがこみ上げて来た。鉄平は溢《あふ》れそうになる涙をぐっと堪《こら》え、礎石を鎮めた。続いて工場長である一之瀬常務が鍬を取って、鉄平と同じような感慨無量の面持で、礎石の上に土をかぶせた。

引き続き、通産省重工業局長をはじめ各界の来賓たちが、恭《うやうや》しく玉串《たまぐし》を奉奠《ほうてん》し、阪神特殊鋼の従業員代表として労働組合委員長もヘルメットを脱いで、玉串を捧《ささ》げると、社長の挨拶に続いて、専務の万俵鉄平が、挨拶にたった。鉄平は、祭壇横のマイクの前に進み寄り、参列者一同に向って一礼した。

「皆さま方に、本日のご参列を心から感謝致します、本日は、阪神特殊鋼の歴史の中で忘れることの出来ぬ感銘の日になると存じます、申し上げるまでもなく、今回の高炉建設は、特殊鋼業界初の事業であり、当社の社運を賭《と》した事業であります、それだけに本日、高炉の鍬入式にまで漕ぎつけ得ましたのも、関係官庁、金融機関をはじめ各方面の皆さま方のご尽力によるものでございます、しかし、今日は、やっと高炉建設の産声《うぶごえ》を上げたばかりで、今後の長い苦難の道を考えます時、今日の感激よりも、その苦難の大きさに心が引き締まる思いが致します、当社は近代的な設備を持つ特殊鋼メーカーになってから十余年、その間、飛躍的な成長を遂げて今日に至りました、これは常に、自分たちの手で日本一の特殊鋼、いや世界一の特殊鋼を製り出すのだという気概を一人一人の作業員に至るまでが持ち、その団結と結束によって成し得たのだと自負致しており、今またその団結の力をもって高炉建設にあたろうとしております——」

と挨拶しながら、これからの長い苦難の道を思うと、鉄平は両の拳《こぶし》が震え、最前列に坐っている大川一郎や三雲頭取の方を見た。大川一郎は、うむと大きく頷くように首を振り、その隣に坐っている大同銀行の三雲頭取は、まじまじと食い入るような眼《まな》ざしで鉄平を見詰めていたが、父の万俵大介は、いつもと変らぬ冷静な表情を向けていた。

鉄平は、さらに言葉を継いだ。

「甚《はなは》だ勝手なお願いではありますが、この鍬入式後、寸暇をお割き戴き、隣接しております当社の工場をご見学賜わり、併せて高炉建設本部に展示しておりますす今回の高炉建設計画をも、ご高覧戴ければ幸いと存じます」

と結ぶと、拍手が鳴った。形式的なものではない、鉄平の真摯《しんし》な熱情に溢れた挨拶が、参列者の心を強く搏《う》ったのだった。参列者一同に神酒《みき》の盃《さかずき》が配られると、一時間余に及ぶ鍬入式は、恙《つつが》なく終った。

鉄平は来賓たちの先頭にたって、テントの外へ出ると、ヘルメットに作業衣姿の従業員代表たちが眼を潤《うる》ませるようにして、鉄平を迎えた。万俵鉄工時代からの古い職長や、鉄平を中心にした優秀な技術スタッフたちで、一番うしろには、一之瀬四々彦もいた。鉄平が、一同の前を通りかけると、不意に一人の齢老いた職長が、

「専務、やりますぞ！」

眼尻《めじり》に涙を溜《た》め、声をかけた。来賓を先導している鉄平であったが、思わず足を停め、

「頼むぞ！」

と応《こた》えると、一同、力強く頷いた。それ以上、言葉はなかったが、現場の技術者だけに通じる強い連帯感があった。

五　章

東京の麴町《こうじまち》にある阪神銀行の行邸《こうてい》は、いつになく賑《にぎ》やかな人の気配に包まれていた。万俵銀平の大阪における結婚式と結婚披露に引き続いて、帝国ホテルで、東京での披露をするために、万俵一族が上京して来ているのであった。いつもは管理人夫婦と二人の書生だけで、ひっそりと静まりかえっているが、今日は応接間をはじめ、居間、寝室まで一時《いちどき》に使われ、寧子、二子、三子、それに鉄平の妻の早苗と、相子の五人が、式服の着付けに大童《おおわらわ》であった。

披露宴は、午後五時からであったが、五人は、昼食をすませると、大阪から出張させたかかりつけの美容師の手で、髪をセットし、メーキャップをして、着付けにかかっていた。

部屋一杯に、五人の豪奢《ごうしゃ》な式服が拡《ひろ》げられ、寧子は黒地に金蒔絵《きんまきえ》の裾模様《すそもよう》に、吉兆《きっちょう》文様《もんよう》の袋帯、二子は若草色の桃山風手描《てが》き友禅の振袖《ふりそで》に、光琳《こうりん》菊の袋帯、三子は薄桃色の疋田《ひった》の振袖に、総金通しの袋帯、そして早苗と相子は、それぞれ、摺箔《すりはく》に縫取りの黒留袖に、佐賀錦《さがにしき》の帯であった。

　平常は殆《ほとん》ど使われることがなく、雨戸も締め切りがちの居間が明るく開け放たれ、艶《なま》めいた長襦袢《じゅばん》の色や女の匂《にお》いがたち籠《こ》め、帯を締める度に、絹擦れの音が、小気味よく鳴った。手早い美容師の手で、次々と着付けが進み、寧子と二子が最後に残った。

　寧子は、撫肩《なでがた》の小柄な体で鏡の前にたち、美容師にされるがままになって着せつけられ、いざとなると別染めの伊達巻《だてまき》が足らなかったり、前当ての幅が狭過ぎたりし、その度に、岡本の本邸から連れて来た女中が寝室へ走ったり、先に出来た早苗と三子が、傍《そば》から世話をやいていたが、相子は、二子の着付けにかかりきっていた。

　長身で均斉のとれた二子の体に、相子が選んだ若草色の振袖をきりっと着付け、黒地に朱赤の光琳菊を配した帯を文庫結びにすると、若い華やぎがたった。美容師は帯〆《おびじめ》を真一文字に結び終ると、

「まあ、大阪の披露宴の時より一段とおきれい！　若草が萌《も》えたつようによくお似合いですわ」

　衣裳《いしょう》の見事さと本人自身の美しさに、溜息《ためいき》を洩らすように褒《ほ》めそやしたが、相子は仔細《しさい》に点検するような眼《まな》ざしで、鏡の中の二子の姿に見入り、

「お着付けは結構ですわ、でも、お顔のパウダーの色をもう少しオークルにして戴《いただ》き

たいわ、せっかく若草色を着こなしながら、顔を白く塗っていると、個性味がなくなりますから、それから口紅の色も、もっとモダンなオレンジに変えて下さいましな」

次々と命じるような口調で云《い》うと、美容師はその玄人《くろうと》はだしの相子の意見に圧《お》されるように、すぐ、二子のメーキャップを直した。

「そう、それで結構、眼を見張るほどの美しさですこと——」

相子がやっと満足するように云うと、三子が横から、

「どうして二子姉さまばかり、そんなに念入りにみてあげるの、不公平やわ」

すねるように云った。

「どうしてって、次のおめでたは、二子さんの番ですもの、今日は特に念入りにして、東京のお親《ちか》しい方々に、この際、お目見得しておかないことにはねぇ」

と云うと、鏡の中の二子の顔が動いた。

「いやだわ、そんな意味できれいにするのなら——、私は銀平兄さまの披露宴だからおとなしく着飾っているのよ、自分のためなら、こんな仰々しいことご免だわ、第一、こんな大げさな結婚披露など致しません」

切口上で云ったが、相子はとり合わぬように、

「今日は、新大阪ホテルの時よりさらにお人数も、お顔ぶれも大へんな披露宴ですか

ら、それぞれのお立場で、ご来賓やご招客の方々に粗相のないご挨拶《あいさつ》を遊ばして下さい、寧子さま、ようございますわね」

まだ着付けが終っていない寧子の方に特に念を押すように云うと、寧子はそれには応えず、

「一子は、どうしているのかしら？」

長女の支度を気遣うように云った。

「一子さまは、成城のご自宅へ、かかりつけの美容師さんを呼んでお着付けをして、美馬さまとお揃《そろ》いでまっすぐ帝国ホテルへ行かれます、それから、叔母さまの千鶴さまをはじめ、ご親戚《しんせき》方は、帝国ホテルにお部屋をとってご用意遊ばしておられますから、何のご心配もございません、寧子さまさえ、入口での立礼を失礼のないようにして下されば、およろしいのでございますよ」

と云いながら、相子は、五日前の新大阪ホテルでの披露宴の立礼の時、万俵大介と列《なら》んで、新郎新婦のそばにたった寧子が、人の顔の見極めがつかぬままに、誰彼なしに操り人形のようなぎこちない礼をしていた姿を思い出した。そして相子は、鏡の中に映っている自分の姿を見詰め、五人の中で一番艶《あで》やかで、個性的な美しさを備えていることを確かめながら、時計を見た。もう三時を廻っていた。

「私は、ちょっと殿方たちのご用意の方を見て参りますから、こちらの支度が出来上りましたら、応接間の方へ来て下さいましな」

そう云い、相子は公式の来客に使う応接室へ足を向けた。そこには、万俵大介、鉄平、銀平の三人が、書生たちの手をかりて身支度を整え終っているはずであった。

扉《ドア》を開け放した応接室のソファに、万俵大介と鉄平は黒のモーニング、新郎の銀平はグレイの燕尾《えんび》服を着、三人三様の姿で煙草《たばこ》を喫《す》っていた。大介は葉巻をゆったりとくゆらせ、鉄平は、色の浅黒い精悍《せいかん》な顔で巻煙草をふかし、銀平は火の点《つ》いていない煙草をくわえたまま、新聞を拡げていた。

「あら、大分、お待たせ申し上げたようですわね、でも間もなく出来上りますわ、あと寧子さまだけですから――」

底意地の悪い云い方をすると、大介は、

「これだから寧子は困る、大阪から美容師を二人も連れて来ているのに、どうしてそんなにぐずいのだろう」

不機嫌になりかけると、相子は宥《なだ》めるように、

「今日は、大蔵大臣、通産大臣をはじめ、両省の次官、局長クラスがご出席下さり、その他、これという政財界の名士の方々も、殆ど出席のご返事を戴いておりますから、

近頃にない豪華な顔ぶれの披露宴になりそうでございますわ、ようございましたわね」

しみじみとした語調で云うと、

「うむ、新大阪ホテルでの披露宴も、大阪、兵庫県の両知事をはじめ、各界の名士、特に関西財界のこれという人々がずらりと顔を揃えて、盛会だったが、やはり何といっても東京だ、大臣をはじめ、政官界の大物の出席ともなれば、とても大阪では望めないことで、予想以上の盛会になりそうだ」

機嫌を直して満足そうに云った時、廊下に華やいだ声がし、

「お父さま、お待たせしてご免なさい」

二子と三子を先頭に、寧子、早苗たちが入って来た。大介は、大阪の披露宴の時とはまた違った衣裳をつけている二人の娘に、父親らしい視線を向け、

「花嫁に負けないほど二人ともきれいだぞ、あとは皆さま方にちゃんとご挨拶することだ、じゃあ、出かけよう」

と腰を上げた。相子もいそいそと席をたち、玄関へ足を向けかけると、突然、鉄平が、相子の前にたち塞《ふさ》がった。

「あなたは、今日の披露宴には、遠慮して貰《もら》いたい」

いきなり、云った。一瞬、皆が呆然《ぼうぜん》と息を呑《の》んだが、相子はすぐ、きっとした眼ざしで、

「何をおっしゃるのです、私はあなた方の育ての親ですよ、お母さまに代って、あなた方を教育したのはこの私です」

きっぱりとした声できり返すと、鉄平の精悍な眼がぎらりと動いた。

「それは解《わか》っていますよ、しかし、あなたはさっきの母のことにしても、過ぎた言動が多過ぎる、大阪での披露宴では我慢していたが、今日は遠慮して貰いたい、万俵家の長男として、僕は――」

と云いかけると、大介が、鉄平の言葉を遮《さえぎ》った。

「万俵家の長は私だ、私が相子の出席を認めている」

きめつけるように云うと、寧子は狼狽《ろうばい》するように、

「お止《よ》しなさい、鉄平――、相子さんは私に代って、何もかもして下さったんです、それなのに何ということを……」

涙ぐんだ。瞬時、重い沈黙に包まれたが、銀平は、

「いいじゃないですか、兄さん、どうせ結婚式だの、披露宴だのと云っても、猿《さる》芝居に過ぎないのだから、そう僕の結婚を厳粛に考えて下さらなくても結構ですよ」

と云うなり、先にたって玄関へ向った。大介はちらっと鉄平を一瞥《いちべつ》して、玄関へ足を向けたが、その眼には曾《かつ》てない憎悪《ぞうお》の色が漂っていた。そして相子は、いささかも表情を崩さず、大介のあとに続き、車寄せに三台並んでいる車に、一同が分乗すると、車は帝国ホテルに向って走りだした。

孔雀《くじやく》の間《ま》に続く控えの間は、政官界、財界の著名人が次々と詰めかけ、その夫人たちの色とりどりの衣裳で、華やかに彩《いろど》られていた。

控えの間の入口には、万俵家、安田家の双方の受付が設けられ、万俵側は政官界関係と、財界関係、そして親戚、知人、友人関係の三グループに分け、政官界関係はその方面の顔ぶれをよく知っている阪神銀行東京事務所の総務課があたり、金融関係をはじめ各企業関係は秘書課長を頭にして中堅の秘書課員、親戚、知人、友人関係は、万俵コンツェルン各社の東京支社の秘書課員が、受付を勤めていた。

招待客や来賓たちは、披露宴がはじまるまでの僅《わず》かな待時間にも、ボーイが運んで来る食前酒《アペリチフ》のグラスを受け取り、賑《にぎ》やかに談笑していた。万俵大介は、端正な顔をかすかに汗ばませて、まず大蔵省関係の応対に廻り、美馬中もそのうしろに随《つ》いて挨拶に廻った。春田銀行局長夫妻に挨拶し、ふと斜め横をみると、総理秘書官の井床《いどこ》治郎がたっていた。万俵はすぐその方へ足を運んだ。今日の披露宴に総理が出席出来ない場合は、保谷官房長官が祝辞代読をするよう計らって貰った人物であり、七月人事で次期銀行課長になることが内定している人物であった。

「この度は勝手なお願いを致しました、それから銀行課長へのご栄転、おめでとうございます、これをご縁に今後も何かとよろしく――」

相手は、娘婿《むすめむこ》の美馬より若かったが、深長な意味を含めて鄭重《ていちょう》に云うと、井床は、

「いやあ、妙なご縁ですな、私がこんな橋渡しをするとは――」

ポーカー・フェースで応え、

「官房長官が、お見えですよ」

と眼で指した。保谷官房長官が、大川一郎など、四、五人の自由党の実力者と何か話し合いながら、こちらへ歩いて来る。万俵は、自分の方から足早に近付き、

「官房長官、本日はご多忙の中をようこそお見え下さいました」

と挨拶すると、保谷官房長官は、

「いや、総理に是非とお頼まれしたことですからねぇ」

政治家特有の愛想笑いをうかべて挨拶を返した。大川一郎が大きな濁声《だみごえ》で、

「保谷君、親戚の一員として私も大いに感謝するよ、それからこの万俵の娘婿の中君だがね、ゆくゆくは政界入りをするだろうから、その際は何かとよろしく頼むよ」

万俵の横にたっている美馬中のことを云ったが、美馬は困惑するような表情をうかべた。官僚である美馬は、党人派で特にあくが強く、政敵の多い大川一郎と親戚であることは迷惑で、出来るだけ大川一郎と顔を合わせぬようにたち廻っていたが、大川の方は、それを承知でわざと「中君、中君」と親戚仲の呼び方をし、美馬を辟易《へきえき》させていた。政、官界を一廻りすると、万俵大介は、息もつかず、同業の各行の頭取、大口取引先の社長たちにも挨拶に廻った。もちろん、大亀専務、芥川常務以下、阪神銀行の役員たちも応対に出ているが、任せきりというわけには行かない。

安田太左衛門の方も、秀才三兄弟といわれている中央製紙社長の安田長兵衛と五井地所社長の安田三衛門の三人が柱になって、日経連会長、通産大臣をはじめ万俵家に劣らぬ政官界の要人を来賓に招いて、その応対に追われ、結婚披露宴というより、阪神銀行と大阪重工の企業パーティのような様相を見せていた。そうした中で、高須相子は、さっきあったことなど気振りにも出さず、控え室に引き籠《こも》っている寧子に代って、万俵家の女執事然とした慎しさで、万俵側で招待した来賓の夫人たちの応対にたち廻り、これという夫人には、二子を引き合せることを忘れなかった。

ち早く出迎え、
控えの間の入口が騒《ざわ》めき、永田大蔵大臣が姿を見せると、大介は、美馬とともにい
「大臣、本日はご多忙のところ、お時間をお割き戴き、恐縮でございます」

深々と礼をした。永田は三白眼の眼をちらっと動かし、

「いや、いや、他《ほか》ならぬご長男のご結婚式とあらばねぇ」

次男と長男を取り違えていたが、誰もそんなことは問題にしなかった。何より、大蔵大臣自らが出席したということに、阪神銀行頭取の万俵大介の実力のほどを垣間《かいま》見る思いがしたようだった。

大蔵大臣の到着を待ち受けていたように、モーニング姿の進行係が、

「只今《ただいま》から万俵家、安田家、ご両家の結婚披露を行ないます、皆さま、ご順次にご入場の上、お手もとのご案内カードに記されましたお席に、ご着席下さいまし」

披露宴の開始を告げると、騒めいていた人たちは、手にしていたグラスを置き、披露会場の入口の金屏風《きんびょうぶ》の前には、新郎新婦を真ん中にして、仲人《なこうど》夫妻、新郎新婦の両親が、立礼のためにたった。大蔵大臣を先頭に来賓、招客が次々に入場し、その一人一人に向って、新郎新婦たちは鄭重に立礼した。三百五十人の招客たちは、何らかの意味で選ばれたエリートたちであり、カメラのフラッシュが光り、万俵、安田家の華《か》

燭《しょく》の典は冒頭から華やかな昂奮《こうふん》に包まれていた。

来賓、招待客、親戚、知人、友人一同、四百五十名が着席すると、民間放送のアナウンサーである司会者が、

「只今から新郎新婦が入場されますから、拍手をもってお迎え下さい」

と云《い》うと、結婚行進曲《ウエディング・マーチ》が流れ、燕尾服の銀平と、白無垢裲襠《しろむくうちかけ》姿の万樹子が、しずしずと入場して来た。拍手が一しきり鳴った。銀平はにこりともしなかったが、万樹子は感激に顔を紅潮させ、羞《はじ》らいを見せて歩んで来た。正面の席に、新郎新婦を挟《はさ》んで、仲人の伊東商事会長夫妻がたち、型通りの挨拶をした後、祝辞の皮きりにまず、総理大臣代理として官房長官が祝辞を代読し、次いで永田大蔵大臣がたち上った。

満座が静まりかえった中で、永田大蔵大臣は、小柄で貧相な体に似合わぬ大きな声で、最近の経済成長を語り、その繁栄を金融機関と重工業に結びつけて、万俵家と安田家に花をもたせた。そのスピーチの中には、銀平も、万樹子も出て来なかった。話を聞いていると、まるで万俵大介と安田太左衛門が結婚するとしか思われないような内容であった。続いてその他の祝辞も殆《ほとん》どといっていいほど万俵、安田両家の結びつきを強調し、新郎新婦は置去りにされた形であった。

政官財界の重だった来賓の祝辞が一通り終ると、司会者は、

「結構なお言葉を沢山戴《いただ》き、新郎新婦の門出《かどで》に、多くの教訓と花をそえさせて戴きましたので、この辺で暫《しばら》くお食事に移って戴きましょう」

と云うと、静かなピアノの伴奏とともに、多数のボーイによって豪華な料理が運び込まれて来た。

テーブルは、六人ずつで、大蔵大臣はじめ来賓のテーブルをメインに置き、下座《しもざ》になるほど近親者のテーブルになっていた。どのテーブルにも大輪の洋蘭が活《い》けられ、孔雀の間にふさわしい豪華さであった。二子と三子のテーブルには、鉄平夫妻と美馬夫妻が坐《すわ》り、相子は、石川正治、千鶴夫妻と、寧子の実家の兄である嵯峨静麿と大川一郎夫妻と同席であった。大川一郎は、食事になると、いかにも健啖《けんたん》家らしく、次々と料理を口に運びながら、あたりかまわぬ濁声で、石川正治と阪神特殊鋼の高炉建設の話をしていたが、相子は、黙々とフォークを動かしながら、その阪神特殊鋼の専務である鉄平が、さっき自分に云った言葉を思い返していた。思えば思うほど、いいようのない口惜《くや》しさがこみ上げて来た。この政官財界の要人を綺羅《きら》星《ぼし》の如《ごと》く集めた華燭の典の陰の推進役はこの自分であるにもかかわらず、その披露宴の出席を遠慮せよとは、何という云い方であろうか――。自分を蔑《ないがし》ろにした鉄平に対し、必ずその償いをさせねばという陰険な思いが、相子の心を占めた。

＊

万俵万樹子は、自室の窓から退屈をもてあますように、広い邸内を見下ろしていた。楓《かえで》や欅《けやき》の大樹が紅葉し、背後の天王山から引いた庭の遣水《やりみず》にまで紅《くれない》の美しさが映っている。万樹子と銀平の新居は、鉄筋コンクリート二階建ての真っ白な壁と、飾窓のある南欧風の邸《やしき》であった。そして家具調度類も、南欧風のカラフルなものであったが、万樹子は、そんなものでは紛らわされない退屈な時間をもてあましていた。

結婚後四カ月目を迎えていたが、若いお手伝いがいるから、掃除や洗濯などをする必要がなく、せめて夕食は自分の手料理でと思っても、夫の銀平は殆ど毎晩のように仕事関係の接待だと云って、帰りが遅い。ショッピングに出かけようと思ってみたが、結婚したばかりで、買い足すものがなく、しょっちゅう出かけるパーティも、今日はどこにも催されない。万樹子は、時計の針が止まったように森閑と静まりかえっている邸内で、気が狂いそうな苛《いら》だちを覚えた。

窓際《まどぎわ》からつと離れると、化粧室に入った。バス・ルームと隣り合った化粧室は、洗面台と壁面はピンク、床《ゆか》は黒のタイルで、大きな鏡を三面に取りつけている。万樹子は、鏡に自分の姿を映した。一メートル六十一センチのグラマーな肢体に、グリーンのジャージーのワンピースが、ぴったりと吸いつくように添い、八十七センチのバストが、呼吸する度に妖《あや》しく揺れ、眼と唇の大きい派手な顔は、結婚前よりさらに若い華やぎを帯びている。万樹子は、見惚《みと》れるように自分の容姿を見、自分の美しさに溺《おぼ》れない銀平が、不満であった。結婚後の夫婦の交わりも、万樹子の方から求めなければ、求めて来ず、セックスが終った瞬間、他人のような醒《さ》めた表情で煙草《たばこ》をくわえる。そんなもの足りなさも万樹子の気持を苛だたせていた。時計を見ると、お昼前であった。また独りで昼食を摂《と》る退屈さを思うと、二子を誘って、神戸へ食事に出かけることを思いついた。

芝生を横切り、すぐ隣り合せの、母屋《おもや》のテラスに近付くと、威嚇《いかく》するような犬の吠《ほえ》声《ごえ》がした。黄金色の毛並を秋の陽ざしに輝かせ、両足を踏んばり、空を仰ぐように吠える。

「まあ、いやだ、いつになったら懐《なつ》くの、アインス！　ツヴァイ！　ドライ！」

それぞれの名を呼んだが、三頭ともよそ者に対するような警戒心で吠え続ける。

「二子さん！　二子さん！」

万樹子は、犬を牽制《けんせい》する意味合いも含めて、テラスから二階の二子の部屋を見上げて呼んだが、一向に返事がない。しかし、窓が開いているからもう一度、声を上げて

呼ぶと、庭掃除をしていたらしいお手伝いが走り寄り、

「若奥さま、二子お嬢さまは朝から、フランス語とピアノのお稽古《けいこ》でお出かけですけれど」

「じゃあ、相子さんは？」

「つい先程まで、アインスたちのブラッシングをしておいででしたが、どうなさったのですかしら？　奥さまでございましたら、階下《した》の居間にいらっしゃいますが——」

と云ったが、何を云っても殆ど意見らしいことを口にせず、曖昧《あいまい》に頷《うなず》くだけの姑《しゅうとめ》の寧子と話してみたところで、退屈が増すばかりであった。

「相子さんのお部屋へ伺ってみるわ」

万樹子はそう云い、テラスから二階へ足を向けた。万俵家へ嫁いで四カ月目になるが、二階は各自の個室になっているからと、一度だけ案内され、以後は二階へ上ることを禁じられるような雰囲気《ふんいき》があった。しかもその一度だけ案内された時、東側の突き当りの頑丈なチークの扉《とびら》がはまっている部屋だけは開けられなかった。そしてその部屋は、万樹子たちの住まいの化粧室から対角線に見えたが、いつもカーテンを深くひき、窓も殆ど開かれない。それとなく齢嵩《としかさ》の女中に聞いてみると、「あのお部屋は、先代のお部屋で、殆どお使いにならないのです」という応《こた》えであったが、妙にたちは

だかるような気配があった。夫にそのことを聞くと、いつになく動揺し、「そんなこと、どうだっていいじゃないか」と吐き捨てるように云った。その時から万樹子は、あの部屋には何か万俵家の影の部分が隠されているような気がしていたのだった。

階段を上ると、廊下には人影がなく、その両側の部屋も、ひっそりとして人気《ひとけ》がない。廊下の広さと云い、天井の高さと云い、その両側のものものしいほど飾りたてた扉飾りと云い、すべて戦前の富豪でなければ到底、出来ぬ豪奢《ごうしゃ》な造りであった。万樹子は、相子の部屋の前にたった。

「相子さん、いらっしゃいます？」

ノックしてみたが、返事はなく、室内のもの音も聞えない。二階に完全に誰もいないと解《わか》った時、万樹子はあの閉ざされた部屋を覗《のぞ》いてみたい衝動に駈《か》られた。足音を忍ばせ、部屋の前で足を止め、耳をすましてから、そっと扉を押すと、音もなく開いた。把手《ノブ》に手をかけ、中を覗いた途端、万樹子はあっと息を呑《の》んだ。

ローズ色の絨毯《じゅうたん》を敷き詰め、フランス風のレースのカーテンに閉ざされた部屋の中に、豪華なベッドが三台並んでいた。象牙《ぞうげ》色に金色の縁取りをした三台のベッドで、三台とも使われている形跡があり、ベッド・カバーもまだかけられていない。万樹子は、眼の眩《くら》むような愕《おどろ》きの中で、三台のベッドの意味するものを探りあてようとした。

真ん中のベッドは、薄茶《ベージュ》の羽根蒲団《ぶとん》、両側のベッドは深いローズ色の羽根蒲団で、明らかに一人の男と、二人の女のためのベッドであった。世間から遮断《しゃだん》され、家族たちの眼からも隔離されているこの部屋の中で、毎晩、何が行われているというのだろうか――、万樹子は、白昼夢を見るような思いで、呆然《ぼうぜん》とたち尽した。

不意に、窓ガラスに黒い影が映ったかと思うと、忍び寄るような人の気配がした。振り返ると、真っ黒なワンピースに身を包んだ相子が、うしろ手でぴたりと扉を締めた。

「万樹子さま、何をなさっているのです？」

万樹子は、とっさに応えられなかった。

「黙って他人《ひと》の寝室を開け、覗き見なさるなど、ご趣味のいいことではございませんわ」

相子は、凍りつくような冷やかさで云った。その眼《まな》ざしの冷たさに、万樹子は後退《あとずさ》りし、

「私は、あなたを探してお二階へ上り、長いお廊下を歩いているうちに、つい何気なくここを開けてしまったら……」

あとは言葉に詰った。

「三台のベッドが並んでいたというわけね、それで、どうして三台並んでいるのか、お解り？」

真っ黒なワンピースを着、両手を腕組みしてたっている相子の姿は、黒い彫像のように不気味であった。万樹子の顔から、日頃の驕慢《きょうまん》さが消え、視線を伏せた。

「銀平さんから、何もお聞きになっていらっしゃらないのね？」

「ええ——」

「何もおっしゃらないのは、新妻に対するいたわりというものでしょう、それをあなたは、無断で他人の部屋を覗き見るという不躾《ぶしつけ》なことをなさったばかりに、知らずにすませられることを、知っておしまいになったわけです」

一語、一語、止《とど》めを刺すような鋭さで云い、

「それで、知っておしまいになったご感想はいかが？」

相子の口もとに、冷やかな笑いが含まれた。

「私——、私とても信じられなくて……」

肩を震わせ、頭《かぶり》を振った。

「あら、日頃のあなたらしくないご様子ね、活発でもの怯《お》じしないあなたが、まるで小娘のように怯《おび》えていらっしゃるなど——、でも、事実、あなた自身の眼で今、この

お部屋の中をご覧になっていらっしゃるじゃありませんか」

　相子は眼で、三台のベッドを指し、

「これで、万俵家の晩餐《ばんさん》の時の妻の席が、私と寧子さまとで一日交替になっている意味と、万俵家における私の立場がお解りになりましたでしょう、私と寧子さまとで、妻の座を分ち合い、共有しているのです」

　傲然《ごうぜん》とした語調で、万樹子をも軽んずるように云うと、万樹子は両手で耳を掩《おお》い、打ちのめされるようにその場に踞《うずくま》った。

「でもこのことは、誰にも口外なさらないよう、あなたのお実家《さと》のご両親にも、絶対、口外してはなりません、このお部屋のお掃除だけは一番齢嵩のすべてを心得た女中が致していて、他の者たちは誰一人、知らないことなのです、もしあなたが、誰かに口外なさったら、私はあなたを万俵家から離縁することだって出来ましてよ、私は、あなたの結婚前の過去を知っておりますから――」

　相子は、蛇が蛙《かえる》を見入るような残忍な光を帯びた眼で、万樹子を凝視し、口を封じた。

万俵大介は頭取応接室で、朝から十二人目の来客と向い合っていた。一部上場の東亜化学の島崎社長で、設備拡大に伴う融資依頼であった。

万俵はいつものように銀髪端正な長身をソファにもたせ、姿勢を崩さぬ程度に足を組み、相手の話を黙って聞き、聞き終ると、

「今回のご計画の内容は、おおよそ解りました、しかし、従来、御社とはそう深いお付き合いがあったとは申せませんので、このお話は、今暫く時間を戴き、ご返事はいずれ融資担当役員からさせて戴きます」

慇懃《いんぎん》な語調であったが、相手にそれ以上、話を続けさせない冷厳さがあった。近代化にたち遅れ、業績が悪化している東亜化学の内情を既に摑《つか》んでいる万俵は、今度の融資申込みに応じる気持など毛頭なく、逆にこれまでの貸金を引き揚げるよう、融資担当の渋野常務に指示を出しているのだった。

島崎社長が部屋から出て行くと、すぐ秘書の速水が入って来、

「次は、副知事の原さんでございますが、ご用向きは例の万博関係の寄付のことだそうです」

と伝えると、万俵は、

「速水君、十二時からオリエンタル・ホテルである一水《いっすい》会の昼食会だがね、今日は出

席出来ないから、連絡しておいてくれ給《たま》え」

と命じた。一水会は神戸財界人の懇話会で、毎月、第一水曜日に会合をもつところからつけられた名称であった。

「しかし、今日の午前中の来客は、副知事で最後でございますし、このあと一水会の時間は、予定に組んでおりますので、少しでもお顔を出された方がおよろしいのでは――」

速水は、万俵の指示が解《げ》せぬように云った。副知事との用談など、十分ぐらいで済むものであったし、一方の一水会は、万俵が世話人格の会合であったから、よほどのことがない限り、欠席することは工合が悪い。しかも、会合の始まる三十分前になって、出席を取り消すなど、なおのことよくなかった。

「それが出来ないから取り消すように云っているのだ、適当な理由をつけて、すぐ断わっておいてくれ給え」

万俵は重ねてそう命じた。

速水は、副知事を頭取応接室へ案内し、斜め向いの秘書室へ入ると、一水会の事務局へ鄭重《ていちょう》に断わりを云った後、暫《しばら》く割りきれぬ思いで、万俵頭取の不可解な行動に思いをめぐらせた。これまでは頭取秘書という役職上、自宅以外の万俵頭取の行動はすべて自分が把握《はあく》していたが、五ヵ月程前から、自分の知り得ない不透明な部分が出来はじめたことに気付いたのだった。そしてその不透明な部分は、万俵銀平が、阪神銀行の筆頭株主である大阪重工の安田社長の次女と結婚し、両家に閨閥《けいばつ》が出来てから、一層、はっきりと感じ取られた。つい五日程前も、阪神銀行が日頃、使わない料亭から、頭取のお忘れ物ですと、シガー・ケースが届けられた。その日は業務担当の荒武常務と取引先の招宴を予定していたのに、急に体の工合が悪いからと予定を変更しておきながら、秘《ひそ》かに誰かと会っていたのだった。そのほかにも、何を思案しているのか、夕方、灯《あか》りも点《つ》けない薄暗い部屋の中で、じっと独りたたずんでいたり、机の上に書類を拡《ひろ》げて、もの思いに耽《ふけ》り、自分が入って行くと、さっと伏せてしまう。しかも大亀専務が目だって頭取室に出入りする回数が増え、今まであまり頭取室に呼ばれなかった調査部長、人事部長も、呼ばれる場合があった。

「速水君、速水君はいないのかね」

はっと我に返ると、入口に大亀専務がたっていた。

「頭取の来客は、まだ大分かかりそうかね」

「いえ、只今《ただいま》、副知事がお見えですが、簡単なご用件ですので、もう間もなくおすみになると存じますが――」

「じゃあ、頭取室でお待ちしているから、用談がすまれたら、姫路の白鷺《しらさぎ》信用金庫の常務理事に就任される田中松夫氏が挨拶《あいさつ》に見えておられると伝えてくれ給え」

大亀専務はそう云《い》い、廊下へ出ると、

「田中さん、お待たせしますが、どうぞこちらへ——」

と云い、自ら頭取室の扉《ドア》を押した。速水は驚いてその方を見ると、中肉中背で、やや猫背《ねこぜ》の男が、人目を憚《はばか》るようにひっそりとたっていた。怪訝《けげん》に思いながら鄭重に一礼すると、男は固い表情で目礼し、そそくさと大亀の後に随《つ》いて、頭取室へ入って行った。

速水は、そのうしろ姿を見送りながら、万俵頭取が急に一水会の出席を取り消したのは、このためだったのかと思った。それにしても、阪神銀行の系列下にある白鷺信用金庫の常務理事に就任する挨拶ぐらいに、どうして万俵頭取がじきじきに会い、しかも大亀専務まで同席しているのだろうか。そして今までなら系列の相互銀行、信用金庫の理事クラスには、阪神銀行から直接、人を派遣するか、近畿《きんき》財務局の停年退職者が天下るか、どちらかであるのに、田中松夫という人物は、そのどちらにも該当しない。一体、何者だろうかと思い、ふと、大蔵省の銀行局検査部に同姓同名の人物がいることに思い当った。阪神銀行の頭取秘書として、大蔵省銀行局の職員の名前は、殆《ほとん》ど記憶しているのだった。しかし、田中松夫という人物は、阪神銀行の検査には、一度も来たことのない金融検査官であった。阪神銀行の検査を担当している馴染《なじ》みの金融検査官ならともかく、そうでない検査官が、突然、どうして――。やはりこれも万俵の不透明な一連の動きに繋《つな》がるものに違いないと思った時、応接室の扉が開いた。


万俵は、速水に副知事をエレベーターまで見送らせると、隣接する頭取室へ入った。

「頭取、今度、姫路の白鷺信用金庫の常務理事に行って戴く田中さんです」

大亀が紹介すると、田中松夫は、角ばった顔に丸い縁の眼鏡をかけた顔で、

「この度は何かとご配慮を戴き、有難うございました」

姫路訛《なま》りのある口調で、礼を云った。

「いや、こちらの方こそ、あなたのような本省のベテラン検査官を迎えることが出来て、心強く思っています、まあ、お楽に――」

万俵は微笑をうかべてソファをすすめながら、娘婿《むすめむこ》の美馬中を通して、都市銀行第六位から第九位までの中位四行の㊙資料を検査部から極秘裡《ごくひり》に持ち出させた男の様子を、鋭く観察した。ダーク・スーツで改まって来たつもりであろうが、かえって野暮ったく、うだつのあがらぬ下級官吏の典型であった。だが、それなればこそ、第二の

人生の就職口に飛びつくような思いで、官庁の㊙資料を持ち出す危険なことも敢《あえ》てしたのだろう。しかし、万俵はそうした問題は、頭取の関知しないことにするために、大亀を同席させたのだった。大亀もその辺のところを心得、

「田中さんは検査畑一筋の人で、この道二十数年のベテラン、田中さんが主《おも》に担当していた中位四行あたりでは、田中さんの名前を聞いただけで、震え上るという噂《うわさ》を耳にしております、その田中さんが、最後に震え上らせたのが第三銀行さんだそうで、つい今も第三銀行さんはお気の毒でと、冗談を云っていたところです」

「ほう、その道二十数年の経験というものはそんなものですかねぇ」

万俵は感服するように頷《うなず》いたが、田中が第三銀行の検査に当ったことは、既に知っていた。万俵の胸中にある秘かな合併相手である中京銀行、第三銀行、大同銀行、平和銀行の大蔵省しか把握出来ない極秘の計数情報を、田中松夫に持ち出させた当初は、妙な噂《うわさ》がたたない早いうちに、田中の身の振り方をつけるように美馬に云ったが、その後、田中が第三銀行へ検査に行くことが解ったため、わざと第三銀行の検査を終えるまで、田中の退官の時期を延ばさせ、検査の講評を書き終えた段階で、辞表を提出するようにしたのだった。たまたま、田中の郷里が姫路に近い加古川で、曽《かつ》ての上司である美馬から、是非にと頼まれたというのが理由であったから、検査部長は、何の

疑問もさし挟まず、むしろ売れ口の悪い古参の行き先を引き受けてくれた美馬に感謝したくらいであった。

万俵は葉巻を取り出し、

「それにしても、長年、馴染んだ本省を去られる気持は、感慨無量でしょうが、第三銀行さんのような名門銀行で最後の腕を振るわれたのなら、田中さんも思い残すことがないでしょう」

と云い、葉巻の煙を通して、じいっと田中松夫を見詰めた。田中は、真っ正面から万俵に見詰められると、小心そうに細い眼を瞬《しばた》かせ、

「それはそうですが……しかし、第三銀行も、名門とはいえ、業績低下はもはや如何《いかん》ともしがたく、系列の企業グループの間にさえ、第三銀行頼むに足らずという風潮が瀰漫《びまん》しはじめているような状態ですから……」

万俵の表情を読むように云った。金融検査官として美馬と対していた時は、下級官僚は下級官僚なりのこずるさで、知っていることでも小出しにして、決してすべてを云わなかったが、大蔵省を辞めて、阪神銀行の系列である白鷺信用金庫の常務理事のポストを与えられた今となっては、万俵頭取の知りたがっていることに、どう応《こた》えれば満足して貰《もら》えるか、迎合する様子であった。

「第三銀行さんの地盤沈下については、経済記者たちからも、時折、聞かされますが、やはり、事実なんですかねぇ」

「はあ、何かこう、骨が細っていくという感じが致します、今度の検査でも、規模はさして大きくありませんが、グループ企業の中の主な二社のメイン・バンクを他行に取られてしまっていますし、直系の第三物産のメインさえも、富国銀行に取って替られかけています、むろん血の繋がった兄弟会社だけに、第三銀行としては、面子《メンツ》にかけて必死の防戦をしているようですが、防ぎきれますか、どうか――、何しろ経営上の大問題だけに、日下部《くさかべ》頭取も、相当、悩んでおられるようです」

丸い縁の眼鏡をずり上げながら、さすがに周囲を憚るような口調で田中が話すと、万俵の切れ長の眼がきらりと光った。しかし、すぐ柔らかい笑顔に戻り、

「第三銀行さんも、そこまで握られてしまいましたか、金融検査官というのはやはり国税における査察官と同じで、銀行にとってはこわい存在ですよ、ところで今度、あなたに行って戴く白鷺信用金庫ですが、姫路市の開発に伴って、ここ数年の間に急速に伸びた信用金庫で、当行とはとりわけ親密な間柄ですから、あなたとしても、仕事がしやすいと思います、これまでの本省での経験をもとに、大いに腕を振るって下さることを、期待しています」

と云い、大亀に向って、

「何か、条件その他で、ご不満な点はないのかね？」

配慮のほどをみせるように聞いた。

「ええ、その点につきましては――」

大亀が、田中の方を顧みると、

「とんでもございません、充分すぎるほどのご配慮を戴《いただ》いて、かえって恐縮しておりますほどで――」

田中松夫は、慌《あわ》てて云った。大蔵省の金融検査官としての田中の給料は手取り九万二千円で、浪人中の息子を頭《かしら》に四人の子供を育てねばならない生活に、余裕のあろうはずがなかったが、今度の白鷺信用金庫の常務理事の給料は手取り十七万近くで、信用金庫の常務理事としての標準を、はるかに上廻る額であった。そこに中位四行の㊙資料を持ち出させた万俵の〝口封じ料〟がプラスされていることは云うまでもなかった。万俵は、田中松夫の表情で、そのプラス・アルファに満足どころか、感激していることを自らの眼で確かめ、

「では、新しい第二の人生を、頑張ってやって下さい」

と云うと、田中は卑屈なほど深い礼をして出て行った。

田中松夫が帰り、大亀専務と二人きりになると、万俵は暫く、黙って葉巻をくゆらしていた。万俵の顔からつい今、田中松夫と対していた時の余裕に溢《あふ》れた表情が消え、異様に張り詰めた眼《まな》ざしが天井のレリーフに向けられたまま、葉巻を持つ指先は神経質に動いていた。

万俵は燃えつきた葉巻を灰皿に入れると、大亀の方へ顔を向けた。

「ここ数カ月、いろんな観点から合併候補の情報を集め、考えて来たが、結論として狙《ねら》うとすれば、第三銀行だと思うが、君はどう思うかね？」

「第三銀行？　あの第三銀行と当行とが――」

大亀は、耳を疑うように聞き返した。

「いくら何でも高望みすぎるというのかね？」

「率直な感じと致しまして、いささか相手が大き過ぎるようで――、私自身も及ばずながら、いろいろ考えてみましたが、企業の結婚というのは、人間同士の結婚より難かしいことが、しみじみと解《わか》りました、たとえば、こちらがいいと思っても、企業面でいろんな制約があって、駄目な場合、それは候補から消去して行かねばなりませんから」

「その消去の基準を、君はどの点に置くかね」

「消去基準の第一は、経営基盤が強大で、いわゆる被吸収合併には絶対応じないという相手、つまり都市銀行の上位四行、これは真っ先に消去、第二は、銀行自体は多少、脆弱《ひよわ》くても、強力な企業グループに支えられている銀行で、グループの面子《メンツ》にかけても吸収合併はあり得ません、第三は、一種のローカリティというか、地方性があって、その地方には必要不可欠の存在になっている銀行、これはその地方財界が離しません、第四は、いわゆる大蔵閥、日銀閥の銀行で、大蔵、日銀幹部のポストを分け取りするところであるだけに、おいそれとは諒承《りようしよう》しません、第五は、あまり内容の腐っている銀行では、たとえ向うがよくても、共倒れになりかねません」

大亀らしく綿密に考えた消去法を述べた。

「じゃあ、今、当行が合併相手として考えている中京、第三、大同、平和の四行の候補に対する君の分析はどうなんだ？」

「まず中京銀行は、いかにお家騒動の最中で乗じる隙《すき》があるといっても、名古屋財界がうんというはずがありませんし、大阪の平和銀行は、合併のメリットどころか、内容の腐れが大き過ぎますから、まずこの二行は消去せざるを得ません、次に大同銀行ですが、ここは日銀閥の根強いところで、頭取以下、役員にも日銀からの天下りが多く、当行との合併など、まずもって不可能です、そうなると残るは、頭取がおっしゃる第三銀行ということになりますが、さっき田中松夫が話したように、第三物産のメインさえも他行に取って替られそうな経営上の深刻な問題に突き当っているとしても、何といっても曾ての名門、大沢一族の伝統ある銀行ですし、系列の企業グループの結束力も、いざという時には第三銀行を金融核にして相当、強く作用するものと考えねばならぬと思います、それだけに第十位の当行との合併など、おいそれと乗ってくるとは考えられませんが——」

「君のように、いつまでたってもそんな常識論でもの事をああでもない、こうでもないと考えていたんでは、合併の相手など全部、消去されて、なくなってしまうじゃないか、そんな消極的な姿勢で、〝小が大を食う〟合併など、どうして出来るのかね！」

万俵は眉《まゆ》を寄せ、語気を荒らげるように云った。しかしその語調には大亀に対する腹だちより、自分自身に対する焦《あせ》りのようなものがあった。たしかに理屈で詰めていくと、大亀の云うように、小が大を食う合併など、不可能な条件ばかりが出てくる。

万俵は、気持を取り直すように言葉を継いだ。

「ともかく、今まではどちらかといえば、四行について綜合《そうごう》的に情報収集をしていたが、これからは、第三銀行に狙いをつけた情報を徹底的に集めさせ給《たま》え、芥川常務にも、東京事務所の総務課を動かして、第三銀行の情報収集を開始させるのだ」

「では、今、個別に情報収集にあたらせている調査、融資、業務、人事、経理部のメンバーに、合併のことを話して、東京事務所とタイアップした〝特命班〟を組織することを、そろそろ考えねばなりませんね」

「いや、彼らにはまだ合併のことは、当分云わないで、伏せておいた方がいい、こういうことは、洩《も》れたら最後、成る話も成らなくなるから、今まで通りの慎重さでやることだ」

万俵はそう云いながら、秘書の速水にだけは、もう自分の真意を話す時期だと思った。何一つさし出がましいことを云ったり、聞いたりはしなかったが、俊敏で洞察力が深いだけに、もう相当のところまで感付いているらしいことが、窺《うかが》われた。

海岸通りにある郵船ビルの地下のバーで、速水英二は、ひとりカウンターに坐《すわ》って、ハイボールを飲んでいた。洋酒通が女気なしに静かに酒をたしなむ溜《たま》り場らしく、速水のようにカウンターにひとり坐って、黙って飲む常連が多い。

「もう一杯――」

速水は、空《から》になったグラスを、バーテンダーの方へ押しやった。むっつりと口数の

少ない老バーテンダーは、速水の顔を見、

「悪酔いにならないんでしょうね？」

と心配した。いつもはゆっくりと飲むのに、今日は、グラスを空けるピッチが早い。

「大丈夫、そんなんじゃないのだ」

秀《ひい》でた額や、頬のあたりに紅《あか》みを帯びていたが、澄んだ眼は飲むほどに冴《さ》え、老バーテンダーが注《つ》いだ三杯目のグラスを口に運んだ。冷やかな液体が咽喉《のど》を通り、胃腑《いのふ》へ流れて行く感触が快かった。今晩の速水は曾て経験したことのない昂奮《こうふん》に駈《か》られているのだった。グラスを置き、速水はもう一度、数時間前に万俵頭取から聞かされた阪神銀行の意図する銀行合併の話を思い出した。

万俵頭取の胸中に、何か重大な決意がなされつつあると感じてはいたが、まさか阪神銀行より上位の銀行と、対等どころか、リーダー・シップを取る〝小が大を食う〟合併をもくろんでいたとは、想像だにし得ないことだった。しかも、中位四行の一つである第三銀行に狙いをつけるとは——。しかし、それ以上に速水が驚愕《きょうがく》したのは、自分も四行を絞る段階で、それとは知らずに情報収集に動かされていたことだった。

速水が関西系の頭取秘書の会合に出席する度に、大阪に本店を持つ平和銀行の頭取秘書を通じて、神田頭取の金融再編成に対する考えを引き出させられたり、次期頭取は誰かなどを探らされていたのだった。またつい三日前にも、万俵頭取の指示で、或《あ》る大物総会屋と会って、来月の株主総会の話をしに行ったのも、もう一つの目的は、第三銀行の地盤沈下についての情報を得るためであったのだ。速水は今さらながら、万俵頭取の企業のトップとしての見事な決断力と、行動の適確さに畏敬《いけい》の念を深めた。

「久しぶりだな、ここで会うなど——」

声とともに、自分の横に坐る人の気配に気付いた。振り向くと、万俵銀平であった。速水は、すぐ言葉が出なかった。さっき万俵頭取から、銀平にはこの話は伏せているから、君もそのつもりでと、念押しされたばかりであった。

「どうかしたのかい？　驚いたような顔をして——」

「いや、ちょっと飲み過ぎたらしいのだ」

取り繕うように笑うと、

「君でも、適量を過すということがあるのかね、そういえば、今日の君はいつもの飲み方と様子が違うようだな」

銀平は、酒気に紅らんだ速水の横顔をちらっと見、黙っていても老バーテンダーが出してくれる銀平の好みのカティーサークを口に運んだ。速水の方が、気詰りを感じるように、

「万俵君、今日、渋野常務から耳にしたんだけど、東亜化学の融資は、引き揚げるんだってね？　そうなると、ここ当分、君も忙しいだろう」

と云《い》うと、銀平はチョーク・ストライプの瀟洒《しようしや》なスーツの肘《ひじ》をつき、

「うん、それで今日も今までずっと会議だったんだ、他行はまだ島崎社長の巧みな弁舌で、設備の大型化計画を信じているらしいが、どうやらあれは運転資金の行き詰りで、新たな設備投資をだしに、資金調達をしようという腹らしい」

「そうだったのか――」

速水はグラスを口に運びながら、合併のことを同期の銀平に話したい衝動を覚えた。他《ほか》ならぬ自分たちの銀行の命運を左右する問題だけに、同年代の感覚で、阪神銀行の将来はどうあるべきかを徹底的に議論し合いたかったのだった。しかし頭取から他言を禁じられている以上、黙していなければならない自分の立場に、速水はいいしれぬもどかしさを覚え、企業秘密を守るためには、迸《ほとばし》り出るような個人の情熱も欲望も、友情も押し殺し、封じ込めてしまわねばならぬ企業の持つ非人間性を、今さらのように感じた。

ぎこちなく、跡切《とぎ》れた会話の継穂を探すように、

「ところで君の奥さんの風邪は、治《なお》ったの？」

と云うと、銀平はグラスを置き、

「え？　何のことだい」

「何のことじゃないだろう、うちのワイフに何かの用で、一週間ほど前、電話があって、その時、風邪から扁桃腺《へんとうせん》を痛めたとかいうことだったので、ワイフがすぐ医者の僕の親父《おやじ》に聞いて、吸入をおすすめしたけれど、工合はどうなったかと、心配していたよ」

銀平の結婚披露に、速水は友人として出席し、その後も一度、夫妻で銀平の新居を訪れていたから、妻同士も顔馴染《なじ》みになっていたが、銀平は万樹子の風邪や扁桃腺のことなど、全く気付かなかった。

「どうせ、たいしたこともないのに、退屈しのぎに電話をしたんだろう、僕は知らないよ」

素っ気なく云うと、

「相変らずだな、君にフェミニストになれとは云わないが、妻となった女性ぐらいには、夫らしいいたわりをもって接するべきじゃないかな」

速水らしい優しさを籠《こ》めて云った。

「そういうものかね、しかし、単に何カ月か前から、一つの家で生活するようになったからと云って、夫の妻のと、煩《わずら》わしく考えるなんて、僕はご免だな」

興ざめるように云い、ぐいとグラスを空けた。速水はそんな銀平の様子を見詰めながら、結婚しても全く変らないどころか、ニヒルな面が以前にも増したような気がした。

銀平は自分の車で、速水を家の近くまで送り、自宅へ帰った。

門の中へ車を入れると、森閑とした夜の闇《やみ》の中に父たちの住まうスペイン風の建物、自分たちの南欧風の新居、兄たちのル・コルビジェ風の建物が煌々《こうこう》と灯りをつけて、うかび上っている。邸内の緩やかな坂道を上り、一際《ひときわ》、明るい照明が点《つ》いている新居の玄関に車を停め、ベルを押すと、万樹子が出迎えた。グリーンのジャージーのワンピースに、ロング・ネックレスを巻いているが、帰りを待ち受けていたようないつもの気配はない。

「お帰りなさい」

とだけ云い、同じように出迎えた若いお手伝いに、先に寝《やす》んでいいからと退《さが》らせ、居間へ入った。南欧風の白い壁に囲まれた部屋の床《ゆか》には、真っ黒の絨毯《じゅうたん》を敷き詰め、イタリア製の赤、黄、紫、グリーン、ブルーの五色のソファがカラフルに部屋を彩《いろど》っている。いつもなら、この部屋の雰囲気《ふんいき》を楽しむように、万樹子は、紅茶やブランディを出して、賑《にぎ》やかに喋《しゃべ》るのに、今夜は妙に塞《ふさ》ぎ込んでいる。

「さっきまで速水君と飲んでいたんだが、君、速水君の奥さんに扁桃腺の治療法を聞いたらしいね、工合が悪い時は僕を待たず、先に早く寝めばいいよ」

　上衣を取りながら云うと、

「そんなの、とっくに癒《なお》ってしまったわ」

　ぷつんと云い、また黙った。いつもは、一日中の退屈さを吹き飛ばすようにその日あった出来事をたて続けに喋り、パーティのあった日などは、そのメンバーから、出席者の衣裳《いしょう》まで話すのに、今夜は不思議なほど喋らない。もっとも銀平にとってはその方が、くだらないお喋りを聞かされず、気が憩《やす》まる。ネクタイをゆるめ、夕刊を読みかけると、不意にヒステリックな声をあげた。

「私、騙《だま》されたわ！　私とあなたの結婚は、閨閥《けいばつ》をつくるための道具だったのよ、すべて欺瞞《ぎまん》だらけだわ！」

　万樹子の大きな眼と厚い唇が口惜《くや》しげに引き攣《つ》れた。

「急に騙したの、騙されたのと、何のことだい？」

「しらっぱくれないでよ、今日、退屈で退屈でたまらなくて、本館へ行ったのよ」

「それが、どうしたというんだい？」

銀平は、新聞から顔を上げようともせず、お座なりな受け応《こた》えをした。

「まだこの上、私を騙す気なの、本館のお二階のあのお部屋を、あなたが何も教えてくれなかったから、私は知らずに開けて、見てしまったわ」

「なに、見てしまった？——」

銀平の手にしていた新聞が、大きく揺れた。

「ええ、見てしまったのよ、何も知らずに扉《ドア》を押すと、すっと開いてしまって、呆然《ぼうぜん》と愕《おどろ》いているところを相子さんに見付かったの、そしてあの人から三台のベッドの意味を聞かされたわ——」

銀平の顔に、激しい苦痛の色が奔《はし》った。

「それから万俵家の晩餐《ばんさん》の妻の席が、一日交替に替る意味も聞いたわ、何が今日はフランス語、明日は英語で晩餐ですか！　ごりっぱで、お上品なのは表面ばかりで、中身は下劣そのもの、まんまと高須相子の口車《くちぐるま》にのせられたわ」

相子の前では、蛇に見入られた蛙《かえる》のように震えていた万樹子が、夫の前では感情を剝《む》き出し、口惜しさに猛《たけ》り狂うように言葉を続けた。

「万俵家は狂ってるわ、この現代に妻妾同居《さいしょう》どころか、妻妾同衾《どうきん》など、しかもあのお姫《ひい》さま然としていらっしゃるお姑《かあ》さまが、よくもそんな獣のような生活を——」

と云いかけた途端、銀平はまるで火傷《やけど》の背中をさわられたようにソファから飛び上った。

「止《や》めろ！　それ以上云うな、一言でも母の名前を口にしてみろ、許さないぞ！」

狂気のように大声を上げた。

「君が、万俵家の何を見、何を知り、どう軽蔑《けいべつ》してもいい、僕は弁解しない、しかし、母を侮辱する言辞は、一言も許さない」

怒りと憎悪《ぞうお》に満ちた眼を万樹子に向けた。その異様なまでの激しさに万樹子が口詰ると、やっと、平静を取り戻した銀平は、

「万俵家のすべてを知ったんだから、君は実家《さと》へ帰ろうと思うのなら、帰ってもいいよ」

低い声で云った。

「男はそれでいいでしょう、けれど、女の私は、何といって帰ればいいの、その口上《こうじょう》を教えてよ」

万樹子は、開き直るように云い、

「私の一生はこれで滅茶滅茶《めちゃめちゃ》だわ、世間には名門、万俵家の若夫人として通し、邸内では、妻妾同衾の獣のような生活を横に見て過すなんて地獄だわ、あなたは、それを知っていながら、結婚前には一言も云わず、私を地獄に引きずり込んだのよ、卑怯《ひきょう》者！　どうしてあの女を追い出せないの、意気地なし！」

泣き喚《わめ》くように罵詈《ばり》雑言を吐く万樹子には、こうした家庭に育ち、既に傷口から血を噴き出している銀平の気持など解ろうはずがなかった。

「あなたのお父さまは、恐ろしい偽善者だわ！　こんな生活をしながら、冷厳公正なる頭取として世間を通していらっしゃる、そして万俵家の人々も口を拭《ぬぐ》って、ぬくぬくとその偽善の上に趺坐《あぐら》をかき、世間を欺《あざむ》いている偽善者たちばかり、私はそれに騙された犠牲者だわ、早苗お嫂《ねえ》さまだってそうよ、一体、早苗さんはどう考えていらっしゃるか、お伺いしたいものだわ！」

銀平は応えなかったが、結婚して八年になる早苗が知らずにいるはずがなく、兄の鉄平のことであるから、彼一流の率直な対し方で、妻に話したであろうと思われた。黙っている銀平に、万樹子はさらに声を昂《たかぶ》らせた。

「でも私と早苗お嫂さまと一緒にされては困るわ、あの方は、とかく噂《うわさ》が多い政治家の娘で、私はすべての面で折目正しい安田家の娘ですもの、あの方が我慢できても、私は絶対、我慢できない！」

嫂《あによめ》をも軽侮するように云った。

「それなら、なおのこと君の倖《しあわ》せのために帰った方が、いいじゃないか」

銀平がもとの無表情な顔に戻ると、万樹子は急に黙り込んだ。相子から「私はあなたの結婚前の過去を知っていましてよ、あなたの出方によっては、私は――」と云われた言葉が、万樹子の心を脅《おび》やかし、重い楔《くさび》になっているのだった。

「私、やはり帰れない、帰りたくとも、帰りようがないわ――」

と云うなり、俄《にわ》かに嗚咽《おえつ》し、激しく泣き出した。夫へのいたわりなど微塵《みじん》もなく、無神経に泣き喚く万樹子の姿を、銀平は索漠とした思いで眺めながら、家柄や毛並、両親の社会的地位によって結びつく閨閥結婚の空《むな》しさとも、無惨《むざん》さともつかぬ思いに囚《とら》われた。そして、今の場合、万樹子が無神経な女であることが、自分にとってせめてもの救いであるかもしれないと思った。


相子は三台のベッドが並んでいる寝室に入ると、部屋続きになっているバス・ルームの蛇口をひねった。熱い湯が勢いよく流れ、みるみる浴槽《ゆぶね》を満たし、湯気が籠《こも》った。

今朝、大介が出かける際、「今日は大阪重工の招宴で遅くなるから、先にバスを使って寝んでいるように」と云われていたのだった。

ジョイのオーデコロンを湯槽に滴《た》らすと、濃艶《のうえん》な香りがたち、相子はその香りに酔うような快さで湯槽に体を横たわらせたが、夕食後、寧子をまじえて二子と新しい縁談の話をしたことを思い返すと、不愉快になった。せっかく東京の財界でも有数の実力者である大正電工の林社長の長男という良縁が持ち込まれたのにもかかわらず、「私は鉄平兄さまのような人が好ましいの」と云った二子の言葉が、ひっかかった。こともあろうに銀平の結婚披露宴の日、「あなたは披露宴へ出るのを遠慮してほしい」と自分に向って云い放った鉄平の名前を持ち出すなど、我慢ならなかった。あの日以来、相子と鉄平の間には、眼に見えない冷たい溝《みぞ》のようなものが出来、それまでも同じ邸内に住まいながら、あまり往《ゆ》き来のない間柄が、さらに疎遠《そえん》になっていた。殊《こと》に相子自身の心の中には、あの時の屈辱感が日とともに深くなり、鉄平に対する憎しみが溜《た》まっている。

ファウン・グレートデンの吠声《ほえごえ》がし、下の門から上って来る車の音がした。グレートデンたちの甘えるような吠え方で、大介の帰宅であることがすぐ解《わか》った。石鹸《せっけん》を泡《あわ》だてた体に、急いでシャワーを浴びていると、寝室の扉《ドア》が開き、大介が入って来た。

相子はシャワーに濡《ぬ》れた顔を扉の間から覗《のぞ》かせ、

「あら、ご免なさい、今すぐ出ますから」

「いいよ、ゆっくりおし、私は少し飲んでいるから、今夜は入らない」

「じゃあ、そのナイト・テーブルの上に置いてある二子さんのご縁談先のお写真と釣《つり》書《がき》、ご覧になっていて下さいましな」

相子は浮き浮きとした語調で云い、バス・タオルで体を拭って出て来ると、化粧品や香水がずらりと並んだ三面鏡の前にバス・ローブをつけて坐《すわ》り、タルカム・パウダーを体にはたきながら、鏡越しに大介を見た。

大介はガウンをつけてベッドの端に腰をかけ、仔細《しさい》に二子の縁談の釣書に見入っていた。相子はその姿を見詰めながら昼間、銀平の妻の万樹子がこの部屋を覗き見、取り乱して愕き、怯《おび》えたことを思うと、残忍な笑いのようなものが、咽喉《のど》もとにこみ上げて来たが、そればかりは大介にも、云うべきことではなかった。大介は、釣書と見合い写真とをナイト・テーブルの上に置くと、夜の化粧を念入りにしている相子を見、

「おいで――」

と手を伸ばした。相子は、云われるまま、バス・ローブをまとった体で、ベッドに滑り込んだ。湯上りの肌にしみ込んだジョイのオーデコロンの匂《にお》いが濃艶にたち籠め、

大介の手が背中へ廻った。

「いかがでして？　二子さんのご縁談は――」

「うむ、今度は申し分ないじゃないか、大正電工の林社長の長男で、東大法学部卒、日銀勤務、それに齢《とし》が二子より三つ上の二十六歳――、二子はどう云っているんだ？」

と聞きながら、大介は、相子の首筋に唇を触れさせた。相子は媚《こ》びるように体をくねらせ、

「ところが、気がすすまないんですって、要は鉄平兄さまのような人が好きの一点ばりなんですのよ」

「なに、鉄平のような男――」

大介は、不快そうに云い、

「それは若い娘の単純な理想像のようなもので、ヘルメットを冠《かぶ》って、作業衣を着たいかにも男らしく見える姿に憧《あこが》れているだけのことだろう、それより相子自身はどう思うんだ？」

相子の首筋から、豊満な乳房へ唇を移しながら聞いた。相子は大介の愛撫《あいぶ》に快げに身をゆだね、

「ご縁談としては……ほんとうに申し分ありませんわ、でも……あなたが今、美馬さんを六甲の山荘にまで呼び寄せて……秘《ひそ》かに相談していらっしゃることを考えると……二子さんの相手は万俵家にとって……官僚、政治家に次いで、どんな閨閥が必要かと……いうことじゃありませんこと？」

次第に汗ばんでくる体で、息を弾ませ、言葉を跡切《とぎ》らせがちに云った。閨房の中で、万俵家の閨閥を画策する面白さが、相子を隠微に娯《たの》しませていた。大介は、相子の弾力性のある腰に足を絡《から》ませながら、

「そうすると、官僚、政治家に次いで、マスコミ、つまり新聞社の社主か、社長ということになるね、下世話《げせわ》に政治家と官僚とマスコミを握っていたら、たいていのことは巧《うま》くやれるということだからねぇ、だが相子ならどの辺を狙《ねら》うかね」

情事を娯しみながら、娘の縁組を進めて行った。相子は、いつもより濃厚な情事に汗を滴《したた》らせ、

「……私――、私なら同じ……狙うなら、いっそ佐橋総理との閨閥を……狙うわ」

と云い、のけ反るように体を大きく波うたせた。ベッドのスプリングが弾み、自らの大胆な言葉にますます昂りを見せる相子に、大介も引きずり込まれそうになりながら、日夜、心を砕いている銀行合併も、最後の最後は、総理の諾否如何《いかん》であることを

考えると、思わず、合併のことを洩《も》らしかけたが、さすがにそれは口にせず、

「そりゃあ、佐橋総理との閨閥が出来れば、これ以上の閨閥はないよ、しかし、そんなに都合よく総理と縁戚《えんせき》関係が出来るような相手がいるかどうかだね、それにしても相子、君という人は、いきなり、ずばっと本丸に斬《き》り込むようなことを考える人だねえ」

と云い、大介は、女には惜しいほどの政治性と豊満な肢体を兼ね備えた相子をさらに娯しませ、悦《よろこ》ばせるために、体中に唇を捺《お》しつけ、足の指先まで愛撫し、閨房の中で、閨閥の枝を押し拡《ひろ》げて行った。

＊

十日間のアメリカ出張を終えて、帰阪する万俵鉄平を、阪神特殊鋼の秘書課員と一之瀬四々彦が、伊丹《いたみ》空港まで出迎え、妹の二子も来ていた。颱風《たいふう》が四国沖合を北上しているという予報が朝から出ており、ローカル線のダイヤは相当乱れていたが、東京・大阪間の便はまだ平常通り運航していた。

二子は、どんよりと鉛色の雲が垂れ落ちそうな空を見上げ、

「颱風よりお兄さまの方が、一足お先にというところね」

パン・アメリカン機で羽田へ着き、すぐ大阪行の便に乗り継いで帰って来る鉄平のことを云《い》うと、若い秘書課員は、

「東京・大阪間が欠航になりますと、新幹線への乗り継ぎや、何やかやで大へんですが、うまく飛行機に乗れて何よりでございました」

ほっとした声で応えた。二子は、悪戯《いたずら》っぽい眼《まな》ざしで、

「それにお兄さまったら、日本へ帰るなり、何をさておいても真っ先に工場へ出かけたいという方《かた》だから、颱風で東京に足どめなどされたら、地団太ふむわ、ねぇ、一之瀬さん」

と云うと、たまたま阪神特殊鋼の大阪営業所へ出張し、予定より早く仕事が終って空港まで出迎えに来ている一之瀬四々彦は、

「冶金《やきん》を出て、鉄をやっている人間は、おおかた、そんなものでしょう」

格別のことではないように応えた。

「じゃあ、一之瀬さんもですのね、そういえば、一之瀬さんはいつも、お仕事のことしか頭にないみたい、でも今夜は兄の家へいらっしゃいませんこと？　嫂《あね》と一緒に腕を振るって、ご馳走《ちそう》致しますわよ」

「そんな風に食事が出来るのならいいですけど、どうやらこの空模様では、颱風は来

そうですね――、高炉建設の工事場は大丈夫かな？」

二子の食事の誘いなど上《うわ》の空で、ますます暗く、雲の流れも早い上空を観察しながら、颱風が阪神間へ上陸した際のことを、心配するように呟《つぶや》いた。二子は、そんな四々彦の様子にがっかりして、眼を伏せた。今日、わざわざ兄を迎えに空港に来たのは、ニューヨークで買って来て貰《もら》う約束をしていたブローチもさることながら、一之瀬四々彦に会えるかもしれないと思ったからだった。

やがて鉄平の乗っている東京発の飛行機の到着案内がアナウンスされ、鉛色の空の中を日航機が滑走路に着陸した。二子たちはすぐ出口の方へ行き、鉄平を待った。滑走路からバスで送られた乗客たちの先頭を切って、鉄平が大股《おおまた》な足どりで歩いて来、手をあげて合図する秘書課員の姿に気付くと、全く疲れの見えないいつもの浅黒い精《せい》悍《かん》な顔を綻《ほころ》ばせた。

「お兄さま、お帰りなさい！」

二子が、明るい声をかけると、

「なんだ、お前が来ていたのか、ああ、一之瀬君も――」

と云いながら、荷物のチケットを秘書課員に渡し、一之瀬に、

「どうなんだ、颱風の方は？」

「上陸後の進路はまだはっきりわかりませんが、四国沖合を北上して阪神間に向いそうな様子です」

「そうか、じゃあ急いで工場へ行こう、荷物が遅いな」

荷物の出を待ちかねるように云うと、

「お兄さま、ティファニーのブローチ、忘れないで買って来て下さって？」

「うん、買って来たよ」

「どんなのかしら、早く見たいわ」

「家へ帰ってからだ、忙しい、忙しい」

二子の言葉に耳をかさず、秘書課員が荷物を出して来ると、

「じゃあ、早苗に元気で帰ったと伝えておいてくれ、それからもし颱風がひどくなったら、家へは帰らないということも――」

と云うなり、鉄平は東京出張から帰阪した時と同じような気軽さで、一之瀬四々彦と秘書課員とともに迎えの車に乗り、工場へ向った。

車が走り出すと、鉄平はまずラジオのスイッチを入れさせ、颱風情報を聞いた。気象台の発表では、颱風は、現在、室戸岬《むろとみさき》の沖合三百キロの海上にあり、中心気圧は九百六十ミリバール、中心付近の最大風速三十五メートル、暴風半径二百キロの中型颱

風で、西日本へ上陸する危険性はほぼ避けられない状況にあり、四国南岸では既に波浪注意報が出ていると報じた。

「十月颱風というのは珍しいが、この調子だと、灘浜《なだはま》のあたりも危ないかもしれないな――」

鉄平は太い眉《まゆ》を寄せて云い、スイッチを切らせた。そして自分の隣に坐っている一之瀬四々彦を見、

「何とか理由をつけて、君がわざわざ出迎えに来たのは、アメリカでのビジネスの結果を早く聞きたいからだろう?」

と云うと、一之瀬四々彦はてれながらも率直に頷《うなず》き、

「アッセルミルの購入の件、どうなりましたか?」

鉄平が渡米ぎりぎりまで、日本の有力商社の機械部を通して、アッセルミルの製作元であるブロー・ノックス社へ、再三再四、設計図購入を交渉したにもかかわらず、アッセルミルの心臓部にあたる重要な機械部分は輸出し、その他の付属部分だけ設計図で売るという回答しか得られなかったのだった。しかし阪神特殊鋼としては、何としても設計図面購入を切望し、鉄平がその交渉に飛んだのだった。

「うん、何しろ設計図だけなら、三十万ドルですむものが、機械一式となると二百四

十万ドルにもつくから、ブロー・ノックス社の技術主任と会って、阪神特殊鋼の技術水準と設備を長時間にわたって話した甲斐《かい》があって、やっと図面購入をOKして貰ったよ」

契約書が入っている鞄《かばん》を嬉《うれ》しそうに叩《たた》くと、一之瀬四々彦は、

「一体、どうしてブロー・ノックスを口説き落されたのです？　あんなに向うも強引だったのに」

「そこだ、阪神特殊鋼が内外に誇っている真空脱ガス法によって鋼《はがね》の中の不純物を除き、鋼の精密度をいかに高めているかという点を説明し、さらに冶金と塑《そ》性《せい》加工の関係についてディスカッションしたところ、たまたま私の専門分野でもあったため、向うの技術スタッフより塑性加工の理論をよく知っていたので、彼らも大いにこちらの技術水準を見直し、設計図面でOKということになったのだ」

鉄平は熱っぽい語調で云い、

「それからもう一つ、ビッグ・ビジネスを成功させたんだ、当社の輸出ベアリング素材の三分の二を買い入れているアメリカン・ベアリング社との販売契約、値下げをせずに、二割増量の長期契約を更新して来たんだ」

「え？　二割増量――」

アメリカン・ベアリング社との契約更新には、当初、営業担当の川畑常務が出かけることになっていたのを聞き知っている一之瀬は、驚くように聞き返した。鉄平は、白い歯を見せてにやりと笑った。

「君も、技術畑の僕には、販売、営業は無理だと思っていたようだな、だが、向うの購買部長を摑《つか》まえて、わが社に現在あるアッセルミルを、日本人の器用さから、アメリカにおけるそれより五割増しのスピード、つまりアメリカで一時間十トンなら、当社では一時間十五トンのスピードで、しかも真空脱ガス法によって今までよりさらに品質のよい鋼を自信を持って作り得ることを話すと、それならと、二割増量の長期契約をし、見越し生産をするように云ってくれたんだよ」

と云いながら、窓の外へ眼を向けると、雨が降りはじめ、車の窓ガラスを叩く音が次第に高くなって来た。もう一度、ラジオのスイッチを入れさせると、颱風は、阪神間に上陸する可能性が強くなったことを伝えた。

夜九時を過ぎた灘浜の工業地帯は、颱風の接近とともに、横なぐりの雨が工場の屋根を叩き、風が咆《ほ》えるように吹き荒れはじめた。四国を縦断して阪神間へ上陸する颱風は、時間とともに予想よりやや西へ進路をかえ、午前一時すぎ兵庫県を襲う公算が大になった。

阪神特殊鋼では直ちに颱風対策本部が設けられ、対策本部長には今日、アメリカ出張から帰ったばかりの万俵鉄平、副本部長に一之瀬工場長がたち、電気炉、圧延、製管工場などの各現場の部長と保安課全員が本部に詰め、ヘルメットと作業衣で身を固めている。

既に午後六時に、工場内の第一種災害指令を発令し、雨合羽《あまがつぱ》、シート、土嚢《どのう》、照明器具を各工場へ配分し、警戒体制の中で操業を続けていた。

新しい颱風情報が、テレビで報じられた。

「大阪管区気象台、午後八時五十分発表、颱風二十三号は室戸岬の沖合二キロにあって、なお北上を続けています、勢力は依然として衰えず、中心最大風速三十五メートル、今後の進路は四国東部を縦断して播磨灘《はりまなだ》に向う予想ですから、この付近の方々は厳重な警戒が必要です、なお、大阪湾には高潮の危険があり、今後の高潮注意報には充分、気をつけて下さい」

高潮を伴う颱風であることを告げた。鉄平は、直ちに第二期緊急体制を発令した。

「各工場の操業停止！　直ちに各工場のモーター、計器類は、万一の浸水に備えて、シートをかけ、高所に吊《つ》り上げろ！　なお停電に備えて自家発電の試運転をせよ！」

と指示すると、伝令が自転車に飛び乗って各現場へ伝えに走った。十五分程すると、工場の操業音が止まった。

鉄平は、室戸岬に打ち上げる六、七メートルの波濤《はとう》をテレビで見ながら、高炉の鍬《くわ》入式《いれしき》後、四カ月目に颱風に見舞われる不運を考えていた。通産省、融資関係などの幾多の困難を乗り越え、この十日間も、アメリカで圧延設備の設計図購入と販売契約に奔走し、成果を上げて、すべてが順調に運んでいる最中《さなか》に、颱風による被害を受けることは、大きな痛手であった。

「高炉建設現場は大丈夫だろうか、ちょっと見てくる」

ヘルメット、作業衣の上に、雨合羽を重ねると、一之瀬工場長もたち上った。

外へ出ると、既に瞬間風速二十メートルぐらいの風が吹き荒れ、鉄平と一之瀬は、しのつく雨の中をジープに乗って、高炉建設現場へ向った。十万坪の敷地に、八百立方米《リユーベ》の高炉が、地上二十五メートルまでたち上り、三本の熱風炉も三分の二の高さまで出来上りつつあり、高炉のすぐ横に高さ六十メートルのクレーンがあった。問題はこのクレーンで、高炉建設業者が、倒れないよう尖端《せんたん》にワイヤーを巻き、四方八方から地面に打ち込んだ杭《くい》に繋《つな》いでいたが、それでも前後に一、二メートル揺れているのが、夜眼にもはっきり解《わか》る。

「おい、本体だけでなく、クレーンの腕《ブーム》がやられぬよう、しっかりワイヤーを張れ！」

鉄平は、周囲にいる高炉建設業者の作業員たちに命じた。万が一、このクレーンが倒れるようなことがあれば、高炉の建設は大きく手戻りしてしまう。鉄平は、作業員たちがトラ（ワイヤーの突っ張り）を補強するのを見確かめてから、他《ほか》の設備を見廻りに行きかけると、資材倉庫の方から、凄《すさま》じい勢いでトラックが突っ走って来る。

「何かありましたな」

一之瀬が緊張した声で云い、懐中電燈を振って、トラックを止めた。

「どうしたんだ？」

「高炉の給排水口が……」

激しい風雨で声が切れ、聞きとれない。

「給排水口が、破れたのか！」

「そうです、今、製鋼部の作業員が総出で決壊を防いでます！」

「よし！　すぐ、われわれも行く」

鉄平はそう云うと、トラックの後を追った。

岸壁のところにある給排水口の工事現場へ着くと、二台のトラックのヘッド・ライトで、決壊しかかっている給排水口を照らし、三十数人の作業員が、ずぶ濡《ぬ》れで土嚢《どのう》を積んでいる。眼前の海は白い牙《きば》のような波濤が逆巻き、襲いかかるような波柱が岸壁にぶっつかって来る。その度に土嚢がずるずると押し流されそうになり、土嚢を運ぶ者、積む者、灯《あか》りを照らす者の怒号が飛び交《か》っている。

「おーい！　頑張ってくれ、土嚢はどんどん運んでくるからな！」

鉄平が大声で叫ぶと、

「専務ですか、もう一台分、頼みます！」

土嚢の上にたって、機敏に動いている一之瀬四々彦が、怒鳴り返した。

「解った、しかし危ないぞ！　足を滑らせるな！」

鉄平がうしろの方で注意した。一歩、足を滑らせれば、眼下の荒れ狂う高波に呑《の》まれてしまう。

トラックがまた一台、土嚢を積んで到着した。間髪入れず、積み下ろし、運び、懐中電燈が光り、土嚢と人間と灯りが一体となって動いている。波浪はさらに高まり、水位が岸壁ぎりぎりまで膨《ふく》れ上り、給排水口の法肩《のりかた》（穴を掘った角）がまた崩れそうになった。

「おおい、法肩から少し離したところに集中的に積め！」

四々彦は命じるとともに、自らも土嚢を移しかえているが、時々、足を滑らせそうになる。その度に父親である一之瀬工場長は、はっと息を止めるように体を硬《こわ》ばらせるのが、鉄平に感じ取られた。工場長として自分の息子に危ないから止めろとは云《い》えず、さりとて馴《な》れぬ岸壁の土嚢積みの作業は危険極まることであった。

「もっと積むんだ、こっちへ渡せ！」

と云い、四々彦が体の位置を変えた時、ぐらりと体が揺れ、片足を土嚢から滑らせかけた。危ない！　と鉄平が叫んだ時、いつの間にそこへ行っていたのか、父親の一之瀬工場長が、四々彦の足を持ち、転落を防いだ。一瞬のことであったが、四々彦のヘルメットが海に落ちただけで、ことなきを得た。再び土嚢の上にたつと、父親の一之瀬工場長は、

「ぼやぼやするな、だらしがないぞ！」

一言そう云い、自分のヘルメットを四々彦に手渡した。鉄平の胸に熱いものがこみ上げた。それは温かい血の通った父子《おやこ》の姿であった。万俵家ではその片鱗《へんりん》をも見出《みいだ》せないものであった。

「どうもご心配を、馴れないくせに強気な奴《やつ》で――」

一之瀬工場長は、鉄平に心配をかけたことを詫《わ》び、ジープに乗って対策本部へ帰った。

満潮時の午前零時十五分頃になると、風雨はますます激しくなり、海鳴りの音が高まり、やがて停電した。自家発電に切り替え、灯《つ》りを点け、高潮の浸水を防ぐために工場内の排水ポンプを稼動させると、さらに電話線がきれ、各工場との連絡が跡絶《とだ》えてしまったが、もはや、自然の猛威の前では、颱風一過を待つより仕方なかった。不意にズドーンと地面を轟《とどろ》かす不気味な大音響が遠くの方でした。保安課員が、扉《とびら》の桟《さん》をはずして出かかると、

「危ない！　出てはいかん！」

鉄平は語気鋭く制した。大音響は、クレーンが倒れたか、クレーンの腕《ブーム》が落ちたのか、どちらかであったが、トタン屋根やスレートが飛び交う真っただ中へ出ることは出来なかった。

やがて風が凪《な》ぎはじめると、気象に通じている保安課長が、空を見上げ、

「風が南風から、西風に変りました、颱風《たいふう》が抜けそうです」

と云うと、張り詰めていた対策本部の空気がほっと和らぎ、鉄平は直ちに各部署の被害状況を報告するように命じた。

「電気炉工場、電気室その他、被害ありません」

「圧延工場、窓ガラスのみ破損、モーター、機械類の被害なし」

次々に入る報告は、些少《さしょう》な被害であったが、鉄平が気にしているのはクレーンのことであった。金田製鋼部長が慌《あわただ》しく入って来た。

「専務、さっきの大音響はやはり、クレーンのデレッキ・ブームのワイヤーが切れて、逆さ吊りになり、尖端《せんたん》がすぐ横の鋳床《ちゅうしょう》工場の建屋《たてや》にめり込んでしまっています」

鉄平はクレーンの本体でないことにほっとしたが、各工場の被害状況の報告が一応、終ると、独りでジープを運転し、高炉建設現場へ走らせた。

作業員たちが引き揚げたあとで、人影がなかった。鉄平はジープから飛び降りると、クレーンを仰いだ。高さ六十メートルのクレーンは、だらりと鉄の腕《ブーム》が折れ、その尖端を組みたてたばかりの建屋にめり込ませている。そしてそのあたりの鉄骨の建屋は、その時の衝撃でぐにゃりと歪《ゆが》んでいた。しかし、すぐ横にある高炉は何の被害もなく、日の出前の静かな空に向って巨大な口をあけている。鉄平は高炉の傍《そば》へ寄り、体中から噴き上げて来る喜びを嚙《か》みしめながら、空を仰いだ。東の空がしらじらと明るみ、颱風一過の柔らかな朝の陽が射《さ》しはじめ、上層雲が流れている。岸壁の向うに拡《ひろ》がる海も、数時間前の凄じい波濤が嘘のように静まっていた。

鉄平は、分厚いカーテンをひいた専務室の長椅子《いす》で毛布にくるまり、ぐっすり眠り込んでいた。夜を徹して工場を守りぬいた後、被害を蒙《こうむ》った高炉建設現場の復旧を指示し、操業を停止していた電気炉、圧延工場をはじめとする各工場に慎重な操業テストをさせた上、ようやく八時操業のサイレンが、高々と工場に鳴り渡るのを聞いてから、ワイシャツ姿のまま眠ったのだった。

深い寝息をたてていた鉄平は、大きく寝返りをうち、片足が長椅子からずり落ちそうになって、眼を醒《さ》まし、反射的に時計を見た。十一時二十分であった。

「一時間したら、起すように云ったのに――」

鉄平は毛布を撥《は》ねのけて起き上ったが、足の関節の痛さに眉《まゆ》を顰《しか》めた。足だけではなく、体の節々の至るところが痛い。長椅子からたち上って、カーテンを開いた。秋陽が一杯に射し込み、颱風一過の清澄《せいちょう》な日和だったが、電気炉工場の横に積んである原料のスクラップの山から、鉄骨や鉄板が、思わぬ場所まで吹き飛んでおり、猛威をふるった颱風の凄じさを物語っている。鉄平は、一晩のうちにのびた濃い顎鬚《あごひげ》を撫《な》でながら、高炉建設現場のクレーンの折れた腕《ブーム》の修理方が気になった。今朝早く、駈《か》けつけて来た高炉メーカーの五菱重工の工事責任者は、どんなに早く見積っても、三、四日はかかると云ったが、その間、高炉建設がストップすることを思うと、そんな悠長な工事責任者を相手にもしておれず、一之瀬工場長を直接、五菱重工大阪支社の首脳部へ交渉に行かせているのだった。

鉄平が、作業衣を手にしかけると、叔父の石川正治社長が入って来た。

「いやあ、昨夜《ゆうべ》は帰国早々というのに、徹夜で颱風の防備作業に当ってくれて、すまなかったねぇ、大したことがなくて何よりだった――」

鶴《つる》のような痩身《そうしん》で、鉄平の前にたち、阿《おもね》るように云った。昨夕、六時に第一種災害指令を出した時、鉄平のすすめを待ちうけていたように、蒼惶《そうこう》と帰ってしまったのが、気になっているらしかった。

「叔父さんの家は、大丈夫でしたか？」

「ところが君も知っている、それ、門の脇《わき》の樹齢百年に近い松の木の枝が、つけ根から大きく折れてしまってねぇ、惜しいことをしたよ」

残念そうに云った。阪神特殊鋼のおかざり餅《もち》的な社長のポストに安んじている石川正治にとっては、クレーンの腕《ブーム》が折れたことより、自分の邸《やしき》の植木が損われたことの方が、切実に感じられるらしい。鉄平は、馬鹿馬鹿《ばかばか》しくなり、

「今から、高炉建設現場へ行かなくちゃなりませんから──」

話を打ち切りかけると、

「私も今からロータリー・クラブの会合があるので、出かけるんだが、君が疲れてやせんかと、心配だったものでね、では、アメリカ出張の報告は、午後の役員会で、楽しみに聞かせて貰《もら》うよ」

石川正治は、再び阿るような口調で云い、部屋を出て行った。

作業衣を着、専務室を出かかると、出合い頭《がしら》に経理担当の銭高《ぜにたか》常務と、大同銀行の橋爪《はしづめ》神戸支店長に出会った。細い小作りの顔に口髭《くちひげ》をたくわえた銭高常務は、

「専務、大同銀行の神戸支店長が、颱風見舞にお越しですから、少々、お時間を──」

現場へ飛び出して行く鉄平を足止めするように云った。橋爪支店長もすかさず、

「どうもご多忙の中を御見舞に上り、かえってご迷惑をおかけ致しますが──」

低いもの腰で云った。そう云われると、高炉建設の資金調達では、メインの阪神銀行より世話になっているだけに、たち話というわけにもいかなかった。

「徹夜で颱風と闘われましたそうで──、これはほんの心ばかりの御見舞のしるしでございます」

橋爪支店長はそう挨拶《あいさつ》し、清酒三本を差し出した。

「これはどうも——、わざわざ支店長にお運び戴《いただ》いて、恐縮です」

「とんでもございません、お取引戴いているお得意様に、こういう時こそ、お役に立つようなことがございませんでしたら、何なりとお申しつけ下さいましという意味で伺いましたので、これが当行の昔からのモットーでございます——」

橋爪支店長は、大同銀行がまだ日掛の貯蓄銀行時代に入行した生え抜きらしく、揉《も》み手《で》をせんばかりに云い、

「で、被害の方は、如何《いかが》でございましたんですか？」

「お陰さまで、既存の工場の方は、十一時間操業を停止したのみで、被害というほどのものはありませんでしたが、高炉建設現場の方で、クレーンの腕が折れて鋳床《ちゆうしよう》の建屋《たてや》の屋根へ突っ込んでしまいましてね、しかし、それも五菱重工の方へ、早急に修理して貰うよう、交渉に行かせていますから、さして手戻りもなく、被害は最小限度に食い止められる見込みですよ」

「そうですか、そりゃあようございました、それでお見舞に上って、ついでにと申しますと、まことに不躾《ぶしつけ》でございますが、先日来、担当の者から経理部の方へご依頼しております例の件、どうも捗々《はかばか》しいお返事を戴けませんが、もう一度、ご再考戴くわ

けには参りませんでしょうか？」

「例の件と、おっしゃいますと――」

鉄平が、見当がつきかねるように聞き返すと、それまで黙って横に控えていた銭高常務が、

「専務は渡米前のご多忙の折でしたので、詳しくご報告致しませんでしたが、当社の大口得意先である日本自動車の入金振込銀行を、これまでの阪神銀行本店から、大同銀行神戸支店へ指定替えしてほしいというお申越しが、半月ほど前からございましてね」

と云った。そう云われてみれば、鉄平も渡米前、銭高常務から簡単な説明があったことを思い出した。日本自動車は、東京に本社をもつ大手自動車メーカーで、阪神特殊鋼とは月商一億五千万前後の取引があり、その支払いの大半は、阪神銀行本店の阪神特殊鋼の口座に振り込まれていた。それを、橋爪支店長は自分のところの口座へ指定替えしてほしいというのであった。

「当行と日本自動車とのおつき合いは、互いに本店が東京にある関係上、かなり古うございますが、当行の阪神特殊鋼さんへの融資順位が、阪神銀行さんより低かったものですから、おたくに対する日本自動車の振込が大半、阪神銀行さんの口座へ振り込

まれても、指をくわえて見ておりました、しかし、高炉建設を機に、当行は阪神銀行さんが従来の融資比率でお貸しにならない分までお引き受けし、大いに肩入れさせて戴こうと意気込んでおります矢先ですので、何とか私どもの申し出もお聞き入れ願えたらと、こう存ずる次第なのです」

高炉建設に対して、メインの阪神銀行が従来の融資比率を一〇パーセント削減し、その分を鉄平が三雲頭取のところへ泣き込んで借り入れた経緯《いきさつ》を強調するように云った。鉄平は、それは恩義に感じていたから、即座に橋爪支店長の申し出を容《い》れようとすると、銭高常務が、

「おっしゃることは、重々、ごもっともで、高炉建設に対するご支援のほどは、感謝しておりますよ、しかし、現時点では何といっても阪神銀行の融資ウェイトは、他行さんと比較して断然強く、メイン・バンクであることに変りありません、しかも本来、こうした振込指定というのは、メインのメリット料になっているのが、金融界の常識でありまして、それをこちらが急に掌《てのひら》を返すようなことが出来ないのは、支店長さんに、よくお解《わか》り戴けると存じますが――」

元阪神銀行本店の融資部長で、三年前、万俵大介の意を受けて、阪神特殊鋼の経理担当役員として送り込まれて来た銭高は、慇懃《いんぎん》に云いながらも、支店長を下目《したため》にみる

ような眼付きで、首を横に振った。支店長は、それでも嫌な顔はせず、

「それはさようでございますとも、しかし、先程来、お話ししておりますように、私どもの方では、万俵専務のご熱意に動かされて、メイン・バンクである阪神銀行さんという存在があるにもかかわらず、それを上廻るお力添えをするお約束を致したわけですので、せめてこれぐらいのことをご諒承《りようしよう》戴かないと、当方の気持も挫《くじ》けてしまいます、ここでおたく様の誠意をみせて下されば、直接の窓口である私ども神戸支店と致しましても、より一層、仕事がやりやすくなることは云うまでもありませんが、それ以上に頭取の三雲が、どんなに喜ぶかしれません」

満面に笑いをうかべて云ったが、三雲頭取の名前を持ち出して来たところに、早くもメイン・バンク面《づら》をして、何が何でもこの要求を呑《の》ませようという意図が読み取れた。承諾すれば、頭取は喜ぶということは、逆に拒めば怒るということであり、頭取が怒るということは、今後の融資にどう響くか、解らないという脅しの意味が籠《こ》められていた。しかし、銭高は元銀行員の勘で、この要求が支店長の点数稼《かせ》ぎであることを見抜いていたから、

「三雲頭取が、このくらいのことでお喜びになるのでしたら、そりゃあ、当社としても、ご協力出来るものならしたいと思いますよ、しかし、当社の従来からのメイン・

バンクである阪神銀行側の意向は、日本自動車さんの振込銀行指定替えだけは、これからの営業方針上、どうしてもＯＫするわけにはいかないという回答ですので、ほかのことで当社がお役にたつようなことがありましたら、そちらの方を考えさせて下さいませんか、何しろ阪神銀行はご承知のように、万俵専務の父上が頭取である銀行だけに、われわれの苦しい立場をご理解戴きたいわけで——」

あくまで慇懃に突っ撥ねると、鉄平の太い声が遮《さえぎ》った。

「いや、この際、阪神銀行に譲歩して貰うべく、私からことを分けて話してみよう、もし仮に諒承が得られない場合でも、この振込銀行指定替えは、当社の意向一つで決定し得ることだから、大同銀行さんのご意向に添うべく致しますよ」

「しかし、専務、それは——」

銭高が慌《あわ》てて押し止《とど》めかけると、

「高炉建設の融資に際して、一方《ひとかた》ならぬご配慮を得ている三雲頭取のご厚誼《こうぎ》に報いる意味でも、私が責任でもって決裁する」

鉄平は、真摯《しんし》な表情で云った。銭高はねっちりと黙り込んだが、橋爪支店長は、ここぞとばかり、

「有難うございます！　只今《ただいま》の万俵専務のお言葉は、早速、本店へお伝えし、三雲頭

取に申し上げます」

言質《げんち》を取るように云い、今度は鉄平の作業衣をしげしげと見詰め、

「専務はこれから、現場へお出ましでございますか？」

「ええ、さっきお話ししたクレーンの腕の替えが、そろそろ、来るはずですから」

「もしお邪魔でございませんでしたら、私も現場を拝見させて戴きたいものです、何しろ銀行員というのは、朝から晩まで金の心配ばかりしていなくてはならぬ因果な商売ですので、久々に活気溢《あふ》れる高炉建設現場を拝見して、浩然《こうぜん》の気を養いたいものです」

本心は、昨夜の颱風の被害額がほんとうに些少《さしよう》なものか、また高炉建設にとりかかって四カ月目であるが、予定通りに工事が進んでいるかどうかを、秘《ひそ》かにチェックするためであった。しかし、鉄平にはそんな言葉の裏まで思いが至らなかった。

「どうぞ、じゃあ早速、行きますか」

椅子からたち上ると、橋爪支店長は鉄平に随《つ》いて部屋を出たが、銭高は、苦りきった顔で、そのまま残った。東京での勢力拡大の一環として、日本自動車に食込みを強化したがっている万俵頭取が、このことを聞き及べば、鉄平との間にまた一波乱は免れないだろうという思いもさることながら、こと経理に関して、これまで以上の危惧《きぐ》

の念を鉄平に対して抱いたからであった。

湯気がもうもうとたち籠める広い浴室で、鉄平は、二人の子供を一緒に風呂《ふろ》に入れ、上機嫌であった。

「パパ、痛いや、そんなにごしごしこすって！」

小学校二年の太郎が、アメリカ出張から帰ってきた父と久しぶりに入浴出来た嬉《うれ》しさもあって、甘えるように大きな声を上げた。

「情けない奴《やつ》だな、このくらいのことで痛いなんていうのは男じゃないぞ、次は背中だ、さあ、あっちを向いて」

小さな腕を洗い終ると、鉄平は、さらに石鹼《せつけん》を泡だて、息子の背中をこすりはじめた。

「あっ、パパ、あたしのワンちゃん、おぼれそう、助けてあげて」

傍《かたわ》らから、今度は幼稚園児の京子が浴槽《ゆぶね》に滑り落ちたビニール製の犬を指した。

「よし、よし、ボートを出して助けてやるぞ」

風呂桶《おけ》で、玩具《おもちゃ》の犬をすくい上げてやった。

「サンキュー・ベル・マッチ」

京子は、可愛《かわい》い両手で犬を抱き上げ、聞きかじりの英語で云った。

「ばかだなあ、それは〝サンキュー・ベリィ・マッチ〟と、こう云うんだよ、どう、パパ、ぼくの発音、いい線いってるでしょう」

この夏から小学生の英会話を習いはじめた太郎が、得意然と発音してみせた。

「うん、いってる、いってる」

鉄平は、笑って頷《うなず》きながら、息子の背中へ湯をかけ、石鹼を流していると、浴室の扉《とびら》が開き、

「まあ、みんな、いつまで入っているの、ゆでだこになってしまいますよ」

妻の早苗が、呆《あき》れたように顔を覗《のぞ》かせた。

「もう、二人とも終ったよ、さあ、拭《ふ》いておやり」

鉄平は、小犬を抱くように軽々と二人の子供を両脇に抱き、早苗の方へ押しやると、早苗は、バス・タオルできゃっきゃっとはしゃぐ二人の子供の体を拭いてやり、若いお手伝いに託した。鉄平もすぐそのあとから上り、早苗からバス・タオルを受け取って、逞《たくま》しい体軀《たいく》を拭いた。

「ほっほっほっ、今日、帰ってらしたあなたの姿を思い出すと、おかしいわ、あっち

こっちに煤《すす》や油をくっつけて、まるで穴熊《あなぐま》みたい、でも、アメリカから帰っていらした早々、颱風《たいふう》退治なんてあなたらしいわ」

「仕方ないさ、工場の一大事だからね」

「解っていますわ、でも、子供たちにあまりサービスし過ぎて、お疲れになりませんこと？」

「それどころか、疲れが吹っ飛んだよ、子供たちと一緒に風呂に入るのが、好きなんだ、お前も入ればよかったのに」

「親子水入らずということが少ないものだから、お風呂で罪滅ぼししようというおつもり？　でも、あなたのそんなところ、お亡《な》くなりになったお祖父《じい》さまに似ていらっしゃるようね、あなたのお祖父さまは、あの日本館の大きなお湯殿に、まだ幼《ちい》さかったあなた方を呼び寄せて、賑《にぎ》やかにお入りになるのがお好きだったそうね」

「うん――」

鉄平は、急に押し黙った。祖父との賑やかな入浴を想起する時、必ず、あの忌《いま》わしい光景――、一子や銀平たちより先に自分だけ入浴して、西洋館の方へ戻って来たある日、細く開いていた父の書斎の扉の隙間《すきま》から、父と高須相子の情事を垣間《かいま》見てしまったことを思い出すからであった。

「あなた、どうなさったの、やはりお疲れになっているのね、二子さんがさっきから居間で、あなたが買ってらしたティファニーのブローチを待っていらっしゃるけれど、今晩は、もうお寝《やす》みになった方がいいのじゃないかしら」

夫の体をいたわるように云《い》った。

「いや、昨日、それを楽しみに空港まで来たのだから渡しておくよ」

と云い、鉄平は浴室を出、着替えの下着をつけ、寛《くつろ》いだ大島の着物を羽織った。蟬《せみ》の羽《はね》のような軽い絹の感触がし、ふとその大島の着物が祖父の愛用のものであったことに気付いた。

横段二百詰亀甲《きっこう》の泥大島で、今は、手に入れようにも入れられない逸品であった。祖父が亡くなった時の形見分けに貰ったもので、祖父は、父にではなく、特に鉄平にと云い遺したのだった。その着物を、徹夜で工場を守りぬいて帰宅したその日、身につけることに、祖父と自分との間にある強い絆《きずな》のようなものを感じた。

着物の上に、対《つい》の羽織を重ね、居間へ出ると、二子が待ちかねたように迎えた。

「お兄さま、灘浜の工場の方は大へんだったんですってね、さっき、お父さまたちとお食事しながら、ちょっと伺ったんだけど――」

「うん、高炉用の給排水口の法肩《のりかた》が、もう少しで高潮にやられそうになったのを、一之瀬四々彦君をはじめ、製鋼工場の作業員たちがいち早く見付けて駈《か》けつけ、暴風雨の中、土嚢《どのう》積みをやって、やっと決壊を防いだんだよ」

一之瀬四々彦の名前が出ると、二子の顔が俄《にわ》かに生き生きと息づいた。

「一之瀬というのは、やはり親子二代の鉄鋼マンだな、いざという時は、岸壁の土嚢の上にたって作業員を指揮するし、自らも土嚢積みをし、四々彦君はもう少しで足を滑らせ、波にさらわれるところだった――」

「まあ、それでお怪我《けが》は？」

「一之瀬工場長が足を支え、事なきを得たよ、さて、お前のブローチだが――」

鉄平はスーツ・ケースの中をかき廻し、小さな包みを取り出した。

「文句を云うなよ、お前からことづかったカタログをティファニーの女店員に見せて、それと一番似たのを買って来たのだからな」

鉄平が釘《くぎ》をさすように云うと、二子はホワイト・ゴールドの幾何学的なデザインの中にルビーを塡《う》め込んだブローチを掌《てのひら》にのせ、

「お兄さま、有難う、希望通りのものよ」

声を弾ませた時、電話のベルが鳴り、早苗が受話器を取った。

「ええ、いらっしゃいますわ……、それで、ご用件は？」

妙に素っ気ない応答をし、
「二子さん、お電話よ、あの人から――」
と云った。あの人というのは、相子のことであった。二子が受話器を受け取ると、
相子の硬い声が聞えて来た。
「今夜は食後に、お父さまとご縁談のお話をすることになっていますのに、どうして
さっさと、そちらへ行ってしまわれたのです？」
詰問《きつもん》するように云った。
「だって、私は、縁談のお話などより、鉄平兄さまに買って来て戴《いただ》いたティファニー
のブローチの方に夢中なの、だからもう暫《しばら》く、こちらにお邪魔していますわ」
「何をおっしゃるの、すぐお帰りなさい」
と云い、がちゃりと電話を切った。二子は肩をすくめ、
「あの人ったら、この間からまた縁談を持ち込んで来ているの、それで鉄平兄さまが
アメリカからお帰りになってご相談すると云ったら、万俵家の縁談を最終的に決める
のは、お父さまとお母さまと私の三人です、鉄平さんにご相談になっても無駄ですよ
と、ぴしゃりと云うのよ、それでも私がここへ来ているものだから、電話をかけて来
たのよ」

と云うと、早苗は、きっと気色ばんだ。

「まあ、何てものの云い方をするのでしょう、以前に芦屋病院の院長夫人が、二子さんのご縁談を持って私を訪ねて下さった時も、あの人ったら、いろいろお縁談《はなし》がございますので、その方面のことは、私が一切を取り仕切っておりますと云って、私をさしおき、全く僭越《せんえつ》だわ、あなたが、この間、銀平さんの披露宴の時に、あの人に、遠慮してほしいとおっしゃったのは、もっともですわ」

「そうよ、家内《いえうち》の差配のことならともかく、私たちの将来を左右する縁談のことまであの人に口をさし挟《はさ》まれるのは我慢できないわ、鉄平兄さまたちの時のことはよく知らないけれど、銀平兄さまの結婚の時のあの人の干渉の仕方を見ていると、ぞっとするわ、私は絶対、あの人の思うままにはならないわ、自分の結婚相手は、自分で決めるつもりよ」

二子は、頭から相子に反撥《はんぱつ》するように云ったが、鉄平はこだわらず、

「今、来ている縁談というのは、どんな相手だい？」

「大正電工の林社長のご長男で、日銀へ勤めていらして、お兄さまと同じ東京大学出身よ」

「それじゃあ、いわゆる家柄、社会的地位、本人の履歴とも、まず揃《そろ》っているところ

じゃないか」

「まあ、いや、鉄平兄さまが、そんなことをおっしゃるなんて——、お兄さまなら、万俵家で一人ぐらい反逆児が出てもいいっておっしゃるかと思ってたわ」

「しかし、無理な反逆などしない方がいいよ、結婚というのは、或《あ》る程度、双方の家庭環境というものが必要だからな」

妹の気持は解《わか》るが、実生活で苦労知らずの妹に冒険させたくないという気持が籠められていた。

「でも私は、どこそこの御曹子でございますなんていうのに、全然、魅力を感じないわ、お兄さまのように男らしい仕事に打ち込んでいる人、たとえば、鉄に生きるような人に魅力を感じるわ」

一般的な云い方をしたが、その言葉の中に一之瀬四々彦に惹《ひ》かれているらしい二子の気持を、鉄平は感じ取った。

六　章

馬場先濠《ぼり》に面した阪神銀行東京支店は、国内、国外の大銀行がずらりと建ち並ぶ丸の内の金融街にある。

その五階の東京事務所の総務課で芥川事務所長は、四人の総務課員が、毎朝、行なっているミーティングに顔を出していた。総務課は、東京に本店を持たない銀行の〃東京探題〃として、政界・官界工作を受け持ち、その面の情報収集を行なっている部署で、俗に〃忍者部隊〃と呼ばれ、行内の中枢部《ちゅうすうぶ》と直結している。それだけに総務課に配属されるメンバーは、頭脳回転のよさ、行動力の早さ、人間の幅の広さという〃銀行忍者の三条件〃を兼ね備えたエリート中のエリートである。政界を主《おも》に担当する四十三歳の黒井課長以下、大蔵担当の伊佐早《いさはや》五郎、日銀担当の冠収《かんむりおさむ》、同業の金融機関とマスコミ担当の平松雲太郎の三人は、三十七、八歳の若さであった。

朝のミーティングは、前日、各自が入手してきた情報を交換し、その信憑《しんぴょう》性を測り、確認するための会合で、その分析結果が、次の情報活動を適確なものにする。

「元次官の堂野滋《しげる》氏の件だが、来年五月に任期ぎれになる日銀副総裁のポストを狙《ねら》って動きはじめたというのは、確かな情報なのかね、もしそうなら、これは当行にとって、由々しき問題だからね」

芥川は、忍者部隊を直接、統轄《とうかつ》する東京事務所長らしく、さっきから話題になっている日銀副総裁の候補者の中に、元大蔵事務次官の堂野滋の名前が出ると、縁なし眼鏡をきらりと光らせた。半年も先の日銀副総裁の後任に今から関心を払い、下馬評にのぼりはじめた候補を鵜《う》の目、鷹《たか》の目で追い、一喜一憂するのは、市中銀行が、預金だけでは資金が足らず、不足分を日銀から借り入れているからだった。

「私のみるところ、まず間違いありません、二年前、堂野さんが大蔵次官で退官する際、曾《かつ》て、故池山総理のブレーンとして、高度成長論を演出し、あれだけ大蔵省で辣《らつ》腕《わん》を振るった大物官僚であるにもかかわらず、次の行き先をきめずに浪人生活を宣言したのは、当時の金融界の七不思議でしたでしょう？　しかし、彼がその宣言通り、選挙に打って出ることもせず、さりとてひく手あまたの企業へ天下るでもなく、ゴルフと読書三昧《ざんまい》の優雅な浪人生活を貫き通したのは、今にして思えば、三年後に空《あ》く日銀副総裁のポストを、その時から狙っていたんですね」

政界通の黒井課長が云《い》うと、芥川は、

「さすがは大蔵省の怪物、現代のラスプーチンといわれた堂野らしい野心の燃やし方だが、政界筋はそれをどう見ているのかね？」

「佐橋総理—永田大蔵大臣のラインが、強化されていますから、永田大臣としては、これを食い止める根廻しをするでしょうが、前大蔵大臣の田淵《たぶち》幹事長が、永田へのまき返し策として、堂野をバック・アップすることも考えられ、複雑ですね」

「そうか、じゃあ、大蔵省《モフ》の意向はどうなんだ？」

大蔵省を指す隠語を使って、今度は大蔵担当の伊佐早五郎に聞いた。伊佐早は長身の引き締まった体軀《たいく》を前へ出し、

「春田銀行局長をはじめとする永田派は、早くも拒絶反応をあからさまにしていますが、問題は佐橋総理派の重藤《しげとう》次官がどう動くかですね、聞くところによると、堂野さんは、重藤次官を仲介にたて、永田大臣に和を通じるべく、工作しているという情報も入っているのです」

てきぱきとした口調で応えると、日銀担当の冠収が、伊佐早五郎とは対照的な静かな口調で、

「しかし、日銀側とすると、営業担当の笹原理事を副総裁にしたい雰囲気《ふんいき》が、局長以下の中堅幹部に強いですね、だが、日銀マンというのは大蔵省《モフ》と反対に、自分の意見

は口にせぬ習性を身につけていますから、外部から強力な輸入人事を押しつけられれば、それを押してまでとは行かないでしょう」

「じゃあ、この問題は、二週間の期限でさらに各自の立場から集められるだけの情報を集め、報告してくれ給《たま》え、特に堂野の動きは、ゴルフの相手から、夜の会合の相手に至るまで細大洩《も》らさず、追跡調査してほしい、堂野に日銀副総裁、総裁の道を歩まれたりしたら、当行は終生、いじめぬかれることになる」

阪神銀行が永田大臣と親密な間柄であるだけに、芥川は語調を強めて云った。

「次に、三日前、富国銀行新宿支店で当行との預金の相互受払いの業務関係で起った三百万円誤払い事件を、昨日の『銀行日報』ですっぱ抜かれた件だが、とりあえず私も、富国銀行の竹中常務と同道で、春田局長のところへ詫《わ》びに行ったが、一体、どうして業界紙に洩れたのか、その後、経緯が摑《つか》めたかね？」

同業者間とマスコミ情報を担当する平松に聞くと、平松雲太郎は、むしろ蜘蛛《くも》太郎と呼んだ方が似つかわしい黒い顔付で、

「あれは、五菱銀行に密告《ささ》れた可能性大ですね」

「それは『銀行日報』で確かめた情報かね？」

「はい、昨夜、富国銀行の担当者と、編集長を、築地《つきじ》の料理屋へ連れ込み、手を変え、

品を変えて問い詰めましたところ、五菱銀行の新宿支店長がたれ込んだことを認めました、あの新宿支店長は、総務課長出身ですから、それぐらいのことは、朝飯前でしょう」

同業者間の競争が、密告という陰に籠《こも》った卑劣な形で行われるのが、銀行界の特色であった。

「で、これ以上、活字にならないためのマスコミ対策は、万端遺漏ないだろうね」

「はあ、そこは富国銀行もさるもの、取材に動き始めた二、三の新聞、週刊誌には融資面へのプレッシャーをかけ、ことなきを得たそうです」

「そうか、じゃあ、この件はこれで打止めだな」

こうした類《たぐ》いの工作も、忍者部隊の日常茶飯事のことであった。

朝のミーティングが終ると、黒井課長をはじめ、大蔵担当の伊佐早五郎、日銀担当の冠収、同業者・マスコミ担当の平松雲太郎は申し合せたように、一斉に電話器にとびついた。昼食を共にする相手を探すための電話で、各自が目的とする情報をとるための相手探しであった。忍者たちは、こうして朝のミーティングが終ると、約束をとりつけた相手と〝昼飯に散り〟、夜は夜で、目指す相手に〝晩駈《ばんが》け〟で、銀行中枢の命じる情報収集を行なうのだった。

芥川は、受話器にかじりつき、相手探しをしている四人の忍者たちの動きを、じっと見た。銀行中枢部の密命を受けて動いている総務課員といえども、まだ万俵頭取の意図する銀行合併は、誰一人として報《しら》されていなかった。

廊下の突き当りの東京事務所長室に戻ると、芥川は考えごとをするためにゆっくり煙草《たばこ》を喫《す》った。

芥川が、万俵頭取から合併相手として第三銀行に狙いをつけ、第三銀行の業容を徹底的に洗うことを命じられたのは、一週間前であった。そして芥川がまず第一に調査を開始したのは、第三銀行と第三物産の現在の関係、及び将来の見通しであった。というのは、もし第三物産のメイン・バンクを、他行にとって替られれば、第三銀行は、砂山がじりじりと崩れるように、地盤沈下することは疑う余地がない。阪神銀行のような下位銀行が、もしつけ入る隙《すき》があるとすればそこだと、考えたからだった。芥川はそのために、日銀担当の冠収に命じて、日銀営業局でここ上半期の第三銀行の金繰り計画を調べさせていた。

同時に、第三銀行の頭取以下の経営首脳陣が、そういう経営上の深刻な問題に対して、今後、どう対処していくかを大蔵省銀行局で探り出すことであった。監督官庁として銀行局は、第三銀行のこうした事態を決して黙って見過していないからであった。

芥川はつと机の上の電話器を取ると、大蔵担当の伊佐早五郎を呼んだ。

「お呼びでございますか」

長身のダンディな容姿に、逞《たくま》しさと機敏さがそなわり、銀行忍者のサラブレッドのような男であった。

「君のこれからの予定は？」

「いつものように大蔵省の銀行課へ顔を出した後、理財局にいる重藤次官直系の親しい男と昼食をすることになっています」

それ以上、云わなかったが、堂野滋の動向を追うつもりらしい。

「そうか、じゃあ、銀行課へ行った時、最近の第三銀行の地盤沈下について、日下部《くさかべ》頭取以下、首脳陣は、どう対処する考えでいるのか、また銀行課としての意向はどうかを、聞き出してくれ給え」

ごく事務的な口調で云ったが、伊佐早五郎はその指示の本当の目的を反射的に見極めるべく、芥川の顔を見返した。もし、言葉通りの一般的な第三銀行に対する経営分析であれば、さっきのミーティングの席上で、命じられるはずであった。それをわざわざ、事務所長室へ呼んで申し渡されるには、それなりの理由があると考えた。しかし、何のためにという質問は、禁じられている。それは徳川時代のお庭番、忍者が、将軍の命に対して、聞き返すことは許されず、聞き返せばお手打という仕儀に似ていた。云われたことの真の目的を報されなくとも、それを察しなければ、忍者の資格はなかった。

「で、この件はいつまでにご報告すればよろしいのですか？」

「少し、慎重に時間をかけてもいい」

「解《わか》りました、では――」

伊佐早は一礼し、足早に出て行った。

伊佐早五郎は、大蔵省の正面玄関を入ると、すぐ四階の銀行局へ向った。薄暗い廊下を曲った東棟が銀行局で、手前から銀行局長室、財務審議官室、総務課、銀行課、中小金融課、検査部と部屋が並び、銀行課は検査部の向いにあった。用があってもなくても、一日に一回は、ご用聞きよろしく顔を出すところであったから、大蔵省を担当して二年になる伊佐早五郎にとって、眼をつむっていても行きつけるほど、行き馴《な》れた場所であった。

扉《ドア》を押すと、まず素早く一番奥の井床《いどこ》銀行課長の席へ眼を遣《や》った。この七月人事で佐橋総理の秘書官から銀行課長になった井床課長は、窓側に近いL字型のデスクに坐《すわ》り、大友銀行の総務課長と、何かひそひそと話し合っており、少し離れた待合用の長椅子《いす》には、五和銀行の東京事務所長が部下を連れて待っていた。伊佐早五郎は、目的の小田課長補佐のデスクを見た。空席であったが、書類を拡《ひろ》げっ放しにしている様子からして、ちょっと席をたっているだけらしい。伊佐早は、入口のすぐ横にあるファイル・ボックスを開けている顔馴染《なじ》みの女子職員の傍《そば》へ寄った。

「忙しそうだね、資料探し？」

背後《うしろ》から声をかけると、

「あら、今日は少し遅いのね」

「銀行を出る時、やぼ用があってね、それより、これ、いつか君がほしいと云ってた手袋——」

和光で買ったスペイン製の手袋を女子職員のポケットへ滑り込ませた。

「覚えていて下さったの？　有難う」

女子職員は、他愛ないお喋《しゃべ》りを伊佐早が覚えていてくれたことを感激するように云い、再び、ファイル・ボックスの資料を探す振りをしながら、

「小田課長補佐でしたら、今、総務課へいらしてますけど、すぐ戻られるわ、ほんと

うはあなたの前に中京銀行が来ているのだけど、お先にお廻しするわ」

「そうして貰《もら》うと有難い、今日は叱《しか》られごとがあるので、あんまり他行《よそ》さんに見られたくなくてねぇ」

「ふっふっふっ、解ってますわ」

女子職員は心得顔に笑った。こうして女子職員を手なずけておくことも、忍者の心掛けの一つであった。小田課長補佐が総務課から戻って来ると、女子職員が素早く取り次いでくれた。しかし、昨日の誤払い事件の業界紙すっぱ抜きの件があったから、伊佐早は匍匐《ほふく》前進する心境で、デスクに歩み寄り、

「どうも、昨日は、申しわけありませんでした」

くどくどと弁解がましく云わず、さっと頭を下げると、小田課長補佐は、伊佐早より東大で一期先輩の三十九歳の若さでありながら、鷲鼻《わしばな》のせいか、年より老《ふ》けたいかつい顔を案の定、にこりともさせず、

「今日はそのお詫びが用件？　それなら昨日、竹中、芥川両氏お揃《そろ》いで、局長のところへ挨拶《あいさつ》されたんだから、もういいじゃないか、今日は僕は忙しいんだよ」

突《つ》っ慳貪《けんどん》に云った。もともと、預金の相互受払いについては、実際の事務方である小田課長補佐をはじめとする事務官たちは反対意見であった。それを富国銀行側の強

引な政治力で、春田局長をうんと云わせ、上からの命令で認められた恰好《かっこう》となったのだ。そういうやり方に対する若手エリート官僚の反撥《はんぱつ》は、相当、後々までしこりを残すものであったから、直接、渉外にあたる伊佐早は辛《つら》い立場にあった。

「それはそうでしょうが――、春田局長には事情をよくご説明し、今後、二度と起らないようなダブル・チェック・システムを考える旨《むね》をお話ししたら、ご諒解戴《りょうかいいただ》け、今度の件は、大目にみて下さるということになったようです」

畏《かしこ》まった口調で云った。

「大目にねぇ、しかし、われわれ事務方は、そのダブル・チェック・システムとかいうものの具体的な説明を聞かせて貰わねば、そう簡単に見過すわけにはいかないね、来春、両行の店舗新設を審査する時、われわれとしては、もしかしてこの問題を考慮に入れるかもしれない」

小田課長補佐は、脅かすように云った。それは以後の両行の仕振如何《しぶりいかん》によっては、銀行の命綱である新設店舗の認可を、来年度は見送るぞという、いかにも監督官庁の役人らしい言葉であった。

「私どもの方でも、そう云われるのが一番辛いのです、双方の営業部の方で、直ちにダブル・チェック・システムの検討をはじめ、案が出来しだい、お伺いしたいと申していますので、その節はよろしくアドバイスして下さい、春田局長も、井床課長や小田課長補佐の意見をよく聞くよう、おっしゃっていたそうですから」

小田課長補佐の気持をほぐすように云うと、最後の台詞《せりふ》が効いたのか、不機嫌な顔がやや和らいだ。伊佐早はすかさず、

「ところで小田さん、第三銀行の経営トップが、最近の経営不振の責任をとって、退陣するという噂《うわさ》は、ほんとうなんですか?」

今までの恭順の意を表していた言葉つきとは、打って変った、からりとした口調で聞いた。芥川に指令された情報をとるための、これは伊佐早が勝手に捏造《ねつぞう》したかいまであった。

「知らないよ、そんなこと、今が聞きはじめだ」

小田課長補佐は、椅子の背に体をもたせかけたまま、素っ気なく受け流した。

「あ、そうですか」

伊佐早も、わざと言葉短かに云い、口を噤《つぐ》むと、逆に小田課長補佐の方が気になるのか、

「そんなこと、誰が云ってるのかね?」

と聞いた。伊佐早は、内心、しめたと思いながら、

「いや、第三銀行の某実力役員と親しい経済記者から、小耳にはさんだのですが、日下部頭取は、創設者大沢一門の御曹子ですから、第三物産との関係が多少、変化することがあっても、そう簡単に頭取退陣なんてことはあり得ませんでしょう？　責任追及があるとすれば、営業担当常務あたりじゃないですか」

「それはどうかな、責任をとって辞めるかもしれない常務が、平和銀行の常務と、日をずらしているとはいえ、一時間近くもべったり局長室に入るものかねぇ」

小田は、思わせぶりな口調で云《い》った。たとえ常務といえども、局長との面会はせいぜい十分程度が普通であったから、一時間近くもの談合というのは、両行間に何か格別なことが持ち上っているはずだった。伊佐早は思わず、身を乗り出しそうになる衝動を抑え、

「忍者稼業《かぎょう》を長らくしていて、第三銀行と平和銀行さんとが、そんなにお近しい仲とは知りませんでしたよ、何かあるんですか」

わざとのんびりとした、呆《とぼ》け面《づら》で聞くと、

「さあ、また向うさんも、富国銀行と阪神銀行との預金の相互受払いの向うを張って、何かやるのかねぇ」

皮肉たっぷりな云い方をし、

「今日は、さっきも云った通り、僕は忙しいんだが、まだ何かあるのかね」

話を打ち切るように云った。

「いえ、どうも、お邪魔しました」

伊佐早は席をたちながら、この情報は、もっと突っ込んで取るべきだと思った。それにはすぐさま、芥川に一報を入れるとともに、両行の動きについて奥歯にものの挟《はさ》まったような云い方をする小田課長補佐から、もっと情報を引き出すために、今夜、小田の家へ行こうと考えた。


襖《ふすま》越《ご》しに長唄《ながうた》と三味線の音が聞えて来る待合の空《あき》座敷で、接待の酒席をぬけて来た阪神銀行の東京事務所長芥川と部下の伊佐早五郎は、声をひそめて話していた。芥川は酒気に顔を紅《あか》らめながらも、冴《さ》えた眼《まな》ざしで、伊佐早の話を注意深く聞いた。

「なに、第三銀行の日下部頭取と平和銀行の神田頭取が、先月、ローマで会っているって？　間違いないのかね」

「東都新聞の記者が第三物産の会長から直接、聞いたというのです、早速、両頭取の海外出張を調べましたら、日下部頭取は第三企業グループの役員とアメリカ廻りで九月二十日、羽田を出発していますし、神田頭取は北廻りで九月二十五日、ヨーロッパへ向けて発《た》っていますが、しかも両頭取とも夫人同伴という手のこみようでしてね、日銀総務部にも当ってみましたが、両行合併はかなり確率の高そうな感触でした」

「うむ――、それに加えて、両行の組合幹部の交渉が頻繁《ひんぱん》ということなら、ますます臭い、他行やマスコミは、この動きに気付いているのかね？」

「いえ、東都新聞のその記者も、まだ合併とまでは気付いていない様子です、それだけに私としては、何が何でも今晩中に、銀行課長補佐の小田を摑《つか》まえ、突っ込んだ話を聞き出します」

「彼が今、大蔵省の会合に出ていることは、確かなんだね？」

「はあ、明日の国会で永田大蔵大臣が答弁する金融制度調査会についての打ち合せですから、九時頃までかかる見込みです、私はこれから先廻りして、奴《やっこ》さんの家へ押しかけ、何時になろうと待ちますよ」

「そうしてくれ、じゃあ――」

芥川はそう云うと、手洗いの帰りのような振りをして廊下へ出、伊佐早は廊下伝いに勝手の方へ行き、目だたぬように勝手口から出かかると、

「車、来てますよ」

古顔の仲居頭《がしら》が囁《ささや》いた。

「有難う——」

伊佐早はにこりと笑い返し、裏口に停まっている車に乗り込み、西荻窪《にしおぎくぼ》の小田課長補佐宅の道順を運転手に云った。

西荻窪の小田課長補佐宅の十メートルほど手前まで来ると、伊佐早は車を降り、辺《あた》りの人影を窺《うかが》うようにして、門の傍《そば》へ寄り、ベルを押した。小田の妻が門の小窓を開け、伊佐早の姿を見て、門を開けた。

「どうも、夜分にすみません」

伊佐早は、引き締まった長身を屈《かが》めるようにして、素早く門の中へ入り込んだ。

「でも、主人はまだ帰ってませんわよ」

さっさと玄関へ入って行く伊佐早の姿を小田の妻は、あきれるように見た。

「解っております、あと三十分ほどしたらお帰りになるはずですから、すみませんが、待たせて下さい」

勝手知ったわが家の如《ごと》く入り込んだ。

「すみませんって、便利な言葉ね、伊佐早さんみたいにそう連発されると、何も云えなくなるじゃありませんか」

「いやあ、こんな夜分に、実際、ご迷惑だと思ってるんですよ、しかし、企業が命じることに、いやとは云えないのが、われわれサラリーマンでして、大学時代にもっと勉強して、先輩みたいに大蔵官僚になればよかったと後悔しているんですよ」

「もう、そんな泣き落しの術《て》は古いわよ、それよりお茶でも召し上れ」

小田の妻は、笑いながら紅茶を入れた。こうして目指す人物の家へ上り込み、奥さん相手に茶飲み話が出来るようにならなければ、一人前の忍者とはいえない。そのためには、おきまりの中元と歳暮以外に、その家族構成、年齢、生年月日まで記憶し、家族の誕生祝から、子供の進学祝はもちろん、冠婚葬祭、あらゆる機会あるごとに徹底的な〝つけ届け〟が必要であったが、伊佐早はそうした点にかけても、ぬけ目なかった。

ブザーが鳴り、小田が帰って来た。伊佐早はさっと玄関へ出迎えた。

「なんだい、用は役所ですませて貰いたいものだねぇ」

小田課長補佐は、本能的に保身するような用心深い眼で、伊佐早を見た。

「申しわけありません、お昼、伺った第三銀行と平和銀行のことで、どうしても今晩中に、小田さんのご意見を拝聴しておきたいニュースにぶつかりましてね」

「ほう、何だね、それは？」

小田は、いかつい顔を動かした。

「あれから記者クラブを廻りましたら、両行頭取が夫妻揃って観光旅行の形をとって、ローマで会っていた事実をキャッチし、おっしゃっていたことの裏がとれました」

「ほんとうかい、そりゃあ」

「嘘《うそ》など云うはずがありませんでしょう、しかし、これを知っているのは、当事者以外には、小田さんと私どもぐらいです、ですから小田さん、腹を割って、ほんとうのところを話して下さいませんか、そのあと、日銀総務部企画課で得た情報も全部、提供致しますよ」

伊佐早は、小田の妻と話している時とは打って変った鋭さで云った。小田が両行の動きの全貌《ぜんぼう》を知っておりながら、しらをきっている様子はまずないというのが、伊佐早の勘であった。昼間、小田が妙に奥歯にものが挟まったようなもの云いをしたのは、こちらの反応を探るためで、情報を欲しがっていたのは、或《あ》いは小田の方かもしれない。それだけに銀行課の役人では知り得ない情報を提供することによって、小田が知っている両行の動き、大蔵省の上層部の動きを引き出す作戦であった。

「で、日銀では、どう云っているのかね？」

「第三銀行と平和銀行とが合併することは大賛成という腹で、双方の橋渡しをしたのも日銀のような気配が読み取れます」

「橋渡し役をしたのは誰なんだ？」

「日下部頭取の従兄弟《いとこ》に当る笹原理事だということです」

「なるほど、で、その場合の頭取は、どちらだと考えているんだね？」

「そりゃあ、第三銀行の日下部頭取にしたいらしいですが、平和銀行の神田頭取が、トップを取られるのは諒承しないらしく、なかなか折り合わないようですね、それから、これは当行で独自に調べたことですが、第三銀行の組合幹部たちは、平和銀行のような関西系の下位銀行と対等に合併するなどとはもってのほかと強気だそうで、業績が低下しても、名門意識だけは、上から下まで人一倍、強いのには恐れ入りましたよ」

伊佐早が云うと、小田の眼が微妙に動いた。

「ふうむ、そうすると、やっぱり――、実のところ、僕んとこは、まだ上の匂《にお》いを嗅《か》いでいる段階なんだが、第三と平和の常務が帰った後、両行の資料を持って来るように云われたんだ」

「資料、どんな内容のものなんです？」

伊佐早は、ごくりと唾《つば》を呑《の》んだ。

「いやあ、たいしたことないよ、両行の店舗関係のものだから——」

言葉を濁したが、店舗網は、銀行合併の時の重要な問題点の一つであった。

「僕はすぐ局長室を出たが、あとで検査部長が呼ばれていたな」

「ほう、検査部長が——」

伊佐早は、心臓の動悸《どうき》が高鳴った。

「やはり両行の動きは、合併含みですが、これはちょっと首をかしげさせる組合せですねぇ、不良貸付の多さでは東西の両横綱だし、行風もあまりに違いすぎますし」

一しきり、両行の合併ムードに水をぶっかける意見をぶち、

「ところで小田さんご自身は、どう思われるのです？」

「僕は現在の都市銀行の中で、一番不安定な状態にある中位銀行の数が整理されるということには、基本的に賛成だな」

いつもはもっと積極的な意見を吐く小田であったが、事態を察して、きわどい質問を巧みにかわした。

「で、この話は、どの辺りまで行っている様子ですか？」

「僕の感じでは、局長止まりと思うな」

「それで春田局長の意向は、積極的なんですか？」

「それは解《わか》らないよ、しかし、君んところは、どうしてそんなに他行の動きを熱心に知りたがるんだ？」

伊佐早は口詰りかけたが、

「たまたま、第三銀行の首脳部が、業績低下の責任をとって退陣する噂《うわさ》の真偽を探っていた矢先に、小田さんから昼、あんな話を聞かされたら、気になるのが当り前じゃないですか」

何食わぬ態《てい》で応《こた》えながら、もう話の切上げ時だと判断した。

「どうも遅くまでお邪魔しまして、いずれ改めてご挨拶《あいさつ》に参ります」

伊佐早は、小田の妻にも鄭重《ていちょう》に挨拶して、落ち着き払ったもの腰で玄関を出たが、外へ出るなり、駅まで六、七分の道を走り、駅前の公衆電話のボックスへ飛び込んだ。そして最前の赤坂の待合にいる芥川を呼び出した。

「もし、もし、常務ですか、やはり第三と平和は合併含みの動きです、いえ、間違いのない話です、ええ、もちろん、その辺のところは確かめて聞いておりますから、間違いありません……ええ話は、まだ局長止まりで、次官までは上っていないそうです、ええ、これ以上のことは、課長補佐の段階では解らないというのが、ほんとうのところだと思います」

と伝えると、さすがの芥川も昂《たかぶ》るような気配で、

「よし、ご苦労、あとは私がやる」

引き取るように云った。


成城町の美馬家の居間では、妻の一子が、母に習ったフランス刺繡《ししゅう》をしていた。二人の子供はとっくに寝《やす》み、若いお手伝いも先に寝ませて、飾棚の上の時計の音だけが鳴っていたが、一子は毎晩のように帰りの遅い夫を待つことに馴《な》れていた。

口を開けば、忙しい、忙しいと口癖のように云って、十一時より早く帰宅したことがない。そんな夫に、陰の女性がいるような気配を感じることがあった。毎朝替えるワイシャツに時々、一子が使わぬ香水の匂いがかすかにしみているようなことがある。


電話のベルが鳴った。一子はゆっくりとたち上って、サイド・テーブルの上の受話器を取った。

「もしもし、阪神銀行の芥川でございます、ああ、奥さまでいらっしゃいますか、ご主人様はお帰りでしょうか？」

「いいえ、まだ帰宅致しておりませんが、何か急なご用でも――」

「いえ、取りたてて急というわけでもございませんが、今夜中にもう一度、十二時頃にお電話させて戴きます、夜分にお手数《てかず》をおかけ致しました」

と云い、電話をきったが、十一時に電話をかけて来、十二時頃にもう一度、電話をかけるという言葉の裏には、取急ぎの様子が感じ取られた。そして阪神銀行の芥川からという限り、父の仕事で、美馬に何かを依頼するために違いなかったが、美馬は、父から月々、きまった経済的援助を受けていながら、父から少しでも頼まれごとをすると、恩着せがましい云い方をし、一子にまで居丈高になる。それを思うと、一子は、気持が塞《ふさ》いで来た。

門に車が停まる音がした。時計を見ると、十二時十分前であった。門を開けに出るとタクシーから降りて来た美馬は、酒の匂いがぷんとし、予算編成で主計局に罐詰《かんづめ》だったとは思えぬ酔いが見られた。

「なんだ、またいつものようにきちんと着物を着、帯を締めてのお出迎えかい、先に寝んでいろよ」

自分の酔いを隠すように不機嫌に云い、家へ入った。一子は、黙って美馬のうしろに廻って上衣を取りながら、

「先程、芥川さんからお電話があって、十二時頃にもう一度、おかけすると云ってお

られましたわ」

と伝えると、

「そろそろ、お舅《とう》さんからご用命がある頃だと思っていたよ、しかし、主計局が忙しくなる最中《さなか》に、そうお舅さんのご用命にばかり応じていられるか、どうかだねぇ」

いや味な云い方をしたが、ネクタイを取り、ワイシャツのボタンをはずしていると、電話が鳴り、美馬が受話器を取った。

「ああ、美馬です、いや、今帰ったところですが、急用というのは何です？」

無愛想に云った。芥川は、恐縮しきった低い声で、

「深夜、まことに不躾《ぶしつけ》なご依頼ですが、早急に春田銀行局長にお目にかかって、じかにお伺いしたいことが出来ましたので、春田局長にご無理をして戴《いただ》くようにお願いしたいのですが――」

美馬の顔に、予期していたことを聞くような表情がうかんだが、

「ご承知のように主計局は、今、予算編成の査定で、連日、深夜に及ぶ多忙な最中だから、銀行局長なら、阪神銀行の東京事務所長たるあなた自身から頼めばいいじゃないですか」

「ところが、急を要しますことで、しかも、夜の料亭などでは目だちますので、早朝

のゴルフ場あたりでさり気なくお目にかかり、さり気ない聞き方を致したいと思いますので——、そうなりますと、春田局長とお親しい美馬局次長にお口添えして戴きませんことには——」

「それで、春田局長にあたってみたいという話の内容は、どういうことなんだね？」

「実は、第三銀行と平和銀行が合併するかもという情報を得たものですから——」

美馬は初耳のように聞いたが、元銀行課長である美馬は、両行の動きをおぼろげながら既に察知していたのだった。それをすぐ舅《しゅうと》の大介に報《しら》せないのは、それなりの理由があったのだ。

「その情報の筋は、たしかかね？」

「ええ、日銀の総務部や大蔵省銀行局から取った情報なものですからまず確かです、それで何とか一両日中に、春田局長の胸先三寸を探りあてたいわけで——」

芥川は、さらにさし迫った声で云った。美馬は瞬時、口を噤《つぐ》み、考えた。自分自身が春田に聞くより、芥川に聞かせた方がより詳しい事情が聞けるかもしれない。しかも官僚の習性として、同じ官僚仲間に洩《も》らさないことでも、自分の仕事と繋《つな》がりのある民間人には洩らす場合がある……。

「では、明日、春田局長に会い、何とか都合をつけて貰《もら》うように頼み込もう、返事のほどは明日、今ぐらいの時間に家へ電話して来てくれ給え、今の内容を聞いては、僕だって、忙しいの何のと、云っておれないじゃないかねぇ」

美馬は、俄《にわ》かに語調を和らげ、阪神銀行のために動き、万俵大介に為《ため》することを楽しむように云った。一子は、そんな夫の姿を見詰めながら、父と美馬との間にある強い共通の繋がりを知り、それにひきかえ、自分と美馬との繋がりの稀薄《きはく》さを、今さらのように感じた。

受話器を置いた美馬は、煙草をくわえ、サイド・テーブルの横にあるレター・ボックスに入っている書簡類にぱらぱらと眼を通した。

「おや、相子さんからの手紙が来ているんだな」

「ええ、午後の便に来ておりましたわ」

一子は素っ気なく応えたが、美馬はすぐ封を切った。女にしては肉太の達筆な字でしたためられていた。

前略

このところご無沙汰《ぶさた》致しておりますが、相変らずのお忙しさでいらっしゃることと存じます、こちらは銀平さんの新家庭もすっかり一族の中に溶け込んで、一段落しましたので、二子さんの良縁を考えはじめております、もちろん、財界筋からはいろいろと結構なご縁談が持ち込まれておりますが、何かと今後のことを考えました時、万俵家の閨閥《けいばつ》の枝ぶりは、この際、いささか妙を得たものに致したく、それには政官界のご事情に明るいあなたさまのお力添えを戴きたく、近々、ご都合のおよろしい時に、上京してゆっくりお話しさせて戴きたく、ご都合のほどをお伺い申し上げます。

かしこ

高須相子

美馬中さま

さり気ない簡単な手紙であったが、そこには、二子の結婚に対する相子のただならぬ意気込みと野心のほどが読み取れた。

「相子さんからのお手紙、どんな風ですの？」

「二子ちゃんの縁談のことだが、今度も、相当な大物との縁談を望んでいるらしい、読むかい？」

「いいえ、結構ですわ」

一子は、露骨にいやな顔をした。妻妾《さいしょう》同居の家の中で、相子によって縁談が運ばれることは、自分たち兄妹が穢《けが》されるような気持がしたのだった。

「さて、寝もうか――」

美馬は、なま欠伸《あくび》をし、寝室へ足を向けた。

二階の十畳の寝室には、美馬と一子のための二台のベッドが、東向きに置かれ、真っ白なシーツがかかり、ナイト・テーブルの上には、曇り一つなく拭《ふ》き磨かれたクリスタル・ガラスの水入れが置かれている。その冷たいほどの清潔な寝室の雰囲気《ふんいき》が、久しく交わりのない夫婦の間柄を物語っていたが、一子はそれを不満とも思わず、かえって女のように白いなめらかな美馬の手で、ねっとりと触れられることの方が気味悪いぐらいであった。今夜も美馬は、パジャマに着替えると、さっさと自分のベッドへ入り、一子もブルーのネグリジェに着替え、そっと自分のベッドに身を横たえた。

不意に美馬の手が伸び、一子が思わず体をそらせかけると、

「おあいにくさま、あんたじゃないんだ」

冷笑するように云《い》い、美馬は宙に泳がせた手を、ナイト・テーブルの上のコップにやり、水をぐうっと呑《の》み干すと、電気スタンドを消した。

朝露でまだ芝生の湿っている早朝の小金井《こがねい》ゴルフ・クラブに、早くもコースを廻りはじめた三人の人影があった。八時のオープンの時間より一時間も前だったから、その三人組とキャディのほかには、遠くのコースで芝生を手入れしているグリーン・キーパーが一人、豆粒のように見えるばかりで、武蔵野《むさしの》の面影を残している雑木林のあたりからは、野鳥の囀《さえず》りが聞えて来る。

オープン前の早朝のコースを廻る組は、必ずといっていいほど、人目を憚《はばか》る特殊な雰囲気を持っている。都心から車で四、五十分という地の利のよさと、コースも一流というところから、夜の会合でうっかり顔を合わせられない〝永田町〟や〝霞が関《かすみせき》〟の政官界人、それに〝丸の内〟界隈《かいわい》の企業忍者たちが、さり気なく、政治的な取引を行なう恰好《かっこう》の場所として、しばしばここを利用している。

今朝の三人組は、阪神銀行東京事務所長の芥川と大蔵省銀行局長の春田、そしてこのゴルフ・クラブ専属のプロ・ゴルファー、村上寅七《とらしち》であった。

「局長、今日は最初から随分、当りがいいですね」

一番ホールが終ると、芥川は、スコア・カードに成績を記《しる》している春田局長に幾分の阿《おもね》りを籠《こ》めて云った。

「うむ、村上プロのような大御所《おおごしょ》にレッスンして貰うとなると、自《おの》ずから気合いが入るよ」

春田局長は、大振《おおぶ》りな目鼻だちの割に、唇が妙に薄く、それが見るからに官僚らしい怜悧《れいり》さを漂わせていたが、その顔を上げて、上機嫌に応えた。そんな春田を見ながら、芥川はやはり、万俵頭取の電話の指示通り、村上プロに〝朝の特訓〟を受けるという形を取ったことは、まさに名案だったと思った。村上プロを使うのは派手過ぎて、春田の方が警戒して乗って来ないだろうと芥川は懸念《けねん》したが、万俵は、春田はゴルフ歴が浅く、ハンディも二十台どまりで、銀行局長という立場上、あまり恰好のいいものではないから、村上プロのような大御所にレッスンを受けられるとなれば、春田にとって非常な魅力に違いない、しかも、村上寅七クラスにそんな無理を頼めるのは、彼が関西の広野ゴルフ倶楽部《クラブ》出身で、キャディ時代から万俵がいち早く彼の素質を見抜き、何かと面倒を見てきた縁故があればこそで、他行が真似《まね》することの出来ない接待だと云ったのだった。

二番ホールに来、春田がアイアン・ショットにしくじると、それまで黙って、春田の打ち方を観察していた村上プロが、はじめて口を開いた。

「アイアンの時は、ボールを掬《すく》おうとしないで、打ち込むつもりでやってごらんなさい、こういう風に——」

絵に描いたようなダウンブロー・ショットをしてみせた。春田は、感嘆の面持でそれを見、自分も思いきり打ち込むつもりでショットしたが、やはりダフリボールだった。

「これは相当、重症ですね、ドライバーはまずまずですが、アイアンでいつもダフってスコアを崩し、それでハンディ二十の壁を破れないんでしょう」

村上プロは、春田の長所と短所を僅《わず》かの時間に見抜いて指摘した。

「前に仲間からそう云われて、直したつもりなんだが、やはり駄目なんですかねぇ」

「じゃあ、ちょっとこちらへ――、向うに一本松がありますね、ここから思い切り打ち込んで、あの樹《き》の一番下の枝を抜いて、グリーンを狙《ねら》って下さい」

そう云われると、春田は眼前の一本松を睨《にら》みつけ、松の枝の下を抜く低いボールを打つつもりでショットしたが、ボールは幹に当ってはね返り、春田は口惜《くや》しそうにクラブの先で芝生を叩《たた》いた。

「あせらずにあの枝の下をぬけるまで、何度でも打ってごらんなさい」

村上プロは厳しく云った。その間、芥川はバンカー・ショットの練習をする素振りをしていたが、名人気質の村上プロが春田を腐らせないかと、気が気でなかった。

不意にパカーンという快音が響き、春田の打ったボールが松の枝の下を突きぬけて、グリーンに見事に乗った。

「ナイス・ショット！」

芥川は思わず叫んだ。春田も会心の笑いをうかべた。芥川はすぐ傍《そば》へ寄って行き、

「いやあ、さっきまでのと様変《さまがわ》りの球筋ですね、こういうのは教え方がうまいのですか、それとも教わり方がいいんですかねぇ」

巧みなお世辞の云い方をすると、村上プロは、

「掬い打ちをこういう方法で矯正するのは、私の案ではなく、昔、イギリスのエドワード八世が皇太子だった頃、やはり掬い打ちの悪癖がどうしても直らなかったのを、アメリカの有名なプロが樹を使ってレッスンしたその故事に倣《なら》ったまでですよ、もっとも春田さんと皇太子と、どちらが覚えが早いか、そりゃあ解《わか》らないが、覚えはいい方ですね」

ぶっきら棒に答えた。春田は、その村上プロの譬話《たとえばなし》が大いに気に入ったらしく、

「じゃあ、これからコツを忘れかけたら、またこの樹の下でやることですね」

頬を上気させていた。芥川はすかさず、

「村上さん、その時はまた、〝春田皇太子〟のご指導をよろしく頼みますよ」

と云うと、村上プロは今日の自分の役割を含んでいたから、頷《うなず》いた。これで春田は、

いつ来ても遠慮なく村上プロにレッスンを受けられる黙契が成りたったわけで、春田の相好が崩れるのを、芥川は抜け目なく見届けた。

中断されていた二番ホールのプレイを再開し、やがて七番ホールまで進むと、そのつど三球ずつ打っている春田の額や首筋に汗が流れて来た。

「局長、この辺《あた》りで少し休みましょうか？」

頃合いとみて芥川が云うと、春田も頷いた。

「じゃあ、私は先に八番へ行ってます」

村上プロはそう云い、キャディを連れて、先に坂を下りて八番ホールへ行き、芥川と春田は、丸太造りの四阿《あずまや》へ入って腰を下ろした。

「いかがですか、村上プロは？」

「うん、やはりその道の一流人は、寸言人を刺し、寸言人を導くねぇ」

快げに顔の汗を拭《ぬぐ》った。

「そう云って戴くと、何よりです、ところで今日は折入って、局長にお伺いしたいことがあるのですが――」

芥川が口を切ると、春田は四阿から八番ホールの村上プロの豪快なショットを見下ろしながら、

「美馬君が昨日の朝、突然、僕の部屋へやって来て、小金井の〃朝の特訓〃に付き合ってやってほしいと頼み込むものだから、ともかくこうして都合をつけて来たんだが、至急の用件とは、何ですかね？」

「実は第三銀行と平和銀行の合併の信憑《しんぴょう》性についてお伺いしたいのです、両行はほんとうにやるのですか？」

芥川は単刀直入に聞いた。

「美馬君から、聞いていないかね？」

「いえ、この情報は、当行が独自でキャッチしたものです」

「ふうむ、そうかもしれないな、何しろごく最近の動きだからねぇ」

芥川の縁なし眼鏡が、きらりと光った。

「なるほど、最近の動き――そうですか」

春田は〃最近の動き〃という表現で、両行間に合併の動きがあることを認めたのだった。その確認を銀行局長自らの口から取ったのは大きな収穫であった。芥川はさらに、

「それに対して局長はどういうお考えなんです？　青信号を出すつもりですか、それとも赤、黄、どちらなんですか」

「それは今の段階では、何とも云えないね、もうこの辺でいいだろう」

春田は、両行の動きを認めたことで、美馬への義理は帳消しだといわんばかりに話を打ち切りかけたが、芥川は、引き下らなかった。

「春田局長ご自身の金融再編成に対する考えは、お変りにならないのでしょう、とすれば、この合併は再編成の火ぶたを切る突破口として、当然、積極的にバックアップされると解釈していいんですね」

相手の応《こた》えを引き出すために、わざと一人ぎめするように云うと、

「その辺のところは、せいぜい君たちで想像を逞《たくま》しくして貰うことだね」

そこまでは簡単に応えられないと、云わぬばかりの口調であった。芥川はとりつくしまもなく、口詰ったが、

「じゃあ、第三、平和の合併問題はぬきにして、中位行の再編成について局長はどうお考えなんですか？　上位行へ吸い上げる方ですか、それとも下位行と抱き合せるんですか」

素早く話を一般論にすりかえた。

「これからの合併は大が小を食ういわゆる弱肉強食型では難かしいだろう、格差の少ない同じ程度の規模の銀行同士が二行、もしくは三行、連合軍を組んで上位に対抗す

るといった、そういう合併でなければ実現困難な気がするねぇ」

「なるほど、それなら第三と平和の合併は今、局長がおっしゃった意向通りじゃあないですか、ということは大蔵省として青信号を出すとみていいのでしょう」

「しかし、その理論も、いざ実践となると、何しろ銀行というのは複雑な生きものだけに難かしいんだねぇ、そこが予算や税金を扱う局とちがうところなんだ」

いかにも実力局長らしい云い方をしたが、何かにひっかかっている節《ふし》が感じられた。

「というのは、両行の橋渡しをしたのが日銀だからですか？」

「日銀？　そんなもの、われわれは問題にしちゃあいないよ」

頭から論外だと、云わんばかりに否定した。

「とすると、永田大臣のあたりで、何か決断に迷われるようなことがあるんですね？」

「うん、まあね、例の男が動いているからねぇ」

春田が例の男というのは、永田大臣の政敵である前大蔵大臣、現幹事長の田淵《たぶち》円三のことであった。

「ほう、そうですか、しかしどちらの銀行も、あの線は薄いのじゃないですか？」

各銀行には、必ずといっていいほど与党の実力政治家が背後について、資金パイプとなっている。

「ところが、第三銀行のうしろで動いているんだ」

「じゃあ、大蔵省の意向は目下、これのサイン待ちですね？」

親指をたて、永田大蔵大臣のことを云《い》った。

「まあ、それも想像に任せるよ」

春田はさっきと同じようにはぐらかしたが、今度はにやりと笑った眼が、それを肯定していた。いかに〝合併屋〟と云われる春田でも、自分のボスの政敵である田淵幹事長の資金パイプを太くさせるかもしれない合併を、おいそれと進めるわけにはいかなかった。

「どうも今日は、大へんな土産話を戴きました、万俵がさぞかし感謝致しますことでしょう」

その返礼は改めてというニュアンスを籠めて云い、二人は再びコースへ出た。

万俵家のダイニング・ルームに銀平と万樹子が珍しく顔を出していた。樫《かし》の大テーブルの上に到来ものの生牡蠣《なまがき》が、氷をのせた大きな銀皿に盛られている。テーブルの正面は、いつものように大介の席であったが、大介は書斎の電話にたっている。左側の妻の席には今夜は寧子が坐《すわ》り、右側に相子、その隣に三子が坐っているが、二子は東京の音楽会へ出かけて不在だった。

「今日は、お義兄《にい》さまご夫妻は？」

万樹子は、何となく気詰りな気持で、向い側の席の三子に聞くと、

「鉄平兄さまは、このところ高炉建設で忙しく、殆《ほとん》ど工場へ泊り込んではるんですって、だからお嫂《ねえ》さまも失礼しますってことやわ」

大阪弁の混じった標準語で応えた。

「でも、お嫂さまだけでもお越しになればおよろしいのに――」

万樹子は残念そうに云ったが、早苗と仲がいいというのではなく、万俵家の人々の中に、自分一人、混じっていると、たとえ傍《かたわ》らに夫の銀平がいても、息苦しさを感じるからだった。しかし万樹子と並んでいる銀平は、そんな万樹子の気持など斟酌《しんしゃく》せず、久しぶりに顔を合わせた母に、何かと話しかけている。

「待たせたね、さあ、戴《いただ》こうか」

長い電話を終えて大介が席に着くと、相子は純白のワンピース姿で、にこやかな笑

いをうかべ、

「さあ、志摩半島の的矢《まとや》牡蠣ですよ、たっぷりと召し上れ」

とすすめた。大介は大きな牡蠣を皿に取り、フォークで殻をはずしながら、

「銀平たちと一緒に食事をするのは、久しぶりだね、大分、落ち着いたかね？」

万樹子の方を見て云った。

「はい、おかげさまで、やっと家内《いえうち》の勝手が解って参りましたわ」

めったに話すことのない舅《しゅうと》であったから、ぎこちなく応えた。

「そうかい、何か不自由なことでもあれば、遠慮なく云うがいい」

「快適な新居ですし、今は何もございませんわ」

と云ったが、結婚後間もなく、三台のベッドが並んでいる二階の寝室を見、妻妾同《さいしょうどう》衾《きん》の事実を知ってしまった万樹子には、万俵大介を舅として尊敬することは出来なかった。相子はそんな万樹子の心を読み取るように、

「明後日《あさって》は、安田さまの還暦祝で、お招きを受けておりますけれど、ご都合はおつきになるんでしょう？」

大介の方へわざとらしく云った。

「うむ、他ならぬ万樹子のお父さまのおめでたい会だから、何はさておいても伺う

よ」

と応えながら、大介は、芥川からの電話の内容を頭に思いうかべた。第三銀行と平和銀行の合併の動きに対して、銀行局長の春田は、永田大蔵大臣の政敵である田淵幹事長が両行の背後で糸を引いていることを警戒し、永田大臣のサイン待ちであることを伝えて来たが、明後日の還暦祝の席で、第三銀行と長い取引のある大阪重工の安田社長から、官庁とはまた別の情報が引き出せるかもしれないと思った。もしそれが出来て、しかも第三銀行が、平和銀行ではなく、阪神銀行へ首を振ってくれるようなとっかかりでも探りあてることが出来れば、それこそ閨閥《けいばつ》によって得るメリットというものであった。そう思うと、大介は、優しい笑いを口もとに漂わせ、

「もちろん、銀平も行くねぇ?」

と聞くと、銀平はワイン・グラスを口に運びながら、

「僕は、失礼させて戴くつもりですよ」

「それはいかん、万樹子と揃《そろ》ってお祝いに行くことが、安田のお父さんの何よりものお喜びだよ、ねぇ、万樹子」

「ええ、ですけれど、この人はいつもこうなんですから——」

その言葉の中に、万樹子と銀平の間がうまく行ってない様子がうかがわれ、座が白

けかけたが、相子は、そんな気まずい雰囲気をふっ消すように、

「安田さまの還暦祝のお品、出来て参りましてよ、きっとお喜びになって下さいますわ」

自分が任されて選び、注文した品のことを持ち出すと、

「あら、何になさったのん？」

三子が、好奇心に満ちた顔で聞いた。

「それは内緒、万樹子さんにも内緒なんですもの――」

そう云って万樹子を見た相子の眼は、異様な光を帯びていた。〝内緒〟という言葉に、三台のベッドの秘密を知ってしまった万樹子への牽制《けんせい》があり、万樹子の結婚前の異性関係を知っているという脅かしがあった。万樹子はたじろぐように体をうしろへそらせた時、膝《ひざ》からナプキンが滑り落ちた。目だたぬようにそっと体を屈《かが》めてテーブルの下へ手を伸ばしかけて、万樹子はあっと息を呑《の》んだ。

テーブルの正面に坐っている舅の大介と、その右側に坐っている相子が、テーブルの下で足を絡《から》み合せているのだった。万樹子は、眼の眩《くら》むような衝撃を受けた。家族で食事をしている食卓で、しかも未婚の娘がいる食卓の下で、足を絡ませている舅と相子の姿は、獣のような生臭さを帯びていた。ナプキンを取ってもと通りの姿勢に返

り、舅の方を見ると、万俵は銀髪端正な顔で中央の椅子《いす》に坐り、家父長らしく振舞っているのだった。万樹子は、その舅に底知れぬ複雑怪異な人間性を感じた。

＊

芦屋の安田太左衛門の邸《やしき》で、祭日の昼下り、太左衛門の還暦祝が催されていた。十二畳と十畳続きの奥の座敷の正面に、紋付に赤い甚平《じんべ》を重ねた太左衛門が坐り、その両側に、妻と長男夫妻、東京から駈《か》けつけて来た太左衛門の兄弟をはじめ、親《ちか》しい縁戚《えんせき》が三十人ほど集まり、万俵家からも、万俵大介と銀平、万樹子夫妻が出席していた。ごく内輪《うちわ》の会であったが、『かき繁《しげ》』の懐石膳《ぜん》が並び、賑《にぎ》やかに座がはずんでいた。

「そうして赤い甚平を着ておられると、お父さんも今日ばかりは好々爺《こうこうや》に見えますね」

父と同じ大阪重工の営業部長をしている長男が云うと、無地一つ紋を着た母の佳江も、

「お対《つい》で作った頭巾《ずきん》も冠《かぶ》ってくれはったら、いうことありませんのに」

残念そうに頷《うなず》いた。

「甚平はお前たちが無理に着せたから仕方なしに着ているが、あんな花咲爺《はなさかじい》さんみたいな頭巾を冠せられては、ほんとに耄碌爺《もうろく》さんになってしまいそうだよ」

太左衛門は温和な顔に似ず、六十という自分の齢《とし》を頑固に否定するように云うと、中央製紙社長の安田長兵衛は、

「万俵さん、弟はこれで諦《あきら》めの悪い奴《やつ》でしてね、還暦祝など真っ平だと逃げ廻るのを、皆で説得するのに手子摺《てこず》りましたよ、その点、私など三年前に素直に赤い甚平を着て、頭巾も冠ったもんですがねぇ」

と云うと、太左衛門の実弟で五井地所社長である安田三衛門は、椀物《わんもの》の蓋《ふた》を取りながら、

「今の兄の話も少々、眉唾《まゆつば》ものでしてねぇ、還暦を迎える二人の兄の姿を見ていると、六十という齢は、何かこう捨て切れないものがあるようですね、女の方も含めて――」

二人の兄より野性味のある風貌《ふうぼう》でにやりと笑った。万俵はその言葉をさらりと受け流し、

「あなた方は、さすがに秀才三兄弟の誉れがお高いだけあって、いずれ劣らず一癖も二癖もおありで、大へんな親戚を持ってしまったものですよ」

親しみを籠《こ》めた調子で云うと、また笑いが起り、還暦祝の席は、和気藹々《あいあい》と賑わって行ったが、銀平と万樹子夫妻だけは、そうした雰囲気《ふんいき》からかけ離れた気配であった。

「おい、万樹子、今日はいつものように写真を撮らないのか、ジュネーブの美和子が、パパの甚平姿をみたいから、是非、写真を送ってくれと云って来てるんだよ」

長男の兄が、外交官に嫁いでいる万樹子の姉のことを云った。一族の集まりの時には、カメラの好きな万樹子がいつも撮影係を引き受け、ユーモアたっぷりなスナップ写真を撮るのが常であった。

「いいわ、撮ってあげるから、カメラを貸して——」

万樹子は、訪問着の袖《そで》をのばして、カメラを受け取り、縦にかまえて、レンズの中に父の顔を捉《とら》えた。温和な澄んだ横顔であった。シャッターを切りかけると、カメラに気付いた太左衛門が万樹子の方へ顔を向け、笑ってみせた。

「パパ、もっと笑って、よくって？　撮るわよ」

万樹子は、久しぶりに末娘らしい甘えた口調で云い、なるべく真っ正面に父親の姿が捉えられる位置に体をずらせ、カメラを構え直し、はっと手を止めた。レンズの端に、舅の万俵大介の顔が入っていた。端正なその顔は、新しく姻戚関係を結んだ父や伯父たちに向って、にこやかに頬笑んでいたが、レンズを通すと、頰から分厚い唇にかけて脂《あぶら》ぎった肉付きが浮彫りにされて見える。万樹子は、二日前の晩餐《ばんさん》のテーブルの下で、舅が相子と蛇のように足を絡ませ合っていた情景を思い出したのだった。

「万樹子、どうしたんだ?」

シャッターを切る手を止め、万俵大介を凝視している万樹子に、太左衛門は訝《いぶか》しげに聞いた。

「少し気分が悪いだけ、帯をきつく締めすぎたせいかもしれないわ、ちょっと直して来ます」

万樹子はそう云うなり、カメラを兄に押しつけ、席をたった。万樹子の心中を知らない人たちには、結婚しても相変らずの我儘《わがまま》と気まぐれとしか映らなかったが、銀平だけは、万樹子の心の動きを察していたようだった。しかし、ちらっとも表情を変えず、大介に似た端麗な顔を庭に向けて煙草《たばこ》をふかし、お義理で出席している様子を隠そうともしない。

万樹子は座敷を出ると、着物の裾《すそ》を蹴《け》るようにして渡り廊下を渡り、中庭に面した座敷へ駈《か》け込んだ。嫁ぐ前まで万樹子が使っていた部屋で、ベッドも、整理簞笥《だんす》も、鏡台も、嫁ぐ前のそのままの位置に置かれ、娘時代ののびのびとして明るかった息吹《いぶ》きまで残っているようだった。万樹子は、張り詰めていた気持が頽《くずお》れるように泣き伏した。

廊下を渡って来る足音がした。母が後を追って来たらしい。万樹子は涙を拭《ぬぐ》い、急いで鏡台に向って顔を直した。

「どうしはったの？　万樹子――」

部屋へ入って来た佳江は、心配そうに聞いた。

「少し気分が悪くなっただけ……」

それ以上、口を開けば、三台のベッドが並んだ万俵大介の寝室のことを話し、妻妾同衾の事実を告げてしまいそうであった。そうすれば、自分の結婚前の異性関係が、相子によってぶちまけられてしまう。万樹子は、じっと唇を嚙《か》みしめた。

「ほんとうに、どうしはったの？　お前の様子が妙に元気がないので、お母さんは心配で、もしかして、おめでたではと思うて――」

母親らしい気遣いで聞くと、万樹子は頭を振った。

「そんなことないわ、たとえ、そうだったとしても、私は産みたくないわ、私は帰りたいぐらいよ！」

「まあ、帰る――、何ということを云いはるのです、銀平さんと何かあったとでも云うの？」

「ううん、何も——、ただ私、万俵家のような家は大嫌い、このまま家にいたい」

そう云い、両手で顔を掩《おお》った。

「万樹子、どんな気に入らないことがあったかもしれないけど、あんなごりっぱなお舅さまがおいでのご一族のことを、そんな風に云うのは、あまりにも我儘が過ぎます、お前が嫁いでからの、うちのお父さまと万俵さまのおつき合いは、前にも増して深うなり、現に今も、お二人きりで何かお話があるとかで、お茶室へ入られたのですよ」

中庭を隔てて見える茶室の方を眼で指した。柴垣《しばがき》の向うの茶室は、ひっそりとして人気《ひとけ》を感じさせなかったが、躙口《にじりぐち》に二つの庭下駄が、脱ぎ揃えられていた。

明り障子を通して射《さ》し込む秋陽《あきび》が、帚《は》き浄《きよ》められた畳の目一つ一つまで浮きたたせている。静かな湯の音がたぎり、万俵大介と安田太左衛門は、二人きりで向い合っていた。

炉の前に坐った安田太左衛門は、見事な袱紗《ふくさ》捌《さば》きで棗《なつめ》と茶杓《ちゃしゃく》を拭《ふ》き、おもむろに柄杓《ひしゃく》を構えると、湯を釜《かま》から掬《すく》った。

安田は一言も発せず、万俵も正客の座に端坐したまま、黙って安田の点前《てまえ》を見守っった。

湯を注ぎ、静かに茶筅《ちゃせん》を動かし、茶をたてると、安田は、万俵の方へ茶碗《ちゃわん》を押しやった。床の間の雪舟《せっしゅう》の枯山水《かれさんすい》の軸が茶室の静寂さをより幽玄なものにしている。

「頂戴致します」

万俵はそう云うと、作法通り茶碗を両の掌《たなごころ》におしいただき、ゆっくりと呑み干した。そして茶碗を賞《め》でるようにその焼きや容《すがた》に眼を凝らした。青織部《おりべ》で、青緑色の地に白く菊花が染め抜かれている。

「見事な青織部ですね」

茶碗の糸尻《いとじり》をかえし、感服するように云った。

「お眼どめ戴いて恐縮です、もう一服、いかがですか？」

「有難うございます、充分に頂戴致しました」

「では、先程のお話ですが――」

青織部の茶碗に、湯を注《つ》ぎながら、安田の方から口を切ると、

「おめでたいお祝いの席で、先程は、不躾《ぶしつけ》なお尋ねを致しました」

万俵は、非礼を詫《わ》びるように云った。安田太左衛門の兄弟たちがまだ現われていない座敷で、万俵は還暦祝の赤いゴルフのチョッキを贈った後、直截《ちょくせつ》に「第三銀行と平

和銀行の合併話が持ち上っているようですね？」と聞いたのだった。安田は一瞬、驚いたような顔をし、「あとで、茶室で一服さし上げながらお話ししましょう」と云《い》い、宴席がたけなわになった頃、安田の目配せで、座敷をぬけ出したのだった。

「それにしても、どうしてこんなに早く万俵さんのお耳に入ったのです？　私としては、娘のお舅《とう》さんのあなたに、いつまでも知らん顔を押し通すつもりはありませんでしたが、もう少し時期が熟してからと思っていたのです」

「お立場は、よく承知しています、で、両行合併は大蔵省筋にも、話が行っているところをみると、相当、以前から進んでいたのでしょうね？」

大阪重工は、第三銀行の大口取引先であり、大株主でもあったから、社長の安田太左衛門は、第三銀行の社外相談役の筆頭人物として、この合併には相当、深くかんでいるはずであった。

「ところが、私が第三銀行の日下部頭取からはじめて打ち明けられたのは、一カ月ほど前で、その段階では行内でもまだ正式な役員会にかけられておりませんし、日下部頭取と平和銀行の神田頭取とのトップ同士の話合いがあった直後ですから、それほど以前から進められていたとは考えられませんよ」

「じゃあ、日下部頭取が合併を考えられた動機は、何だったんですか？」

　安田は、青織部で自分も一服、呑むためにさっきと同じ点前を繰り返し、万俵も茶席での正しい姿勢を崩さなかったが、話の内容は閨閥を利用した企業のトップ・シークレットであった。

「直接の動機はやはり、兄弟会社である第三物産のメイン・バンクとしての地位を保てなくなった事態の深刻さでしょう、しかし、だからといって、日下部頭取は慌《あわ》てて合併を考えたというのでもないのですよ、ご承知のように、あの人は都市銀行の中で一番若い頭取だけあって、なかなかの理論家でしてね、前々から銀行の収益は、金融制度の自由化によって圧縮される方向にあるし、資本自由化によって、産業の編成が進み、銀行もいずれは再編成時代を経て、外国銀行と対決する日が来る、そうした銀行の将来図を考えると、都市銀行第七位の第三銀行は、財務内容、取引先の内容などからみて、競争力の点で不安があると洩《も》らしていました、それだけに今度の合併を決意したのも、じり貧を続けて、上位銀行の餌食《えじき》になって吸収合併されるより、まだ旧財閥系銀行としての威光が残っている今のうちに、頃合いのところと対等合併して、第三銀行の血液を残したいという、いわば防衛のための長期経営戦略に基づいてのことのようです」

　安田は、自らたてたお茶をゆっくりと呑み干しながら云った。

「なるほど、自行の血液を残すための合併を考えるとは、さすが名門銀行ならではの発想ですね」

「ええ、それに日下部頭取は創立者大沢一門の御曹子ですから、自行の〝血〟という点には、他《ほか》のサラリーマン頭取には見られない執着を持っているようですね」

「その気持は、私も似たような立場だけに大いに解《わか》りますが、第三銀行の社外相談役の筆頭である安田さんは、第三銀行と平和銀行の合併をどうお考えになるのですか？」

万俵は、息を詰めるような思いで聞いた。安田は、茶碗の呑口を懐紙で真一文字に拭い、

「私は、原則的には賛成です、第三銀行の取引企業は、第三物産に限らず、長い間、一様に融資額の慢性的な不足に悩んでいたのですから、合併によって一挙に従来の倍近い銀行が誕生して、融資面での待遇がよくなることは、われわれにとって、大へんな魅力ですからねえ」

「しかし〝原則的には〟という条件付きの表現は、どういう意味なんです、何かひっかかるようなことでも？」

万俵は注意深く反問した。さすがに安田は、すぐには応えず、暫《しばら》く炉の炭火に眼を

向けていたが、

「実はとんとん拍子で進んで来たこの合併話が、最近、少し揉《も》めて参りましてね」

「ほう、どのような点で？」

思わず、万俵は膝《ひざ》をにじらせた。

「両行が合併した場合の新銀行の人事の点で、なかなか話合いがつかないのです」

「今のところ、トップはどちらになりそうですか？」

「それが両行相譲らずでしてね、規模からいえば第三銀行がトップをとることになるのですが、平和銀行の神田頭取は名にしおうワンマン頭取だけに、この合併はトップを自行でとることが出来ればこその合併だとして、一歩も退《ひ》かず、代表権のある会長のポストを周囲がすすめても、頑として応じないのですよ、そこへもって来て、何しろ初めての都市銀行同士の大型合併ですから、大蔵省、政治家が各々の立場や思惑で、何とか自分の手によってこの合併を成立させようと動いていますから、ますます問題を複雑にこじらせているのです」

安田は、苦々しげに云った。

「政治家といえば、田淵幹事長が非常に積極的に動き、永田派の春田銀行局長あたりの反感を買っているとも聞いていますが、一体、田淵幹事長はどの線と繫《つな》がって動いているのですか？」

芥川が、春田銀行局長を小金井ゴルフ・クラブの〝朝の特訓〟に連れ出して聞き出した情報を口にすると、

「そんなところまでご存知なんですか、それならお話ししますが、実は第三銀行の瀬川副頭取と田淵幹事長は、世間にはもちろん、玄人《くろうと》筋の間にさえあまり知られていないのですが、因縁浅からぬ間柄にありましてねぇ、というのも日下部頭取は、あの通りの理論派の御曹子で、実戦面に弱い欠点があるので、瀬川副頭取がもっぱら女房役として、内堀を固めているのですが、田淵さんが大蔵大臣だった時、どううまが合ったのか、或《あ》るいは意識的にどちらかが接近したのか、解りませんが、非常に昵懇《じっこん》になったようですね」

第三銀行を狙《ねら》っている万俵の心中を知らない安田は、淡々とした語調で話したが、万俵にとっては、その一言一句が、阪神銀行の合併方針を決める貴重な情報であった。いつの間にか陽が傾き、畳の上に映っている安田と万俵の影が長く尾をひいていた。

「じゃあ、佐橋総理の総裁選の時、第三銀行から相当な政治献金が出たというのは、その線からなんですか？」

万俵が聞くと、安田は顔を頷かせ、

「そうらしいですね、田淵幹事長が資金調達に奔走したので、第三銀行からはかなりの金が出たそうで、行内でも問題になったほどです、幸い瀬川副頭取は地味な人柄で、表だった動きをしない人ですから、田淵さんとのそうした関係は表面化せずに済んでいますが、日下部頭取はこうした瀬川―田淵の関係を嫌って、一時は瀬川副頭取の更《こう》迭《てつ》を真剣に考えたこともあるようですが、結局、更迭出来ずに今日まで来ているのです、今度の平和銀行との合併話も、大蔵省へ話が行く相当以前に、既に田淵幹事長のところへ情報が流れたというのは、この辺のところからでしょう」

「ほう、あの瀬川副頭取と田淵幹事長との間には、そんな知られざる関係があったのですか、思いもかけませんでした……」

万俵は、絶句した。今の今まで第三銀行を合併相手として狙い、平和銀行との合併話を、何とか自分の方へ乗り替えさせるべく、第三銀行と阪神銀行両行の大株主である大阪重工社長の安田に、〝旗振り〟をして貰《もら》おうと秘《ひそ》かに考え、今日の還暦祝に早々と出かけて来たのも、そうした下心があったからであった。それだけに、第三銀行の瀬川副頭取と田淵幹事長がべったりであるという安田の話は、万俵にとって大きな衝撃であった。永田大蔵大臣と深い繫がりを持っている阪神銀行が選ぶ相手として、永田の政敵である田淵が随《つ》いている相手では、不適格であり、実現不可能であった。

「そろそろ、暗くなって参りましたね」

安田が灯《あか》りを点《つ》けるためにたちかけると、

「いや、もうお暇致《いとま》しますから——」

万俵はそう云い、正客らしく挨拶《あいさつ》し、躙口から庭へ降りた。


安田太左衛門の邸《やしき》を出ると、万俵大介は、自邸に帰る車を六甲の山荘へ向けるように命じた。

十一月初旬の六甲山は、紅葉の盛りで、薄暮の中に、紅葉した樹々《きぎ》が、点々と美しい塊《マッス》を描き出し、全山、深い秋色に掩《おお》われているが万俵の眼には入らない。

表ドライブ・ウェイから杉の木立が鬱蒼《うっそう》と茂る聖者の道《シュライン・ロード》に入ると、車は速度を落した。周囲の別荘は、シーズン・オフのため、ひっそりと人気《ひとけ》なく、道の上には落葉が散っていた。

山荘の前まで来ると、管理人夫婦が大門を開けて、待っていた。安田家を出る時、連絡しておいたのだ。

山荘の居間に入ると、暖炉には薪《まき》が燃え、部屋は暖かかった。

「いつもご苦労――、ちょっと考えごとをしたくて寄ったまでだから、酒の用意だけあれば、あとは何もいらない」

万俵がそう云うと、管理人夫婦は洋酒の瓶《びん》とグラスを載せたワゴンを運んで、すぐ退《さが》って行った。

独りになると、万俵は暖炉の前のロッキング・チェアに腰を下ろした。暖炉の火が勢いよく燃え上り、檜《ひのき》の生節《いきぶし》を乱張りした野趣に富んだ壁面が、あかあかと照らし出されたが、外は昏《く》れ落ち、しんしんとした静けさに包まれていた。万俵は、ウイスキー瓶を取り、ぐいとストレートで飲んだ。苦いまずい酒であった。大蔵省官僚の美馬中に長女を嫁がせ、自行の筆頭株主である大阪重工の安田社長の娘を次男に娶《めと》り、そしてまた地元の有力企業に融資をして、地盤を着々と固めて来たつもりであったのに、第三銀行と平和銀行の如《ごと》く、深く潜行して進んでいる金融再編成の波を肌で感じると、阪神銀行など、いくらじたばたしたところで、所詮《しょせん》、神戸に本店を置く地方銀行的な都市銀行に過ぎないことが、痛感された。一片の望みもない相手とは知らずに、貴重な日時を費やし、時には狙った獲物《えもの》の大きさに秘かに悦に入っていた自分も、思えば歯痒《はがゆ》く、腹立たしい。しかし、それにしても、これからどうすればよいのか。それを考えると、万俵は恐怖に近い不安感に襲われた。一体、〝小が大を食う〟合併など、現実問題として、ほんとうに可能なことなのだろうか——。考えれば考えるほど、自ら決意した合併方針に自信が持てなくなり、挫折《ざせつ》感と孤独感が深まって来る。万俵は暫くその挫折感に打ち克《か》つように、じっと燃えさかる暖炉の火を見詰めていたが、つと椅子《いす》からたち上ると、部屋の隅にある受話器を取り、美馬家のダイヤルを廻した。

「もしもし、美馬でございますが——」

一子のゆっくりとした声が聞えた。

「ああ、一子か、私だ、元気かい？」

万俵は父親らしくそう云ってから、美馬を呼ぶように云った。

「今日はあの人、二子ちゃんの縁談のことで上京していらっしゃる相子さんと、外でお目にかかっていますわ」

「じゃあ、出先へ電話して至急、六甲の山荘へ電話するよう伝えなさい」

「でも、どちらへ出かけたのか、解りませんの——」

「なんだ、夫の出先ぐらい、ちゃんと聞いておくものだ、お前もお母さまに似て、実に頼りないんだな」

不機嫌に云い、電話を切ると、太い吐息をついた。美馬の奴《やつ》——、万俵は舌打ちし、グラスにウイスキーを注《つ》ぐと、またぐいと飲んだ。だいたい、田淵と第三銀行との情報などは、いち早く美馬から入って来なければならない性質のものだった。元銀行課長として、また永田直系の大蔵官僚として、田淵の動きは当然、美馬も知っているはずで、さらに遡《さかのぼ》れば、第三、平和銀行の合併問題そのものも美馬が全く知らないということが腑《ふ》に落ちない。それをこちらに報《しら》せて来ないのは、何か含むところがあるのか、それとも、月々、なにがしかの経済援助をうけている舅《しゅうと》といえども、聞かれないことは自分の方から喋《しゃべ》る必要がないという官僚特有の習性なのか――、万俵は薪を取り、投げつけるように暖炉の中へ放り込んだ。ぱっと火の粉が舞い上り、万俵の顔に飛んだ。顔をそむけ、後ろを振り向いた途端、テラスのガラス戸に人影が映っているのに気付いた。一瞬、ぎくりとしたが、それが大亀専務であることはすぐ解った。安田邸を出る時、西宮の大亀専務の自宅へも電話をし、すぐ六甲山荘へ来るよう呼んでおいたのだった。

「なんだ、そんなところから――、玄関から来ればいいのに」

「玄関の扉《ドア》が締まっておりましたので、こちらへ廻ったのですが、何かお考えごとのご様子で――」

大亀は部屋へ入って来ながら、ただならぬ気配を感じ取っているようだった。

「大亀君、第三銀行には思いがけないひもがついていたよ」

「ひ﹅も﹅とは、穏やかならぬおっしゃり方ですが？」

大亀は訝《いぶか》しげに聞き返した。

「ところが、第三銀行には田淵幹事長がついていたんだ、その筋がある限り、当行と第三銀行との合併は、いかに安田社長に仲介の労を頼んだところで不可能なことだ、ここまで追い込んで来て退《ひ》くのは残念極まりないが、不可能と判断したら、早急《さっきゅう》に体制をたて直して、次の合併相手を物色することだ」

「しかし、すぐ次の術《て》を打たれるより、ここは暫く状況を静観された方がいいのではございませんか」

大亀らしい慎重な意見を述べると、万俵は頭を振った。

「金融再編成の状況は、そんな生やさしいものではない、第三、平和の合併がもし成功すれば、それを契機に第二弾、第三弾の合併が続々と続き、日本の都市銀行図は大きく塗り替えられてしまう、そうなると、当行は後手《ごて》に廻って、不本意な合併を強要されることは火をみるより明らかだ、それだけに次の合併相手を物色することが緊急事だ」

万俵は強い語気で云った。大亀はその語気の鋭さに圧《お》されながら、

「では、第三銀行を断念され、次の相手を物色される場合も、やはり当行がリーダー・シップを取る合併、つまり〝小が大を食う〟合併を考えておられるのですか？」

「もちろんだ、しかし正直云って、今のところ、これときめ手になるような相手は、私の頭に思いうかんでいないが、当面なすべきは、まず目前に迫っている両行の合併を潰《つぶ》してしまうことだ、当行が有利な合併を実現するためには、当行の合併が一番手でなければならない」

燃えさかる暖炉の火に染められた万俵の赭《あか》い顔に、凄《すさま》じい決意が漲《みなぎ》っていた。

「ご決意のほど解りました、しかし、いかに永田大蔵大臣が乗り気でない合併といえども、そこはご本人に一言、打診してみないことにはと存じますが」

「解っている、早急に永田大臣に会う手だてを美馬に打たせる」

万俵はそう云い、ふと語調を変え、

「大亀君、君は、美馬という男をどう思うかねぇ？」

大亀は戸惑うように細い眼を瞬《しばたた》かせ、

「突然、そう申されても――、大へんよく切れるやり手の方だと……」

「やり手か――、確かにその通りだな」

万俵は、妙に乾いた声で云った。

赤坂のナイト・クラブ『サンブラ』では、ステージのバンドがラテン・ミュージックを流し、フロアを囲むボックスは、殆《ほとん》ど外人客で占められていた。

高須相子と美馬中は、フロアから離れた壁際《かべぎわ》の席に坐《すわ》り、バンドの演奏を楽しみながら、食後のブランディを口に運んでいた。

「やはり東京には、すばらしいナイト・クラブがあって、夜を楽しめますわね」

相子は大きく胸をきったトルコ・ブルーのドレスを着、ブルー・サファイアの指輪をはめた手で煙草《たばこ》をふかしながら、関西では得られない解放感を味わうように云った。

「あなたも、東京では人目を気にしないで、のびのびと遊べるでしょう」

「ええ、まるでニューヨークにでもいるような気楽さですわ、でも、美馬さんには、主計局のお忙しい時で、祭日もお仕事がある中を恐縮ですわ、万俵も喜んでおりましてよ、あの人は、今日は、大阪重工の安田さまの還暦祝に行っていますの」

「ほう、安田さんの還暦祝に、そしてあなたは二子さんの縁談とは、まさに閨閥《けいばつ》の両面作戦ですね」

美馬は、大介が還暦祝に行っている意図を知っているかのように云《い》い、

「この間のお手紙、いかにもあなたらしい表現でしたね、万俵家の閨閥の枝を、この際、いささか妙を得た枝ぶりにしたいというのは、どういう意味なんです？」

相子が数日前に、美馬宛《あて》に出した二子の縁談依頼の手紙のことを云うと、相子は、

「解《わか》ってらっしゃるくせに――」

「いやいや、さり気ない表現の中に、深長な意味が籠《こも》って、感心しましたよ」

「じゃあ、率直に申し上げますわ、二子さんの縁談は、財界筋からは結構なお話が沢山あるんですけれど、この際、政界の実力者との縁談を望んでおりますの」

「そうすると、鉄平さんの岳父の大川一郎氏のような党人派ではなく、今後、政界の主流を占める官僚出身の実力政治家の方がいいのでしょう」

美馬は、自分の立場に益するように云って、微妙な笑いをうかべた。

「ええ、ですから、特にあなたのお智恵《ちえ》を拝借致したくて、上京して参りましたのよ」

ほの暗いキャンドルの灯りの下で、相子はじっと美馬の眼の奥を覗《のぞ》き込み、国家予算を握る大蔵省主計局次長として、時には大臣にも頭を下げさせる場合がある美馬の顔を活用するように云った。

ステージのバンドが、タンゴを演奏しはじめ、フロアで踊る人々が多くなった。美馬は、その中で黒人の男と日本の女とのカップルを眼で追いながら、

「なるほどねえ、しかし、肝腎《かんじん》の二子ちゃんは、この間、上京してうちへ泊った時の感じでは、相子さんの考えとは、大分、違うようだな」

「そんなの問題じゃありませんわ、あなたと一子さんの時だって、そうじゃありませんこと？」

「さあ、どうだったかな、僕たちのことはあなたの方がずっとよく知っているでしょう」

美馬は、相子の新しい煙草に火を点《つ》けてやりながら、含み笑いをした。

「閨閥結婚というものは、大なり小なりそんなものですわ、その代り、人より早く出世のチャンスを得たり、権力を握るきっかけを得たりして、互いに閨閥の甘い汁を啜《すす》り合っているわけじゃありませんかしら――」

と云い、相子は、ふうっと煙草の煙を吐いた。

「そうかもしれない、閨閥作りは云ってみれば、エリートの再生産ということですからねえ」

「おっしゃる通りですわ、優秀な血統と能力を持つ者同士の結びつき、有能な閨閥エリートの再生産ですわ、そして娘の方が、息子の場合よりずっと生産価値を持っておりますわね、たった一人の娘によって、一国の象徴との閨閥だって出来上るのですもの、使いでがあるというものですわ」

相子は、こともなげに云った。美馬はそんな相子を娯《たの》しむように見詰めると、相子の顔が前へ揺れ、

「美馬さん、どこかいいお心当りはございませんこと？」

「さあ、急にそう云われてもねぇ、予算関係や銀行関係のことと違って、何しろ閨閥作りの縁談の話ですからねぇ」

思案するように云った。

「いっそ、佐橋総理のご縁戚《えんせき》に、どなたか似合いの方がいらっしゃらないかしら？」

「総理のご親戚――、これはまた、えらくはっきりとしたご希望ですね」

美馬は一瞬、あっ気に取られたが、

「阪神銀行の順位は、都市銀行十位ですけれど、万俵家の家柄、資産からいえば、総理のご親戚といえども、決してひけを取らないはずですわ」

相子は、艶然《えんぜん》と笑った。美馬の頭に、総理秘書官から銀行課長に就任した井床治郎の線が思い浮かんだ。

「まあ、心あたりを当ってみますよ、それにしても総理との閨閥など、あなたらしい狙《ねら》い方だな、大胆で、野心的で、しかも絢爛《けんらん》としている」

りませんこと？」

「そう云って戴《いただ》くと、嬉《うれ》しいですわ、じゃあ、お話はこれくらいにして、お踊りにな

美馬はグラスを置き、相子の手を取って、フロアへ出た。バンドは『ラ・クンパルシータ』から、『夜のタンゴ』に変り、相子は、長身の美馬の腕に抱かれて、久しぶりにステップを踏みながら、肩越しに、フロアの踊りの輪を見た。さして広くないフロアに外人独特の強い体臭が蒸れるようにたち籠《こ》め、体をぴったりと重ね合せたまま、長いベーゼを交わしている組《カップル》もある。相子は、ふと離婚したアメリカ人の夫と、よく小さなホールへ踊りに行ったことを思い出した。大学の研究室の研究員であったリチャードとの生活は、きり詰めた質素なものであったが、そこには夫婦のやすらぎがあった。それに比べて現在の自分は、身につけるもの、口にするもの、すべて物質的に恵まれ、万俵家を差配し、万俵家の子女の結婚を定《き》める権限をも与えられているが、考えてみれば、所詮は人の子供の縁談に走り廻っているに過ぎないのではないか。そう思うと、ふといいしれぬ空《むな》しさが、相子の胸を吹き抜け、自嘲《じちょう》的な気持がせり上げて来た。

「どうしたの？　急に考え込んだりして」

美馬の甘い声がした。眼を上げると、美馬の眼が、豊かに盛り上った相子の胸を見

詰めている。

「別に何も――、少しブランディに酔っただけよ」

「じゃあ、僕に寄りかかって、踊ればいい――」

耳もとで囁《ささや》くように云われると、相子は、身をゆだねるように、美馬に体を寄せた。

美馬は手を相子の腰に廻し、緩く揺さぶるように踊った。バンドはさらに官能的なリズムに変り、相子の大きな眼は上気したように潤《うる》んで、喘《あえ》ぐように美馬を見上げた。

「どう、相子さん、もっと踊る――」

美馬は、昂《たかぶ》っている相子の体を締めつけるように云った。

「ええ、あなたさえ、およろしければ――」

相子はしなだれかかるように美馬に体をまかせた。いつになく乱れかかるその相子を、美馬はさらに力を籠めて抱き寄せながら、今さらのように肉感的な魅力を持った美しい女だと思った。そして相子のような女を自分のものにし、意のままに動かしている万俵大介という男に、嫉妬《しっと》を覚えた。

＊

白い朝靄《あさもや》の中から、丹波《たんば》の中央部を縦断して但馬《たじま》まで延びている多紀《たき》連山が、次第に容《すがた》を見せはじめた。

午前六時に神戸を出発した万俵鉄平と大同銀行の三雲頭取が乗っている車は、丹波で猪狩《ししが》りをするために、神戸から三田《さんだ》廻りの国道を走り、篠山《ささやま》口から鼓峠《つづみとうげ》を越えて、多紀連山の麓《ふもと》にある草山村に向って走っていた。十一月中旬の丹波の山々は、早朝の陽の光の中で、茶褐色の山襞《やまひだ》を見せ、三岳《みたけ》山の頂上は、早くもうっすらと雪を頂いている。

狩猟用の皮ジャケットを着、自ら車を運転している万俵鉄平は、フロント・ガラスに背を重ね合せるように迫って来る山並に眼を向け、

「とうとう強引に猟へお誘いしてしまいましたね、ご多忙な頭取を——」

と云い、白い歯を見せて闊達《かったつ》に笑った。大同銀行神戸支店の開設二十周年記念のために来神した三雲頭取の多忙な日程の中で、昨日は、阪神特殊鋼の高炉建設現場の視察をして貰《もら》い、土曜日の今日は狩猟に誘ったのだった。三雲は、朝靄に包まれ、まだ明けきらぬ清々《すがすが》しい山々の景色を眺め、

「こうしていると、アメリカにいた頃、クリスマス・ホリディを待ちかねて、カナダへ一緒にトナカイ狩りに行ったことを思い出しますね、全く何年かぶりに、爽快《そうかい》な気分が味わえる——」

ほっと心が憩《やす》らぐように云った。

「草山村まではもう少しですよ、そこに祖父の代からよく知っている猟師で、猪撃ち名人と云われている親爺《おやじ》がいて、今日もその親爺に山案内を頼んでいるんです」

鉄平は、その猟師に会うことを楽しみにしているように云い、つづら折れに曲った鼓峠を下り、山間《やまあい》の小さな村落に入って、一軒の田舎家の前に車を停めた。玄関横の大きな犬舎の中から、猪《いのしし》の牙《きば》に背中をひっかけられたらしく、生々しい傷跡を見せた猟犬が二匹、ねそべりながらも、威嚇《いかく》するように吠《ほ》えたてた。

「おう、お待ちしとりましたでぇ」

七十近い老人が、待ちかまえていたように土間から顔を出し、鉄平と三雲を家の中へ迎え入れた。黒ずんだ家の中の一角には、狩猟を業とする家らしく、南京《ナンキン》錠のかかった頑丈な鉄砲入れが据えられ、炉ばたには山兎《やまうさぎ》の皮が座蒲団《ざぶとん》代りに敷かれている。

鉄平は、まず三雲を紹介すると、猪撃ち名人と云われる大垣市太《いちた》は、

「ほう、あんたはんも、銀行の頭取さんかいの、鉄平さんのお祖父《じい》さんの阪神銀行の頭取さんやった人も、猟がお好きで、よう来なはったもんやが、まあ、餅粥《もちがゆ》でも食べて温まりなはれ」

とすすめると、三雲は会釈《えしやく》して炉ばたに坐《すわ》ったが、鉄平は、

「餅粥も結構だが、猪の足跡はどんな工合なんだい?」

早々に聞いた。猪猟は、山の中の猪の足跡を見付け出すことが、何よりも第一の作業であった。市太老は日灼《ひや》けした顔を皺《しわ》にし、

「ほれ、ほれ、そんなせからしいところまで、お祖父さんにそっくりよのう、早うから、うちの若い衆《し》が山へ先見《さきみ》に行ってるから、おっつけ報《しら》せに来るじゃろう」

と云い、嫁に任せず、自ら白い湯気のたつ餅粥を椀《わん》によそって出した。鉄平と三雲は、ふうふう吹きさましながら箸《はし》をつけた。

「大旦那《だんな》さんも、この餅粥がお好きでの、まだ夜が明けきらん暗いうちから見えなさって、餅粥で腹ごしらえしてから、わしをお伴《とも》にして猟へ出かけなはったが、あの頑丈な体と健脚で、猟師と一緒に猪を追い、いつも、弾《たま》は一発しか持たれんかった、わしらが何度も危ないからと云うても、大旦那さんは、わしは一発しか持たん、一発で仕留めんことには、わしの鉄砲が泣くと云いなはって、ジェームス・パーディの銃床を撫《な》でなさったもんや」

昔を懐《なつ》かしむように市太老が云うと、

「そのジェームス・パーディは、僕がお祖父さんから拝領していて、今日は持って来たよ」

鉄平は傍《そば》に置いた銃ケースの中から、そのイギリスの名銃を取り出した。三十年前のものであったが、拭《ふ》き磨かれた銃口は黒く光り、機関部の彫刻は、いぶし銀のような渋い重厚さで作られていた。三雲も吸いつけられるようにそれを手に取り、

「これが幻の銃と云われるジェームス・パーディですか、なるほど銃を使う者の身長に応じて銃床の長さをきめ、一梃《ちょう》、一梃、手作りするだけあって、銃の製作を始めた年月日と完成した年月日まで明記されている、この銃は三年三カ月かかっていますね、実にイギリス人らしい――」

その重厚な作りに、眼を凝らした。市太老も、じっと眼を細めるようにして見、

「何しろジェームス・パーディは、銃一匁《もんめ》の値段と、金一匁の値段が同じと云われるほどやそうやが、大旦那さんはもう一つ、ホーランド・アンド・ホーランドという、これも鉄砲撃ちなら涎《よだれ》をたらしそうな逸品を持ってなはったはずや」

「あれは、今、父が持っているよ」

「ほう、お父さんの手もとに――、頭取さんも、以前は、鉄平さんや銀平さんを連れて、猪撃ちに来なさったものやが、五、六年前から、とんとお見えにならん、猪の方は止《や》めなされたんかいな?」

「いや、そちらの方は、さっぱりご無沙汰《ぶさた》だけど、鴨《かも》と雉《きじ》撃ちの方は、たまには出か

けているよ」
　と云うと、三雲は眼に笑いを含み、
「昔から鶉《うずら》はおおみやびとの猟、雉撃ちは王侯貴族、猪は武将の猟といわれているから、その伝で行けば、やはり万俵大介氏は王侯貴族の雉撃ち、鉄平君は武将の猪撃ちというところでしょう」
「武将とは嬉しい言葉ですね、僕は王侯貴族などより、戦国の武将として闘う方が性《しょう》に合ってますよ、今、建設中の高炉だって、戦国武将の初陣《ういじん》の気持でやっています、それに対して、三雲頭取には、いつもひとかたならぬお力添えを下さって、感謝しています」
　姿勢を改めて礼を云うと、三雲も改まった表情で、
「私が、あなたに力を入れているのは、決して個人的な気持からではありませんよ、あなたがやっている阪神特殊鋼の優秀な技術とあなたの仕事に対する情熱に賭《か》けているのですよ、大げさに云えば、阪神特殊鋼の将来性に対して、当行は従来の銀行の常識を越えた積極的な融資方針を取りたいと思っているのですから、しっかりやって下さい、今日は一つ、お互いの鋭気を養う意味で、久しぶりに大いに銃を撃ちましょう」

静かではあったが、強い語調で云い、

「鉄平君のお祖父さんではないけれど、餅粥をもう一杯、戴こう」

鉄平もお替りを云った。市太老は嬉しそうに、

「さあ、たんと食べて、撃つからには大猪を撃って来て下されな、わしも昔は十一月から二月までの一年に百日しかない猟期に、百頭は仕留めたものや、それもワタヌキ（臓物抜き）三十四、五貫という大猪ばっかりや、その代り、わしは夜寝てても、猪のことばっかり考えとったが、鉄平さんの鉄砲の腕前は、上っとりますけ？」

「ちょいちょい、射撃場で撃ったり、近くの山へ鳥撃ちぐらいには行くから、まあまあのところだよ、三雲さんはいかがです？」

「私はこのところ、ずっとやっていないから、どんなものかねぇ」

三雲がちょっと自信なさそうに応《こた》えた時、若い衆《し》の一人が、猪の餌《え》ばみの跡を見付けたことを報せて来た。市太老の眼が光った。

「なに、赤柴《あかしば》山に猪の餌ばみの跡があったと？　さあ、早う行きなはれ、わしは猪が来たらまだ撃てるけんど、山歩きはえろうてのう、息子と地元の猟師によう云うてある」

追いたてるように鉄平と三雲を送り出した。

外へ出ると、若い衆はライトバンに飛び乗り、鉄平の運転する車がそれに続いて、草山村からさらに十キロ奥の赤柴山へ向った。

鉄平と三雲は、編上のハンターシューズ、大垣市太老の長男の市郎と地元の猟師たちは地下足袋に足もとを固め、ともに肩から銃をさげ、十頭の猟犬を先導にして、半時間近く山道を歩いていた。朝の山中は、時々、喬木《きょうぼく》の上でばさっと飛び交う野鳥の羽搏《はばた》き以外には、不気味なほど森閑としている。その中を猪の足跡を見つけるのが、猪猟《ししりょう》の第一の作業だった。猪は夜になると、人里の田畑を荒し、明け方、山へ帰って笹藪《ささやぶ》や岩陰を寝屋《ねや》にして眠っているから、猟犬をかけて、その寝屋を見つけ出すのだった。猟犬といっても、猪猟の中で自然に狩りの方法を覚えた雑種で、額に傷のある犬、顎《あご》のつぶれた犬、猪に牙をかけられた傷あとのある犬の一群であり、猟師頭《がしら》の大垣市郎の命じるままに動く。

先頭を歩いているハナ犬が、俄《にわ》かに鼻を地面にすりつけた。市郎をはじめ七人の猟師たちが眼を光らせ、犬のあとを注意深く見ると、猪の足跡らしい窪《くぼ》みがついている。一行にさっと緊張の色が漲《みなぎ》ったが、ハナ犬は、それ以上の反応を示さなかった。

「こりゃあ、昨夜《ゆんべ》の足跡ではなさそうよの」

市郎はそう判断し、再び歩き出した。尾根伝いに暫《しばら》く歩き出すと、山道はさらに険しく、太い松の樹《き》が聳《そび》えたち、背丈よりも高い山笹が鬱蒼《うつそう》と生い茂って、その切れ目から朝の陽に映えた多紀連山が見はるかせる。猟師たちは肩に銃をかけ、平地を歩くような足どりで進み、鉄平もそれに随《つ》いて歩いていたが、三雲はともすれば遅れがちであった。暫く猟から遠ざかり、五十を過ぎている三雲には、鉄平が用意したレミントンを肩にかけ、弾帯を腰に巻いての猪追いは、相当な負担になっている様子だった。

「三雲さん、銃は私がお持ちしましょう」

「じゃあ、そうお願いしようか」

三雲は、鉄平に銃を渡し、鉄平は二梃の銃を肩にかけて歩いた。

不意に先を行っていたハナ犬がくんくんと鼻を動かした。そのあとを拾うと、猪の足跡らしい窪みが、点々と掘り返されている。猟師頭の市郎は、注意深くその跡を見た。

「この大きさなら、親猪らしいのう」

足跡の大きさが直径二センチぐらいなら、今年生れた当歳猪《とうさいじし》、三センチぐらいなら古子《ふるご》（二歳）、五センチもあれば親猪と、長年の猟師の経験で見分けられる。そして掘り返されている土の工合から、丹波に住みついている〝居付《いつき》〟の猪か、よそからの渡り猪かということも見分けられる。

山の中腹あたりまで来ると、猪の足跡を追う激しい追撃行にさすがの鉄平も遅れがちになり、三雲は息切れし、地面に鼻をすりつけて歩く犬の息さえ荒くなった。突然、先頭をきっている犬が、ぴたっと足を止め、他《ほか》の犬もさっと逆毛をたてて、笹叢《ささむら》のあちこちに匂《にお》いを嗅《か》ぎはじめた。

「おっ、やっと見つけたな」

鉄平が云《い》うと、三雲もうしろから、

「とうとう追いついたね、猪の寝屋はこの近くなんだろうか?」

元気を取り戻した。市郎は、地面の足跡を仔細《しさい》に見て歩いてから、

「どうやら二頭らしいが、この山なら、だいたい尾根の南側の岩陰を寝屋にしていることが多いから、尾根の頂上から犬をかけて起したら確かや」

と云い、猟師たちは円陣になって、猪を追い出す作戦を練り、各自の持場をきめた。

市郎は、追出し役で十頭の犬を連れて尾根の頂上へ登って行き、他の七人は、猪の逃げ道を遮《さえぎ》るために四方に散って、包囲網を張った。三雲と鉄平は、犬に追い出された猪が、最も出て来る可能性が強い尾根の西側の谷道で、〝待ち撃ち〟することにした。

鉄平と三雲は、谷道を下り、百メートル程の距離をおいて、たった。しかし犬が猪

を追い出して来るまでには相当、時間がかかる。時には二時間も三時間も待たねばならないことがあり、その間が孤独と忍耐の時間であった。

鉄平は、笹叢に囲まれた自分の持場に腰を下ろし、祖父から譲られたジェームス・パーディを杉の樹にたてかけた。猪には煙草《たばこ》の煙が禁物であるから、煙草も喫《す》えない。鉄平はごろりと笹叢に寝転んだ。杉の樹の間から青い空が見え、鉄平は両足を伸ばして、大きく息を吸った。体中が膨《ふく》らむような解放感と爽快《そうかい》さがあった。鉄平はふと、毎日、こうした山中で猪撃ちをして過す自由で豪快な暮しを思ってみた。そうした思いは、今がはじめてでなく、学生の頃、祖父のお伴をして北陸の雉撃ちや丹波の猪撃ちをしている時にも、鉄平の胸を去来したことであった。そしていつか、祖父に猟師になりたいなと云ったら、驚くほど厳しい叱責《しっせき》を受けたことを思い出した。その日は、祖父と父と自分の三人に、市太老と五人の猟師がお伴していたが、祖父は、猟師たちの前もかまわず、「猟師になりたいとは何を云うか、お前はわしの跡継ぎだ、いや、万俵家の総領息子だ！」と激怒し、銃床で、鉄平の体を強く突いた。あまりの恐ろしさに傍《そば》にたっている父に助けを求めると、父は妙に冷たい表情でじっと自分を見下ろしていたことを覚えている。その時、父は猪撃ちというのに、きちんとネクタイを結んだ姿にハンチングを冠《かぶ》り、祖父は汚れた革の上衣にだぶだぶのズボンを履いて、太い眉《まゆ》、精悍《せいかん》な眼、分厚い唇に、猟師のような野性味を漲《みなぎ》らせていた。豪快そのものの祖父と、冷徹そのものの父、あまりにも対照的な二人であるのに、自分は父に似ず、顔形から体つき、性格まで祖父に似ている。市太老に云わせれば、猪の撃ち方まで祖父に似ているという。そう云えば、撃つ者の身長に合わせて作らせたジェームス・パーディの銃も、父よりは、自分に合っている。

ばさっと樹の揺れる音がした。すっくとたち上り、銃を構えると、笹叢から野鳥が飛びたっただけであった。鉄平はそばにある岩に上り、もう一度、視線をめぐらせると、樹間に三雲の姿が見えた。長い待ち時間のせいか、樹に体を寄りかからせ、何か考え込んでいるようなうしろ姿であった。市太老の家では明るく話していたが、山を歩いている時の三雲は、心の中の疲れを感じさせるような印象があった。もしや何か事故でも起るのでは――という不吉な思いが、鉄平の胸を横切ったが、三雲のために用意したレミントンは、機関部に油をさし、銃口の汚れも丹念に拭き磨いて点検してあるから、事故など起ろうはずはなかった。

ズドォーン！

尾根の上から、開始の空砲が一発、鳴り響いた。同時に犬の一団が凄《すさま》じい勢いで駈《か》け降りる気配がし、そのあと暫く、山は不気味な静けさに戻った。五分、十分、突然、谷の一角からけたたましい犬の吠声がこだました。猪を発見したのだろう。銃を構え、犬の吠声がする方向を見上げると、遥《はる》か尾根の上から疾走して来る犬の一群が、樹間に見え隠れし、

ターン！

ターン！

タターン！　ターン！

発砲の音が山中に轟《とどろ》き渡り、あとはまた静まりかえった。さては猟師たちの手で撃ち取られてしまったかと、がっかりして腰を下ろしかけると、三百メートルほど先の笹叢が揺れ動き、こちらに向ってドッ、ドッ、ドッと地響きをたてて走って来る猪の気配がした。もう一頭の奴《やつ》だな！　と思い、銃を構えると、黒い大きな猪が、三雲のいる待場《まちば》に向って突っ走って来るのが見え、猪のあとを数匹の犬が吠えたてながら追って来た。猪は笹叢を飛び越えるように走り、犬が猪の脇《わき》に追いすがったかと思うと、ぽーんと牙で跳ね投げ、三雲をめがけてまっしぐらに突進して来た。

ターン！

三雲は撃った。猪は前につんのめったが、弾は命中せず、すぐまた三雲をめがけて襲って来た。三雲は二発目の引金を引いた。しかし銃声が鳴らない。猪との距離はみ

るみる縮まり、もはや二、三十メートルであった。慌《あわ》てて三発目の引金をひいたが、また銃声は鳴らない。明らかに銃の故障であった。鉄平は、夢中で三雲の方へ走った。猪は、犬に追いすがられながらも怯《ひる》まず、先頭をきっている犬が、猪の首に食いつくと、鋭い牙《きば》で犬の腹を突き上げた。キャーンという声がし、宙に跳ね上げられると、もう一匹が、猪の前脚に飛びついた。その僅《わず》かな隙《すき》を狙《ねら》って鉄平は、引金をひいた。

ターン！

銃声が轟き、猪はどさっと笹叢へ落ち込んだ。やったぞと思った途端、笹叢から血まみれの猪が飛び出して来た。鉄平はとっさに樹の幹に体を飛び退《すさ》らせ、死にもの狂いで襲いかかる猪をやり過し、無我夢中で一発撃つと同時に、背後で銃声が鳴った。ギャッ！　と凄じい獣の叫びが上り、猪はどうと倒れた。三雲と鉄平が駈け寄って見ると、小牛ほどの大きな猪で、前脚のつけ根の心臓部のところから、どくどくと血が溢《あふ》れ出ている。一瞬、静止した静かな時間が流れ、鉄平と三雲は、互いの無事な姿を確かめ合った。

「危なかったですね――」

鉄平が土まみれの姿で云うと、三雲は額にべっとりと滲《にじ》んだ脂汗《あぶらあせ》を拭《ぬぐ》いながら、

「いや、全く――何かのはずみで弾倉のバネがはずれ、落ちていたのに気付かず、鉄

平君が撃ってくれている間に、やっと予備弾倉を付けて撃ったが、君がいなければ、ほんとに危ないところだった……」

「いや、僕だって三雲さんが撃って下さらなかったら、このもの凄い牙にひっかけられていたかもしれませんよ」

共に闘い、仕留めた喜びを分ち合っていると、

「やったかのう！」

猟師たちの声がし、鉄平と三雲が手を上げて合図すると、彼らは、谷道を勢いよく駈け下りて来た。


「ほう、鉄平が丹波へ猪撃ちに――」

万俵大介は、玄関のポーチに出迎えた寧子の言葉に頷《うなず》きながら、今日も寧子一人で相子の姿が見えないことに、不満だった。

「まだ相子は、帰って来ていないのかね」

両手をポケットに突っ込んだまま云った。二子の縁談のことで、美馬に相談するため上京したまま、まだ帰って来ていないのだった。

「ええ、まだ——でも、今日で五日、いえ、六日目ですから、もうそろそろ帰っていらっしゃるんじゃないでしょうか」

寧子は、おっとりとした口調で云った。

「ないでしょうかでは、駄目じゃないか、相子がいなければ処理できないエア・メールや電話の返事もあるだろうし、私自身も不便だ、早く帰るように云ってやることだ」

居間に入って上衣をとっても、傍《そば》にたっているだけで、手をかすことも気付かない寧子に、万俵はあてつけるように云ったが、内心は今日のように身心ともに疲れ果てている時こそ、相子の豊満な肢体を抱きたかったのだ。それに、五日前、上京したまま電話一本かけて来ない相子が、のうのうと羽をのばしているのかと思うと、内に籠《こも》った欲望がさらに昂《たかぶ》って来る。

「旦那《だんな》さま、バスを先にお使いになりますか、それともお食事の方を先に遊ばしますか？」

齢嵩《としかさ》の女中が、絹のガウンをもって来、背後《うしろ》から着せかけながら聞いた。

「どちらもまだいい、それより新聞だ」

万俵は、女の匂《にお》いをとっくに失《な》くした女中のかさかさした手の感触を背中に感じると、嫌悪《けんお》するように荒々しく自分でガウンに手を通した。

「夕刊でございましたら、こちらに――」

寧子は、テーブルの横のマガジン・ラックの中から新聞をさし出したが、夫の不機嫌な気持をときほぐす術《すべ》も知らず、おろおろしている。万俵は黙って五種類の新聞の束を受け取り、ソファに坐《すわ》って、英字紙から読みはじめた。これという記事もなく、流し読みしていると、部屋の隅の電話のベルが鳴った。紅茶を運んで来た女中が、受話器をとり、

「相子さまからお電話です、只今《ただいま》、茅《ち》ヶ崎《さき》のホテルにおいでのようでございます」

万俵にとも、寧子にともなく取り次いだ。寧子が、ほっとしたように受話器を受け取りかけると、

「いや、私が出る、伝えたいことがあるから、書斎の方へ廻すように」

万俵は、拡《ひろ》げていた新聞をテーブルの上に置き、居間と隣接している書斎へたって行った。背後の寧子や女中たちには解《わか》らなかったが、万俵の顔は、両の頬がゆっくりと緩み、分厚い唇がかすかに開いて、女の待っている寝室へ入って行く時のような表情が滲《にじ》んでいた。

万俵は、スペイン製のがっしりとした皮椅子に腰を下ろして、受話器をとった。

「もし、もし、私だ」

「お珍しいのね、もうお帰りだなんて」

相子の声が伝わって来た。その肢体のように張りと湿りを含んだ声であった。

「なかなか帰って来ないと思っていたら、茅ヶ崎くんだりまで足をのばしていたのかい、どうしたのかと心配していたよ」

思わず、ぬるむような声で云うと、

「久々に、羽をのばしているうちに、ついお電話するのも忘れてしまっていましたの、お寂しくって？　ふうっ、ふっふっ」

相子も大介の声に敏感に反応し、時折、食卓の下で足を絡《から》み合せるように電話を通して、大介の声に自分の声を絡ませるように囁《ささや》いた。

「なんだか妙に楽しそうだな、たまに羽をのばすのもいいが、二子の縁談のことを忘れているんじゃあないだろうな？」

「あら、美馬さんからお電話がございませんでしたこと？　五日前に、美馬さんとお会いして、佐橋総理の周辺でどなたかいい方がいらっしゃらないか、お探し下さいとお願いしましたら、とっさに驚かれましたけれど、心当りをあたってみましょうということになりましたのよ」

「美馬からは、電話はあったが、二子の縁談の件ではなかったよ」

「じゃあ、私、帰りにもう一度お会いして、念押ししておきましょう、あの翌日から、五井地所の安田社長夫人とご一緒して、こちらへ来て、ゴルフをしながら、以前、二子ちゃんに持って来て下さった大正電工の林社長のご長男のお縁談《はなし》を、角《かど》がたたないようにお断わりしてしまったのですもの」

「それはいいが、美馬の方は、そんなに急がせなくともいいよ」

「あら、どうしてですの？」

相子の反撥《はんぱつ》するような声が、返って来た。

「銀行の方のことで、突発的なことが起って、ここ当分は二子の縁談よりもっと重大なことで、美馬に動いてもらわねばならないからだ、だからお前もすぐ帰って来なさい、いや、明日、私が上京するから、明日の夜、麹町《こうじまち》の行邸《こうてい》へ帰っておいで、いいね、必ずだよ」

粘りつくような声で云うと、相子も熱っぽい語調で、

「ええ、帰っておりますわ、久しぶりにご一緒出来るんですもの……」

「うむ、じゃあ、明晩——」

大介はそう云い、電話をおいた時、

「お父さん、いいですか？」

と云《い》う声がした。振り向くと、扉《ドア》が開いて、そこに鉄平がたっていた。万俵は、まるで相子との情事をたち聞きされたような不快な気持がした。

「なんだ、人の部屋へ入るのに、黙って入るとは、礼儀知らずも程があるじゃないか」

厳しい口調で咎《とが》めだてると、

「扉が少し開いていたもので、お電話中とは知らず、入りかけたんですが、お話中は外に出ておりましたよ、それより、今日、丹波へ猪撃《しし》ちに行って来たんですよ、これ、猪肉です」

浅黒い精悍な顔に白い歯を見せ、猪肉の包みを大介の方へさし出した。猪特有の癖のある匂いが大介の鼻をついた。

「解禁早々に猟に行って来たのかね、大垣たちは元気だったかね」

「ええ、大垣爺《じい》さんの方は齢《とし》で、さすがにもう山歩きは出来ませんが、元気そのものです、それよりお父さん、今日は大同銀行の三雲頭取と一緒だったのですよ」

「三雲頭取と？　今、こちらへ来ておられるのかね」

「神戸支店の二十周年記念でいらしていて、昨日は多忙な日程を割いて、うちの工場へもお寄り戴き、高炉建設の進行状況を見て戴きました、そうした日頃の謝意を籠《こ》めて、三雲頭取を猪撃ちにお誘いしたんです」

と云い、鉄平は、三雲の銃の弾倉がはずれ、突進して来る猪にあわや襲われかけた話をした後、

「お父さんによろしくと、云っておられましたよ」

と伝えた。

「そうか、で、三雲さんところの阪神特殊鋼への融資方針は、その後、変らないのだろうね？」

「変るどころか、高炉建設現場をご覧になって、阪神特殊鋼の技術が優れていて、成長性、将来性という点でも、旧財閥系の一流企業と比較して、決して遜色《そんしょく》がないと、高く評価して下さいました、そして三雲頭取は行内に多少の批判があっても、自分としては、特殊鋼業界初の高炉建設を見事に完成させるために、尽力を惜しまない、自分は阪神特殊鋼に賭《か》けているとまで云って下さいました、それだけに万が一、阪神特殊鋼の高炉建設に支障が起れば、三雲頭取の命取りにもなりかねないと思うと、僕は責任の重さと同時に、今まで以上に強い闘志《ファイト》が湧《わ》いて来ましたよ」

鉄平は両の拳《こぶし》を握り、血のたぎる思いを父親に聞いて貰《もら》うように話したが、大介は

表情を動かさず、

「そんな銀行家の社交辞令を額面通りに受け取って感激するなど、お前は相変らず、人のいい奴だな、いかにこれという優良取引先を持たない大同銀行といえども、阪神特殊鋼クラスの一介の企業に、運命を賭けるなど、それほど銀行家というのは甘くないよ、三雲頭取は何か含むところがあって、お前にそんなことを云ったのじゃあないのかね？」

眼もとに冷たい笑いをうかべて云うと、鉄平は、むっとした表情で父を見返し、

「お父さんは、何かというと、すぐそういう風にものごとをご覧になるんですね、三雲頭取はそんな方ではありませんよ、阪神特殊鋼に対して、銀行家として一種の使命感をもって育成して行こうとして下さる意気込みを感じます」

むきになって抗弁した。

「まあ、そうむきになるものじゃない、それより、この猪肉で久しぶりに、お前と一緒に食事をしようじゃないか」

万俵はいつになく温かい語調で云いながら、大同銀行の三雲頭取のアキレス腱《けん》が、ほかならぬ阪神特殊鋼であることを、妙にはっきりと頭の中に畳み込んだ。狙った第三銀行を断念し、次なる合併相手を他行に先んじて探さねばならない時期だけに、同

じ都市銀行の動きは、どんな小さなことでも知っておきたかった。そんな時、都市銀行の一つである大同銀行の頭取が、融資に対してどんな考えを持ち、その泣きどころというか、どんな弱味を持っているのかを知ったことは、一つの大きな収穫であった。
　そして後日、鉄平のこの一言が、万俵の野望を決定づけるとは、鉄平はむろん、万俵自身も、思い及ばなかった。

（中巻に続く）

山崎豊子著

沈まぬ太陽

(一)アフリカ篇・上
(二)アフリカ篇・下

人命をあずかる航空会社に巣食う非情。その不条理に、勇気と良心をもって闘いを挑んだ男の運命。人間の真実を問う壮大なドラマ。

山崎豊子著

沈まぬ太陽

(三)御巣鷹山篇

ついに「その日」は訪れた――。520名の生命を奪った航空史上最大の墜落事故。遺族係となった恩地は想像を絶する悲劇に直面する。

山崎豊子著

沈まぬ太陽

(四)会長室篇・上
(五)会長室篇・下

恩地は再び立ち上がった。果して企業を蝕む闇の構図を暴くことはできるのか。勇気とは、良心とは何か。すべての日本人に問う完結篇。

山崎豊子著

白い巨塔

(一〜五)

癌の検査・手術、泥沼の教授選、誤診裁判などを綿密にとらえ、尊厳であるべき医学界に渦巻く人間の欲望と打算を迫真の筆に描く。

山崎豊子著

不毛地帯

(一〜五)

シベリアの収容所で十一年間の強制労働に耐え、帰還後、商社マンとして熾烈な商戦に巻き込まれてゆく元大本営参謀・壹岐正の運命。

山崎豊子著

二つの祖国

(一〜四)

真珠湾、ヒロシマ、東京裁判――戦争の嵐に翻弄され、身を二つに裂かれながら、祖国を探し求めた日系移民一家の劇的運命を描く。

山崎豊子著
暖簾（のれん）

丁稚からたたき上げた老舗の主人吾平を中心に、親子二代〝のれん〟に全力を傾ける不屈の大阪商人の気骨と徹底した商業モラルを描く。

山崎豊子著
ぼんち

放蕩を重ねても帳尻の合った遊び方をするのが大阪の〝ぼんち〟。老舗の一人息子を主人公に船場商家の独特の風俗を織りまぜて描く。

山崎豊子著
花のれん
直木賞受賞

大阪の街中へわての花のれんを幾つも幾つも仕掛けたいのや——細腕一本でみごとな寄席を作りあげた浪花女のど根性の生涯を描く。

山崎豊子著
女系家族（上・下）

代々養子婿をとる大阪・船場の木綿問屋四代目嘉蔵の遺言をめぐってくりひろげられる遺産相続の醜い争い。欲に絡む女の正体を抉る。

山崎豊子著
女の勲章（上・下）

洋裁学院を拡張し、絢爛たる服飾界に君臨するデザイナー大庭式子を中心に、名声や富を求める虚栄心に翻弄される女の生き方を追究。

山崎豊子著
しぶちん

〝しぶちん〟とさげすまれながらも初志を貫き、財を成した山田万治郎——船場を舞台に大阪商人のど根性を描く表題作ほか4編を収録。

山崎豊子著

花　紋

大正歌壇に彗星のごとく登場し、突如消息を断った幻の歌人、御室みやじ――苛酷な因襲に抗い宿命の恋に全てを賭けた半生を描く。

山崎豊子著

仮装集団

すぐれた企画力で大阪勤音を牛耳る流郷正之は、内部の政治的な傾斜に気づき、調査を開始した……綿密な調査と豊かな筆で描く長編。

山崎豊子著

ムッシュ・クラタ

フランスかぶれと見られていた新聞人が戦場で示したダンディな強靭さを描いた表題作など、鋭い人間観察に裏打ちされた中・短編集。

新潮文庫編集部編

山崎豊子読本

商家のお嬢様が国民作家になるまで。すべての作品を徹底解剖し、日記や編集者座談を特別収録。不世出の社会派作家の最高の入門書。

山崎豊子著

約束の海

海自の潜水艦と釣り船が衝突、民間人が多数犠牲となり批判にさらされる自衛隊……。壮大なスケールで描く国民作家最後の傑作長編。

住井すゑ著

橋のない川（一〜七）

故なき差別に苦しみながら、愛を失わず真摯に生きようとする人々の闘いを、明治末から大正の温雅な大和盆地を舞台に描く大河小説。

松本清張著 わるいやつら（上・下）

厚い病院の壁の中で計画される院長戸谷信一の完全犯罪！　次々と女を騙しては金をまき上げて殺す恐るべき欲望を描く長編推理小説。

松本清張著 砂の器（上・下）

東京・蒲田駅操車場で発見された扼殺死体！新進芸術家として栄光の座をねらう青年の過去を執拗に追う老練刑事の艱難辛苦を描く。

松本清張著 状況曲線（上・下）

二つの殺人の巧妙なワナにはめられ、追いつめられていく男。そして、発見された男の死体。三つの殺人の陰に建設業界の暗闘が……。

松本清張著 けものみち（上・下）

病気の夫を焼き殺して行方を絶った民子。疑惑と欲望に憑かれて彼女を追う久恒刑事。悪と情痴のドラマの中に権力機構の裏面を抉る。

松本清張著 黒革の手帖（上・下）

横領金を資本に銀座のママに転身したベテラン女子行員。夜の紳士を相手に、次の獲物をねらう彼女の前にたちふさがるものは――。

松本清張著 渦

テレビ局を一喜一憂させ、その全てを支配する視聴率。だが、正体も定かならぬ調査による集計は信用に価するか。視聴率の怪に挑む。

江上剛著
特命金融捜査官
欲望にまみれた銀行、失踪した金庫番の男、闇の暴力組織……。金融庁長官の特命を帯びた捜査官が不正を暴く！　傑作金融エンタメ。

高杉良著
小説ヤマト運輸
配送革命「クロネコヤマトの宅急便」は、いかにして達成されたのか——。新インフラ誕生の全貌を描いた、圧巻の実録経済小説。

高杉良著
組織に埋れず
失敗ばかりのダメ社員がヒット連発の〝神様〟に！　旅行業界を一変させた快男子の痛快な仕事人生。心が晴ればれとする経済小説。

高杉良著
出世と左遷
会長に疎んじられた秘書室次長の相沢靖夫。左遷にあっても心折れずに働く中間管理職の姿を描き、熱い感動を呼ぶ経済小説の傑作。

高村薫著
レディ・ジョーカー（上・中・下）
毎日出版文化賞受賞
巨大ビール会社を標的とした空前絶後の犯罪計画。合田雄一郎警部補の眼前に広がる、深い霧。伝説の長篇、改訂を経て文庫化！

高村薫著
晴子情歌（上・下）
本郷の下宿屋から青森の旧家へ流されてゆく晴子。ここに昭和がある。あなたが体験すべき物語がある。『冷血』に繋がる圧倒的長篇。

有吉佐和子著

悪女について

醜聞にまみれて死んだ美貌の女実業家富小路公子。男社会を逆手にとって、しかも男たちを魅了しながら豪奢に悪を愉しんだ女の一生。

有吉佐和子著

恍惚の人

老いて永生きすることは幸福か？　日本の老人福祉政策はこれでよいのか？　誰もが迎える〈老い〉を直視し、様々な問題を投げかける。

有吉佐和子著

複合汚染

多数の毒性物質の複合による人体への影響は現代科学でも解明できない。丹念な取材によって危機を訴え、読者を震駭させた問題の書。

有吉佐和子著

華岡青洲の妻

女流文学賞受賞

世界最初の麻酔による外科手術――人体実験に進んで身を捧げる嫁姑のすさまじい愛の葛藤……江戸時代の世界的外科医の生涯を描く。

有吉佐和子著

鬼怒川

鬼怒川のほとりにある絹の里・結城。戦争の傷跡を背負いながら、精一杯たくましく生きた貧農の娘・チヨの激動の生涯を描いた長編。

有吉佐和子著

紀ノ川

小さな流れを呑みこんで大きな川となる紀ノ川に託して、明治・大正・昭和の三代にわたる女の系譜を、和歌山の素封家を舞台に辿る。

塩野七生著

ローマ人の物語 1・2
ローマは一日にして成らず
（上・下）

なぜかくも壮大な帝国をローマ人だけが築くことができたのか。一千年にわたる古代ローマ興亡の物語、ついに文庫刊行開始！

塩野七生著

ローマ人の物語 3・4・5
ハンニバル戦記
（上・中・下）

ローマとカルタゴが地中海の覇権を賭けて争ったポエニ戦役を、ハンニバルとスキピオという稀代の名将二人の対決を中心に描く。

塩野七生著

ローマ人の物語 6・7
勝者の混迷
（上・下）

ローマは地中海の覇者となるも、「内なる敵」を抱え混迷していた。秩序を再建すべく、全力を賭して改革断行に挑んだ男たちの苦闘。

塩野七生著

サロメの乳母の話

オデュッセウス、サロメ、キリスト、ネロ、カリグラ、ダンテの裏の顔は？「ローマ人の物語」の作者が想像力豊かに描く傑作短編集。

塩野七生著

想いの軌跡

地中海の陽光に導かれ、ヨーロッパに渡ってから半世紀――。愛すべき祖国に宛てた手紙ともいうべき珠玉のエッセイ、その集大成。

塩野七生著

マキアヴェッリ語録

浅薄な倫理や道徳を排し、現実の社会のみを直視した中世イタリアの思想家・マキアヴェッリ。その真髄を一冊にまとめた箴言集。

司馬遼太郎著
アメリカ素描
初めてこの地を旅した著者が、「文明」と「文化」を見分ける独自の透徹した視点から、人類史上稀有な人工国家の全体像に肉迫する。

司馬遼太郎著
草原の記
一人のモンゴル女性がたどった苛烈な体験をとおし、20世紀の激動と、その中で変わらぬ営みを続ける遊牧の民の歴史を語り尽くす。

司馬遼太郎著
歴史と視点
歴史小説に新時代を画した司馬文学の発想の源泉と積年のテーマ、〝権力とは〟〝日本人とは〟に迫る、独自な発想と自在な思索の軌跡。

司馬遼太郎著
項羽と劉邦（上・中・下）
秦の始皇帝没後の動乱中国で覇を争う項羽と劉邦。天下を制する〝人望〟とは何かを、史上最高の典型によってきわめつくした歴史大作。

司馬遼太郎著
胡蝶の夢（一〜四）
巨大な組織・江戸幕府が崩壊してゆく――この激動期に、時代が求める〝蘭学〟という鋭いメスで身分社会を切り裂いていった男たち。

司馬遼太郎著
国盗り物語（一〜四）
貧しい油売りから美濃国主になった斎藤道三、天才的な知略で天下統一を計った織田信長。新時代を拓く先鋒となった英雄たちの生涯。

帚木蓬生著

逃　亡（上・下）

柴田錬三郎賞受賞

戦争中は憲兵として国に尽くし、敗戦後は戦犯として国に追われる。彼の戦争は終わっていなかった――。「国家と個人」を問う意欲作。

帚木蓬生著

ヒトラーの防具（上・下）

日本からナチスドイツへ贈られていた剣道の防具。この意外な贈り物の陰には、戦争に運命を弄ばれた男の驚くべき人生があった！

帚木蓬生著

閉鎖病棟

山本周五郎賞受賞

精神科病棟で発生した殺人事件。隠されたその動機とは。優しさに溢れた感動の結末――。現役精神科医が描く、病院内部の人間模様。

帚木蓬生著

蠅の帝国

―軍医たちの黙示録―

日本医療小説大賞受賞

東京、広島、満州。国家により総動員され、過酷な状況下で活動した医師たち。彼らの慟哭が聞こえる。帚木蓬生のライフ・ワーク。

帚木蓬生著

蛍の航跡

―軍医たちの黙示録―

日本医療小説大賞受賞

シベリア、ビルマ、ニューギニア。戦、飢餓、病に斃れゆく兵士たち。医師は極限の地で自らの意味を問う。ライフ・ワーク完結篇。

帚木蓬生著

三たびの海峡

吉川英治文学新人賞受賞

三たびに亙って〝海峡〟を越えた男の生涯と、日韓近代史の深部に埋もれていた悲劇を誠実に重ねて描く。山本賞作家の長編小説。

華麗《かれい》なる一族《いちぞく》（上）

新潮文庫　や－5－12

昭和五十五年五月二十五日　発行
平成十五年八月十日　三十二刷改版
令和三年三月五日　五十九刷

著者　山《やま》崎《さき》豊《とよ》子《こ》
発行者　佐藤隆信
発行所　株式会社新潮社
郵便番号　一六二―八七一一
東京都新宿区矢来町七一
電話 編集部(〇三)三二六六―五四四〇
読者係(〇三)三二六六―五一一一
http://www.shinchosha.co.jp

価格はカバーに表示してあります。

乱丁・落丁本は、ご面倒ですが小社読者係宛ご送付ください。送料小社負担にてお取替えいたします。

印刷・大日本印刷株式会社　製本・株式会社大進堂

ISBN978-4-10-110412-6　C0193